策划编辑：方国根

编辑主持：方国根　夏　青

责任编辑：郭彦辰

封面设计：石笑梦

版式设计：顾杰珍

国家社科基金重点项目(11AZD052)

朱志荣／主编

中国审美意识通史

ZHONGGUO SHENMEI YISHI TONGSHI

·隋唐五代卷·

朱　媛／著

人民出版社

目录

绪论

隋唐是中国传统艺术创作的巅峰期。它不仅处于中国古代诗歌创作的巅峰期，而且在散文、绘画、书法、建筑、乐舞、工艺、雕塑等方面都完备地奠定了古代艺术的基本模式。正如苏轼在《书吴道子画后》所赞："知者创物，能者述焉，非一人而成也。君子之于学，百工之于技，自三代历汉唐而备矣。故诗至于杜子美，文至于韩退之，书至于颜鲁公，画至于吴道子，而古今之变，天下之能事毕矣。"①隋唐国力强盛，四宾来仪，文化交流频繁，思想开放，呈现出了整体上气势拓张、富丽堂皇的审美追求。第一，隋唐时代儒、道、释三教思想并行于世，辩道论理，各放异彩，使隋唐之人的审美爱好流连于远离尘世的空灵自然与济世立功的求道复古的两极之中。隋唐文学平淡寂远，又务实追道，形式严整，又崇尚自然，在艺术追求上最早不分高下地融三教于一体。隋唐三教思想的推进，促成了佛教文化的兴盛。佛教雕刻获得了隋唐雕刻的最高成就，其雄宏阔大，肌体丰腴，庄严肃穆，凌然于众生之上，又悲天悯人，游弋于百相之中，与文学一样，同样在入世与离世之间徘徊。第二，隋唐之际开始全面推行科举制度，大开寒士之门，逐渐打破了贵族与寒士之间不可逾越的屏障，士子间形成了干谒拜会、以文会友、以才显名的风气，产生了自信乐观、积极进取、不甘困顿的处世态度，于审美上也追求雄健刚硬、富丽开张之风。唐代的乐舞博取众家之长，而又偏于雄浑刚健，于大型乐舞编排表演中取得了极高的成就。隋唐建筑格局严整，气势恢宏，凸显了统一王朝的盛世气象。隋唐器物绚丽多彩，既有五彩绚烂的三彩陶瓷，又有清新雅致的邢、

① 俞剑华编著：《中国画论类编》，人民美术出版社1957年版，第455页。

越陶瓷以及制作精细、善于镂空镶嵌的种种金银器，显示了唐人上下积极入世的器用之美。第三，隋唐人热爱生活，郊游、马球各项娱乐活动盛行，男女地位较为随和，人们思想通达，生活审美中开放热情，艺术创作兼容并蓄，不拘一格，可以同时容许并推倡两种相反的审美风格，促进了隋唐时期艺术形态的进一步多样化。唐人有诗歌形式上臻至严谨的律诗，却不局限于形式，依然发展了真淳实情的古体诗、针砭时弊的乐府诗，并于复古运动中开创了散文创作文理之辩的新局面，不仅如此，唐代变文、传奇叙事传情，大力促进了后世小说文体的形成。隋唐绘画在人物、山水、花鸟题材中全面发展，逐渐演绎出南北二派的不同画风，形成了工笔重彩与水墨熏染的不同画风。隋唐书法依据骨、肉之争，涌现出了颜真卿、张旭、怀素等一大批杰出的书法家，在楷书与草书两种书体中建立了不世之楷模。隋唐之人以其纵横捭阖，想落天外的艺术才能，以其热爱生活、亲近自然的生存特征，怀婴孩之赤子之心，又兼有成熟艺术家的自我风格，从心所欲不逾矩地挥洒出了雄健壮丽、令人称羡的整个艺术时代。

唐代文化璀璨，《宣和画谱》卷第二记："议者谓：有唐之盛，文至于韩愈，诗至于杜甫，书至于颜真卿，画至于吴道玄，天下之能事毕矣。"①肇端于隋的南北交融导致了唐文化的空前繁荣充沛。各种文化在这个相对于整个中国古代文化局势而言非常开明宽容的社会背景中相互碰撞影响，璀璨亮丽的文化结晶也应运而生。唐文化成就得利于那个时代的英杰云集，能人备出，更获益于唐代的文化背景。唐代儒、道、释三教并行，科举干谒二途同归，再加上较为宽松清健的政治经济环境，酝酿出唐文化的璀璨成果。

一、三教并兴：交融摄取

隋唐三教并举，隋唐后历代帝王基本上对三教采用了兼收并用的策略，此举之开端当从隋唐而起。隋朝一方面复兴儒家，成就了王通这样的

① 《宣和画谱》卷第二，俞剑华注译，江苏美术出版社 2007 年版，第 59 页。

大儒；另一方面又禁止毁佛道像，大力推行佛道二教的发展。唐高祖时就形成了“三教论议”的制度，让儒、佛、道三教汇聚一堂，使某些问题可以得到多方思路的集中讨论与解决。唐代执政者对三教虽各有偏重，大多数人对三教还是采用兼容并蓄的态度。如佞佛的武则天也认为“佛道二教，同归于善。无为究竟，皆是一宗”①（《禁僧道殿谤制》），并令人编成《三教珠英》。三教在互相取长补短的争斗中迅速成长起来，不但各有发展，还交融并汇，形成了新的文化局面。

初唐时儒家的经典首先得到进一步发展。贞观四年（630年）唐太宗因感到儒门多学，章句繁杂，经义不统一，人们学之不易，而“诏国子祭酒孔颖达与诸儒撰定五经义疏，凡一百七十卷，名曰《五经正义》，令天下传习”②。五经为：《易》、《尚书》、《毛诗》、《礼记》、《春秋左氏传》。《五经正义》综合了南北朝时北学中严谨朴实的特征与南学反谶纬迷信，以义理见长的风格，成为统一经学思想的唐代儒家注疏。唐高宗永徽四年（653年），几经校定后的《五经正义》颁布于天下，明经考试中也以《五经正义》为标准，南北分乱时，学派众多的儒家经典释义被官方强制统一起来。官方对经典的统一虽然会导致释经的僵化，甚至某些地方强制性的误读，但经释统一对一门学问的大面积传播却大有益处，是促进儒家思想传播的第一步。

仅有《五经正义》还不够奠定儒学的正统地位。《五经正义》统一了儒家经典文本，初唐时期儒家义理辨析并没有得到很大的改进。明经考试分贴经与问经。贴经只要将原文背诵下来。问经时也只需知其大义即可，并不做细致的义理分析。一直到中唐时期儒家经义才得到了新的推进，成为唐代儒学学术史上，甚至是中国儒学学术史上承先启后、转旧为新的关键点。中唐时期古文运动兴起，要求“文以载道，文以明道”。文论所要求的面世情怀、济世救民的铁肩道义与中唐儒学改革休戚相关，代表人物主要有柳宗元、刘禹锡、韩愈与李翱等。其思想转变主要有以下两点。

---

① （清）董诰等编：《全唐文》卷九十五，上海古籍出版社1990年版，第430页。

② （后晋）刘昫等：《旧唐书》卷一百八十九上，中华书局1975年版，第4941页。

一是民本思想。先秦儒家明确提出民本思想的是圣贤孟子。但唐代之前,孟子并没有受到相应的尊崇。天子于明堂祭拜的多为周公、孔子与颜回,未提孟子。以周公为首的祭祀更注重儒家使天下归心,要求政权统一的政治价值。唐初确定了孔子的地位,以孔子为圣,取代了周公,“武德二年,始诏国子学立周公、孔子庙;七年,高祖释奠焉,以周公为先圣,孔子配。九年封孔子之后为褒圣侯。贞观二年,左仆射房玄龄、博士朱子奢建言:‘周公、尼公俱圣人,然释奠于学,以夫子也。大业以前,皆孔丘为先圣,颜回为先师。’乃罢周公,升孔子为先圣,以颜回配”①。但是随之从祀的人物中依然没有孟子,“二十一年,诏左丘明、卜子夏、公羊高、穀梁赤、伏胜、高堂生、戴圣、毛苌、孔安国、刘向、郑众、贾逵、杜子春、马融、卢植、郑康成、服虔、何休、王肃、王弼、杜预、范甯二十二人皆以配享”②。直到唐代宗时期杨绾才上疏,请将《孟子》加入科举的书目中,“论语、孝经、孟子兼为一经”③。孟子思想价值被正式提上国之议题。

孟子在唐时逐渐受到关注,到宋代奠定了他不可动摇的圣贤地位,与唐时民本思想的崛起相关。唐初时魏徵《谏太宗十思疏》已有民可载舟、覆舟的观点,虽没有在祭祀中将之表现出来,但足以在权贵门的思想中形成当头一喝。民本思想的发展从安史之乱后愈演愈烈。杜甫、李绅、白居易的诗作中有大量同情民生疾苦的篇章。中唐韩愈对孟子推崇有加,继承了孟子心性之学,开宋代将《孟子》列为经部的先声。柳宗元、刘禹锡确立了儒家的民本思想,关怀民生之艰辛,强调儒家的淑世情怀。柳宗元指出百姓的重要性,突出“生人之意”以区分传统儒家的“圣人之意”。在《伊尹五就桀赞》中,他说明了“以生人为主”的重要性,指出“圣人出于天下,不夏商其心,心乎生民而已”④。唐代民本思想的推举与唐代通俗文学的昌盛同步发展,唐代书写对象渐渐从历史英雄、鬼怪精灵转向市井大众。唐代楷书圣手颜真卿的书法从民间笔法中借鉴而来。唐代民间绘

---

① (宋)欧阳修、宋祁:《新唐书》卷十五,中华书局1975年版,第373页。
② (宋)欧阳修、宋祁:《新唐书》卷十五,中华书局1975年版,第374页。
③ (宋)欧阳修、宋祁:《新唐书》卷四十四,中华书局1975年版,第1167页。
④ (清)董诰等编:《全唐文》卷五百八十三,上海古籍出版社1990年版,第2609页。

画、民间音乐、民间雕塑依旧繁荣，且与宫廷艺术相互补充、借鉴，催生了雅艺术的多样性，提高了民间艺术的鉴赏品位。

二是以韩愈为代表的儒家力举道统，确定了儒家“有为”之途，肯定了现世之道，以区别道家之“无为”与佛家之空性。

中唐儒学复兴，安史之乱后，针对藩镇割据，宦官专权，朋党勾结，儒学家们定名分，述人伦，固守君臣父子关系，儒学的重要性再一次被士林所确定。在与佛家心性学的辨析中，韩愈以孟子的心性之学，维持人的仁义、礼、智本心，以对抗佛家之空性。中唐儒家强调人的社会担当、社会等级，坚持人各有定位的社会责任分配制，批判如佛家一般不役不税，不承担社会责任的行为。

拥有积极入世的社会责任感的儒学复兴对唐代文风产生了重要影响。初唐时儒家思想的兴盛使唐诗由辞藻浮华的宫体诗、类书诗转向重风骨兴寄，抒写时事，抒发胸怀的作品。唐代文风逐渐摆脱江左旧轨，而标举汉魏，贬抑南朝。初唐四杰的文风已有转折，虽然依然注重文辞华美，但已能够追求以文说事，状物述情，而不是一味走套路地追求文采斐然。陈子昂首先批评南朝文章兴寄都绝，肯定魏晋才人，他的理论在初唐得到响应。中唐古文运动崛起，有一大批人以儒家思想为指导，发动文论变革。如独孤及、萧颖士、贾至、柳宗元，李翱等。这些人要求文章弘扬文德，使之近于理治，能阐释六经之道。韩愈文起八代之衰，推举复古，振中古之风，重视文章的实用性。柳宗元明确主张“文以载道，文以明道”。中唐后的儒学兴盛，使诗文评价标准发生移变，文章创作从重视韵律和谐，对仗工整转向更加注重批斗现实，关注现实问题。同时，人们将文章与个人的修养、才德相联系，重视文章的政治教化作用。这使唐代的说理性杂文、讽喻性小品文、寓言等文体大为兴盛。

在儒学复兴的同时，佛学也在唐代壮大声势。虽然儒家士大夫们清醒地认识到佛家的危害，但经六朝的传播发展，佛教在唐代已经是根深蒂固，难以拔除。唐高祖、唐太宗都没有明显打压佛教，基本上任其发展。武则天时期佞佛风气达到唐时第一个高潮。武则天为了正名自己的统治，大力扶持佛教。和尚法明撰《大云经》四卷，说武则天是弥勒佛转世。

武则天令各州修大云寺，藏《大云经》，将《大云经》颁布于天下，大力宣扬佛家弥勒信仰，在龙门石窟中可以清楚地看到唐时弥勒信仰的兴盛，更有甚者各种符瑞谶纬之说盛行，“天后时，符瑞图谶为上下所同好，自后秘密神异之说风行”①。武则天融合政治立场的佞佛之风，迅速以强权手腕将佛教推广于世。唐玄宗时期佞佛之风稍得缓解，但唐玄宗也并不排斥佛教。以后佛教势力又逐渐兴盛，而这种兴盛因为不再有武则天时期那么浓厚的政治利益，更显出佛教信仰在唐代的根深蒂固。唐代宗迷信佛教，以佛法消弭边患，于禁中供养寺人；唐宣宗大兴寺院，增加僧尼。宪宗更加笃信佛教，元和十四年（819 年），将佛骨迎入大内。韩愈上书《论迎佛骨表》，劝谏宪宗。宪宗气急败坏，竟要对韩愈处以极刑，宰相裴度、崔群为韩愈求情，才使韩愈免于一死，被贬至潮州刺史。唐懿宗也是如此。咸通十四年（873 年），他不顾众臣反对派人去法门寺迎佛骨，更大兴寺庙。佛教大肆发展，囤积土地，逃避课税徭役，即使信仰道教的唐武帝为了国家的经济利益采取了灭佛手段，但一年后风波即过，佛教依然兴旺。统治者们笃信佛教，上行下效，从者甚众，佛教思想的传播，义理的阐释修正在唐人的笃信中顺理成章。

佛教思想遍及各个阶层。民众、皇帝、贵族，甚至思想独立的士大夫们皆不能避免。佛教大肆入华的同时，也在唐代完成了其中国化的过程，天台宗、华严宗、禅宗等中国宗派迅速崛起。不同宗派的崛起既表示佛教信徒广多，也显示了唐人对佛教义理的重新思考。隋唐佛教理论不仅讨论神的问题，关注神灭不灭、净土而去等彼岸世界的问题，还转向主体研究，论述人的心性问题，补充了儒家的不足，并给予道家理论重新的阐释重心，使儒道都从社会制度、人伦的探讨转向对人心性信仰的分析。

佛教心性义理多与文学相关。天台宗的止观并重、定慧双修，智与禅圆融互具的智慧；三论宗的妄言绝虑，无所得之理；禅宗重体悟心证，不重言教，教外别传，不立文字的观点与唐代美学思想中的言语观、意境观、灵感观都可相印证。特别是禅宗对唐代诗歌影响深远。禅宗随缘而行、放

---

① 汤用彤：《隋唐佛教史稿》，武汉大学出版社 2008 年版，第 24 页。

之自然、任性逍遥、直契心性、无著无缚、任性自远等观念又与唐人潇洒放任的艺术风格有着一定的联系;禅宗的直心见性、自在解脱、体悟心性、自净其心、自性觉悟的清静心体认知又与唐诗中空灵洞远、淡泊平简的艺术风格有一定的关系。

除唐代诗歌外,佛家对唐代其他艺术也产生了重要影响。变文作为说唱相结合的文体形式虽古已有之,变文在唐代的盛行却与佛教密不可分。变文最早被用来讲述佛教义理,而且多为宣唱佛家故事,变文讲唱的场所是寺院法场,佛门子弟中又多有擅长此艺者。变文的迅速成长与佛教的推波助澜密不可分。唐代壁画、石椁画中多有莲花图案,还出现了嫔伽形象。陕西扶风法门寺地宫出土的各色金银器、瓷器说明了佛家与唐代工艺制作之间的紧密联系。唐代城池建筑中佛塔是城市建设的天际线最高处。唐代佛雕代表了唐代雕塑的最高成就。佛门弟子中多出书法大家,与张旭齐名的和尚怀素达到一代草书巅峰,无人能及。甚至唐代乐舞也受佛教影响,具有佛传因素。唐代方方面面的艺术一下子被打上了佛教的烙印,此后这个烙印再也没有从中国古代艺术中退场。

与儒释相同,道教在这个朝代也得到了长足的发展。道教在唐代的发展首先多亏一个契机,那就是唐代皇族为李姓。为了抬高自己的身份,姓李的唐代皇帝认同样姓李的老子为远祖,将老子的祭祀列入国家正式祀典。唐高祖、唐太宗、唐高宗都相继认老子为李姓先祖,并采用了兴道抑佛的政策,将道排在佛的前面。唐玄宗于开元末年,命各州修玄元皇帝庙,并在老君像旁修自己的像。道教经籍也成为科举考试的法定经典。唐玄宗开元七年,唐玄宗令弘文、崇文、国子监注释老子,并于天下推行,“及注老子道德经成,诏天下家藏其书,贡举人减尚书、论语策,而加试老子”①。唐玄宗时还设立崇玄学,专门研习《老子》、《庄子》、《文子》等道家经典。

唐代道教于金丹术上大有发展,兴起了金砂派、铅汞派、硫汞派等外丹道派。唐代服丹习惯蔚然成风,韩愈在《太学博士李君墓志铭》中哀叹

① (宋)欧阳修、宋祁:《新唐书》卷四十四,中华书局 1975 年版,第 1164 页。

李于服丹而死时，指出了唐时服丹的弊习："余不知服食说自何世起，杀人不可计。而世慕尚之益至，此其惑也。在文书所记及耳闻相传者不说，今直取目见亲与之游而以药败者六七公，以为世诫。工部尚书归登、殿中御史李虚中、刑部尚书李逊、逊弟刑部侍郎建、襄阳节度使工部尚书孟简、东川节度御史大夫卢坦、金吾将军李道古，此其人皆有名位，世所共识。"①韩愈所举人物皆身居高位，他们且信道如此，可见当时社会风气。除外丹派之外，唐还兴起了以内炼为主的内丹道派，而且最终内丹术取代了外丹术，成为道教炼养术的主流。内丹认为人本身具有真一之气，要长生不死，不需要依靠铅汞、金砂等外物，只要将人体中的真一之气炼出，亦可长生不死。内丹练气讲"天人合一"、阴阳匹配、炼气成神，这与中国艺术的法则自是相通，中国书法、绘画、文章中以气运笔，以势成章，一气贯之的规则都与道教气说相似，可以看出道教炼气说对中国艺术的影响。

除了炼气说影响了唐时运笔组文的方式外，道教中各类教义也直接影响了唐代艺术的各种观念。道教的齐物思想影响了唐诗中的泛生观。按道教的看法，道无所不在，可存于各物之中。庄子《知北游》中论大道所存在的地方可在蝼蚁、稊稗、瓦甓，甚至在屎溺。唐人诗中对象皆有灵性。唐人可与花鸟、野猿、乌龟、镜子、夕阳等一切物体同趣，因为这些物体也可探微知义，与人共情。即使虚无缥缈的神鬼也出现在他们的诗中扮演一定的角色，如张说《闻雨》中的诗句："闲居草木侍，虚室鬼神怜"；李端的《芜城》："风吹城上树，草没城边路。城里月明时，精灵自来去"。道教修道成仙的大志又造成了唐代游仙诗的盛行。诗仙李白常被人称为"天上谪仙人"，赞他具有仙风道骨。杜甫初见李白也想与之"相期拾瑶草"(《赠李白》)。求仙思想常使唐诗中有求仙超世，视富贵荣华为粪土的胸怀抱负，这也使他们常能跳出当时之局限，更长远开阔地考虑洪宇的流变，思考时间与空间的关系。道教的神仙思想又影响了唐传奇。张鹫的《游仙窟》，李公佐的《南柯太守传》，李朝威的《柳毅传》，王度的《古镜记》等作品都受神仙思想影响。

---

① (清)董诰等编：《全唐文》卷五百六十四，上海古籍出版社 1990 年版，第 2529 页。

唐时三教各自为政，相互斗争，也皆能从容地扩张地盘。说服世人，拉拢门徒的目的使三教之间互有冲突，因为政统的需要，儒家的地位一时不可撼动，道教与佛教的冲突在唐代前期显得尤为激烈。唐高祖、唐太宗、唐高宗、武则天时期都有大规模的佛道论争，这些论争常由唐皇亲自主持，影响深远。唐中后期，社会亟待复兴，主张入世济民的儒学排斥佛学，道佛冲突由儒佛冲突代替，发生了武宗灭佛的“会昌法难”。三教虽时有冲突，但在教义的论争中思辨水平不断提高，整体趋势上又显示了三教合一的特征。

隋代就已经提出“三教可一”的观点。隋唐儒生李士谦曾与客辩，客问及三教，李士谦说：“佛，日也；道，月也；儒，五星也。”①另一大儒王通也赞成“三教可一”的观点，在《中说·问易》中提出“三教于是乎可一”的主张。隋末唐初大儒陆德明的《经典释义》将《老子》、《庄子》同其他儒家经典一起加以注音释义，这是经学史上的创举，也是揭示唐代儒道融合的思想例证。佛教注重心性的钻研，融儒家名教“五常”于“五戒”，弱化众生平等观念，主张孝敬父母，论证儒佛不二，强调殊途同归。汉译佛教借助了道教的“气”、“无为”等字翻译佛教经籍，以至于中国人以道家思想理解佛教。比如佛教原认为人死后没有不死灵魂，传入中国后就注入了魂灵观念，宣扬灵魂不灭、鬼神报应、修成正果，成佛得道等观念。它又吸收了道教符箓治病之类的神通观念，采用了借术弘法的方式，以吸引更多的信徒。道教也汲取了儒家与佛学的思想。道教在经文注释中以修身与治国为目标，将《老子》一书看作治国之书。道教经典著作《太平经》又吸收了佛学的心性理性。唐代道教延续了这种融合。如成玄英的“重玄”观融摄了佛教中观思想，又用无双遣、无落两边的方法来描述道。道教的伦理化在隋唐时期得到了进一步的发展。唐代的道教学者多采用援儒入道的立场，以儒家的伦理思想确立道教先师地位，并在道门中并列等级，约束部众。

三教的并举与合一导致唐代文人墨客或外修儒服，或内诵佛典，或求

① （唐）魏徵等：《隋书》卷七十七，中华书局1973年版，第1754页。

仙问道,或建立功业,随意出入于三教之间。出世与入世、有为与无为的思想斗争,酿成了唐代相异又丰富的艺术成果。使唐代艺术既有“文以载道”的文学改革,又有言辞绚丽的言辞章句;既有满情激荡的张怀狂草,也有冲淡平和的自然诗风;既有建功立业的边塞绝响,也有衣羽翩翩的霓裳舞曲。

二、干谒科举:积极进取

唐代在选用人才的途径上逐渐由六朝的门阀推举制转向了考试制。隋唐以前官职基本上为社会贵族垄断,虽然平民当官可以由地方官推举,再由中央考核,但如果地方官不推举,平民当官的机会就十分渺茫了。因为地方政治常常把持在豪族大户的手中,所以平民能得到地方举荐的机会并不多。发展到魏晋的九品中正制,门第成为受举荐的先决条件,造成了当时社会上“上品无寒门,下品无势族”的局面。梁武帝时,渐开寒士求仕之路。梁武帝设五经博士,每个人各领一馆,馆中多收寒门子弟,其中凡能通经明策者,皆可为吏。隋朝正式废除了九品中正制,开设了每年的常贡考试,包括秀才、明经、进士三科,人才的选拔任用都要通过考试才行。隋代选士虽仍以举荐为主,但门第限制更为宽松。

初唐时期,唐代选拔人才基本因循隋制。武则天、玄宗时期,原来占据绝对政治资源优势的关陇贵族逐渐衰落,从一般士族选拔人才的政治条件也逐渐成熟。唐代取士确立了基本途径:“其大要有三。由学馆者曰生徒,由州县者曰乡贡,皆升于有司而进退之。其科之目,有秀才,有明经,有俊士,有进士,有明法,有明字,有明算,有一史,有三史,有开元礼,有道举,有童子。而明经之别,有五经,有三经,有二经,有学究一经,有三礼,有三传,有史科。此岁举之常选也。其天子自诏者曰制举,所以待非常之才焉。”①所以唐代科举取士包括三种方式:生徒、贡举与制举。直接从京城和各州县官方学校毕业,参加尚书省考试的学生是生徒;在家或私

---

① (宋)欧阳修、宋祁:《新唐书》卷四十四,中华书局1975年版,第1159页。

塾学习,先通过州县考试,再到尚书省考试的叫贡举。前两者因为具有固定时间,一般每年都有,又可称为常科。如果天子选拔特殊人才,另外加一场考试,便称为制举。

常科中考生徒的学生要具有一定的门荫资格才能入国子学、太学读书,基本为官宦子弟。四门学生近一半为七品以上子弟,另一半取的是平民百姓中的有才能者。进入国子学、太学、四门学的贵族学生只要学习还行,具有通两经的学术水平就有机会做官。学校里读书做官虽然主要是为贵族子弟仕途铺路,但也为寒门庶子提供了一些学习机会。为了不使人才流失,天宝年间,取消贡举,寒门庶子只能通过入官学参加科举,"学校就成为通向科举的唯一渠道"①。

贡举学子在开科考试那一年,得自己到州县报名考试,这是乡贡。在同等的能力条件下,平民百姓的机会当然还是远远少于贵族子弟,但平民晋升之路已经被打通,虽艰难,却有希望,为天下才子树立凭才进取的标准。

隋唐科举并没有完全废除察举制与门荫制,但相对而言为一般百姓创造了更多的机会。一方面,唐代在品级与嫡系上严格限制门荫承爵与门荫入仕现象;另一方面,通过秀才、明经、进士、明法、明书、明算六科选取国家重要人才,科举考试中人才的选拔确确实实建立于个人诸方面的能力。其中个人的作文能力又最受推举。明经与进士科是唐代最重要的科举途径。明经考的是学子对经史的熟悉程度,选取可背诵经史内容,并辩明义理的人才。为保证这方面人才的持续,唐后又增加三礼、三传、三史的科目,都是为考察经史大义。还有童子科、道举也都是从明经派生出来的。真正决定唐代文学繁荣的是另一考试项目:进士。科举考试以考试成绩决定官员任用,自然带动了人们对考试内容的重视。科举考试在相当程度上考察是否会做文章,这就成就了唐代文学的繁荣。常举中的进士科与制举中的博学宏词科常考诗赋,州县府试也常考诗赋。在唐代众多科目中,又以进士科最为贵重。《唐摭言》载:

---

① 吴宗国:《唐代科举制度研究》,辽宁大学出版社 1992 年版,第 131 页。

> 缙绅虽位极人臣,不由进士者,终不为美,以至岁贡常不减八九百人。其推重谓之“白衣公卿”,又曰“一品白衫”;其艰难谓之“三十老明经,五十少进士”;其负倜傥之才,变通之术,苏、张之辨说,荆、聂之胆气,仲由之武勇,子房之筹画,弘羊之书计,方朔之诙谐,咸以是而晦之,修身慎行,虽处子之不若;其有老死于文场者,亦所无恨。①

《新唐书·选举志》同样述:“进士尤为贵,其得人亦最为盛焉。”②《唐国史补》载:“进士为时所尚久矣。是故俊乂实集其中,由此出者,终身为闻人。故争名常切,而为俗亦弊。”③士人对进士科的推崇引发了唐代文学崇拜现象,因为进士科的考试多为诗词赋论,“为进士者皆诵当代之文”④。以文词声律取士的方式也引起了一些人的反思,如文宗时期的宰相郑覃就“深嫉进士浮薄,屡请罢之”⑤,但未能撼动进士科的地位。科举中“取士限韵”的规则激发了唐代律赋的创作。唐人继往开来,文人在格律运用上更加娴熟,为格律诗的兴盛打下基础。

受到科举考试推动的艺术不仅是文学,书法艺术的发展也大受其益。唐代书家甚众,光《佩文斋书画谱》就记载唐书法家一千多人。唐代以书法选举人才,立书学博士,科举考试中教官也以考生的书法为评价之标准,唐代楷书能得到迅速发展也多受科举之益。

科举考试是唐代选士的主要途径。另外,唐代并没有完全废除推举制,而以另一种形式发展了推举制。唐代文人之间盛行干谒之风。唐代举子为了能在考试中顺利及第,通常执自己的文章拜见名士权贵,甚至是主考官,以获得名士权贵的赏识与提携。干谒创作丰富,包括行卷、献书、投献干谒诗与干谒文等形式。再者,因及第举子不能马上授课,必须等待官位空缺。六品以下官员任期满,也必须等候若干年的守选,才可能得到

---

① (五代)王定保:《唐摭言校注》卷一,姜汉椿校注,上海社会科学研究院出版社2003年版,第10页。

② (宋)欧阳修、宋祁:《新唐书》卷四十四,中华书局1975年版,第1166页。

③ (唐)李肇、赵璘:《唐国史补·因话录》,上海古籍出版社1979年版,第55页。

④ (宋)欧阳修、宋祁:《新唐书》卷四十四,中华书局1975年版,第1166页。

⑤ (宋)欧阳修、宋祁:《新唐书》卷四十四,中华书局1975年版,第1168页。

升迁或授官的机会。为了能得到任职机会,及第举子及守选官员,也常以干谒行为求得名士高官的赏识,以让他们获得理想的职位,这使干谒之风更盛。能拿出去代表自己的文章诗歌都是个人得意之作,好文章在文人圈中相互传播,文人才子激励勉进,创作者随着文章的传播也声名鹊起,直接打开了仕途通渠。一些名士也愿意凭借文章引进推荐后进者,如"韩愈引致后进,为求科第,多有投书请益者,时人谓之韩门弟子"①。上下两方通力配合,干谒成为唐代选士另一主要途径。

大部分文人都有投书启的贽谒行为。岑参有"一从弃鱼钓,十载干明王"(《至大梁却寄匡城主人》)②,李白有"十五好剑术,遍干诸侯"《与韩荆州书》③,杜甫有"骑驴三十载,旅食京华春"(《奉赠韦左丞丈二十二韵》)④,白居易有"应举,初至京,以诗谒顾(《幽闲鼓吹》)"⑤。这些文人有的干谒成功,一举成名,如白居易以一首《赋得古原草送别》为顾况看重,"道得个语,居即易矣,因为之延誉,声名大振"⑥,从而一举成名。韩愈有干谒作品《三上宰相书》,其干谒也较为顺利,"洎举进士,投文于公卿间,故相郑余庆颇为之延誉,由是知名于时"⑦。不过绝大多数人都没有这么好运,皎然干谒韦应物时就颇费周折,《因话录》卷四记载皎然工律诗,干谒韦应物时,"恐诗体不合,乃于舟中抒思,作古体十数篇为贽。韦公全不称赏,昼极失望。明日写其旧制献之,韦公吟讽,大加叹咏。因语昼云:'师几失声名,何不但以所工见投,而猥希老夫之意。人各有所得,非卒能致。'昼大伏其鉴别之精"⑧。皎然虽经波折,也算成功了。更多的人长久时间干谒无成,愤懑落魄。他们遍尝干谒艰辛,仰人鼻息,看人脸色,连大诗人杜甫也深受其苦,"骑驴三十载,旅食京华春。朝扣富

① (唐)李肇、赵璘:《唐国史补·因话录》,上海古籍出版社1979年版,第41页。

② (清)曹寅、彭定求等编纂:《全唐诗》卷一九八,中华书局1999年版,第2032页。

③ (清)董诰等编:《全唐文》卷三百四十八,上海古籍出版社1990年版,第1562页。

④ (清)曹寅、彭定求等编纂:《全唐诗》卷二一六,中华书局1999年版,第2252页。

⑤ (唐)张固:《幽闲鼓吹》,中华书局1991年版,第2页。

⑥ (唐)张固:《幽闲鼓吹》,中华书局1991年版,第2页。

⑦ (后晋)刘昫等:《旧唐书》卷一百六十,中华书局1975年版,第4195页。

⑧ 上海古籍出版社编:《唐五代笔记小说大观》,上海古籍出版社2000年版,第866页。

儿门，暮随肥马尘。残杯与冷炙，到处潜悲辛”（《奉赠韦左丞丈二十二韵》）①。干谒的过程痛苦纠结，经常是备受白眼，饱尝艰辛后，还不得其门而入，但因为这是成就功名，实现抱负的一大途径，所以很多人都迫不得已地选择了这条艰苦之路。

干谒为唐代选拔人才与文学的繁荣作出了贡献。干谒一方面可以直接达到自己的目的，由干谒对象直接提携，从而及第或获得升迁；另一方面即使不能直接达到做官得利的目的，也可使自己名声鼓噪。有些人虽然不能通过干谒直接获得自己满意的官职，但对其声名的传播却大为有利。干谒行为会带来互相赠文的连锁效应。后辈以文谒见名流，名流也要回复投书。如张九龄的《答严给事书》、韦述的《答萧十书》、萧颖士的《重答李清河书》、张荐的《答权载之书》、权德舆的《答左司崔员外书》、韩愈的《答陈生书》等都是如此。文人间书契的相互交流，实现了文学的双向传播，促进了唐代诗文创作的兴盛。这种行迹使文人彼此之间气类相感，互相推奖，荣辱与共，所以很容易形成类似文风的交流与集中，如大历十才子、饮中八仙、竹溪六逸。干谒赠文的传播手段多样，如传抄、赠答、集会、宴飨、书信等形式都可加以利用。作品在圈内人手中的互相传唱扩展了文学的传播范围，提高了作品在受众之间的知名度。

干谒行为，也意味着唐代文学不仅仅是抒发情性、自娱自乐的审美活动，更是文人谋生立业，功成名就的生存工具。而文章一旦成名将带来极大的物质利益，如刘禹锡赞韩愈文曰：“声名塞天，公鼎侯碑，志隧表阡，一字之价，辇金如山。”（《祭韩吏部文》）②文学带来的极大利益，使文人不忌讳录名于凶肆，而以文易金。《唐国史补》记韦贯之任尚书右丞时：“长安中，争为碑志，若市贾然。大官薨卒，造其门如市，至有喧竞构致，不由丧家。”③清钱泳《履园丛话》记载：“白乐天（白居易）为元微之（元稹）作墓志铭，酬以舆马、凌帛、银鞍、玉带之类，不可枚举。”④李邕擅长碑

① （清）曹寅、彭定求等编纂：《全唐诗》卷二一六，中华书局1999年版，第2252页。

② （清）董诰等编：《全唐文》卷六百十，上海古籍出版社1990年版，第2733页。

③ （唐）李肇、赵璘：《唐国史补·因话录》，上海古籍出版社1979年版，第57页。

④ （清）钱泳：《履园丛话》卷三，中华书局1979年版，第73页。

颂:"中朝衣冠及天下寺观,多齐持金帛,往求其文。前后所制,凡数百首,受纳馈遗,亦至巨万。时议以为自古鬻文获财,未有如邕者。"①另一功用性的艺术,书法也是如此,如柳公权书法"以书贶遗盖巨万"②。唐代诗文盛世的到来有其审美自律的生成原因,但社会功利性的推波助澜也功不可没。

科举制、干谒制、均田制、府兵制等社会基本生存制度的确立成熟,使唐人可以明确自己的定位。以才取士的制度拓展了社会选拔人才的范围,也成功营造出唐代对有能力者的推崇氛围,虽未完全取消,但减少了出身对人最终成就的影响。唐人通过干谒科举积极进取,敢于毛遂自荐,不甘于夙命,自强不息。唐人自信拼搏,以文才实现抱负的信心促进了文学体裁、文学构思、文学创新、文学传播、文学创作数量等方面的繁荣和发展。以文及第、以诗显名的社会风气,将诗歌文学的创作与个人的社会地位相互勾连,难怪唐代连贵如帝王者也羡慕文采斐然的才子。

三、开化世俗:明达宽松

唐代各民族和睦相处,士庶差别缩小,神鬼权威被打破,皇家对民众言论持宽松态度,少文字狱,广开觐见上言的门路。唐代宽松的文化政策使唐人思想活跃,多元思想并行,并渐出各抒已见、各展拳脚,甚至是标新立异、惊世骇俗的作品。

唐代门第郡望观念被逐渐打破,士庶差别缩小。唐政府采用了不隔士庶的取才政策。唐太宗时期,政局由关陇旧士族垄断,科举取士并未发挥突出作用。武则天掌握实权后,加强了科举取士的实质意义,以打破关陇旧士族垄断政权的局面,以才举选贤授能。《新唐书》载:"太后不惜爵位,以笼四方豪杰自为助,虽妄男子,言有所合,辄不次官之。至不称职,寻亦废诛不少纵,务取实材真贤。"③唐代逐渐消解了传统门阀观念。唐

① (后晋)刘昫等:《旧唐书》卷一百九十中,中华书局1975年版,第5043页。
② (宋)佚名:《宣和书谱》,人民美术出版社2011年版,第36页。
③ (宋)欧阳修、宋祁:《新唐书》卷七十六,中华书局1975年版,第3478页。

太宗重修《氏族志》将王室姓氏提升为一等，武则天再重修《氏族志》，订制《姓氏录》，彻底废除了传统世袭门第观念，抬高新政权庶族门第，撤销无官位的传统士族门第，以官位确定士族门第。这样保证了士族本身的地位低于皇权所授的官位，世家地位与皇权授位逐渐拉开距离。

打破了门阀观念的唐人积极进取，建功立业，努力发挥自身所长，并且不以积极入仕，扬名显己为耻。魏晋时代"自衒自媒者，士女之丑行；不忮不求者，明达之用心。是以圣人韬光，贤人遁世"①的观念被打破。唐人为获得功名，或寒窗苦读，进士及第；或奔走干谒，互延声誉以取终南捷径。在这种风气下，唐代许多名士也愿意提携晚生，他们鼓励、引荐后生，以发现贤能者为己任。大丈夫扬名于世的观念得到整个社会的认同，入世有所作为的观念空前膨胀。绝大多数能人才子既不用自矜身份避世隐居；也不自卑身份碌碌无为，他们都愿意在大好河山中崭露头角，一施所长。

不仅门阀偏见逐步消散于唐宽松的文化氛围中，对异族的偏见也大为见缓。隋朝杨氏与唐朝李氏的先世都是西北的少数民族。隋炀帝承父妃，唐太宗纳弟媳，高宗以父亲才人为皇后，玄宗纳儿媳为贵妃这些行为都是西北的民族风俗。

唐人服饰受北胡影响，胡人也会穿汉服。唐刘肃的《大唐新语》提到两族衣饰互穿的情景，"胡着汉帽，汉着胡帽"②。盛唐之时，上层贵族穿着胡服成为一时风尚。《旧唐书·舆服制》记："武德、贞观之时，宫人骑马者，依齐隋旧制，多着幂离。虽发自戎夷，而全身障蔽，不欲途路窥之。王公之家，亦同此制。永徽之后，皆用帷帽，拖裙到颈，渐为浅露……则天之后，帷帽大行，幂离渐息。中宗即位，宫禁宽驰，公私妇人，无复幂离之制。开元初，从驾宫人骑马者，皆着胡帽，靓妆露面，无复障蔽。士庶之家，又相仿效，帷帽之制，绝不行用。俄又露髻驰骋，或有著丈夫衣服靴

---

① （梁）萧统：《陶渊明文集序》，载袁行霈：《陶渊明集笺注》附录一，中华书局 2011 年版，第 422 页。

② 上海古籍出版社编：《唐五代笔记小说大观》，上海古籍出版社 2000 年版，第 296 页。

衫，而尊卑内外，斯一贯矣。……太常乐尚胡曲，贵人御馔，尽供胡食，士女皆竟衣胡服。故有范阳羯胡之乱，兆于好尚远矣。”①胡服对汉代服装的改革使妇人出行不再全身障蔽，唯恐一丝肌肤让人瞧了去。男子的胡服也让大家的行动更加便利。穿着的宽松也是礼制束缚稍稍松绑的一个征兆。李泽厚说：“‘丝绸之路’引进来的不只是‘胡商’会集，而且也带来了异国的礼俗、服装、音乐、美术以至各种宗教。‘胡酒’、‘胡姬’、‘胡帽’、‘胡乐’……是盛极一时的长安风尚。这是空前的古今中外的大交流大融合。无所畏惧、无所顾忌地引进和吸取，无所束缚、无所留恋地创造和革新、打破框框，突破传统，这就是产生文艺上所谓‘盛唐之音’的社会氛围和思想基础。”②敦煌千佛洞壁画中常出现红色、棕色头发，蓝色、绿色眼睛的僧侣与信徒，显示这一区域曾是国际交流中心。

唐太宗曾言：“自古皆贵中华，贱夷、狄，朕独爱之如一，故其种落皆依朕如父母。”③唐朝境内各少数民族区实行类似民族自治的府州制度。这些地方的长官由各少数民族的首领担任，官位可以世袭。只要这些首领服从各都护府的领导，区域内大小事务由他们总理。不仅如此，唐政府任职高官中也常有少数民族出身者的存在，如长孙无忌、李光弼、哥舒翰、仆固怀恩等唐代高官名将皆是少数民族出身。唐代对夷狄的看法是较为宽松平等的。所以唐代很多艺术如音乐、壁画、工艺品都可以看到胡人文化的参与。

唐不仅华夷为一，对女子的束缚也比较宽松。唐前期丈夫“畏妻”成为一种风气，从皇帝到大臣皆有畏妻典范。唐时并不要求女子无才就是德。在政治、文学、艺术等方面，女子都是人才辈出。唐代出了一位女皇帝，以女统男，触动了男尊女卑这一基本男权社会观念。唐时母亲与父亲一样获得了死后子孙应为之同服三年之丧的权利。武则天当政时期女子可为官谈论政事。唐代女子读书习艺、吟诗作赋，各出其才。文学有薛涛、李治、鱼玄机、杨容华等；书法有吴彩鸾、薛涛、临川公主、曹文姬、廉女

① （后晋）刘昫等：《旧唐书》卷四十五，中华书局1975年版，第1957—1958页。
② 李泽厚：《美的历程》，中国社会科学出版社1989年版，第121页。
③ （宋）司马光：《资治通鉴》卷一百九十八，中华书局1956年版，第6247页。

真等。还有上官婉儿、宋若莘、关盼盼等女子，皆以诗赋经史之才闻名于世。更不用说在舞乐方面的人才，俱是以女子出众。这些女子才华横溢，有些人的才华足以媲美当时男子中的卓卓者。如书法家薛涛是中唐著名的才女，元稹有诗赞她，“锦江滑腻蛾眉秀，幻出文君与薛涛。言语巧偷鹦鹉舌，文章分得凤凰毛。纷纷辞客多停笔，个个公卿欲梦刀”（《寄赠薛涛》）。再如吴彩鸾有《龙鳞楷韵》。“后柳诚悬题云：‘吴彩鸾，世传谪仙也。一夕书广韵一部，即鬻于市，人不测其意。’稔闻此说，罕见其书，数载勤求，方获斯本。观其神全气古，笔力遒劲，出于自然，非古今学人可及也。”①

唐代言论宽松，不崇拜权威，连孔圣人也被讥讽。如《孔子项讬相问书》中的孔子一改仁德教化的圣人形象，而是一个专横独断、起意杀人的恶徒。在孔子与项讬的辩论中，孔子被项讬无可辩驳的推理难住。而孔子回答问题漏洞百出，无法自圆其说。在自知不如项讬后，恼羞成怒，竟起杀人之心。在一向尊儒尊孔的封建社会，对孔子竟如此戏弄嘲讽甚至诋毁。孔夫子不敌七岁小儿的故事虽最早见于《战国策·秦策》。但继独尊儒术之后，将孔子的形象进一步恶化，并以变文的形式广为传唱却发生在唐代。

宽松的文化氛围还表现在唐代绝少文字狱。宋人洪迈的《容斋随笔·唐诗无讳避》中说：“唐人歌诗，其于先世及当时事，直辞咏寄，略无避隐。至宫禁嬖昵，非外间所应知者，皆反复极言，而上之人亦不以为罪。”②事关皇家稳私的宫闱禁事都可直言不讳，被反复论说。如变文《叶净能诗》中写道士叶净能在夜间取宫中美女至观内同寝，天明送回，致美人怀孕：“净能见大内一宫人，美貌殊绝，每见帝宠。净能遂归观内，书一道符，变作一神。神人每至三更，取内人来于观内寝，恰至天明，却送归宫”③；唐玄宗欲杀之，却无法捉住他。这种想象已经严重亵渎皇家尊严，唐代言论之开明宽松可见一斑。唐人思想自由活跃，言论宏放通达得益

---

① （元）王恽：《玉堂嘉话》第二卷，中华书局1985年版，第22页。

② （宋）洪迈：《容斋随笔》，中华书局2007年版，第314页。

③ 王重民、周一良等编：《敦煌变文集》，人民文学出版社1957年版，第226页。

于较为宽松的政治环境。

平民思想在唐代逐渐抬头，并越来越受到重视。初唐与盛唐之时，唐代诗风继承了六朝的宫体诗风格，以雍容雅致为主。如殷璠的《河岳英灵集》所编选的就是这个时期的诗作，所收作品引经据典、抒情写意，表现平民生活的很少。不仅如此，其他的收录盛唐诗作的选本中如《国秀集》、《玉台后集》、《丹阳集》等都是如此。中唐以后，门阀贵族衰落，士风大变，平民出身的士人增加。宫体诗、类书式的诗风逐渐被关注现实、针砭社会的其他诗风所取代。平民的地位在艺术中越来越受重视。溯其源头，这种思想在盛唐已见萌芽。它表现为诗人张扬自我、恃长自负、平交王侯的人生理想。李白身上尤其凸显了他恃才傲物的精神。他在《雪谗诗赠友人》中直接怒斥权贵昏聩无能，嫉贤妒能："拾尘掇蜂，疑圣猜贤。哀哉悲夫，谁察予之贞坚。彼妇人之猖狂，不如鹊之强强。彼妇人之淫昏，不如鹑之奔奔。坦荡君子，无悦簧言。擢发续罪，罪乃孔多。倾海流恶，恶无以过。人生实难，逢此织罗。积毁销金，沉忧作歌。"①《古风》第二十二："大车扬飞尘，亭午暗阡陌。中贵多黄金，连云开甲宅。路逢斗鸡者，冠盖何辉赫。鼻息干虹霓，行人皆怵惕。"②《古风》第四十二："斗鸡金宫里，蹴鞠瑶台边。举动摇白日，指挥回青天。"③上层社会中走鸡遛狗之辈得志，风光无限、四处招摇的丑陋嘴脸昭然若揭。他的《答王十一寒夜独酌有杯》直指君主，痛快淋漓地抒发了他对上位者的蔑视。杜甫的诗歌与李白同声相应，"朱门任倾夺，赤族迭罹殃。国马竭粟豆，官鸡输稻粱"（《壮游》）④；"斗鸡初赐锦，舞马既登床"（《斗鸡》）⑤。如果说在李白、杜甫等人诗中还只是表达对权贵尸位素餐的不满，到了白居易等人的作品中，已经直接指出上位者的剥削身份，揭露权贵们穷奢极欲的生活与百姓们生存之间的激烈冲突，将这些国之蠹虫定位为造成百姓水深

① （清）曹寅、彭定求等编纂：《全唐诗》卷一六八，中华书局 1999 年版，第 1739 页。
② （清）曹寅、彭定求等编纂：《全唐诗》卷一六一，中华书局 1999 年版，第 1677 页。
③ （清）曹寅、彭定求等编纂：《全唐诗》卷一六一，中华书局 1999 年版，第 1680 页。
④ （清）曹寅、彭定求等编纂：《全唐诗》卷二二二，中华书局 1999 年版，第 2363 页。
⑤ （清）曹寅、彭定求等编纂：《全唐诗》卷二三〇，中华书局 1999 年版，第 2521 页。

火热生活的罪魁祸首。如《杜陵叟》所骂:“剥我身上帛,夺我口中粟。虐人害物即豺狼,何必钩爪锯牙食人肉。”①上位者穷凶极恶地与民夺利的行径与禽兽弑人无异。这些不畏权贵、直斥上位过失,为百姓仗义执言的诗歌都显示了民本思想逐渐占据诗人思想中的主要地位,布衣百姓的生活在唐艺术中占据重要地位。

唐代思想宽松与经济繁荣也具有很重要的联系。唐代经济昌盛,安史之乱前,人们生活富足。唐代继承推行北魏以来的均田制,将土地分给农民耕种,按土地数量、资产收入向农民征收赋税,取消了容易拉大贫富差距的按丁出税模式。均田法推动农业发展,使人有其地可耕,增加了粮食产量,增加了农民收入。唐代鼓励生产,政府从边境将流离失所的汉人召回,规定婚龄,奖励生男家庭,增加劳动力。在保证劳动力与生产资料的前提下,唐代迅速富裕起来。开元、天宝年间是“天下大治,河清海晏,物殷俗阜”②,“左右藏库,财务山积,不可胜较。四方丰稔,百姓殷富。……路不拾遗,行者不囊粮”③。因为生产力增大,供求充实,所以物价不高,百姓得以丰衣足食。《新唐书·食货志一》记载:“贞观初,户不及三百万,绢一匹易米一斗。至四年,米斗四五钱,外户不闭者数月,马牛被野,人行数千里不赍粮,民物蕃息,四夷降附者百二十万人。是岁,天下断狱,死罪者二十九人,号称太平。”④开元年间更加富裕,“海内富实,米斗之价钱十三,青、齐间斗才三钱,绢一匹钱二百。道路列肆,具酒食以待行人,店有驿驴,行千里不持尺兵”⑤。因为唐代经济实力的强盛,唐人信心饱满,情绪高昂,对国家怀着满腔的热爱,正如李白所说,“一百四十年,国容何赫然”(《古风》第四十二首)⑥。目睹了战争给社会带来沉重灾难的杜甫对开元念念在心:“历历开元事,分明在眼前。无端盗贼起,

---

① (清)曹寅、彭定求等编纂:《全唐诗》卷四二七,中华书局1999年版,第4715页。
② (唐)郑綮:《开天传信记》,中华书局1985年版,第1页。
③ (唐)郑綮:《开天传信记》,中华书局1985年版,第2页。
④ (宋)欧阳修、宋祁:《新唐书》卷五十一,中华书局1975年版,第1344页。
⑤ (宋)欧阳修、宋祁:《新唐书》卷五十一,中华书局1975年版,第1346页。
⑥ (清)曹寅、彭定求等编纂:《全唐诗》卷一六一,中华书局1999年版,第1680页。

忽已岁时迁。”①唐人无论是顺势还是逆势都铭记国家的强盛，保持着民族的傲然自信。

经济的富庶使唐代贸易频繁，人们视野更加开阔。长安城分东市与西市，四海奇珍，八方异宝皆聚集在这里交易，还有许多外国的商人于两市中熙熙攘攘，你来我往，带走大唐文化的同时，也带来了异邦的文化。洛阳、扬州、泉州等地都曾是世界经济大都市。大城市中酒楼店肆林立，唐玄宗开元十三年“东至宋、汴，西至岐州，夹路列店肆待客，酒馔丰溢。每店皆有驴赁客乘，倏忽数十里，谓之驿驴。南诣荆、襄，北至太原、范阳，西至蜀川、凉府，皆有店肆，以供商旅”②。经济的发展，促进了交通的发展。“凡东南郡邑无不通水，故天下货利，舟楫居多。转运使岁运米二百万石输关中，皆自通济渠。入河而至也。江淮篙工不能入黄河。蜀之三峡、河之三门、南越之恶谿、南康之赣石，皆险绝之所，自有本处人为篙工。……扬子、钱塘二江者，则乘两潮发棹，舟船之盛，尽于江西，编蒲为帆，大者或数十幅，自白沙沂流而上，常待东北风，谓之潮信。……然则大历、贞元间，有俞大娘航船最大，居者养生送死嫁娶悉在其间；开巷为圃，操驾之工数百，南至江西，北至淮南，岁一往来，其利甚博，此则不啻载万也”③。交通的发展有利于文化的传播，唐诗文的传播速度与范围都大为增加。城市人口的集中又带来了市民文化的兴盛，讲唱文学、传奇体这些文学形式具有了广阔的授受群体。

唐人辽阔的视野促成了他们宽阔的胸怀、雄健的气势，出现了“九天阊阖开宫殿，万国衣冠拜冕旒”（王维《与贾至舍人早朝大明宫》）④的气象，唐代艺术风格也以雄浑壮丽、自信进取为多。宽松的文化氛围使多元思想并存，多种艺术形式兴盛，“长安风俗，自贞元侈于游宴，其后或侈于书法图画，或侈于博奕，或侈于卜祝，或侈于服食，各有所蔽也”⑤。唐代

---

① （清）曹寅、彭定求等编纂：《全唐诗》卷二三〇，中华书局 1999 年版，第 2521 页。
② （唐）杜佑：《通典》卷七，中华书局 1988 年版，第 152 页。
③ （唐）李肇、赵璘：《唐国史补·因话录》，上海古籍出版社 1979 年版，第 62 页。
④ （清）曹寅、彭定求等编纂：《全唐诗》卷一二八，中华书局 1999 年版，第 1296 页。
⑤ （唐）李肇、赵璘：《唐国史补·因话录》，上海古籍出版社 1979 年版，第 61 页。

艺术形式多样，并且多种风格并存，门派地域间相互学习借鉴，使得唐代艺术丰富而充足，能在多样艺术中独占鳌头，奠定了中国艺术的基本模式。

儒、道、释三教并蓄奠定了中国文化总体格局；隋唐科举取士措施的施行与推广为唐代带来了积极向上、建功立业的抱负以及气象雄壮的审美风范；较为宽松开化的风俗环境促成了唐人纵横捭阖、畅所欲言、意气风发的艺术氛围。唐代艺术在这些文化背景中发酵酝酿，又遇上唐代艺术家们人才辈出、风流任性、惊才绝艳、各领风骚，最终成就了唐代艺术的辉煌。

第一章

诗歌中的审美意识

唐代文学不仅独树一帜,各类文体也有了全面的进步。唐代文学于多个体裁方面取得了繁荣,唐代"文"经历了骈散之间的冲突与变革,文学开始倚重于经世致用,明经倡道;"赋"因为科举限韵的原因更加注重格律的法度;小说方面出现了变文、传奇;晚唐还有"曲子词"的突起。唐代文学中成就最突出、最引人注目的是诗歌。唐代诗文追求声律风骨齐备,也就是闻一多所说的"两汉时期文人有良心而没有文学,魏晋六朝时期则有文学而没有良心,盛唐时期则文学与良心二者兼备"①。盛唐诗逐渐由广受齐梁诗的影响回转到汉魏风格。但初唐时期文学延续了齐梁之风,重辞藻宏丽,文辞雅致,流于堆砌辞藻,文词浮华。唐初是"大规模征集辞藻的时期"②。太宗皇帝也为这种文体张目,不但亲自撰文称赞陆机文藻宏丽,并重用同样风格的虞世南、李百药等人。针对这种情况,陈子昂首先发难,他不但是风骨兴寄的理论提倡者,也是其文学实践者。他的理论主张得到了很多人的支持。韩愈赞他"国朝盛文章,子昂始高蹈"(《荐士》)③。陈子昂的文化思想同样影响了诗歌,警醒了世人沉湎于形式之风的弊端。即使是《河岳英灵集》这样重辞采的选本也在"序"中批评六朝诗风:"妄穿凿,理则不足,言常有余,都无兴象,但贵轻艳,虽满箧笥,将何用之?"④整个唐代的诗歌在格律与风骨方面都产生了重大的突破,既保持了格律声韵的严谨,又力求加强诗歌吟咏情性、讽谏时事的效果。

---

① 闻一多:《唐诗杂论》,中华书局 2009 年版,第 266 页。

② 闻一多:《唐诗杂论》,中华书局 2009 年版,第 7 页。

③ (清)曹寅、彭定求等编纂:《全唐诗》卷三三七,中华书局 1999 年版,第 3786 页。

④ (唐)殷璠:《河岳英灵集》,《四部丛刊初编》,上海书店 1989 年版,第 1 页。

第一节 格律:严谨整饬

从赋体中发展出来的诗歌在唐代达到了巅峰。在继承六朝格律的基础上,唐代诗、词、赋有了进一步的发展,以韵律谐协、对偶精切为工,形成了中国古代文学史中诗、词、赋格律最为精美的时代。这其中尤以近体诗的格律最为严格。唐人在律上继承与发展了永明体的粘式对律形式,舍去了对式诗律形式,建立了粘对规则,创制了七言近体诗。元稹在《唐故工部员外郎杜君墓志系铭》中指出近体诗中的律诗对唐代文学产生了重大影响:“唐兴,学官大振,历世之文,能者互出。而又沈、宋之流,研练精切,稳顺声势,谓之为‘律诗’。由是而后,文体之变极焉。”①唐近体诗可以作为唐代文学格律的代表,它表现了唐代诗、词、赋的格律特征。唐代其他文体在格律上或多或少受到近代诗的影响。

一、赓续永明

唐诗的格律赓续于六朝时以“永明体”为代表的格律方式,“律诗极盛于唐朝,但是创始者是晋宋齐梁时代的诗人。唐朝诗人许多都是六朝诗人的私淑弟子”②。永明体是南朝周颙、谢朓、沈约等人提出,并在创作中实践的诗歌格律体式。《南齐书·陆厥传》载:“永明末,盛为文章。吴兴沈约、陈郡谢朓、琅琊王融以气类相推毂。汝南周颙善识声韵。约等文皆用宫商,以平上去入为四声,以此制韵,不可增减,世呼为‘永明体’。”③《宋书·谢灵运传论》卷六十七对沈约的声律理论有较为集中的记载:

> 夫五色相宣,八音相畅,由乎玄黄律吕,各适物宜。欲使宫羽相变,低昂互节,若前有浮声,则后须切响。一简之内,音韵尽殊;两句

① (清)董诰等编:《全唐文》卷六百五十四,上海古籍出版社 1990 年版,第 2946 页。
② 朱光潜:《诗论》,安徽教育出版社 1997 年版,第 177 页。
③ (梁)萧子显:《南齐书》卷五十二,中华书局 1972 年版,第 898 页。

之中，轻重悉异。妙达此旨，始可言文。①

永明体的主要理论是“四声八病”。“四声”规则要求在诗歌中用韵，并以四声相分，将字音的四声效果运用到诗文中，以促成诗文的声韵美。明朝释真空的《玉钥匙歌诀》说：“平声平道莫低昂，上声高呼猛烈强，去声分明哀远道，入声短促急收藏”，道出了四声顿挫的不同。“八病”指诗歌创作声调韵律使用的八大忌讳。《文镜秘府论》在《文二十八种病》一卷中提到的前八种病是后人研究永明体“八病”的重要参照，分别为：一曰平头，二曰上尾，三曰蜂腰，四曰鹤膝，五曰大韵，六曰小韵，七曰傍纽，八曰正纽。②

永明体的确立，使中国诗歌体势的声调运用得到规范，突出了汉字的韵律美。但“八病”的规则过于严格，以致僵化，不利于诗歌的创作，如明代王世贞所批评的：

沈休文所载“八病”，如平头、上尾、蜂腰、鹤膝、大韵、小韵、旁纽、正纽，以上尾、鹤膝为最忌。休文之拘滞，正与古体相反，唯近律差有关耳，然亦不免商君之酷。今按“平头”谓第一字不得与第六字同平声，律诗如“风劲角弓鸣，将军猎渭城”，“风”之与“将”，何损其美？“上尾”谓第五字不得与第十字同声，如古诗“西北有高楼，上与浮云齐”，虽隔韵，何害？律固无是矣。使同韵如前诗“鸣”之与“城”，又何妨也？“蜂腰”谓第二字与第四字同上去入韵，如老杜“望尽似犹见”，江淹“远与君别者”之类，近体宜少避之，亦无妨。“鹤膝”谓第五字不得与第十五字同，如老杜“水色含群动，朝光接太虚，年侵频怅望”之类。八句俱如是则不宜，一字犯亦无妨。五“大韵”，谓重叠相犯，如“胡姬年十五，春日独当炉”，又“端坐苦愁思，揽衣起西游”，“胡”与“炉”，“愁”与“游”犯。六“小韵”，十字中自有韵，如“薄帷鉴明月，清风吹我襟”，“明”与“清”犯。七“傍纽”，十字中已“田”字，不得着“宣”、“延”字。八“正纽”，十字中已有“壬”字，不得

① （南朝）沈约：《宋书》卷六十七，中华书局 1974 年版，第 1779 页。

② ［日］弘法大师：《文镜秘府论校注》，王利器校注，中国社会科学出版社 1983 年版，第 400 页。

着“衽”、“任”。后四病尤无谓,不足道也。①

永明体为控制诗歌声律所作出的规则过于烦琐,在实践运用中并不能充分展示诗歌的规则美。针对永明体的不足,唐人继承了沈约等人将诗歌规格化的思想,修改了永明体的规则,形成了以近体诗为主导的声律诗歌。

二、严谨之变

唐近代诗的格律对“永明体”格律进行了改革,使格律更加严谨,又十分简约。近代诗规定了四韵八句的篇式及中间两联必须对仗、押韵要押平声韵等规则。其诗歌格律变化主要如下:

第一,唐近体诗对诗歌的句数做了更严格的改革。唐近体诗遵从一定的字数,以五言与七言为代表。汉语单音节词与双音节词占多数的情况决定了五言诗与七言诗的兴盛,这种形式最有利于单音节词与双音节词的自由组合,“汉语语词以单音语词与双音语词为多,律体中的音节,所以始于五言,终于七言,就因为五言、七言句最适合利用这种单双音的语词以成句。尤其七言律,可以说是达到了运用汉语声律的顶峰”②。诗歌从四言、六言向五言、七言的发展充分发挥了汉语单音节词的灵活性。除规定每句持有相同字数外,唐诗还规定了诗歌的句数。近代诗分律诗与绝句。律诗包括七律与五律,绝句包括五绝与七绝。律诗共八句,绝句共四句。这样近体诗的字数结构就基本定型了。“永明体”虽句有定字,但未对诗歌的全篇句数作规定,四句、八句、十句、十二句都有。唐代近体诗具有严格的规则,进行了“约句准篇”的改革,诗歌形式更加严谨有序。

第二,唐诗简约化了“永明体”的声调用韵。沈佺期、宋之问改革后的唐诗对“永明体”的声律规则加以发展,形成律诗声韵规则。唐代将“四声”的变化明确规定为“平仄”二分式。齐梁年间,平仄只是一种技巧,未能通用。唐时,平仄技巧成为固定的格式,形成韵的对偶。诗句要求基本符合固定的平仄格式,避忌孤平,平仄中使用粘对。对是指一联中

---

① (明)王世贞:《艺苑卮言》,凤凰出版社 2009 年版,第 48 页。

② 郭绍虞:《照隅室古典文学论集》(下编),上海古籍出版社 1983 年版,第 487 页。

上下两句平仄相对，粘是指上联下句与下联上句的第二字须平仄相同。也只有像汉语这样的单音节词才能形成音韵上的一字一变的严谨和谐变化。古人在唐诗中尽显了汉语字音的优美旋律，这是西方语言的多韵节词不能与之媲美的。唐以“平仄”论声律，简化了“四声”的运用，使汉语音节之美能更顺畅地表现出来。

从声韵上看，近体诗尾字押韵，使用一致的或邻近的韵字。近体诗从原来的“平仄”皆可入韵，改为只押平声韵。近体诗押平声韵的规则连带唐代其他诗体也基本喜用平声韵。唐诗中也有用“仄声”韵的好作品，如白居易的《花非花》，不过《花非花》的形式并不算近体诗。近体诗的首句可以入韵，中途可换韵等规则比起“永明体”押韵规定首句不入韵，避免“上尾”，以及全诗一韵到底，中途不换韵的规则又更加宽松，有利于诗人更宽阔、自由地发挥。再者，隋唐以前的诗也押韵，但是乃依据口语押韵。从隋唐以后，人们按《韵书》押韵。隋文帝时陆法言就著书《切韵》，后来的《广韵》就是从《切韵》转化而来。韵书的成立使诗歌押韵更加统一规范，有据可寻。

第三，唐诗于句子对仗、词语对偶方面有了新的发展。

“永明体”对于句子的对仗无明确的要求，可对可不对。唐近体诗要求对仗，律诗颔联与颈联必须为对仗句。如：

湘中送翁员外归闽

齐己

船满琴书与酒杯，清湘影里片帆开。人归南国乡园去，雁逐西风日夜来。天势渐低分海树，山程欲尽见城台。此身未别江边寺，犹看星朗奉诏回。①

颔联中“人归”与“雁逐”相对，“南国”与“西风”相对，“乡园去”与“日夜来”相对。颈联中“天势”与“山程”相对，“渐低”与“欲尽”相对，“分海树”与“见城台”相对。

有些诗首联对仗，颔联与颈联依然保持相对；还有些诗通篇全对。被

① （清）曹寅、彭定求等编纂：《全唐诗》卷八四五，中华书局1999年版，第9629页。

评为七律第一的《登高》(杜甫)就是如此:“风急天高猿啸哀,渚清沙白鸟飞回。无边落木萧萧下,不尽长江滚滚来。万里悲秋常作客,百年多病独登台。艰难苦恨繁霜鬓,潦倒新停浊酒杯。”①《登高》通篇全对,且对仗工整,语意连绵,一气呵成。

唐人对偶手法运用娴熟,以至出现了对偶手法规则的理论总结。如上官仪提出的“六对”说。宋魏庆之《诗人玉屑》记载了唐上官仪的六对与八对的规律:“诗有六对:一曰正名对,天地日月是也;二曰同类对,花叶草芽是也;三曰连珠对,萧萧赫赫是也;四曰双声对,黄槐绿柳是也;五曰叠韵对,彷徨放旷是也;六曰双拟对,春树秋池是也。又曰诗有八对:一曰的名对,送酒东南去,迎琴西北来是也;二曰异类对,风织池间树,虫穿草上文是也;三曰双声对,秋露香佳菊,春风馥丽兰是也;四曰叠韵对,放荡千般意,迁延一介心是也;五曰联绵对,残河若带,初月如眉是也;六曰双拟对,议月眉欺月,论花颊胜花是也;七曰回文对,情新因意得,意得逐情新是也;八曰隔句对,相思复相忆,夜夜泪沾衣,空叹复空泣,朝朝君未归是也。”②《文镜秘府论·东卷》中论二十九种对的记载与之十分相似,又更加具体细致,包括:的名对、隔句对、双拟对、联绵对、互成对、异类对、赋体对、双声对、叠韵对、回文对、意对、平对、奇对、同对、字对、声对、侧对、邻近对、交络对、当句对、含境对、背体对、偏对、双虚实对、假对、切侧对、双声侧对、叠韵侧对、总不对对。③

从对偶的规则来看,唐的对偶除词义、词性相对外,还讲究声韵的相对,如上官仪说的“双声对”、“叠韵对”,前者要求声母两两相对,后者要求韵母两两相对。“联绵对”、“双拟对”也是追求语音语调上的协调,保证前后句节奏的相同。洪亮吉《北江诗话》:“唐诗人以杜子美为宗,其五七言近体,无一非双声叠韵也。”④可见语音对偶在诗句中的普遍运用。

---

① (清)曹寅、彭定求等编纂:《全唐诗》卷二二七,中华书局1999年版,第2469页。

② (宋)魏庆之编:《诗人玉屑》,上海古籍出版社1978年版,第165—166页。

③ 参见[日]弘法大师:《文镜秘府论校注》,王利器校注,中国社会科学出版社1983年版,第224—225页。

④ (清)洪亮吉:《北江诗话》,中华书局1985年版,第2页。

综上所述,唐诗的对偶更加普遍,在特定句式中有严格规定。对偶的运用更灵活,句内对、隔句对、流水对、双声对、叠韵对、叠字对等对偶方式变幻多样。

三、法外之变

唐诗格律虽已具有明确的规则,为了表达的需要,有时又有变化,以保证诗奇意新时,可以突破规则。

近体诗平仄都有常格,如果为了文字需要,有些必须不依常格的地方,读起来就“拗”了,不顺口,因此要在下一诗句中以“救”的办法把它补回来,保持平仄的平衡。也就是规则在一处被打破了,又会在另一处将之补救回来。如:

春日退朝

刘禹锡

紫陌夜来雨,南山朝下看。戟枝迎日动,阁影助松寒。瑞气转绡縠,游光泛波澜。御沟新柳色,处处拂归鞍。①

这首诗第一句平仄格式为:“仄仄平平仄,平平仄仄平”。但第一句“夜”为仄声,下句中平声“朝”是对上句的补救。

有时诗歌也会变更诗句中的“平仄”,如律诗在第七句中有时会用“平平仄平仄”代替“平平平仄仄”。如:

和裴相公寄白侍郎求双鹤

刘禹锡

皎皎华亭鹤,来随太守船。青云意长在,沧海别经年。留滞清洛苑,裴回明月天。何如凤池上,双舞入祥烟。②

这首诗的第七句“何如凤池上”本应是“平平平仄仄”的模式,这里却用了“平平仄平仄”的格式。

为了保证韵律的变化,唐时用韵时会发生转韵,特别是歌行体。施蛰

① (清)曹寅、彭定求等编纂:《全唐诗》卷三五七,中华书局 1999 年版,第 4026 页。

② (清)曹寅、彭定求等编纂:《全唐诗》卷三五七,中华书局 1999 年版,第 4034 页。

存在《唐诗百话》中说："歌行都是长篇。如果一韵到底，一则音乐性太单调，二则作者不易选择韵脚。因此就需要转韵。盛唐之后，歌行转韵，渐渐地有了规律，一般都是四句或八句一转。转韵处总是在一个思想段落处，隐隐还保存四句一绝的传统。"①如杜甫的《哀江头》前四句用"哭"字韵，到后面就转"色"字韵了。但杜甫的《新安吏》却是一韵到底，可见用多少韵，都随文字、行文而变，并不拘于一个模式。施蛰存又论唐诗用韵道："韵与音节有关。五、七言歌行的韵法，最普通的是全篇一致，四句一韵，仄声韵与平声韵互用。这样，诗的章节是和缓的。如果两句一韵，音节就较为急促。也有逐句协韵，一韵到底，绝不转韵的，其音节就最为急促。为调剂音节，可以改变韵法。在四句一韵中插入两句一韵，或在两句一韵中插入四句一韵。但是要求在变化中有规律，不能忽此忽彼，漫无次序。"②

唐近体诗是唐代格律的集中表现，其他文体也讲求格律，只是没有近体诗那么严格。与近体诗相对应，唐代赋文中有律赋。律赋因被纳入科举考试，形成了创作上的高峰。律赋的平仄不似近体诗这么严格，但与近体诗比，唐代律赋有一个更严格的规则：限韵。这来自于唐代科举考试"取士限韵"的规则，文章要求韵律协调、对偶精切。

闻一多在论诗的格律时说："恐怕越有魄力的作家，越是要戴着脚镣跳舞才跳得痛快，跳得好。只有不会跳舞的才怪脚镣碍事，只有不会作诗的才感觉到格律的缚束。对于不会作诗的，格律是表现的障碍物；对于一个作家，格律便成了表现的利器。"③唐代天才们在格律所限制的方寸空间却随心所欲，肆意挥洒，正是后人望尘莫及之处。

第二节　意象：以象蕴意

诗歌于唐代走向了造象的高峰。唐人造象取得的成就令宋人望而止步，无法超越，只好另辟蹊径，以义理为胜。唐人对意象有极为深刻的理

① 施蛰存：《唐诗百话》，上海古籍出版社 1987 年版，第 33 页。
② 施蛰存：《唐诗百话》，上海古籍出版社 1987 年版，第 129 页。
③ 闻一多：《闻一多选集》，四川文艺出版社 1987 年版，第 333 页。

论认识,王昌龄将象分为:物象、情象、意象三种,司空图提出“超以象外,得其寰中”的理论。唐人于意象极为擅长,不仅造象奇警,且抓住了意象的空灵之境,得“象外之象”的精髓。

一、以情运象

唐诗以情造象,情景交融。情景交融看起来是个常在的境界,早在《诗经·小雅》“昔我往矣,杨柳依依;今我来思,雨雪霏霏”中,已经达到了以景写情,以情衬景的境界。《楚辞》中更是使用了大量的以景写情诗句。唐诗中情景交融的特征似乎并无新意。但一直到唐代,诗歌才出现了普遍性的独立山水诗的摹景写情。魏晋南北朝虽然出现了大量的田园山水诗,它的山水诗未能像唐代山水诗一样,大规模地、自觉地、有目的地达到以情写景的境界,并突出了景的主体特征,使自然得以人化。唐人大量地实践了以情写景的山水风格,使景物不再大量处于“兴”的意义,只是引起他物、感发意志,而是在景的摹写中直接浓墨重彩地渲染上人的情感。

主体情感在山水诗中的浓化,尚不能看作一种进步,或退步,但可以看作一种发展。这种主体情趣在庾信的《小园赋》中已经出现,“龟言此地之寒,鹤讶今年之雪”,物与人齐,彼此不分。只不过唐人用得更普遍,更得心应手。中国境界理论在唐代成熟的同时,使诗人感情更内敛含蓄,但并不能遏制唐人主体性高扬的时代精神。唐人主体精神被激发的后果,使他们在诗文中伤春悲秋、嬉笑怒骂,将自然山水人格化、拟人化,以山水为面貌,直接显现自己的喜怒哀乐。“感时花溅泪,恨别鸟惊心”(杜甫《春望》)①以花鸟为媒抒发国破人散的绝望悲凉;“羌笛何须怨杨柳,春光不度玉门关”(王之涣《凉州词》)②,笛声悠扬的《杨柳枝》(又称《折杨柳》)表达戍边于大漠边疆、苦寒之地的忧思愁叹;“罗帏舒卷,似有人开。明月直入,无心可猜”(李白《独漉篇》)③,明月无拘无束的行为是稚

---

① (清)曹寅、彭定求等编纂:《全唐诗》卷二二四,中华书局 1999 年版,第 2408 页。
② (清)曹寅、彭定求等编纂:《全唐诗》卷二五三,中华书局 1999 年版,第 2842 页。
③ (清)曹寅、彭定求等编纂:《全唐诗》卷二二,中华书局 1999 年版,第 286 页。

子之心的天真浪漫;“烟销日出不见人,欸乃一声山水绿”(柳宗元《渔翁》)①,“欸乃”的顷刻过后便是动人的春意山水,随着一声呼唤跳跃出来,生动活泼。在这些诗中,大自然的万事万物都具有了人格色彩、个性特征,它们自有生命,偶尔撞进诗人的视域中摇曳身姿。自然被人的情感对象化,化身为主体,画面中不仅全无死物,且情感热烈率真,生机充沛。

唐诗中以情运景也不全如上所举的那么壮烈直露,也包括含蓄蕴藉的以情带景之诗。此类运情诗六朝薛道衡已运用得很好,如他《昔昔盐》中的诗句:“暗牖悬蛛网,空梁落燕泥”,观察细究,抓景犀利,浮华逝去,尘世隔断之情充溢字间。与之相比,唐人不遑多让,如杜甫“影静千官里,心苏七校前”(《自京窜至凤翔喜达行在所》)。② 安史之乱后,杜甫冒险逃出叛军占据的长安城,历经千辛万苦投奔唐肃宗所在地凤翔,惊吓之后,心绪稍稍安定,凤翔临时行宫虽是临时政权所在,但这里与一路逃亡的经历相比,何等地让人安心,代表正统皇权的景致“千官”、“七校”正是诗人安心所在。在以情运景中,唐人还能做得更加不显山露水,再看杜甫的《江南逢李龟年》:“岐王宅里寻常见,崔九堂前几度闻。正是江南好风景,落花时节又逢君。”③整首诗好像陈述了一个事件,多年未见的老熟人,突然久别重逢了,此时风景又怡人,景知人意,正适合互相倾诉重逢的喜悦。但诗的实际情感绝不是仅仅表达重逢的喜悦。李龟年原是唐玄宗的御用乐师,于音乐方面天分极高,备受推崇。安史之乱前常出入于高门贵府,安史之乱后流落江南,再不见昔日之荣光。江南虽风景正秀丽,可经历战乱离祸、颠沛流离,目前前途未知,命运无着的人面对再美的风景,心情又能有几丝雀跃!恐怕遥想当年风采,此情此景也只能相对叹惜了。此诗似喜实哀!一句“江南好风景”发人无限联想,将故土情思、爱国情怀、忧国之愁、兴国之期尽诉其中。杜甫将情付景,景的主体倾向含而不露,在景的衬托、渲染中,情之意味引人深思。

---

① (清)曹寅、彭定求等编纂:《全唐诗》卷三五三,中华书局 1999 年版,第 3970 页。
② (清)曹寅、彭定求等编纂:《全唐诗》卷二二五,中华书局 1999 年版,第 2409 页。
③ (清)曹寅、彭定求等编纂:《全唐诗》卷二三二,中华书局 1999 年版,第 2559 页。

以情写景的方式各个作家都有运用,又自有个性。情景至王维的诗中往往是隐而不发,“木末芙蓉花,山中发红萼。涧户寂无人,纷纷开且落”(《辛夷坞》)①。前两句纯客观写景,到了第三句的“寂”字开始表露他超然世外的情绪了。杜甫的笔下的情景沉郁顿挫,雄健有力,“白日放歌须纵酒,青春作伴好还乡”(《闻官军收河南河北》)②、“无边落木萧萧下,不尽长江滚滚来。万里悲秋常作客,百年多病独登台”(《登高》)③。情景到了李白手里却增天真与童趣。“狂风吹我心,西挂咸阳树”(《金乡送韦八之西京》)④、“我寄愁心与明月,随风直到夜郎西”(《闻王昌龄左迁龙标遥有此寄》)⑤、“暮从碧山下,山月随人归”(《下终南山过斛斯山人宿置酒》)⑥。

唐人继承了六朝的主情创造思想,在诗歌中倾诉他们的情感愿望。唐人以情运景无论是敞怀直露,还是蕴藉微义,都具有巧思妙想,前者大胆率真,以运情于天地之间,使万物可为之喜怒,后者感情内敛,以景衬情,景为情配。唐人以情运景又各具特征,个性鲜明,风格显著。情景交融至唐大势已成,且主体特征更为突出,已不仅仅是“兴”的以一物引起所述之事的前引功能。

二、意象喻理

唐诗的主要特征是善于塑造意象。唐诗以象述理,却不是像宋诗一样直接以议论入诗、以理入诗。唐诗以意象述理,象理相合。与汉赋主要表现空间范围辽阔、物产丰富不同。唐人造象讲究格局,即意象与意象之间精心搭配出来的审美效果。它既不是以意象的叠加多重取胜,也没有形成搬弄书卷、讲论道理的风气。严羽《沧浪诗话·诗评》论唐人优势:

---

① (清)曹寅、彭定求等编纂:《全唐诗》卷一二八,中华书局1999年版,第1301页。
② (清)曹寅、彭定求等编纂:《全唐诗》卷二二七,中华书局1999年版,第2469页。
③ (清)曹寅、彭定求等编纂:《全唐诗》卷二二七,中华书局1999年版,第2469页。
④ (清)曹寅、彭定求等编纂:《全唐诗》卷一七五,中华书局1999年版,第1798页。
⑤ (清)曹寅、彭定求等编纂:《全唐诗》卷一七二,中华书局1999年版,第1774页。
⑥ (清)曹寅、彭定求等编纂:《全唐诗》卷一七九,中华书局1999年版,第1830页。

"南朝人尚词而病于理，本朝人尚理而病于意兴，唐人尚意兴而理在其中。"[①]钱锺书《谈艺录》指出："唐诗、宋诗，亦非仅朝代之别，乃体格性分殊。天下有两种人，斯分两种诗。唐诗多以丰神情韵擅长，宋诗多以筋骨思理见胜。"[②]

唐人以意象述理，重点在象。因为对象的重视，唐人善于塑造经典的、具有普遍性的形象，如王维《相思》："红豆生南国，秋来发故枝。愿君多采撷，此物最相思。"[③]一首《相思》使红豆这名不见经传之物成为千年来人们表达爱情思绪的专属物品。晚唐温庭筠更有"玲珑骰子安红豆，入骨相思知不知"（《杨柳枝》）[④]的承续。王昌龄的《芙蓉楼送辛渐》："寒雨连天夜入湖，平明送客楚山孤。洛阳亲友如相问，一片冰心在玉壶。"[⑤]冰心、玉壶两物相叠依然透彻明亮，可见主人公人格纯净澄澈，光明磊落。冰心玉壶成为形容人格高尚、纯正守直的最佳媲比物。王维的《息夫人》："莫以今时宠，难忘旧日恩；看花满眼泪，不共楚王言。"[⑥]息夫人不忘旧爱的坚贞品质也是新旧权利更迭中不忘旧恩的典型臣子形象。李白更是使月亮成为故乡的代名词，一首《静夜思》，简单明了，却将最诚挚的思乡之情通过月亮的传播推广得无所不在。不仅如此，李白眼中的月亮具有最广泛的想象。它是平平常常的"长安一片月"（《子夜吴歌》）[⑦]，笼罩了千家万户的捣衣声；是能体察人意的月儿，可在人孤单寂寞时安慰人心，"花间一壶酒，独酌无相亲。举杯邀明月，对影成三人。月既不解饮，影徒随我身。暂伴月将影，行乐须及春。我歌月徘徊，我舞影零乱。醒时同交欢，醉后各分散。永结无情游，相期邈云汉"（《月下独酌》）[⑧]。

唐人并不是不能说理、不会说理，唐代也用说理诗篇，如王维的《酌

① （宋）严羽：《沧浪诗话》，中华书局1985年版，第33页。
② 钱锺书：《谈艺录》，商务印书馆2013年版，第7页。
③ （清）曹寅、彭定求等编纂：《全唐诗》卷一二八，中华书局1999年版，第1304页。
④ （清）曹寅、彭定求等编纂：《全唐诗》卷五八三，中华书局1999年版，第6819页。
⑤ （清）曹寅、彭定求等编纂：《全唐诗》卷一四三，中华书局1999年版，第1449页。
⑥ （清）曹寅、彭定求等编纂：《全唐诗》卷一二八，中华书局1999年版，第1299页。
⑦ （清）曹寅、彭定求等编纂：《全唐诗》卷一六五，中华书局1999年版，第1713页。
⑧ （清）曹寅、彭定求等编纂：《全唐诗》卷一八二，中华书局1999年版，第1859页。

酒与裴迪》:"酌酒与君君自宽,人情翻覆似波澜。白首相知犹按剑,朱门先达笑弹冠。草色全经细雨湿,花枝欲动春风寒。世事浮云何足问,不如高卧且加餐。"①诗歌描摹世事变迁,而人情随之冷暖的酸甜苦辣都在其中,并直接告诫众人世事人情的不可靠,发出远离俗世、人情无意义的感慨,文从理顺,主旨分明。更有韩愈以"文"为诗,擅长于在诗中抒发议论,如他的《荐士》以五言诗形式评论古今诗歌得失者,将他所要荐之人"孟郊"放在诗歌的历史发展中论述他的成就。

只是唐人并不专注于直接说理,而喜欢以意象的方式将理带出,鉴赏唐诗也应该从象入手。唐诗展示的象不仅仅是象中的内容。唐诗的象蕴藉含蓄,内涵深远,是包含着象外之意,能激发人他种想象的景象。此象能激发的想象越深远、代表的意义越多重就越是好的景象。如陈陶的《陇西行四首》之一:"誓扫匈奴不顾身,五千貂锦丧胡尘。可怜无定河边骨,犹是深闺梦里人。"②明人王世贞评后两句,"用意工妙至此,可谓绝唱矣。惜为前二句所累,筋骨毕露,令人厌憎"③。王世贞嫌前两句意思过于直白,而对后两句大为赞赏。前两句直写战争的激烈,叙述平直,述事说理,蕴藉不深。后两句以对比的手法将时空拉开,画卷中长蛇走线,蜿蜒千里,河边骨的惨烈与梦中人的甜蜜相关联、互对比,故乡与战场两个相隔遥远的空间出现在同一幅画卷中。保家卫国、战死沙场、骨肉分离、情深缱绻、生死两隔等一系列相矛盾的意象在画面上结合、冲突,令人产生浓郁悲凉之感时,又对战争问题进行重新思考。此外,此诗作之妙还在于,假设了一个非常有可能的故事,又未完全将故事说完,既没有说完整,也没有说清楚,使人情不自禁想象,如此情深的想念,这个牺牲的战士与妻子是怎样的情感呢?妻子此时还在期望着他回来,等她知道丈夫去世的消息后又会是何等的伤心呢?这样的事情在战争中发生了多少次呢?悲伤的延续叫人不禁愁思满肠,不忍再思再想,却又忍不住再思再想。

王世贞评王翰的《凉州词》之一"葡萄美酒夜光杯,欲饮琵琶马上催,

① (清)曹寅、彭定求等编纂:《全唐诗》卷一二八,中华书局1999年版,第1298页。
② (清)曹寅、彭定求等编纂:《全唐诗》卷七四六,中华书局1999年版,第8579页。
③ (明)王世贞:《艺苑卮言》,凤凰出版社2009年版,第61页。

醉卧沙场君莫笑，古来征战几人回”，是无瑕之璧。[1] 陈陶的诗也不会比这首差，王世贞会更欣赏这王翰的《凉州词》，因这四句无一不是以兴象写意抒情，对战争的描述都迂回着说，没有正面叙述战争残酷。作者以饮酒一事为线索，侧面描写了边疆战士生命朝不保夕而苦中作乐的命运形势。诗歌写作如果一览无遗，直截了当，反而失了蕴藉之美。唐人擅于在九转回肠、曲径通幽处显示意象的模糊跳跃。再有“还君明珠双泪垂，恨不相逢未嫁时”（张籍《节妇吟寄东平李司空师道》）[2]。张籍为拒绝李师道的拉拢，写了这首措辞委婉的诗歌拜谢回应，以节妇喻臣子忠贞，既表述了自己的立场，又不让人难堪。以饱含意蕴的兴象写景，激发人的情感，再带着说理，大概就是唐诗的精妙处。

明代谢榛将象的作用说得更缥缈，他在《四溟诗话》中说：“凡作诗不宜逼真，如朝行远望，青山佳色，隐然可爱，其烟霞变幻，难于名状；及登临非复奇观，唯片石数树而已。远近所见不同，妙在含糊，方见作手。”[3]唐代文论中意境思想已经非常成熟。司空图的“象外之象，味外之味”的理论追求，词少意多，在句穷篇尽中寻找象外之意，境外之境。司空图在《与极浦书》中记道：“戴容州云：‘诗家之景，如蓝田日暖，良玉生烟，可望而不可置于眉睫之前也。’象外之象，景外之景，岂容易可谭哉？”[4]再看他的《与李生论诗书》：“盖绝句之作，本于诣极，此外千变万状，不知所以神而自神也，岂容易哉？今足下之诗，时辈固有难色，倘复以全美为工，即知味外之旨矣。”[5]所以唐代的意象不是在一个画面中将理说实、说透，而是空灵蕴藉，设置象外之象，味外之旨，经过想象、补充、讨论、冲撞，在人们心中形成每遇机缘皆有新悟的契机。唐诗意象本身是清楚明白的，人人都看得懂，可以理解，简单的画面中又隐藏着无数后招，千般变化，叫人几

---

① （明）王世贞：《艺苑卮言》，凤凰出版社 2009 年版，第 61 页。

② （清）曹寅、彭定求等编纂：《全唐诗》卷三八二，中华书局 1999 年版，第 4294 页。

③ （明）谢榛：《四溟诗话》，中华书局 1985 年版，第 45 页。

④ （唐）司空图：《司空表圣文集》，上海世纪出版股份有限公司、上海古籍出版社 2013 年版，第 42 页。

⑤ （唐）司空图：《司空表圣文集》，上海世纪出版股份有限公司、上海古籍出版社 2013 年版，第 26 页。

欲痴狂。

唐人尽量避免平铺直叙，喜迂回转折，增加阅读的难度，拖长理解时间，使创造出的意象更加陌生化。唐诗的迂回首先表现在语序的倒装。可以表现为一句话中字句的倒装。韩愈的《春雪》："入镜鸾窥沼，行天马度桥。"[①]意思为：鸾鸟窥视的沼地像一面镜子将鸟的影子摄入镜中，马走在高高的桥上像行走在天上。因此正常的语序是："鸾窥沼入镜，马度桥行天。"这种用法与谢灵运的"池塘生春草，园柳变鸣禽"（《登池上楼》）方法如出一辙。这是句法的倒置，此外还有动作的倒置，王维"竹喧归浣女，莲动下渔舟"（《山居秋暝》）[②]，本应是浣女归后竹林有声音，鱼舟入池后，莲花颤动。倒置写既是为了符合诗句的平仄，也是为了产生语意的曲折意蕴。唐时有时会将这种倒置扩展到诗句与诗句之间，如"风劲角弓鸣，将军猎渭城"（王维《观猎》）[③]，先以角弓鸣响渲染气氛，再介绍事出原因，因为将军出猎，才有如此气势。再如"漾舟寻水便，因访故人居"（孟浩然《西山寻辛谔》）[④]也是如此倒置，先将行路过程述出，再述行路原因。

唐诗的迂回也可以表现为感官知觉的错位。如"晨钟云外湿"（杜甫《船下夔州郭宿，雨湿不得上岸，别王十二判官》）[⑤]，钟是如何云外湿的实令人费解。作者因雨不能上岸，听到的钟声竟带湿气，这已是用了通感的手法。让云外传来的声音都带有湿气，与当时下雨气候正相吻合，描写出雨茫茫一片，经久不绝的情景。粗看无理，细品方能鉴得其中三味。李贺的《金铜仙人辞汉歌》："魏官牵车指千里，东关酸风射眸子"[⑥]，以味觉之酸形容眼睛对风的触感；"银浦流云学水声"（李贺《天上谣》）[⑦]，以声音写云朵的婀娜摇曳之姿，听觉与视觉相通。

---

① （清）曹寅、彭定求等编纂：《全唐诗》卷三四三，中华书局1999年版，第3849页。
② （清）曹寅、彭定求等编纂：《全唐诗》卷一二六，中华书局1999年版，第1276页。
③ （清）曹寅、彭定求等编纂：《全唐诗》卷一二六，中华书局1999年版，第1278页。
④ （清）曹寅、彭定求等编纂：《全唐诗》卷一六〇，中华书局1999年版，第1667页。
⑤ （清）曹寅、彭定求等编纂：《全唐诗》卷二二九，中华书局1999年版，第2495页。
⑥ （清）曹寅、彭定求等编纂：《全唐诗》卷三九一，中华书局1999年版，第4416页。
⑦ （清）曹寅、彭定求等编纂：《全唐诗》卷三九〇，中华书局1999年版，第4412页。

世人多喜爱以李商隐的《锦瑟》为例，解读唐诗的直白与隐晦："锦瑟无端五十弦，一弦一柱思华年。庄生晓梦迷蝴蝶，望帝春心托杜鹃。沧海月明珠有泪，蓝田日暖玉生烟。此情可待成追忆？只是当时已惘然。"① 诗句中没有太难理解的字句。"庄生晓梦迷蝴蝶，望帝春心托杜鹃。沧海月明珠有泪，蓝田日暖玉生烟。"中间四句各用一个典故，典故中包含的故事也不会太难理解。单独理解一句诗不会有什么难处，人人都看得懂。典故事例不一，讲人生、政治、奇事、爱情，这些典故蕴含的形象、故事可以让人们想到爱情、政治、事业、理想、追求等各方面的意义。这么多的意象摆在一首诗里，核心的意义与指称是什么，读者又不能十分确定，只觉茫然迷惘，具有浓厚的抱负成空、理想幻灭的感伤。对《锦瑟》的释意，历来也众说纷纭，诗无达诂，有说自伤身世的，有说写爱情幻灭的，也有说写家国日下，山河破碎的。元好问《论诗绝句》评李商隐的《锦瑟》："望帝春心托杜鹃，佳人锦瑟怨华年。诗家总爱西昆好，独恨无人作郑笺。"历代评论家都试图解释此诗，给它一个确定的意义指向，但终无结果。《锦瑟》本来也被命名为无题，作家并不止于一事一理，留下了无限的想象与拓展空间。李商隐的其他无题诗，虽不如《锦瑟》这么隐晦，但或多或少表意都十分朦胧。

再看白居易《花非花》："花非花，雾非雾。夜半来，天明去。来如春梦几多时，去似朝云无觅处。"②此诗原是写一妓女，但诗中形容的物体不仅形状不定，且来去无踪，说不清具体是什么。诗含义模糊朦胧，令人莫衷一是，歧解纷出。

这两首诗都带着淡淡的悲伤，能让人感觉到人生最美好的东西从我们身边悄然逝去，没有人可以挽留住它。但人生最美的东西是什么，青春、爱情、希望？可能这些都是，也可能是别的。主旨扑朔迷离，仁者见仁，智者见智。每人心中珍藏的记忆不同，看到这两首诗自然会产生不同的感慨。两首诗未能清楚地道出主旨，就连表达的情感都是淡淡的，叫人

① （清）曹寅、彭定求等编纂：《全唐诗》卷五三九，中华书局 1999 年版，第 6194—6195 页。

② （清）曹寅、彭定求等编纂：《全唐诗》卷四三五，中华书局 1999 年版，第 4832 页。

捉摸不透,诗意的模糊成全了表意的丰富,在任何略带感伤的场合似乎都能拿它们应景,这样也最大范围地达到了言有尽而意无穷的境界。

在以象造情说理时,也会走向一些极致。过犹不及,诗歌用象过于隐晦,表达不清,就走向了另一个极端。如李贺的一首诗:"紫皇宫殿重重开,夫人飞入琼瑶台。绿香绣帐何时歇?青云无光宫水咽。翩联桂花坠秋月,孤鸾惊啼商丝发。红壁阑珊悬珮珰,歌台小妓遥相望。玉蟾滴水鸡人唱,露华兰叶参差光。"(《李夫人歌》)①全首咏诗都写景,试图重现当年景象,但情感表达不清。特别是最后四句的情景描写,纯粹写景,勾勒历史人物,但写得又不是顺应自然的常景常态,让人从中可以体会自然造化,也没有在这种景象中表达他对历史的丝毫感叹。一味填景的手法被刘辰翁评为才力太过。景太满,景中蕴含的情感又不清楚,自然很难突出唐诗兴象的妙处。

唐人以景述情,诗中少议论述理,就连杜甫"三吏"、"三别"这样的现实主义作品都只述故事,不作评述,正符合一切景语即情语的审美追求。正如严羽所说,唐人说理如"羚羊挂角,无迹可寻"。唐诗不是不述理,唐诗的述理依附于兴象之中,是一个象、情、意的过程。以象突情,进而述理,这个过程让人琢磨不定,从而浮想联翩。但大致的情感范围、表意方向又具有,不至于让人一头雾水地没法理解。唐诗造象述情说理,全以象为核心,兴象塑造成功了,情理也自然而来,至于情不清,理不明的状况,倒不为唐人所担心,因为唐诗的效果是要反复涵咏咀嚼后方能出真味。

三、色香流动

唐代诗歌在造象时具有丰富明艳的感官趣味,光溢声婉,色香流动,读之在感官上就可亲可喜。清代诗人朱彝尊在《静志居诗话》中记:"唐诗色泽鲜妍,如旦晚脱笔砚者;今诗才脱笔砚已是陈言。"②这是指唐人可以推陈出新,所以色泽鲜妍。除创新外,唐人敢于直接表现官感感知的世

---

① (清)曹寅、彭定求等编纂:《全唐诗》卷三九〇,中华书局1999年版,第4413页。

② (清)朱彝尊:《静志居诗话》卷十六,人民文学出版社1998年版,第478页。

界，也是它色泽鲜妍的一大原因。因为只有能直接感觉到的意象才鲜明、具体，给人烙下直观印象。这就需要诗歌从文字中渗出鲜亮的可感形象，所以唐诗在一定程度上走向绘画也就可以解释了。

唐人作诗，既是诗，也是画，还是音乐。唐人于诗中力求激发鉴赏人的各个感官，给予他们全方面的视听享受。唐诗更像综合艺术，多个艺术类型在这里荟萃吐馨。欣赏唐诗可以看、可以听、可以想，还可以摸，各个感官都齐集一堂才可能激发兴象中的全部意味。唐代诗人很多都是塑像高手、音乐创作者，只是他们用的不是石头、泥土、琴弦、竹器、水墨而是语言文字。

在诸种艺术中，绘画无疑是唐诗最亲密的联盟者。论布景的技能，唐代诗人比唐代画家还更胜一筹。凭借着语言文字勾勒，唐代诗人同时也是构图大师。如杜甫《绝句》布景："两个黄鹂鸣翠柳，一行白鹭上青天。窗含西岭千秋雪，门泊东吴万里船。"①"窗含"、"门泊"本是古代亭园建筑取景的重要视角，杜甫一取景高山终年积雪，一取景江水连绵舟船，高山流水尽入眼帘，取景开阔雄健。"黄鹂"、"白鹭"画面感十足，颜色中包含黄、白、翠、青四种色调的映衬对比，如此画面怎不让人觉得心旷神怡、赏心悦目？柳宗元的《江雪》意境幽僻，是容华退后的山河孤寂，无比凄凉萧索，于万事皆寂中置一老翁垂钓，于绝境中出一生机，又令人悲悯这一生机的绝然孤独。用语言构造的布景比画本身还要好，因为它并不受画面空间的限制。如王湾的"海日生残夜，江春入旧年"（《次北固山下》）②形象生动地表现了时序更替的紧凑，又生机盎然。这布景却是绘画难以企及的境界，画家画得出海日东升，春江回暖，但怎样的画手才能一入眼就让人在画布上抓住"残"与"旧"的回影呢？

诗中有画，画中有诗的王维，自然是唐人中造象塑景的佼佼者。"日落江湖白，潮来天地青"（《送邢桂州》）③；"千里横黛色，数峰出云间"

---

① （清）曹寅、彭定求等编纂：《全唐诗》卷二二八，中华书局 1999 年版，第 2487 页。
② （清）曹寅、彭定求等编纂：《全唐诗》卷一一五，中华书局 1999 年版，第 1171 页。
③ （清）曹寅、彭定求等编纂：《全唐诗》卷一二六，中华书局 1999 年版，第 1273 页。

(《崔濮阳兄季重前山兴》)①;“瀑布杉松常带雨,夕阳苍翠忽成岚”(《送方尊师归嵩山》)②等诗句都是难得的绘画作品,画面唯美,构图精致,赏心悦目。再看他的“白云回望合,青霭入看无”(《终南山》)③、“屋上春鸠鸣,村边杏花白”(《春中田园作》)④、“白水明田外,碧峰出山后”(《新晴野望》)⑤等。这些诗句无不是图画的绝妙构思。描摹物态入微也是他的拿手好戏,如“跳波自相溅,白鹭惊复下”(《栾家濑》)⑥,像现代高速摄影方式放慢画面动作,使我们可以看到以平常观察方式将会忽略的景象。有时他又利用语言的想象,在因果倒置中构思画面,如“竹喧归浣女,莲动下渔舟”⑦,明明是因为“浣女归”而“竹喧”,先有“下渔舟”后有“莲动”,诗歌的反置使景象动作突出。“画中有诗”的王维因为缺乏画作遗存只能在脑海中遥想一二,“诗中有画”的王维端坐于《唐诗全集》中,一代宗师,巍然成派。

徘徊移动,游目周览的设置方式,使唐人可以将长画卷展示在观众面前。以诗设景作画时运用了散点透视方法,于时间上产生动作的承接效果,从而移位换景,如“兴阑啼鸟换,坐久落花多”(王维《从岐王过杨氏别业应教》)⑧,随着时间推移景物产生变化。再有王维的《青溪》:“言入黄花川,每逐青溪水。随山将万转,趣途无百里。声喧乱石中,色静深松里。漾漾泛菱荇,澄澄映葭苇。我心素已闲,清川澹如此。请留盘石上,垂钓将已矣”,及其《终南山》:“太乙近天都,连山到海隅。白去回望合,青霭入看无。分野中峰变,阴晴众壑殊。欲投人处宿,隔水问樵夫”⑨;韩愈的《山石》:“山石荦确行径微,黄昏到寺蝙蝠飞。升堂坐阶新雨足,芭蕉叶

---

① (清)曹寅、彭定求等编纂:《全唐诗》卷一二五,中华书局1999年版,第1248页。
② (清)曹寅、彭定求等编纂:《全唐诗》卷一二八,中华书局1999年版,第1297页。
③ (清)曹寅、彭定求等编纂:《全唐诗》卷一二六,中华书局1999年版,第1277页。
④ (清)曹寅、彭定求等编纂:《全唐诗》卷一二五,中华书局1999年版,第1249页。
⑤ (清)曹寅、彭定求等编纂:《全唐诗》卷一二五,中华书局1999年版,第1250页。
⑥ (清)曹寅、彭定求等编纂:《全唐诗》卷一二八,中华书局1999年版,第1301页。
⑦ (清)曹寅、彭定求等编纂:《全唐诗》卷一二六,中华书局1999年版,第1276页。
⑧ (清)曹寅、彭定求等编纂:《全唐诗》卷一二六,中华书局1999年版,第1266页。
⑨ (清)曹寅、彭定求等编纂:《全唐诗》卷一二六,中华书局1999年版,第1277页。

大栀子肥。僧言古壁佛画好，以火来照所见稀。铺床拂席置羹饭，疏粝亦足饱我饥。夜深静卧百虫绝，清月出岭光入扉。天明独去无道路，出入高下穷烟霏。山红涧碧纷烂漫，时见松枥皆十围。当流赤足蹋涧石，水声激激风吹衣。人生如此自可乐，岂必局束为人鞿。嗟哉吾党二三子，安得至老不更归。”①事件发生的时间顺序在诗文中清楚点出，从“黄昏”到“夜深”，再到“天明”。根据时间顺序，诗歌按照游记的方式，一步一景，移景换形。其他如白居易的《游悟真寺诗》等都有异曲同工之妙。

王维诗作综合声响、色彩、形状、动静、光度等元素，他以对比手法，将这些元素融入意象中，挥洒出醉人的水墨山水画。如“日落江湖白，潮来天地青”（《送邢桂州》）②，是事物颜色与动势的同时对比；“明月松间照，清泉石上流”（《山居秋暝》）③，是动与静、光与暗的对比；“雨中山果落，灯下草虫鸣”（《秋夜独坐》）④是声音与动作的对照；《积雨辋川庄作》的名句“漠漠水田飞白鹭，阴阴夏木啭黄鹂”⑤是颜色与动作的对照。各艺术元素在大师手中随心所欲地运用撮合，纯写自然之景，让本静谧无人的自然多了一些喧闹。

在制造形象时，唐人会小心地突出鉴赏者某种感官的重要，以一种感官为主，调动人的五感六味。这其中包括对眼睛的刺激，“晓看红湿处，花重锦官城”（杜甫《春夜喜雨》）⑥，全城姹紫嫣红，芙蓉开遍，这些颜色满满地挤入眼中，叫人不能回避。还包括对耳朵的挑战，“随风潜入夜，润物细无声”（杜甫《春夜喜雨》）⑦，虽写无声，却引导着人立即回忆心中留存的春雨之声；“曲终收拨当心画，四弦一声如裂帛。东舟西舫悄无言，唯见江心秋月白”（白居易《琵琶引》）⑧，曲调的停止不是结束，曲子

---

① （清）曹寅、彭定求等编纂：《全唐诗》卷三三八，中华书局1999年版，第3790页。
② （清）曹寅、彭定求等编纂：《全唐诗》卷一二六，中华书局1999年版，第1273页。
③ （清）曹寅、彭定求等编纂：《全唐诗》卷一二六，中华书局1999年版，第1276页。
④ （清）曹寅、彭定求等编纂：《全唐诗》卷一二六，中华书局1999年版，第1279页。
⑤ （清）曹寅、彭定求等编纂：《全唐诗》卷一二八，中华书局1999年版，第1299页。
⑥ （清）曹寅、彭定求等编纂：《全唐诗》卷二二六，中华书局1999年版，第2441页。
⑦ （清）曹寅、彭定求等编纂：《全唐诗》卷二二六，中华书局1999年版，第2441页。
⑧ （清）曹寅、彭定求等编纂：《全唐诗》卷四三五，中华书局1999年版，第4831页。

在无声的思索中延续，又融入江心之月一层层回荡，绕梁三日的幻觉恐也与此相似。还有对温暖的需求，“绿蚁新醅酒，红泥小火炉。晚来天欲雪，能饮一杯无”（白居易《问刘十九》）①，严寒即将来临时，来自红垆、醅酒的温暖诱惑有谁能抵挡？有时感官的刺激还会上升到情感的召唤，看刘长卿的《逢雪宿芙蓉山主人》：“日暮苍山远，天寒白屋贫。柴门闻犬吠，风雪夜归人。”②也是个天寒地冻的日子，小屋地势偏远，长途跋涉者终于回到家中，虽然不是风雨华梦、衣锦还乡的春归时刻，虽然家中贫寒，小屋简陋，但总算有一个栖身之所，一个普通平凡人回家的温情充溢其间。唐诗传情达意的功夫从人最敏感的感官享受处入手，用的不是堆砌辞藻、词句浮华的技能性手段，而是在平常易感之处找到穴位，突下一击，轻轻一笔骚人心痒，再将景界开阔出去，定叫人反复涵诵体会。更有甚者直击感官，如万楚的《五日观妓》：“眉黛夺将萱草色，红裙妒杀石榴花。新歌一曲令人艳，醉舞双眸敛鬓斜。谁道五丝能续命，却令今日死君家。”③眉目夺人、色香浮动、春风拂面、春意撩人。无怪王世贞叹之：“宋人所不能作，然亦不肯作。”④

为了保证绘画动人，唐人极力追求画面的新奇感，描写的风景是独有的。如王维所带来的境界多为空谷寂静，人迹罕至，大自然自由生长、怡然自得，“万壑树参天，千山响杜鹃。山中一夜雨，树杪百重泉”（《送梓州李使君》）⑤、“木末芙蓉花，山中发红萼。涧户寂无人，纷纷开且落”（《辛夷坞》）⑥。有时他塑造的景象看似清新了然，深入又令人费解。如“山路元无雨，空翠湿人衣”（《阙题二首》）⑦，不下雨的天气，路人衣物浸湿，可能是因为露水。但“空翠”又令人不得不细细咀嚼，到底是怎样的颜色才能当得起“空翠”之名。再如“楚塞三湘接，荆门九派通。江流天地外，

---

① （清）曹寅、彭定求等编纂：《全唐诗》卷四四〇，中华书局1999年版，第4916页。
② （清）曹寅、彭定求等编纂：《全唐诗》卷一四七，中华书局1999年版，第1481页。
③ （清）曹寅、彭定求等编纂：《全唐诗》卷一四五，中华书局1999年版，第1472页。
④ （明）王世贞：《艺苑卮言》，凤凰出版社2009年版，第53页。
⑤ （清）曹寅、彭定求等编纂：《全唐诗》卷一二六，中华书局1999年版，第1272页。
⑥ （清）曹寅、彭定求等编纂：《全唐诗》卷一二八，中华书局1999年版，第1301页。
⑦ （清）曹寅、彭定求等编纂：《全唐诗》卷一二八，中华书局1999年版，第1304页。

山色有无中”(《汉江临泛》)①,“山色有无中”的山色又是怎样的处于有与无之间;“泉声咽危石,日色冷青松”(《过香积寺》)②此景形象鲜明,“咽”、“危”、“冷”都值得让人陷入无限的想象中去。李贺也擅长此道,他创造的景象比王维的更匪夷所思!“玉轮轧露湿团光”(《梦天》)③可以让我们想象到月色湿润的情景,李贺偏要说这是因为月亮碾过露珠引起的;“羲和敲日玻璃声”(《秦王饮酒》)④,不禁让人深思,如果太阳真的只是一团实体,敲出来的到底是什么声音呢!

为了追求佳境,有些诗人反复吟咏推敲,重锻字锤言,而三年始得,一吟泪流。如贾岛“独行潭底影,数息树边身”(《送无可上人》)⑤经过三年推敲后才最终确立下来。再有“吟安一个字,撚断数茎须”(卢延让《苦吟》)⑥也指出诗人用字时要反复琢磨。因为过于追求画面的极致不可重复,有时在造象中也会走向极端,如想象天才李贺就写过“刺豹淋血盛银罂”(《公莫舞歌》)⑦这样阴森恐怖的画面。为了造出奇物奇景,韩愈、孟郊、贾岛都追求造险怪陆离之象的倾向,以怪、偏、险为目的。李肇《唐国史补》说:“元和已后,为文笔则学奇诡于韩愈,学苦涩于樊宗师。歌行则学流荡于张籍。诗章则学矫激于孟郊,学浅切于白居易,学淫靡于元稹。俱名为元和体。大抵天宝之风尚党,大历之风尚浮,贞元之风尚荡,元和之风尚怪。”⑧险怪派极尽夸张对比之能事,造象惝恍迷离。这是唐诗造象追新求奇走向的极致,并不可取。无怪宋人看到他们的失败,感悟到不可在造象中与唐人争锋,从而另找思路,另辟蹊径。

与唐人气势相符,他们善于塑造开天阔地、雄浑奔放的画面,如“潮

---

① (清)曹寅、彭定求等编纂:《全唐诗》卷一二六,中华书局1999年版,第1278页。
② (清)曹寅、彭定求等编纂:《全唐诗》卷一二六,中华书局1999年版,第1274页。
③ (清)曹寅、彭定求等编纂:《全唐诗》卷三九〇,中华书局1999年版,第4408页。
④ (清)曹寅、彭定求等编纂:《全唐诗》卷三九〇,中华书局1999年版,第4412页。
⑤ (清)曹寅、彭定求等编纂:《全唐诗》卷五七二,中华书局1999年版,第6690页。
⑥ (清)曹寅、彭定求等编纂:《全唐诗》卷七一五,中华书局1999年版,第8293页。
⑦ (清)曹寅、彭定求等编纂:《全唐诗》卷三九一,中华书局1999年版,第4421页。
⑧ (唐)李肇、赵璘:《唐国史补·因话录》,上海古籍出版社1979年版,第57页。

平两岸阔，风正一帆悬”（王湾《次北固山下》）[①]、“星垂平野阔，月涌大江流”（杜甫《旅夜书怀》）[②]、“两岸青山相对出，孤帆一片日边来”（李白《望天门山》）[③]、“野旷天低树，江清月近人”（孟浩然《宿建德江》）[④]等都气势雄阔，有开天辟地之力。宗白华在《中国诗画中所表现的空间意识》中，道中国人的空间组图方式：“全幅画面所表现的空间意识，是大自然的全面节奏与和谐。画家的眼睛不是从固定角度集中于一个透视的焦点，而是流动着飘瞥上下四方，一目千里，把握全境的阴阳开阖、高下起伏的节奏。中国最大诗人杜甫有两句诗表出这空、时意识说：‘乾坤万里眼，时序百年心。’”[⑤]综观全局的观察方式使古人视野开阔，气象恢宏，唐诗无疑是一目千里的最好瞭望者。

不仅如此，唐人的注意力甚至经常超出有限的时空，走向无限的宇宙与永恒。他们将有限的人生与不断更迭的历史相比较，感慨人生繁华宝贵终成虚幻，“阁中帝子今安在，槛外长江空自流”（王勃《滕王阁》）[⑥]、“节物风光不相待，桑田碧海须臾改。昔时金阶白玉堂，即今唯见青松在”（卢照邻《长安古意》）[⑦]、“朱雀桥边野草花，乌衣巷口夕阳斜。旧时王谢堂前燕，飞入寻常百姓家”（刘禹锡《乌衣巷》）[⑧]、“人世几回伤往事，山形依旧枕寒流”（刘禹锡《西塞山怀古》）[⑨]，皇子、门阀、世家、国土皆隐在历史的洪流中消逝而去，有什么是人间长驻的呢？张若虚的《春江花月夜》以朦胧的悲伤发出了对无限宇宙、永恒时间的探问。诗人以月下长江的江南景致为主要画面，比较人与江月的共时关系。“江畔何人初见月？江月何年初照人”[⑩]是对宇宙与人类社会起源的追问；“人生代代

① （清）曹寅、彭定求等编纂：《全唐诗》卷一一五，中华书局1999年版，第1171页。
② （清）曹寅、彭定求等编纂：《全唐诗》卷二二九，中华书局1999年版，第2490页。
③ （清）曹寅、彭定求等编纂：《全唐诗》卷一八〇，中华书局1999年版，第1846页。
④ （清）曹寅、彭定求等编纂：《全唐诗》卷一六〇，中华书局1999年版，第1670页。
⑤ 宗白华：《美学散步》，上海人民出版社2005年版，第166页。
⑥ （清）曹寅、彭定求等编纂：《全唐诗》卷五五，中华书局1999年版，第675页。
⑦ （清）曹寅、彭定求等编纂：《全唐诗》卷四一，中华书局1999年版，第523页。
⑧ （清）曹寅、彭定求等编纂：《全唐诗》卷三六五，中华书局1999年版，第4127页。
⑨ （清）曹寅、彭定求等编纂：《全唐诗》卷三五九，中华书局1999年版，第4065页。
⑩ （清）曹寅、彭定求等编纂：《全唐诗》卷一一七，中华书局1999年版，第1185页。

无穷已，江月年年只相似"①，人类繁衍生息，世事变迁，而江月相互映照，亘古如斯。《春江花月夜》发出的探问正是唐人无数次所感受到的人生有时、天地无穷的惆怅。但唐人在对比之下感到人类面对自然生命短暂，形如蝼蚁的事实后并不仅哀生之须臾，而是走向了超越生死的永恒追求。《春江花月夜》在感慨生命短暂后，立即转入对爱情的描写，似乎将刚才为整个人类所发出的伤心感叹，转瞬就抛到了脑后。

在光溢声婉中冉冉盛放的唐诗，感官十足地吸引着人的注意力，给予鉴赏者无穷的感性音响声影享受。与宫体诗庸俗的直接刺激不同，唐诗的感官盛宴高雅清新，怡人耳目，沁人心脾。这些感官绽放的诗中少有艳诗，以纯形式的画面、音乐方式带给人视听快感，可亲可近，又不低俗下流。

四、骨气奇高

唐诗骨气奇高，声势雄健、风姿峻迈。特别是初唐、盛唐诗歌充满激荡心胸的情怀。唐人锐意进取，出现了许多积极向上、乐观豁达的诗作。唐诗常激情洋溢、意气风发，表现自我积极入仕，建功立业的理想抱负，尤以边塞诗为代表。唐诗蓬勃的热情生气，正是盛唐气象。安史之乱后，气象渐衰，但通过集体遗传下来的盛唐豪迈壮志依然存在。唐人骨中的自信延续于唐诗中，晚唐的绝望悲叹正是大势已去，傲骨依在的绝响。

持有安社稷、救苍生、有所作为的强烈愿望，是盛唐知识分子的普遍情怀。如骆宾王"辟门通舜宾，比屋封尧德。言谢垂钩隐，来参负鼎职"（《夏日游德州赠高四》）②、杜甫"致君尧舜上，再使风俗淳"（《奉赠韦左丞丈二十二韵》）③。再如"丈夫皆有志，会见立功勋"（杨炯《出塞》）④、"一生欲报主，百代思荣亲。其事竟不就，哀哉难重陈"（李白《赠张相镐》）⑤、"东山高

---

① （清）曹寅、彭定求等编纂：《全唐诗》卷一一七，中华书局 1999 年版，第 1185 页。
② （清）曹寅、彭定求等编纂：《全唐诗》卷七七，中华书局 1999 年版，第 829 页。
③ （清）曹寅、彭定求等编纂：《全唐诗》卷二一六，中华书局 1999 年版，第 2252 页。
④ （清）曹寅、彭定求等编纂：《全唐诗》卷五十，中华书局 1999 年版，第 615 页。
⑤ （清）曹寅、彭定求等编纂：《全唐诗》卷一七〇，中华书局 1999 年版，第 1760 页。

卧时起来，欲济苍生未应晚”（李白《梁园吟》）①、“苟无济代心，独善亦何益……终与安社稷，功成去五湖”（李白《赠韦秘书子春二首》）②、“我以一箭书，能取聊城功。终然不受赏，羞与时人同”（李白《五月东鲁行答汶上君》）③等，都反映了唐人们立身报国的信念和决心。

唐人爱国情怀空前高涨，人们精神生气勃勃，壮丽飞动，能由衷赞美生活，肯定现世生存意义。对生活的赞美首先表现在对大好河山的赞美与热爱。如李白的《庐山谣寄卢侍御虚舟》：

我本楚狂人，凤歌笑孔丘。手持绿玉杖，朝别黄鹤楼。五岳寻仙不辞远，一生好入名山游。庐山秀出南斗傍，屏风九叠云锦张，影落明湖青黛光。金阙前开二峰长，银河倒挂三石梁。香炉瀑布遥相望，回崖沓嶂凌苍苍。翠影红霞映朝日，鸟飞不到吴天长。登高壮观天地间，大江茫茫去不还。黄云万里动风色，白波九道流雪山。好为庐山谣，兴因庐山发。④

天地壮丽，山水秀丽，土地肥沃，在此天地间，人的视野开阔舒展，心胸抱负也为之一振。大好河山值得人们投身其间，为它奔走奋斗、酣畅抒怀。对自然风光的赞美与对大唐王朝的称赞又相联系。唐开元年间百姓生活富足，人民安居乐业，留存了一个令多少文人骚客向往景仰的盛世时代。杜甫《忆昔》记：

忆昔开元全盛日，小邑犹藏万家室。稻米流脂粟米白，公私仓廪俱丰实。九州道路无豺虎，远行不劳吉日出。齐纨鲁缟车班班，男耕女桑不相失。宫中圣人奏云门，天下朋友皆胶漆。百余年间未灾变，叔孙礼乐萧何律。⑤

李白也说：“一百四十年，国容何赫然”（《古风》）⑥，都可见诗人们对

① （清）曹寅、彭定求等编纂：《全唐诗》卷一六六，中华书局 1999 年版，第 1721 页。
② （清）曹寅、彭定求等编纂：《全唐诗》卷一六八，中华书局 1999 年版，第 1736 页。
③ （清）曹寅、彭定求等编纂：《全唐诗》卷一七八，中华书局 1999 年版，第 1817 页。
④ （清）曹寅、彭定求等编纂：《全唐诗》卷一七三，中华书局 1999 年版，第 1778 页。
⑤ （清）曹寅、彭定求等编纂：《全唐诗》卷二二〇，中华书局 1999 年版，第 2328 页。
⑥ （清）曹寅、彭定求等编纂：《全唐诗》卷一六一，中华书局 1999 年版，第 1680 页。

大唐盛世的景仰之心。盛唐经济政治的空前繁荣留给了唐人无限的信念与渴望。这种信念如此深刻,即使是经历了安史之乱,也未能泯除唐人对这个朝代的期望。如杜甫的《洗兵马》、《闻官军收河南河北》、《喜达行在所三首》等都神往大唐盛世,希望励精图治后,可以重回开元盛世。

因为对祖国山河这份热爱,唐人保家卫国、开疆拓土的愿望显于诗间。唐代边塞诗盛行,他们将作诗视野从宫廷台阁移向了视野更加广阔的边塞荒漠。苍凉悲壮而慷慨激昂的边塞诗最能表现唐人积极向上的风韵。唐代边塞诗空前发展,不仅在数量上远超前代,而且出现了许多优秀的诗篇、脍炙人口的诗句,并有专门的边塞诗代表作家,如岑参、高适、王昌龄、李颀等人都是唐代最负盛名的边塞诗人。其他许多作者也常有边塞佳作。边塞诗一扫齐梁年间的萎靡不振、纤弱浮艳的诗风,以状物、表情为主,畅达情思,感发意志。

唐人边塞诗更多地体现豪情壮志,他们或描写雄健壮丽的自然环境,让人望之心折,"北风卷地白草折,胡天八月即飞雪。忽然一夜春风来,千树万树梨花开"(岑参《白雪歌送武判官归京》)①,"燕山雪花大如席,片片吹落轩辕台"(李白《北风行》)②;或赞叹军队的齐整阵容,庄严肃杀,让人紧张期盼,"天官动将星,汉上柳条青。万里鸣刁斗,三军出井陉"(王维《送赵都督赴代州得青字》)③;或感慨战争的激烈残酷,让人肃然起敬、严阵以待,"吹角动行人,喧喧行人起。笳悲马嘶乱,争渡金河水。日暮沙漠陲,战声烟尘里"(王维《从军行》)④;或抒发心怀天下的爱国情感,让人舍生忘死,"闻道玉门犹被遮,应将性命逐轻车"(李颀《古从军行》)⑤。

唐代边塞诗气力充沛,雄浑悲壮,集中地表现了他们要投报国门,施展抱负、披肝沥胆的雄心壮志。边塞诗对战争生活的书写,既能表现战士

---

① (清)曹寅、彭定求等编纂:《全唐诗》卷一九九,中华书局 1999 年版,第 2056 页。
② (清)曹寅、彭定求等编纂:《全唐诗》卷一六二,中华书局 1999 年版,第 1690 页。
③ (清)曹寅、彭定求等编纂:《全唐诗》卷一二六,中华书局 1999 年版,第 1271 页。
④ (清)曹寅、彭定求等编纂:《全唐诗》卷一二五,中华书局 1999 年版,第 1236 页。
⑤ (清)曹寅、彭定求等编纂:《全唐诗》卷一三二,中华书局 1999 年版,第 1348 页。

的英勇献身精神，也披露了战争的艰辛悲苦。唐代边塞诗中战争的艰苦更多是为了衬托战士不畏艰险的爱国热情，使诗篇常洋溢着振奋昂扬的斗志。比如王昌龄《从军行》第四、第五首：

青海长云暗雪山，孤城遥望玉门关。黄沙百战穿金甲，不破楼兰终不还。

大漠风尘日色昏，红旗半卷出辕门。前军夜战洮河北，已报生擒吐谷浑。①

这两首诗都极力表现战士们豪气逼人的英雄气概。第一首的前三句描写环境的残酷荒凉，“长云暗雪山”写气候寒冷；“孤”、“遥”写地势偏僻，杳无人烟；“黄沙百战穿金甲”写战争艰辛，战士身上穿的铠甲都破了，但在这种寒冷、荒凉、艰辛的环境中，战士却执着于杀敌破阵的信念，万般困难挡不住士兵们的爱国热情，前面恶劣环境的描写是为最后一句作铺垫，不管情况如何，“不破楼兰终不还”，舍生忘死的英雄气概直干云霄。这就是于艰苦中作豪迈的唐音！后一首直写战争场景，军队以迅雷不及掩耳之势横扫敌军，生擒敌军首领，同样艰苦环境的“大漠风尘日色昏”成了雄浑战功创立时的背景画面，在灰天暗日中写战争的激烈，画面慷慨雄健，令人神往。

唐初边疆捷报频传，大力提高了人们戍边卫国的决心与勇气。甚至在知识分子中形成了投笔从戎的意愿，如“宁为百夫长，胜作一书生”（杨炯《从军行》）②、“功名只向马上取，真是英雄一丈夫”（岑参《送李副使赴碛西官军》）③、“蔡子勇成癖，弯弓西射胡。健儿宁斗死，壮士耻为儒”（杜甫《送蔡希曾都尉还陇右因寄高三十五书记》）④、“孰知不向边庭苦，纵死犹闻侠骨香”（王维《少年行》）⑤。诗句对军旅生活与边塞风情充满了向往。这样强烈的战争情结并不是因为诗人们是纯粹的、浪漫的理想

---

① （清）曹寅、彭定求等编纂：《全唐诗》卷一四三，中华书局1999年版，第1444页。
② （清）曹寅、彭定求等编纂：《全唐诗》卷五十，中华书局1999年版，第615页。
③ （清）曹寅、彭定求等编纂：《全唐诗》卷一九九，中华书局1999年版，第2061页。
④ （清）曹寅、彭定求等编纂：《全唐诗》卷二二四，中华书局1999年版，第2400页。
⑤ （清）曹寅、彭定求等编纂：《全唐诗》卷一二八，中华书局1999年版，第1305页。

主义者，不了解战争的残酷。从诗句看，诗人们很清醒地认识到战争所带来的生命后果。如王昌龄的《出塞》："秦时明月汉时关，万里长征人未还。但使龙城飞将在，不教胡马度阴山。"①从前两句看，对战争的残酷认识何等深刻，几乎让人以为他整首诗是要批评兵役之苦了，后两句却笔锋一转，几百年的边关之苦，未能阻止人们保卫边疆的爱国决心，在认识到一代又一代的牺牲与消亡中，唐人仍然保持昂扬饱满的战斗基调。因为秉持着胜利的希望，唐人可以将戍边战争的艰难困苦、离别愁绪，甚至是生死置之度外，更向往战争中的胜利，以安边塞。

保家卫国的壮志中也包含着唐人建立功勋，求取功名的野心，如王昌龄的"闺中少妇不曾愁，春日凝妆上翠楼。忽见陌头杨柳色，悔教夫婿觅封侯"（《闺怨》）②，就从侧面描写了战争与功名之间的联系。骆宾王的《宿温城望军营》，"投笔怀班业，临戎想顾勋"③，计划从军旅生涯获得功名。不过唐人也不是一味好战盼战，战争对他们来说乃不得已而为之，"乃知兵者是凶器，圣人不得已而用之"（李白《战城南》）④；就算面临侵略者，也以制伏对手为目的，并不在嗜杀，"苟能制侵陵，岂在多杀伤"（杜甫《前出塞》）⑤。

除了写战争戍边的边塞诗，唐代其他诗篇也常秉信心，流露出非同寻常的豪迈自信。唐人对现实总是持有很大信心，因为"长风破浪会有时，直挂云帆济沧海"（李白《行路难》）⑥。在同样的题材中，唐代总能找到途径安慰渡过。以送别题材为例，以往送别诗一向是伤春悲秋，满目萧索。到了唐代，唐人以特有的心态让送别诗有了新的转折。如王勃的《杜少府之任蜀州》："城阙辅三秦，风烟望五津。与君离别意，同是宦游人。海内存知己，天涯若比邻。无为在歧路，儿女共沾巾。"⑦在送别这样

① （清）曹寅、彭定求等编纂：《全唐诗》卷一四三，中华书局 1999 年版，第 1444 页。
② （清）曹寅、彭定求等编纂：《全唐诗》卷一四三，中华书局 1999 年版，第 1446 页。
③ （清）曹寅、彭定求等编纂：《全唐诗》卷七九，中华书局 1999 年版，第 856 页。
④ （清）曹寅、彭定求等编纂：《全唐诗》卷一六二，中华书局 1999 年版，第 1684 页。
⑤ （清）曹寅、彭定求等编纂：《全唐诗》卷二一八，中华书局 1999 年版，第 2295 页。
⑥ （清）曹寅、彭定求等编纂：《全唐诗》卷一六二，中华书局 1999 年版，第 1686 页。
⑦ （清）曹寅、彭定求等编纂：《全唐诗》卷五六，中华书局 1999 年版，第 678 页。

的伤感场景中，一改以往离别时悲切之意，而展现了诗人对未来生活的极度期待与信心。无独有偶，高适也发出了同样的声音："十里黄云白日曛，北风吹雁雪纷纷。莫愁前路无知己，天下谁人不识君"（《别董大》）①。由于古代交通不够便利，一场在现代人看来十分普通的离别，在当时很可能就是永无相见之日的生离死别，因此古代于离别之时极易伤感。这两首诗，在同样可能天人两隔，欢景不再的未知前运中，一改悲音，以美好的憧憬，潇洒挥手告别，心胸开阔，情绪洒脱！

唐人自我看重，自惜其才，对个人的才能保持一定的信心，觉得大丈夫当有所为，就算不得重用，也应自持身份。尤以李白最为凸显。王世贞评道："五言古、《选》体及七言歌行，太白以气为主，以自然为宗，以俊逸高畅为贵；……其歌行之妙，咏之使人飘扬欲仙者，太白也。"②李白平交王侯，性格傲岸，蔑视权贵，以布衣自称，不见卑弱，这都是现代人格的表现，千年前的李白在尊卑等级如此严格的基础上就有此意识，实令人钦佩。看他的"丹徒布衣者，慷慨未可量"（《玉真公主别馆苦雨赠卫尉张卿二首》）③，何以对布衣之身有着如此大的期待，因为在李白看来，人生的价值不由身份而定，而在才华、能力的较量，"兴酣落笔摇五岳，诗成笑傲凌沧州"（《江上吟》）④，无才华的人即使身居高位，也不入他的法眼，反招他蔑视，"羞逐长安社中儿，赤鸡白狗赌梨栗。弹剑作歌奏苦声，曳裾王门不称情"（《行路难》）⑤，"路逢斗鸡者，冠盖何辉赫；鼻息干虹蜺，行人皆怵惕。世无洗耳翁，谁知尧与跖"（《古风》二十二）⑥。宁愿落魄，也不肯低头，"安能摧眉折腰事权贵，使我不得开心颜"（《梦游天姥吟留别》）⑦。李白恃才傲物的品格，让他在面对天子时，也想保持自己的自信，"李白一斗诗百篇，长安市上酒家眠。天子呼来不上船，自称臣是酒

① （清）曹寅、彭定求等编纂：《全唐诗》卷二一四，中华书局1999年版，第2242页。
② （明）王世贞：《艺苑卮言》，凤凰出版社2009年版，第54页。
③ （清）曹寅、彭定求等编纂：《全唐诗》卷一六八，中华书局1999年版，第1735页。
④ （清）曹寅、彭定求等编纂：《全唐诗》卷一六六，中华书局1999年版，第1718页。
⑤ （清）曹寅、彭定求等编纂：《全唐诗》卷一六二，中华书局1999年版，第1686页。
⑥ （清）曹寅、彭定求等编纂：《全唐诗》卷一六一，中华书局1999年版，第1677页。
⑦ （清）曹寅、彭定求等编纂：《全唐诗》卷一七四，中华书局1999年版，第1785页。

中仙”(杜甫《饮中八仙歌》)①。

与现代商业社会的大众品位不同,唐代诗人们不以权贵论英雄。他们虽然对社会极具自信,却对当权者的评价不高。在《答王十二寒夜独酌有怀》中,李白直露他对权贵的蔑视:

> 君不能狸膏金距学斗鸡,坐令鼻息吹虹霓。君不能学哥舒横行青海夜带刀,西屠石堡取紫袍。吟诗作赋北窗里,万言不直一杯水。世人闻此皆掉头,有如东风射马耳。鱼目亦笑我,谓与明月同。骅骝拳跼不能食,蹇驴得志鸣春风。……一生傲岸苦不谐,恩疏媒劳志多乖。严陵高揖汉天子,何必长剑拄颐事玉阶。达亦不足贵,穷亦不足悲。②

李白的批判矛头直指最高君主,指责他用人不当,鱼目混珠,黑白不分,忠奸不辨。在君主是非不分,用人不明的情况下,即使身居高位,富贵显达也用不着骄傲,即使布衣之身,贫穷困窘,也用不着哀伤,因为朝廷根本不是依照才德标准选才任贤。所以李白等才士不为重用,并不是他们无能的表现,反倒是上位者无能的表现。

对自我的极度肯定中,李白也抒发怀才不遇的愤慨,却又不走寻常路。同是愤懑不平,李白却更加心胸开阔,能苦中作乐。如李白的《将进酒》,作者偏偏要将仕途的坎坷,不能施展抱负的苦恨以潇洒不羁、放浪形骸的方式表现出来。人生的不如意不能挡住唐人不可遏制的激情,黑暗的现实不能遮挡唐人永不屈服的人格,李白诗歌中的气势是那铮铮铁骨中最为铿锵坚韧的一骨。

唐人气势恢宏,不似囿于宫室苑囿的诗文赋体,只注重宣扬人主天家的铺扬张厉。唐人有更远大的抱负和理想,他们的视野转向自然宇宙,好奇于历史的悠远与宇宙的无限。他们胸怀博大,视野开阔,精神自由,常发出超越于当世所在的追问与希冀。李白在一次诗会的序文中就写道:“夫天地者,万物之逆旅。光阴者,百代之过客。而浮生若梦,为欢几何”

① (清)曹寅、彭定求等编纂:《全唐诗》卷二一六,中华书局1999年版,第2260页。

② (清)曹寅、彭定求等编纂:《全唐诗》卷一七八,中华书局1999年版,第1826页。

(李白《春夜宴从弟桃花园序》)①。诗歌中类似的探问与思考有:"人生飘忽百年内,且须酣畅万古情"(李白《答王十二寒夜独酌有怀》)②、"前不见古人,后不见来者。念天地之悠悠,独怆然而涕下"(陈子昂《登幽州台歌》)③、"宇宙谁开辟,江山此郁盘。登临今古用,风俗岁时观"(孟浩然《卢明府九日岘山宴袁使君张郎中崔员外》)④、"江畔何人初见月?江月何年初照人?人生代代无穷已,江月年年只相似"(张若虚《春江花月夜》)⑤。唐人对人生的终极问题不断发出追问,这使他们在判断人生经历时,不会止步于一时之盛衰荣耀,而总要将人置于宇宙荒洪、亘古时间中探问人生存的终极意义。

《文镜秘府论》的《论文意》说:"凡作诗之体,意是格,声是律,意高则格高,声辨则律清,格律全,然后始有调。"⑥唐诗浑朴壮阔,通体自然,律清而意高,一气贯注、热烈奔放。在开拓进取、高视阔步的足音中,唐代反对梁齐间"竞一韵之奇,争一字之巧"(李谔《上隋高祖革文华书》)⑦的诗风,延续了建安慷慨激昂,磊落使才的风骨兴寄,能指评时世,淋漓尽骂,抒胸中之块垒,更进一步,唐人浪漫天真的性格使他们常从生活的落魄坎坷中寻找生命的激情。雄浑悲壮中的英雄豪情,理想与现实的冲突,使唐人多慷慨悲歌,表现出气象浑成、难以句摘、骨气奇高的诗歌风格。

第三节 自然观:冲淡平和

唐诗因风格多样而绚丽流彩。在众多纷纭的风格中,空灵寂静,淡泊宁远的诗风是一大流派,不仅贯穿于整个时代,而且在不同诗人的笔中多

---

① (清)董诰等编:《全唐文》卷三百四十九,上海古籍出版社 1990 年版,第 1564 页。

② (清)曹寅、彭定求等编纂:《全唐诗》卷一七八,中华书局 1999 年版,第 1826 页。

③ (清)曹寅、彭定求等编纂:《全唐诗》卷八三,中华书局 1999 年版,第 899 页。

④ (清)曹寅、彭定求等编纂:《全唐诗》卷一六〇,中华书局 1999 年版,第 1664 页。

⑤ (清)曹寅、彭定求等编纂:《全唐诗》卷一一七,中华书局 1999 年版,第 1185 页。

⑥ [日]弘法大师:《文镜秘府论校注》,王利器校注,中国社会科学出版社 1983 年版,第 282 页。

⑦ (唐)魏徵等:《隋书》卷六十六,中华书局 1973 年版,第 1544 页。

有呈现。与西方人对秾丽、复杂、深奥的痴迷不一样，中国人尚简崇淡，标榜平淡冲和的审美意境，于简单平远处抒发人生见解，酝酿“真水无香”的审美品格。创造大量山水诗的唐人于微妙变化中展现了他们对冲淡平和的思考。唐人不但继承了南北朝时期对自然的玄想，而且以更亲切的方式，表达着对自然的崇尚。这种风格的形成或是流露出超尘拔俗的人格理想，或是抒发孤寂幻灭的人生感慨，更有甚者是对诗歌形式表达的一种探索，表现出了与天地同趣的自然兴味。历代学者对前两者多有论述，而忽视了第三种方式。如李泽厚将唐代自然观分为庄学与禅学两种①，张节末也认为从晋至唐，中国诗人的自然观发生了某种转型，即从庄玄转向佛禅。② 我们将在前辈学者的基础上进一步辨析三者的不同，以探讨唐代冲淡之风形成的生成性审美意识。

一、超尘拔俗的人生理想

唐代有专门的隐士诗，诗作冲淡平和。隐士诗人对冲淡平和自然环境的抒写更多是为了表达对世俗热情的退却。在诗人们眼中，自然是尘俗的对立面，他们厌倦尘世羁旅，宦海浮沉，渴望回到无拘无束的理想生活状态，而作为社会对立面的自然正好成为诗人这种情感的载体。与其说诗人称羡的是自然的旖旎风光，不如说诗人向往的是自然的生活状态。以山水田园形式表现的隐士诗多表达了诗人们不愿意出仕的志向与恬淡自如的生活理想。

唐代隐士诗以孟浩然为代表。胡应麟《诗薮》云：“孟诗淡而不幽，时杂流丽，闲而匪远，颇觉清扬；可取者，一味自然。”同是笑傲王侯，蔑视权贵。李白任侠好游，饮酒赋诗，指斥人生，纵情享乐。孟浩然则恬淡愉悦，亲近自然，热爱自然，在交友自然中，清静致远、舒缓悠然。如其田园诗作《过故人庄》：

故人具鸡黍，邀我至田家。绿树村边合，青山郭外斜。开筵面场

① 李泽厚：《漫述庄禅》，《中国社会科学》1985 年第 1 期。

② 张节末：《从陶潜的“化”到王维的“空”》，《浙江学刊》1999 年第 2 期。

圃，把酒话桑麻。待到重阳日，还来就菊花。①

孟浩然以潇洒适意的田园生活描写了自然山水间的理想生活状态，塑造了远离尘嚣，自由自在的人生姿态。在对自然所环抱的山水田园生活的诗意假想中满足了自己的人生理想，成就了诗人立志高远，立身尚清的处世原则。所以李白在《赠孟浩然》中对他大为赞赏："吾爱孟夫子，风流天下闻。红颜弃轩冕，白首卧松云。醉月频中圣，迷花不事君。高山安可仰，徒此揖清芬。"②孟浩然不求仕的志向，使他作品总是借助于自然山水之间的隐遁，表现出孤高自标，超尘拔俗的人生理想。

孟浩然的作品大多空灵俊秀，超尘拔俗，以抒发其孤标傲世的志向。孟浩然的诗中常以"清"、"空"、"野"、"逸"来表达自己不与世人同流的人生理想。如"愁因薄暮起，兴是清秋发"（《秋登兰山寄张五》）③、"松月生夜凉，风泉满清听"（《宿业师山房期丁大不至》）④、"竹露闲夜滴，松风清昼吹"（《齿坐呈山南诸隐》）⑤、"清晓因兴来，乘流越江岘"（《登鹿门山》）⑥、"松泉多逸响，苔壁饶古意"（《寻香山湛上人》）⑦、"鲛人潜不见，渔父歌自逸"（《登江中孤屿赠白云先生王迥》）⑧、"左右林野旷，不闻朝市喧"（《涧南即事贻皎上人》）⑨、"闲居枕清洛，左右接大野"（《宴包二融宅》）⑩等。孟浩然诗作共用"清"字56次，除去3次指清明，1次指人名，还剩52次。共用"空"字五十二次，除去六处指名词性的天空之意，3处指地名，还剩43次。另外有"野"字18次，"逸"字12次。也就是说，孟浩然的248首诗中，平均4首半就要用一个"清"字作修辞用，平均5首半就要用一个"空"字作修辞用。加上"野"字与"逸"字的数量，无怪他

---

① （清）曹寅、彭定求等编纂：《全唐诗》卷一六〇，中华书局1999年版，第1654页。
② （清）曹寅、彭定求等编纂：《全唐诗》卷一六八，中华书局1999年版，第1733页。
③ （清）曹寅、彭定求等编纂：《全唐诗》卷一五九，中华书局1999年版，第1623页。
④ （清）曹寅、彭定求等编纂：《全唐诗》卷一五九，中华书局1999年版，第1629页。
⑤ （清）曹寅、彭定求等编纂：《全唐诗》卷一六〇，中华书局1999年版，第1667页。
⑥ （清）曹寅、彭定求等编纂：《全唐诗》卷一五九，中华书局1999年版，第1630页。
⑦ （清）曹寅、彭定求等编纂：《全唐诗》卷一五九，中华书局1999年版，第1628页。
⑧ （清）曹寅、彭定求等编纂：《全唐诗》卷一五九，中华书局1999年版，第1623页。
⑨ （清）曹寅、彭定求等编纂：《全唐诗》卷一六〇，中华书局1999年版，第1641页。
⑩ （清）曹寅、彭定求等编纂：《全唐诗》卷一五九，中华书局1999年版，第1627页。

的作品表现出“不愿仕”的倾向，被玄宗指责“卿不求仕，而朕未尝弃卿，奈何诬我？”①

像这一类以自然山水表达人格理想的诗作是以无为求有为，以旷达、高洁的品性求得世务中的有所作为，而不是真正地要不管世务，终日游畅于山水之间。唐代隐士多负大志，有抱负，“唐代大部分隐士的社交活动都十分频繁，那些‘远辞百里君’、‘终年独掩扉’式的隐士十分稀见，他们或与文人墨客赠答酬对，或与公卿权贵互致问候，或聚众讲学、四方游历，不甘寂寞”②。如孟浩然虽然尽力追求超然于世外，以自然为中心，无欲无为的道家境界，但还是希望能有所作为，所以总是徘徊于世俗与自然之间。他在《送陈七赴西军》中说：“吾观非常者，碌碌在目前。君负鸿鹄志，蹉跎书剑年。一闻边烽动，万里忽争先。余亦赴京国，何当献凯还。”③可见，孟浩然并不是一味地要抛开尘世的功业，如果时机合适的话，他赞成报效国家，做出一番大成就。只是这种立功的想法，一旦投入实践，总是要受到阻碍与制约，不能做到豁达潇洒，所以也会令他感到人生命途多舛。

吾昔与尔辈，读书常闭门。未尝冒湍险，岂顾垂堂言。自此历江湖，辛勤难具论。往来行旅弊，开凿禹功存。壁立千峰峻，潨流万壑奔。我来凡几宿，无夕不闻猿。浦上摇归恋，舟中失梦魂。泪沾明月峡，心断鹡鸰原。离阔星难聚，秋深露已繁。因君下南楚，书此示乡园。

——《入峡寄弟》④

诗人的人生极不顺利，远没有超凡洒脱、随心所欲。以隐求仕的例子典型地反映在“终南捷径”中。道家隐士卢藏用曾隐居终南山，后来却入仕为官。他曾劝司马承祯在终南山隐居，被司马承祯讽刺以隐居为名，求仕为

① (清)曹寅、彭定求等编纂：《全唐诗》卷一五九，中华书局 1999 年版，第 1622 页。

② 齐涛：《唐代隐士略论》，《山东大学学报》1992 年第 1 期。

③ (清)曹寅、彭定求等编纂：《全唐诗》卷一五九，中华书局 1999 年版，第 1626 页。

④ (清)曹寅、彭定求等编纂：《全唐诗》卷一五九，中华书局 1999 年版，第 1623—1624 页。

实,走了“仕宦之捷径”。卢藏用的例子显示了当时许多隐者的真实抱负。

隐者与一般人心绪不同的是,当建功立业的人生追求与清高自许的人生态度相背离,诗人可以有建功立业的愿望,却绝不能卑躬屈膝,置人格理想于不顾,在冲突与挣扎中,诗人还是更愿意选择自然的田园生活。如此,方能无拘无束地“开襟成欢趣,对酒不能罢”(《宴包二融宅》)①。于是自然便成为他们洁身自好、自我欣赏的表征。

冲淡诗风的第一个自然意蕴是为了表达诗人不与尘世同流合污,全其名节的理想。此处,诗人是亲近自然、称颂自然的。诗人对自然的赞美溢于言表,自然品格就是诗人的理想人格,主体精神借助纯净的自然形象表达出来。自然形象与尘世俗务的对立,寓意着立身高远的人格志向与随波逐流、浮沉世潮的处世原则的对立。诗人以无为自然求有为人格,以远离尘嚣的清净自然圭臬着为人处世的高洁志向。

二、孤寂幻灭的人生感慨

唐代冲淡平和的另一类诗虽然也是描写空灵俊秀的自然,但这一类与超尘拔俗的人生理想有所不同,它们更多是表达孤寂幻灭的人生感慨。这一类诗以王维的部分诗作为代表。王维受佛教空观的影响,在艺术创作中时见“空”境的塑造。正如梁漱溟所说,“印度文化是以意欲反身向后要求为其根本精神的”②,王维的“空”境诗作是对生活、自然、宇宙任何意义存在的否定。

有诗佛之称的王维精于写景,苏轼赞他“味摩诘之诗,诗中有画”(《书摩诘蓝田烟雨图》)。王维对自然景观的色彩运用、空间布置、景物描摹及形象的选择造诣精妙,独具匠心,令人有如入画中之感。同是写景,对自然风光、山水田园的美,王维的造景与孟浩然一类极为相似。明代许学夷《诗源辩体》卷一六云:“摩诘七言律亦有三种:有一种宏赡雄丽

① (清)曹寅、彭定求等编纂:《全唐诗》卷一五九,中华书局 1999 年版,第 1627 页。
② 梁漱溟:《东西文化及其哲学》,商务印书馆 2010 年版,第 69 页。

者,有一种华藻秀雅者,有一种淘洗澄净者。如‘欲笑周文’、‘居延城外’、‘绛帻鸡人’等篇,皆宏赡雄丽者也。如‘渭水自萦’、‘汉主离宫’、‘明到衡山’等篇,皆华藻秀雅者也。如‘帝子远辞’、‘洞门高阁’、‘积雨空林’等篇,皆淘洗澄净者也,是亦高岑之所不及也。”①王维淘洗澄净风格的诗作固是高适、岑参没有的,但许学夷所举的三首例证王维诗风淘洗澄净之作与孟浩然的求隐之作几乎是一样的境界,如:

帝子远辞丹凤阙,天书遥借翠微宫。隔窗云雾生衣上,卷幔山泉入镜中。林下水声喧语笑,岩间树色隐房栊。仙家未必能胜此,何事吹笙向碧空。

——《敕借岐王九成宫避暑应教》②

洞门高阁霭余辉,桃李阴阴柳絮飞。禁里疏钟官舍晚,省中啼鸟吏人稀。晨摇玉佩趋金殿,夕奉天书拜琐闱。强欲从君无那老,将因卧病解朝衣。

——《酬郭给事》③

积雨空林烟火迟,蒸藜炊黍饷东菑。漠漠水田飞白鹭,阴阴夏木啭黄鹂。山中习静观朝槿,松下清斋折露葵。野老与人争席罢,海鸥何事更相疑。

——《积雨辋川庄作》④

诗作淡然空灵,流露出对权贵尘世俗务的厌倦,作者要远离朝堂,在自然山水、旷野田园中寻求适意的人生,这正是与孟浩然一样于山水田园中实现理想人格的自然诗篇。

但王维的自然观不仅如此,他受佛学影响,常谈空证性,诗作清净幽远,达到了“无”的境界。我们可以将王维的诗作与孟浩然的诗作做一比较。《全唐诗》中王维诗作运用“空”字 91 个,“清”字 60 个,“野”字 26 个,“逸”字非常少,只有 4 个。与孟浩然相比,王维更频繁地运用了“空”

① (明)许学夷:《诗源辩体》卷 16,人民文学出版社 1987 年版,第 161 页。
② (清)曹寅、彭定求等编纂:《全唐诗》卷一二八,中华书局 1999 年版,第 1296 页。
③ (清)曹寅、彭定求等编纂:《全唐诗》卷一二八,中华书局 1999 年版,第 1297 页。
④ (清)曹寅、彭定求等编纂:《全唐诗》卷一二八,中华书局 1999 年版,第 1299 页。

字。而且二者对“空”字意义的运用也不尽相同。孟浩然使用“空”字形容文才俊逸，如“贾谊才空逸，安仁鬓欲丝”（《晚春卧病寄张八》）①；形容实物缺乏，如“甘脆朝不足，箪瓢夕屡空”（《书怀贻京邑同好》）②；形容名利折损，如“惜无金张援，十上空归来”（《送丁大凤进士赴举呈张九龄》）③；形容色彩迷蒙，如“朝游访名山，山远在空翠”（《寻香山湛上人》）④。很少会用“空”字直写人生宇宙的幻灭。而王维却常以“空”否定宇宙人生的存在意义。如“荒城自萧索，万里山河空”（《奉寄韦太守陟》）⑤、“故乡不可见，云水空如一”（《和使君五郎西楼望远思归》）⑥、“思归何必深，身世犹空虚”（《饭覆釜山僧》）⑦、“芳草空隐处，白云余故岑”（《送权二》）⑧、“惆怅故山云，徘徊空日夕”（《叹白发》）⑨、“洒空深巷静，积素广庭闲”（《冬晚对雪忆胡居士家》）⑩、“浮空徒漫漫，泛有定悠悠……空虚花聚散，烦恼树稀稠”（《与胡居士皆病寄此诗兼示学人之二》）⑪、“寒空法云地，秋色净居天”（《过卢四员外宅看饭僧共题七韵》）⑫等。这些诗作中，他否定了国家、故乡、身世的可寻、可追，及至自然的花开花落也是“南柯一梦”，不能引起人生的兴致。

我们知道佛教于隋唐时期大为兴盛，大乘空宗，以本无、无为译真如、涅槃。“本无者，未有色法先有于无，故从无出有。即无在有先，有在无后，故称本无。”（吉藏《中观论疏》）⑬王维有“诗佛”之称，精髓处在于他

① （清）曹寅、彭定求等编纂：《全唐诗》卷一五九，中华书局1999年版，第1623页。
② （清）曹寅、彭定求等编纂：《全唐诗》卷一五九，中华书局1999年版，第1625页。
③ （清）曹寅、彭定求等编纂：《全唐诗》卷一五九，中华书局1999年版，第1626页。
④ （清）曹寅、彭定求等编纂：《全唐诗》卷一五九，中华书局1999年版，第1628页。
⑤ （清）曹寅、彭定求等编纂：《全唐诗》卷一二五，中华书局1999年版，第1240页。
⑥ （清）曹寅、彭定求等编纂：《全唐诗》卷一二五，中华书局1999年版，第1241页。
⑦ （清）曹寅、彭定求等编纂：《全唐诗》卷一二五，中华书局1999年版，第1249页。
⑧ （清）曹寅、彭定求等编纂：《全唐诗》卷一二五，中华书局1999年版，第1255页。
⑨ （清）曹寅、彭定求等编纂：《全唐诗》卷一二五，中华书局1999年版，第1255页。
⑩ （清）曹寅、彭定求等编纂：《全唐诗》卷一二六，中华书局1999年版，第1267页。
⑪ （清）曹寅、彭定求等编纂：《全唐诗》卷一二五，中华书局1999年版，第1240页。
⑫ （清）曹寅、彭定求等编纂：《全唐诗》卷一二七，中华书局1999年版，第1290页。
⑬ （唐）吉藏：《中观论疏》，《续修四库全书》1274册，上海古籍出版社2002年版，第97页。

领悟了佛教的空观。与前述求隐保自身高洁的自然观相比,王维求“空”的诗作抒写的是对整个人生的否定,是意欲反身向后为根本精神的。前者只是对求仕生活的否定,后者连理想的人格也不求达到了,整个宇宙人生都是幻灭孤寂的被抛弃物,即使是自然也是不必要深究的对象。

三、淡化主体的天地趣味

“空”的思想除了将人生自然全部否认外,还以另一种表现形式出现在诗作中。这便是对诗意的否认,于诗作中无所用意。“空”境的意义在于“无所用意”。诗人以兴象写景,有意识地淡化景观中的象征意蕴,或模糊景观中的象征意蕴。为了达到这种效果,诗人以纯景物的抒写方式描摹自然,淡化主体,使之至味于澹然。

“无所用意”是诗家的重要评论方法。南北宋之际的叶梦得的诗论正是在“空”的角度上评价了诗作中的景观。他在《石林诗话》中评谢灵运的《登池上楼》:“‘池塘生春草,园柳变鸣禽’,世多不解此语之工,盖欲以奇求之耳。此语之工,正在无所用意。猝然与景相遇,借以成章,不假绳削,故非常情所能到。诗家妙处,当须以此为根本,而苦思言难者,往往不能悟。”①诗人“无所用意”地纯粹写意反而扩大了诗作的意蕴。无独有偶,清人王士祯(王士禛)在《渔洋诗话》中评咏雪诗道:“余论古今雪诗,唯羊孚一赞,及陶渊明‘倾耳无希声,在目皓已洁’,及祖咏‘终南阴岭秀’一篇,右丞‘洒空深巷静,积素广闲庭’,韦左司‘门对寒流雪满山’句最佳。若柳子厚‘千山鸟飞绝’,已不免俗;降而郑谷之‘乱飘僧舍’、‘密洒歌楼’,益俗下欲呕;韩退之‘银杯、缟带’亦成笑柄,世人怵于盛名,不敢议尔。”②王士祯的评判等级中有主体逐渐淡化的倾向,柳宗元“千山鸟飞绝”主体孤寂、凛然、萧瑟意味过于浓厚,因此被王士祯批为不能免俗。其他佳句则难辨哀乐,主旨模糊,主体情感隐而不露。且看他引用的三首唐人诗作。

---

① (清)何文焕:《历代诗话》,中华书局 1981 年版,第 426 页。

② (清)王士禛:《带经堂诗话》,人民文学出版社 1963 年版,第 304—305 页。

终南阴岭秀,积雪浮云端。林表明霁色,城中增暮寒。

——《终南望余雪》①

寒更传晓箭,清镜览衰颜。隔牖风惊竹,开门雪满山。洒空深巷静,积素广庭闲。借问袁安舍,翛然尚闭关。

——《冬晚对雪忆胡居士家》②

九日驱驰一日闲,寻君不遇又空还。怪来诗思清人骨,门对寒流雪满山。

——《休暇日访王侍御不遇》③

三首唐人诗作已经充分领悟到无所用意的妙处。除了韦应物的《休暇日访王侍御不遇》有事件的叙述、人物的参与外,其他两首诗直写兴象而"无所用意",人与自然入一化,沧海一粟的人的存在弥散于天地之中,诗句只余宇宙自然的存在,所以能出常情、出常景。韦应物的诗虽然有人的痕迹,却依然立意澹然。诗人偶发诗性,与门对寒流雪满山的景色又有什么立意联系呢?诗人的各种行为,连日奔波、偶有闲暇、寻朋访友、偶发诗兴,都与门对寒流雪满山一样是自然的存在状态。自然固是亘古不变,人的存在又何尝不是如此?

再如司空曙的《江村即事》:"钓罢归来不系船,江村月落正堪眠。纵然一夜风吹去,只在芦花浅水边。"④诗作清新动人,充满了生活的情趣。可要说它表达了什么意思,找出一个喜春乐夏、坚贞不屈的主旨来,又觉得没有这个必要。撷取了生活的一个小景的纯粹素描已能动人如斯,因为生活中一个静谧的片段足够让人觉得岁月静好。王昌龄《听弹风入松曲》"最为清幽,收处'空山多雨雪,独立君始悟'殊得琴理。作清微诗亦须得此意,故曰诗禅。"(施补华《岘佣说诗》)⑤诗中"君"悟出的内容不须指出,无统一规定,无集中点旨,让各人各得缘法,各拥意境。

---

① (清)曹寅、彭定求等编纂:《全唐诗》卷一三一,中华书局1999年版,第1337页。
② (清)曹寅、彭定求等编纂:《全唐诗》卷一二六,中华书局1999年版,第1267页。
③ (清)曹寅、彭定求等编纂:《全唐诗》卷一九〇,中华书局1999年版,第1962页。
④ (清)曹寅、彭定求等编纂:《全唐诗》卷二九二,中华书局1999年版,第3319页。
⑤ (清)王夫之等:《清诗话》,中华书局1963年版,第981页。

唐人正是领悟了“无所用意”与天地同趣的自然观,许多诗句都以纯兴象的方式出现。《与极浦书》载戴容州云:“诗家之景,如蓝田日暖,良玉生烟,可望而不可置于眉睫之前也。”①诗句的意思隐藏于兴象景致之中,而不能直白地说出来。主体的意向淡化于自然之中,消除我、我所对待的区分,超越自然与主体的差别,进入绝对与天地同趣的平等之境。此时用意的空无,便是用意的丰满。这种思想也驱使诗人们寻求最寻常景致的描写。

唐代许多诗作追求常境。《河岳英灵集》中评价王维诗歌:“在泉为珠,着壁成绘,一字一句,皆出常境。”人们多将“皆出常境”理解为超出寻常意境。事实上王维在许多诗句中要表达的是纯正的常境,是一个主体淡化、自在无为的寻常自然之境。如其《鹿柴》:“空山不见人,但闻人语响。返景入深林,复照青苔上。”②清代沈德潜《唐诗别裁》卷十九评此诗说:“佳处不在语言,与陶公‘采菊东篱下,悠然见南山’同。”其实二者具有相当大的区分。陶渊明的创作更近孟浩然,陶渊明笔下的自然是对仕途生活的厌倦,是表达理想人格的自然观,追求自由自在,不受尘世拘束的生活状态。在此类著作中,人格意识依然十分凸显。而观王维之《鹿柴》,特别是后两句,唯余自然自在无为,不但是追逐世俗功利欲望的超越与淡化,还是主体意识的淡化,不见人的任何痕迹,也不见情感倾向。另外如“两个黄鹂鸣翠柳,一行白鹭上青天。窗含西岭千秋雪,门泊东吴万里船”(杜甫《绝句》)③、“松含风里声,花对池中影”(王维《林园即事寄舍弟紞》)④、“黄鹂啭深木,朱槿照中园”(王维《瓜园诗》)⑤、“疏帘留月魄,珍簟接烟波”(李商隐《街西池馆》)⑥、“檐间清风簟,松下明月杯。

① (唐)司空图:《司空表圣文集》,上海世纪出版股份有限公司、上海古籍出版社2013年版,第42页。

② (清)曹寅、彭定求等编纂:《全唐诗》卷一二八,中华书局1999年版,第1300页。

③ (清)曹寅、彭定求等编纂:《全唐诗》卷二二八,中华书局1999年版,第2487页。

④ (清)曹寅、彭定求等编纂:《全唐诗》卷一二五,中华书局1999年版,第1240页。

⑤ (清)曹寅、彭定求等编纂:《全唐诗》卷一二五,中华书局1999年版,第1250页。

⑥ (清)曹寅、彭定求等编纂:《全唐诗》卷五三九,中华书局1999年版,第6199页。

幽意正如此,况乃故人来”(白居易《友人夜访》)①等诗句都属此类。

这些诗作中诗风语淡而味浓。将一腔深情以淡淡的笔墨轻轻拈出。《将进酒》的生活激情,孟浩然的自然兴味,这些人生情感淡到极处只剩余兴象,王维的《终南山》:“太乙近天都,连山接海隅。白云回望合,青霭入看无。分野中峰变,阴晴众壑殊。欲投人处宿,隔水问樵夫。”②以游目换景的方式周览自然,人的冷暖变化也与自然同体。

第三种自然观尤其值得注意,它是领略了“无所用意”的自然观,即诗作承认自然的存在,不会让人产生人生宇宙幻灭感,但也不标榜人格理想的孤高傲世,它以纯兴象的方式,淡化主体,存有自然,表现人生与天地同在的自然兴味,于主体的消声止息中,淡化人与自然的区分,表现宇宙的清静本体。

可见,唐人冲淡平和自然诗中包含了三种自然观,但我们一般只解读到超尘拔俗的人格理想与孤寂幻灭的人生感慨,而忽略了无所用意,只存兴象,淡化主体的与天地同趣的自然兴味。我们对唐人“空”韵自然观的领会,不能只局限于人生幻灭感的表达,诗句本身用意的“空”,也是唐诗冲淡平和中的一种重要的韵味存在。唐诗的第三种方式丰富了唐诗冲淡平和自然诗的艺术风格,为我们理解唐诗冲淡平和观所不能忽视。冲淡平和自然风格的生成又与道家的无为、佛家的空性,以及唐时意境论的生成相关。第一种隐士诗取道家出世精神,在自然山水中获得恣意生存的人生闲适感;第二种对现实人生的否定来自于佛家返身向后的人生态度;第三种无所用意的创作手法,又与中国意境说成熟时期,追求象外之象,以及可反复涵咏体会的空灵之美相关。

第四节 新乐府:裨补时阙

唐代乐府为新乐府,它继承了汉代旧乐府感于哀乐、缘于事发,语言

① (清)曹寅、彭定求等编纂:《全唐诗》卷四二九,中华书局1999年版,第4744页。
② (清)曹寅、彭定求等编纂:《全唐诗》卷一二六,中华书局1999年版,第1277页。

浅显生动,篇章自由灵活的特征。新乐府的目的在于以诗歌救济人病,裨补时阙,补察时政,泄导民情。新乐府的代表人物有元结、顾况、元稹、白居易等,尤以白居易、元稹为核心人物,他们的诗自成风格,被称为元和体。代表作有白居易的《秦中吟》十首,《新乐府》五十首,元稹的《乐府古题》十九首,《新乐府》十二首等。经杜甫、元稹、白居易等人的努力,唐代诗歌无所不在的渗透力从吟诵个人情思发展到关心百姓疾苦算得上水到渠成。知识分子的目光从关心自己的荣辱得失,转移到天下百姓的福祉。当然唐时裨补时阙的诗歌功用也不仅限于乐府体裁,而是辐射至其他诗歌创作,下文例证时为了更充分地展示唐诗观风俗,刺时弊的实践风格,我们也将与乐府类似题材的诗歌列入其中。

一、美刺比兴

乐府运动提出诗歌以抨击时弊,揭露现实为主要任务。新乐府诗歌继承了《诗经》"正得失、动天地、感鬼神……经夫妇、成孝敬、厚人伦、美教化、移风俗"的美学传统,认为诗歌要为社会现实服务,强调诗歌的教化作用。白居易在《策林》六十八中说:"惩劝善恶之柄,执于文士褒贬之际焉;补察得失之端,操于诗人美刺之间焉。"①乐府诗歌以美刺为主。

为了更贴切地表现生活,揭露社会黑暗面,新乐府运动中的乐府诗创作改革了依题写作的旧有形式。这种变革肇端于杜甫。元稹在《乐府古题序》中论:"近代唯诗人杜甫《悲陈陶》、《哀江头》、《兵车》、《丽人》等,凡所歌行,率皆即事名篇,无复倚傍。予少时与友人乐天、李公垂辈,谓是为当,遂不复拟赋古题。"②新乐府运动尊杜甫为先驱人物,重视"即事名篇,无复依傍"的取旨方法,决定改革古题乐府以固定题目写诗的方式,如《短歌行》、《行路难》、《白头吟》等乐府古题,都是沿袭魏晋以来的乐府古题,形成固定的思想主旨。新乐府就事命题,根据内容自创诗歌题目。也就是说反对写"命题作文",要根据诗歌内容就事命题。放弃命题

---

① (清)董诰等编:《全唐文》卷六百七十一,上海古籍出版社 1990 年版,第 3036 页。

② (唐)元稹:《元氏长庆集》卷二十三,《四部丛刊初编》,上海书店 1989 年版,第 21 页。

作文在很大程度上解放了诗歌创作的自主性，防止为赋新词强说愁的内容空洞、情感虚假的作品。以上元稹所提到的杜甫作品都是就事命题的例子。

就事命题的写作形式增加了诗歌书写的范围，拉近了诗歌与现实的关系，使得诗歌足以承担讽谏的职能。新乐府因此也继承了国风观风俗盛衰与政教得失的传统，认为诗歌应为实事而作，要对社会生活有劝诫、引导作用。白居易的《与元九书》中说：

> 自登朝来，年齿渐长，阅事渐多，每与人言，多询时务，每读书史，多求理道，始知文章合为时而著，歌诗合为事而作，是时皇帝初即位，宰府有正人，屡降玺书，访人急病。仆当此时，擢在翰林，身是谏官，手请谏纸，启奏之外，有可以救济人病，裨补时阙，而难于指言者，辄咏歌之，欲稍稍递进闻于上。上以广宸聪，副忧勤；次以酬恩奖，塞言责；下以复吾平生之志。①

身为谏官，以诗为谏也是主要的一种手段。因为直接的进谏可能会伤到皇亲贵族等上位者的脸面，诗歌进谏符合为上者隐讳的委婉言辞方式。如他在《采诗官》中所说："采诗官，采诗听歌导人言。言者无罪闻者诫，下流上通上下泰。"②一腔抱负的白居易认为以诗讽谏是比较温和的方式，上位者理应倾听参考，而且也应当能够接受。

白居易的诗歌很多都可揭露现实弊端，以达到可能劝谏上位者，改善社会制度的目的。如我们熟知的《卖炭翁》就是揭露了宫吏随意压榨底层劳动人民的恶劣行径。卖炭翁于寒冬之时，千辛万苦拉来一车自己烧制的炭在集市上卖，"可怜身上衣正单，心忧炭贱愿天寒"③，这车炭是老翁生计的唯一活路，原本指望卖掉它换取衣食。然而宫吏的掠夺切断了老翁的唯一生计，怎不让人义愤填膺，憎恨上位者的强取豪夺。白居易的

---

① (清)董诰等编:《全唐文》卷六百七十五，上海古籍出版社 1990 年版，第 3052—3053 页。

② (清)曹寅、彭定求等编纂:《全唐诗》卷四二七，中华书局 1999 年版，第 4722 页。

③ (清)曹寅、彭定求等编纂:《全唐诗》卷四二七，中华书局 1999 年版，第 4714 页。

《秦中吟》更是:“一吟悲一事”(白居易《伤唐衢诗》)[①]。《重赋》中写地方官贪得无厌地索财:“浚我以求宠,敛索无冬春。织绢未成匹,缫丝未盈斤。里胥迫我纳,不许暂逡巡。”[②]小吏们为了获得政绩,不顾民生养息,步步紧逼,迫人交绢丝纳税,不与百姓留余地,造成的结果是,“幼者形不蔽,老者体无温”;官库里却“缯帛如山积,丝絮如云屯”。与民夺利的行为导致官民间的激烈冲突,“夺我身上暖,买尔眼前恩。进入琼林库,岁久化为尘”[③]。《议婚》谈及贫家女因家贫而难嫁,富家女因富贵而易嫁的现象,认为贫家女更贤良淑德,懂得孝敬公婆,“贫家女难嫁,嫁晚孝于姑”[④],劝世人娶贫家女。《伤宅》讽富人住豪宅的穷奢极欲,“一堂费百万,郁郁起青烟……厨有臭败肉,库有贯朽钱”[⑤]。《不致仕》讽刺官场的蠹虫于社会无奉献,只知占居高位为自己谋福利,“朝露贪名利,夕阳忧子孙”[⑥],年逾七十的官员仍不肯退位,依恋高位所带来的权力荣华。《轻肥》将上位者的挥霍奢侈与衢州人吃人的惨状相对比,“尊罍溢九酝,水陆罗八珍。果擘洞庭橘,脍切天池鳞。食饱心自若,酒酣气益振。是岁江南旱,衢州人食人”[⑦],揭露贫富相差悬殊。

这些拥有济世救民、匡扶天下的胸怀抱负的诗,白居易称之为讽喻诗。在《与元九书》中,他明确说:“仆志在兼济,行在独善。奉而始终之则为道,言而发明之则为诗。谓之讽喻诗,兼济之志也;谓之闲适诗,独善之义也。”[⑧]除上文记述外,白居易的《上阳白发人》、《新丰折臂翁》、《轻肥》、《买花》、《歌舞》、《村居苦寒》《新制布裘》等作品都以讽喻为目的,力图通过作品的呼吁,获得人们尤其是上位者的关注,以改造整个社会。

与传统儒家的温柔敦厚风格相比,讽喻诗言辞直接激烈、犀利露骨。

---

① (清)曹寅、彭定求等编纂:《全唐诗》卷四二四,中华书局 1999 年版,第 4676 页。
② (清)曹寅、彭定求等编纂:《全唐诗》卷四二五,中华书局 1999 年版,第 4686 页。
③ (清)曹寅、彭定求等编纂:《全唐诗》卷四二五,中华书局 1999 年版,第 4686 页。
④ (清)曹寅、彭定求等编纂:《全唐诗》卷四二五,中华书局 1999 年版,第 4686 页。
⑤ (清)曹寅、彭定求等编纂:《全唐诗》卷四二五,中华书局 1999 年版,第 4686 页。
⑥ (清)曹寅、彭定求等编纂:《全唐诗》卷四二五,中华书局 1999 年版,第 4687 页。
⑦ (清)曹寅、彭定求等编纂:《全唐诗》卷四二五,中华书局 1999 年版,第 4687 页。
⑧ (清)董诰等编:《全唐文》卷六百七十五,上海古籍出版社 1990 年版,第 3053 页。

白居易在《新乐府序》中明确指出作诗的标准是:“其辞质而径,欲见之者易喻也;其言直而切,欲闻之者深诫也。其事核而实,使采之者传信也。其体顺而肆,可以播于乐章歌曲也。”①“言直而切”的语言效果使他的诗作有指颐而骂的震撼力。如“夺我身上暖,买尔眼前恩”(《重赋》)②;“剥我身上帛,夺我口中粟。虐人害物即豺狼,何必钩爪锯牙食人肉”(《杜陵叟》)③;“宣州太守知不知?一丈毯,千两丝。地不知寒人要暖,少夺人衣作地衣”(《红线毯》)④。这些诗歌都直斥其面,大声呵责,发出有力的民众之音。

除元、白外,其他作者也多有讽喻之作。杜牧的《泊秦淮》:“烟笼寒水月笼沙,夜泊秦淮近酒家。商女不知亡国恨,隔江犹唱《后庭花》。”讽刺厚食俸禄的帝王将相对国家无所建树。晚唐时罗隐的讽喻诗抨击时弊,揭露社会黑暗面,且言辞激烈,抒发作者心中愤懑不平的怀感。罗隐因讽刺帝王而不得入仕。据载,唐昭宗曾欲以甲科取隐,当场有大臣反对说:“隐虽有才,然多轻易,明皇圣德,犹横遭讥谤,将相臣僚,岂能免乎凌轹?”⑤并举出“讥谤之词”《华清宫》为据:“楼殿层层佳气多,开元时节好笙歌。也知道德胜尧舜,争奈杨妃解笑何。”⑥昭宗听了,就取消了原来的打算。罗隐常出讽谏话语,并不为上位者所喜。罗隐的讽喻诗辩理分明,所思深刻,犀利尖锐,且能有与众不同,出其不意的合理论点。如他的《帝幸蜀》:“马嵬山色翠依依,又见銮舆幸蜀归。泉下阿蛮应有语,这回休更怨杨妃。”⑦讽刺时人虚伪,以女子为替罪羊,将唐玄宗的过失全部归罪一后宫女子。这回逃亡到巴蜀的唐僖宗,总不能再把罪名推到女人头上吧。五代后蜀花蕊夫人与罗隐持同样观点,“君王城上竖降旗,妾在深宫哪得知;十四万人齐解甲,更无一个是男儿”(《述国亡诗》)。罗隐还嘲

① (清)曹寅、彭定求等编纂:《全唐诗》卷四二六,中华书局1999年版,第4701页。
② (清)曹寅、彭定求等编纂:《全唐诗》卷四二五,中华书局1999年版,第4686页。
③ (清)曹寅、彭定求等编纂:《全唐诗》卷四二七,中华书局1999年版,第4715页。
④ (清)曹寅、彭定求等编纂:《全唐诗》卷四二七,中华书局1999年版,第4714页。
⑤ 姚士麟:《〈两同书〉跋》,《罗隐集》,中华书局1983年版,第352页。
⑥ (清)曹寅、彭定求等编纂:《全唐诗》卷六六四,中华书局1999年版,第7665页。
⑦ (清)曹寅、彭定求等编纂:《全唐诗》卷六六四,中华书局1999年版,第7666页。

讽董仲舒书生误国："灾变儒生不合闻，谩将刀笔指乾坤。偶然留得阴阳术，闭却南门又北门"（《董仲舒》）①董仲舒奠定了儒家的官学地位，是儒家学派的重要传播人。董仲舒的努力使儒家理论与治国之道紧密结合。罗隐对董仲舒的不满，笔尖已直指儒家学派了。罗隐还以徐福嘲讽六国无能："荒堆无草树无枝，懒向行人问昔时。六国英雄漫多事，到头徐福是男儿"（《始皇陵》）②，那些逐鹿中原的英雄们，到头来连一个坑蒙拐骗的道士都不如了。

官场的腐败险恶与唐已经走下坡路的时局使文人的讽谏并不能振臂一呼而万民拥戴，从而达到时事变革的效果，"救济人病，裨补时阙"的理想抵不过上位者尸位素餐的私欲。讽喻诗因为直言斥责，揭露深刻，言辞犀利的风格常为作家带来灾祸，白居易的左迁正是一例。白居易自己也认识到自己的讽喻诗得罪了很多权贵："凡闻仆《贺雨诗》，而众口籍籍，已谓非宜矣。闻仆哭孔戡诗，众面脉脉，尽不悦矣。闻《秦中吟》，则权豪贵近者相目而变色矣。闻乐游园寄足下诗，则执政柄者扼腕矣。闻《宿紫阁村》诗，则握军要者切齿矣。"（《与元九书》）③白居易被贬为江州司马后，认识到讽喻诗不可能达到他所期望的"言之者无罪"的境界，对掌权者彻底失望，也不再作讽喻诗。但讽喻诗是知识分子社会担当的突出表现，新乐府运动对文学价值的定位，以文学济世苍生的决心符合有社会责任感的知识分子的抱负情怀，历来也为人所敬仰。

二、泄导民情

美刺的作用是察民生之困顿，以达到为民请命的目的。新乐府运动主张诗歌应起到"补察时政"，"泄导人情"（白居易《与元九书》）④的作用，诗歌必须"为君、为臣、为民、为物、为事而作，不为文而作"（白居易

---

① （清）曹寅、彭定求等编纂：《全唐诗》卷六六二，中华书局 1999 年版，第 7651 页。
② （清）曹寅、彭定求等编纂：《全唐诗》卷六五五，中华书局 1999 年版，第 7592 页。
③ （清）董诰等编：《全唐文》卷六百七十五，上海古籍出版社 1990 年版，第 3053 页。
④ （清）董诰等编：《全唐文》卷六百七十五，上海古籍出版社 1990 年版，第 3053 页。

《新乐府诗序》)①。体察民情,关心民事,为民众书写困苦,是乐府诗的主要题材。

新乐府体现了浓厚的民本思想,尤以白居易为重。白居易同情劳动者的遭遇,认识到劳动者的辛苦付出,“嗷嗷万族中,唯农最辛苦”(白居易《夏旱》)②,所以白居易在《重赋》中突现了他的民本主张:“厚地植桑麻,所要济生民。”③比起韩愈的思想,白居易的民本思想是非常醒目的。韩愈在《原道》中说:“是故君者,出令者也;臣者,行君之令而致之民者也;民者,出粟米麻丝,作器皿,通货财,以事其上者也。君不出令,则失其所以为君;臣不行君之令而致之民,则失其所以为臣;民不出粟米麻丝,作器皿,通货财,以事其上,则诛。”④儒家最大的弊端就在于将人分作三教九等,认为上位者发号施令的权力来自天生,辛苦劳作是布衣百姓的天职,如果不尽职尽可除去。韩愈没有意识到上位的生活是建立在下层百姓的辛苦劳作基础上的,在社会各阶层中,提供社会桑麻器皿的布衣百姓才是最高尚、最值得尊敬的人。虽然韩愈是从尊王攘夷的思想出发,为了维护中央集权,反对佛老不事君主,以图缓解藩镇割据的局面而发出此观点,也不能说他有大错。但从尊敬每个人的生存权来看,白居易将全部的同情都倾注于这些社会底层的蝼蚁,其见识确实让人肃然起敬。白居易身居上位,却能心怀恻隐,公义无私,为民直言,切身体会同情身居下位者的疾苦,感受劳作者的不易,为他们鸣不平。可见,此人天性品性端直,心肠柔软,能体会异己者的痛苦,实叫人敬重赞叹。

在重民思想的影响下,诗人们对权贵与平民的贫富差异不是熟视无睹,而是奋起指责。白居易《买花》中记牡丹花开时,帝都中人痴迷于买花,“家家习为俗,人人迷不悟”,人们付在花卉上的代价却是田间劳作者望尘莫及的价格,“有一田舍翁,偶来买花处。低头独长叹,此叹无人喻。

① (清)曹寅、彭定求等编纂:《全唐诗》卷四二六,中华书局1999年版,第4701页。
② (清)曹寅、彭定求等编纂:《全唐诗》卷四二四,中华书局1999年版,第4680页。
③ (清)曹寅、彭定求等编纂:《全唐诗》卷四二五,中华书局1999年版,第4686页。
④ (清)董诰等编:《全唐文》卷五百五十八,上海古籍出版社1990年版,第2502页。

一丛深色花,十户中人赋!"[①]诗人愤怒谴责权贵与民夺利的行为,"忆昨平阳宅初置,吞并平人几家地"(白居易《两朱阁》)[②]。不仅是白居易的乐府,其他诗人也常质问现实中的贫富差异、社会资源的分布不均。"朱门酒肉臭,路有冻死骨"(杜甫《自京赴奉先县咏怀五百字》)[③];"农夫税多长辛苦,弃业长为贩卖翁"(张籍《贾客乐》)[④];"老农家贫在山住,耕种山田三四亩。苗疏税多不得食,输入官仓化为土。岁暮锄犁傍空室,呼儿登山收橡实。西江贾客珠百斛,船中养犬长食肉"(张籍《野老歌》)[⑤]。李绅的《古风》说得透彻直接:"春种一粒粟,秋收万颗子。四海无闲田,农夫犹饿死。"[⑥]这些问题尖锐具体,通过贫富的差距对比,怒斥社会不公。

他们的作品多是对平民百姓生活的关注。民以食为天,百姓生活、生存首先面临的是粮食问题。唐诗中有不少描写桑稼之事的作品。我们从小学习的李绅的作品《悯农》就是其中代表。与之相比,白居易《观刈麦》更加形象、具体,有感染力。《观刈麦》是对农桑生活的描写:"田家少闲月,五月人倍忙。夜来南风起,小麦覆陇黄。妇姑荷箪食,童稚携壶浆。"[⑦]细致而寻常的农家生活,作者信手拈来,亲临感极强,"足蒸暑土气,背灼炎天光,力尽不知热,但惜夏日长",严酷劳作环境与农民心理对比,凸显唐代劳动人民的辛苦勤劳。但人们的辛勤劳动,并不能带来富足的生活,"复有贫妇人,抱子在其旁,右手秉遗穗,左臂悬敝筐。听其相顾言,闻者为悲伤。家田输税尽,拾此充饥肠",这里发生的是与柳宗元《捕蛇者说》一样的状况,人们辛苦劳作却食不果腹。诗人以之反省自身:"今我何功德?曾不事农桑。吏禄三百石,岁晏有余粮,念此私自愧,尽

---

① (清)曹寅、彭定求等编纂:《全唐诗》卷四二五,中华书局1999年版,第4688页。
② (清)曹寅、彭定求等编纂:《全唐诗》卷四二七,中华书局1999年版,第4712页。
③ (清)曹寅、彭定求等编纂:《全唐诗》卷二一六,中华书局1999年版,第2267页。
④ (清)曹寅、彭定求等编纂:《全唐诗》卷二一,中华书局1999年版,第272页。
⑤ (清)曹寅、彭定求等编纂:《全唐诗》卷三八二,中华书局1999年版,第4292页。
⑥ (清)曹寅、彭定求等编纂:《全唐诗》卷四八三,中华书局1999年版,第5530页。
⑦ (清)曹寅、彭定求等编纂:《全唐诗》卷四二四,中华书局1999年版,第4668页。

日不能忘。”①最后的忏悔打破了“士农工商”阶层价值等级，将农列在士之前，承认劳动人民存在的根本价值，是平民思想的突出表征。再有如《卖炭翁》、《上阳白发人》、《新丰折臂翁》、《轻肥》、《重赋》、《买花》、《歌舞》、《村居苦寒》、《新制布裘》等都是对劳动人民民生民情的描述。

战争状态下的百姓更是凄惨悲凉。唐诗中揭露战争使生灵涂炭，民不聊生的作品是站在百姓立场对战争发出的最强控诉。杜甫《兵车行》“信知生男恶，反是生女好。生女犹得嫁比邻，生男埋没随百草”，控诉了战争中人命如草芥的现象。他的“三吏”、“三别”都反映了对战争下人民生存状态的焦虑。李白“虽有数斗玉，不如一盘粟”（李白《书怀赠南陵常赞府》）是对战乱中的通货膨胀的描写。

三、言浅意直

张戒《岁寒堂诗话》中论：“世徒见子美诗之尘俗，不知尘俗语在诗句中最难。非尘俗，乃高古之极也。自曹刘死，至今一千年，惟子美一人能之，中间鲍照虽有此作，然仅称俊快，未至高古。”②杜甫诗歌尘俗而高古，以直白的语言表意真切。张戒认为最难的诗句语言乃是运用最通俗的语言作诗。他极力推崇杜甫，是因为他认为唯有杜甫做到了这一点。乐府言浅意直的特征与之类似，语言浅显，表意真切，利于诗歌的大众传播。

白居易诗作近三千首，从数量上看，在唐代首屈一指。乐府运动与韩孟诗派于语言运用上观点相对，乐府诗以通俗浅显、顺畅直白的语言作诗。清人赵翼说：“中唐诗以韩、孟、元、白为最。韩、孟尚奇警，务言人所不敢言；元、白尚坦易，务言人所共欲言。”③乐府诗形式多样活泼，直白浅显为主。《新乐府序》：“凡九千二百五十二言，断为五十篇。篇无定句，句无定字，系于意，不系于文。”又说：“非求宫律高，不务文字奇。”④乐府诗不求律高、字奇，不在声律与用字上过于考究，都是为了考虑到诗歌的

① （清）曹寅、彭定求等编纂：《全唐诗》卷四二四，中华书局 1999 年版，第 4668 页。
② （宋）张戒：《岁寒堂诗话》，中华书局 1985 年版，第 1 页。
③ （清）赵翼：《瓯北诗话》卷四，人民文学出版社 1963 年版，第 36 页。
④ （清）曹寅、彭定求等编纂：《全唐诗》卷四二六，中华书局 1999 年版，第 4701 页。

实际传播效果。

白居易诗歌言辞平淡浅显。袁枚《续诗品》评价道:“白傅改诗,不留一字。今读其诗,平平无异。意深词浅,思苦言甘。寥寥千年,此妙谁探?”①刘熙载《艺概》论:“常语易,奇语难,此诗之初也。奇语易,常语难,此诗之重关也。香山用常得奇,此境良非易到。”②白居易的用语简易,一少用典故,二少华丽辞藻,语言近于口语化。他早期的成名作《赋得古原草送别》中前四句,“离离原上草,一岁一枯荣。野火烧不尽,春风吹又生”③,就已经初显了白居易的语言风格,简单直白的语言蕴含着人生的基本道理。无论是白居易一诗一事的讽喻诗,还是不问世事闲适诗,都显浅可亲。

据宋人彭乘所著《墨客挥犀》记载:“白乐天每作诗,令一老妪解之,问曰‘解否’?妪曰‘解’,则录之;不解,则又复易之。故唐末之诗近于鄙俚也。”④白居易诗歌通俗、直白,利于传播。元稹为白居易作的序文《白氏长庆集序》中道:“二十年间,禁省、观寺、邮堠墙壁之上无不书,王公、妾妇、牛童、马走之口无不道。至于缮写、模勒,炫卖于市井,或持之以交酒茗者,处处皆是。……自篇章以来,未有如是流传之广者。”⑤白居易说:“自长安抵江西,三四千里,凡乡校、佛寺、逆旅、行舟之中,往往有题仆诗者;士庶、僧徒、孀妇、处女之口,每每有咏仆诗者。”⑥正是因为白居易的诗歌通俗易懂,才能在市井民众间如此广泛地被传唱。

就他的长篇叙事诗《长恨歌》来说就出现了大量浅显直白的千古名句。如“杨家有女初长成,养在深闺人未识”、“天生丽质难自弃,一朝选在君王侧”、“回眸一笑百媚生,六宫粉黛无颜色”、“春宵苦短日高起,从

---

① (清)袁枚:《袁枚续诗品详注》,刘衍文、刘永翔合注,上海书店出版社 1993 年版,第 220 页。

② (清)刘熙载:《艺概》卷一,上海古籍出版社 1978 年版,第 65 页。

③ (清)曹寅、彭定求等编纂:《全唐诗》卷四三六,中华书局 1999 年版,第 4847 页。

④ (宋)彭乘等撰:《墨客挥犀、谈渊、杨公笔录、蒙齐笔谈》,中华书局 1991 年版,第 15 页。

⑤ (清)董诰等编:《全唐文》卷六百五十三,上海古籍出版社 1990 年版,第 2943 页。

⑥ (清)董诰等编:《全唐文》卷六百七十五,上海古籍出版社 1990 年版,第 3053 页。

此君王不早朝"、"后宫佳丽三千人，三千宠爱在一身"、"上穷碧落下黄泉，两处茫茫皆不见"、"在天愿作比翼鸟，在地愿为连理枝"、"天长地久有时尽，此恨绵绵无绝期"。① 张戒《岁寒堂诗话》中批评道："'遂令天下父母心，不重生男重生女'此等语，乃乐天自以为得意处，然而亦浅陋甚。"②再到他的"侍儿扶起娇无力，始是新承恩泽时"已经走向艳诗之流了，难怪被古人指责。

元稹的诗也是用浅显的语言说理述事。如他的"秋丛绕舍似陶家，遍绕篱边日渐斜。不是花中偏爱菊，此花开尽更无花"（《菊花》）③言辞浅切，语义清晰，在季节转化中突出菊花的优点；"诚知此恨人人有，贫贱夫妻百事哀"（《遣悲怀三首其二》）④平白地道出物质匮乏对家庭、爱情的沉重压力；"唯将终夜长开眼，报答平生未展眉"（《遣悲怀三首其三》）⑤将缠绵悱恻的情感蕴于朴素端直的字里行间；"寥落古行宫，宫花寂寞红。白头宫女在，闲坐说玄宗"（《行宫》）⑥，仅是述说了一个小故事，既感慨了时光流逝中历史的快速变迁，及盛唐的倏然远逝带来的惆怅悲伤，也抒发了对深宫中白头宫女青春荒度的深切同情。元稹也擅长写艳诗，施蛰存评道："元稹的讽喻、感伤、闲适诗，都不如白居易所作的疏俊明快，倒是数十首艳诗是他的特长。"⑦元稹的爱情诗《离思五首其四》："曾经沧海难为水，除却巫山不是云。取次花丛懒回顾，半缘修道半缘君"⑧已经成为人们表述爱情的经典诗句，不过这首诗意象比较朦胧，因为涉及襄王与巫山神女的典故。有一些就比较直白了，如"雨湿轻尘

① （清）曹寅、彭定求等编纂：《全唐诗》卷四三五，中华书局1999年版，第4828—4829页。

② （宋）张戒：《岁寒堂诗话》，中华书局1985年版，第8页。

③ （清）曹寅、彭定求等编纂：《全唐诗》卷四一一，中华书局1999年版，第4568页。

④ （清）曹寅、彭定求等编纂：《全唐诗》卷四〇四，中华书局1999年版，第4520页。

⑤ （清）曹寅、彭定求等编纂：《全唐诗》卷四〇四，中华书局1999年版，第4520—4521页。

⑥ （清）曹寅、彭定求等编纂：《全唐诗》卷四一〇，中华书局1999年版，第4562页。

⑦ 施蛰存：《唐诗百话》，上海古籍出版社1987年版，第511页。

⑧ （清）曹寅、彭定求等编纂：《全唐诗》卷四二二，中华书局1999年版，第4654页。

隔院香，玉人初著白衣裳。半含惆怅闲看绣，一朵梨花压象床”（《白衣裳》）[①]。选入《莺莺传》中的《会真诗》更是露骨，看其中的一段：“戏调初微拒，柔情已暗通。低鬟蝉影动，回步玉尘蒙。转面流花雪，登床抱绮丛。鸳鸯交颈舞，翡翠合欢笼。眉黛羞频聚，朱唇暖更融。气清兰蕊馥，肤润玉肌丰。无力慵移腕，多娇爱敛躬。汗光珠点点，发乱绿松松。”[②]这已经是在直接描写二人的交颈合欢，直白大胆。

元白明白浅显的风格为人所诟病，被宋人批评为“元轻白俗”，元稹轻薄，白居易浅俗。晚唐杜牧在为李戡作的墓志铭《唐故平卢军节度巡官陇西李府君墓志铭》中批评道：“元和以来，有元白诗者，纤艳不逞，非庄士雅人，多为其所破坏。流于民间，疏于屏壁，子父女母，交口教授，淫言媟语，冬寒夏热，入人肌骨，不可除去。”[③]唐宣宗李忱《吊白居易》：“童子解吟长恨曲，胡儿能唱琵琶篇。文章已满行人耳，一度思卿一怆然。”[④]鉴赏白居易的诗歌文化门槛实在不高，识字不多的稚子小儿，未谙华文的塞外夷族都能体会白居易诗歌的意蕴，对之吟唱解读。

乐府风格与“不为文”的主张相切合。白居易的《新乐府五十首》，抨击时弊，大胆直言，为百姓请命诉情，诗歌要“篇篇无空文，句句必尽规”（白居易《寄唐生》）[⑤]。作诗的主旨《新乐府序》说得很清楚：“凡九千二百五十二言，断为五十篇。篇无定句，句无定字，系于意，不系于文。首句标其目，卒章显其志。《诗三百》之义也。其辞质而径。欲见之者易喻也。其言直而切，欲闻之者深诫也。其事核而实，使采之者传信也。其体顺而肆，可以播于乐章歌曲也。总而言之，为君、为臣、为民、为物，为事而作，不为文而作也。”[⑥]但白居易的乐府诗并不为“重文”的时人所重。《与元九书》中述：“今仆之诗，人所爱者，悉不过杂律诗与《长恨歌》已下

① （清）曹寅、彭定求等编纂：《全唐诗》卷四二二，中华书局1999年版，第4652页。
② （清）曹寅、彭定求等编纂：《全唐诗》卷四二二，中华书局1999年版，第4656页。
③ （清）董诰等编：《全唐文》卷七百五十五，上海古籍出版社1990年版，第3472页。
④ （清）曹寅、彭定求等编纂：《全唐诗》卷四，中华书局1999年版，第50页。
⑤ （清）曹寅、彭定求等编纂：《全唐诗》卷四二四，中华书局1999年版，第4675页。
⑥ （清）曹寅、彭定求等编纂：《全唐诗》卷四二六，中华书局1999年版，第4701页。

耳。时之所重,仆之所轻。"①乐府运动的观点也元白以代表,但按照缘情而发来创作诗歌的又并不仅是乐府诗人。其他写实作品虽形式与乐府具有差别,但从作诗"为事而作"的主旨上都可以归为这一类。

唐诗成就卓然。就形式而言,它既进一步规范了诗歌格律,又进一步解放了就事命题、即事名篇的诗文传统。就书写对象而言,唐代山水诗篇普遍推行,重于以意象表达,一方面于意象创造中,它的主体性进一步加强、张扬;另一方面,唐代诗人们能有意识在山水意象中淡化主体,于冲淡平和的诗风中,演化出三种自然观:诗人们或将自然对立于世俗,流露出超尘拔俗的人格理想;或以禅入诗,谈空证性,抒发孤寂幻灭的人生感慨;或淡化主体,呈现为无所用意的表达方式,表达与天地同趣的自然兴味。唐诗除抒发个体人生感悟外,另发展出裨补时阙、泄导民情的创作传统,诗人以国家生民之大事为己任,以书生之力,奔走四顾为民请命。总的来说,唐诗于格律命题、兴意表象、缘事讽喻等方面取得了重大进步,确立了中国诗歌中专于意象的主要诗风传统。

① (清)董诰等编:《全唐文》卷六百七十五,上海古籍出版社1990年版,第3053页。

第二章 文章中的审美意识

唐代文章以散文成就最大。唐代散文经过中唐时期古文运动的改革，祛除了浮华空洞，而说理深刻，喻事生动。除载道的雅文学外，唐代通俗文学迅速发展。变文、传奇体在民间广为流传。雅俗共赏的唐代文章，既突出了士林文学与民间文学的审美差异，又显示了二者互为影响的共通之处。

第一节　散文：载道明义

唐代散文的发展由诗序、碑文、书信而来。古人在宴饮酬谢之中，常集体赋诗并将之辑录于一册，这时前面就一定要有一篇序文说明此次宴饮的来龙去脉。唐人的序作不只用于宴饮赋诗，还可单独成文用于送别、赠文，从而成为独立文体盛行于世，像陈子昂、王勃、韩愈等人都是序文高手。碑文也是唐散文的主体，唐代作碑立文，以碑扬名，如散文大家韩愈就是作碑高手，写作碑文有一字千金之说。唐代文人之间相走干谒请名，文士间常有书信来往，借书信阐述自己的观点也蔚然成风，书信体自然也是散文家们大展拳脚之所在。除这些传统文体外，唐散文还发展了新的文体，如柳宗元的山水游记。柳宗元于山水游记上的成就使山水游记成为散文中一大生力军，并于后世不断发展，最终成为中国散文中最重要的力量之一。与侧重于抒情酬唱、谈性探境的唐诗不同，唐散文侧重述理，似乎为了弥补唐代诗歌过于空灵蕴藉的超脱凡尘，唐散文注重以文说理，以辞述道，不再像诗歌一样站在意象之中，隔空打牛，而常直指义理，谆谆说教。

一、时代潮流

谈理证道的文章首先要求内容充实、正确，合乎义理，不能只是流于文辞卖弄的空洞美文。隋唐之时人们努力改变江左文风带来的不好影响。隋文帝时，已经开始注意到文章浮华的现象。御史李谔写《上隋高帝革文华书》上书文帝，批评当时文章效仿齐梁文体，竞骋文华、内容空洞："江左齐梁，其弊弥甚。贵贱贤愚，唯务吟咏。遂复遗理存异，寻虚逐微，竞一韵之奇，争一字之巧。连篇累牍，不出月露之形，积案盈箱，唯是风云之状。世俗以此相高，朝廷据兹擢士。禄利之路既开，爱尚之情愈笃。于是闾里童昏，贵游总丱，未窥六甲，先制五音。……以傲诞为清虚，以缘情为勋绩，指儒素为古拙，用词赋为君子。故文笔日繁，其政日乱，良由弃大圣之轨模，构无用以为用也。损西逐末，流偏华壤，递相师祖，久而愈扇。"①隋文帝将此文颁布全国，以示其改革文风的决心。

唐初一部分文人继续了反对骈风的主张，如李华、萧颖士都反对骈风。初唐已经出现了说理论义的好文章。如魏徵《谏太宗十思疏》对唐太宗提出了居安思危、厚积德义的要求，强调了人民载舟、覆舟的力量，古朴苍健，义理彰明，虽然论证还未达到如韩愈那样一气贯通的水平，但切中要害，振聋发聩，是规谏说理的好文章。

这时候散文理论与创作以初唐四杰最为突出。初唐四杰兴骨气象大超齐梁。王世贞《艺苑卮言》评四杰："卢、骆、王、杨，号称'四杰'。词旨华靡，固沿陈隋之遗，翩翩意象，老境超然胜之，五言遂为律家正始。"②四杰反对纤柔竞丽的文风。王勃《上吏部裴侍郎启》中道：

> 夫文章之道，自古称难。圣人以开物成务，君子以立言见志。遗雅背训，孟子不为；劝百讽一，扬雄所耻。苟非可以甄明大义，矫正末流，俗化资以兴衰，国家由其轻，古人未尝留心也。自微言既绝，斯文不振，屈、宋导浇源于前，枚、马张淫风于后。谈人主者，以宫室苑囿

---

① （唐）魏徵等：《隋书》卷六十六，中华书局 1973 年版，第 1544—1545 页。

② （明）王世贞：《艺苑卮言》，凤凰出版社 2009 年版，第 52 页。

为雄；叙名流者，以沉酗骄奢为达。故魏文用之而中国衰，宋武贵之而江东乱。虽沈、谢争鹜，适足兆齐、梁之危；徐、庾并驰，不能止周、陈之祸。①

王勃认为文章的重要性在于可以甄明大义、匡弊世俗。如一个时代文章不振，没有实用意义，也预示着国家即将危亡。杨炯大力称赞王勃改革文风的努力，批评当时的文风骨气散尽："尝以龙朔初载，文场变体，争构纤微，竞为雕刻。糅之金玉龙凤，乱之朱紫青黄，影带以徇其功，假对以称其美，骨气都尽，刚健不闻，思革其弊，用光志业。"（《王勃集序》）②为了避免只知吟咏风月，流连文辞的现象，四杰的文学创作境界开阔，气势充沛。如卢照邻的《长安古意》虽是歌行体，其中流露出的讽喻倾向表明了他的文风趋势。王勃的《秋日登洪府滕王阁饯别序》、骆宾王的《代李敬业讨武氏檄》两篇文章笔力雄健，阐释奥义，宣扬圣训，气顺力足。杜甫在《戏为六绝句》中称赞四杰："杨王卢骆当时体，轻薄为文哂未休。尔曹身与名俱灭，不废江河万古流。"③

虽有一批人的努力，但骈文积重难返。初唐宫廷诗人如上官仪、杜审言、虞世南等人沿袭齐梁文风，辞美章华、绮丽多彩，思想内容却大都空洞无新意，这些诗人却大受世人追捧。初唐四杰、刘希夷等人的创作虽与之抗衡，总体的影响力却未能带领唐人摆脱初唐诗歌创作文采斐然、思想麻木的状况。初唐四杰反对文章雕琢纤丽，他们自己的文章刚健清新，却又精致华丽得让人赞叹称羡。如王勃的《秋日登洪府滕王阁饯别序》，就是一篇绝美的骈文。王勃用词遣句无一处不精，造景设象无一处不佳，用典对偶，对比铺陈都恰到好处，辞彩与风骨齐备！王勃才力太高！世人殚精竭虑也学不来这天才的语言技巧，更何况以如此技巧所表现的壮阔气势。在二者不可在如此高水平上兼得的情况下，更侧重于一方面的风骨说被逐渐提出来。

唐初陈子昂是兴寄风骨说的最明确提出者，他在《与东方左史虬修

---

① （清）董诰等编：《全唐文》卷一百八十，上海古籍出版社1990年版，第806页。
② （清）董诰等编：《全唐文》卷一百九十一，上海古籍出版社1990年版，第851页。
③ （清）曹寅、彭定求等编纂：《全唐诗》卷二二七，中华书局1999年版，第2454页。

竹篇》(又称《修竹篇序》、《与东方虬书》)中说:“文章道弊,五百年矣。汉魏风骨,晋宋莫传。然而文献有可征者。仆尝暇时观齐梁间诗,彩丽竞繁,而兴寄都绝,每以永叹。思古人,常恐逦迤颓靡,风雅不作,以耿耿也。一昨于解三处,见明公《咏孤桐篇》,骨气端翔,音情顿挫,光英朗练,有金石声。遂用洗心饰视,发挥幽郁。不图正始之音,复睹于兹,可使建安作者,相视而笑。”①陈子昂将风、雅、比、兴与建安精神相系,为后世唐人树立了学习的典范,使诗歌改革具有了明确的前进方向。陈子昂的兴寄风骨主张得到了诗坛的认同。陈子昂的贡献也为世人所称颂。杜甫赞他“名与日月悬”(《陈拾遗故宅》)。《新唐书》赞道:“唐兴,文章承徐、庾余风,天下祖尚,子昂始变雅正。”②陈子昂的主张受到了中唐古文运动者的支持。“国朝盛文章,子昂始高蹈”(韩愈《荐士》)③,古文运动主张突出风骨兴寄的文章内容,并在此基础上发动了文体变革。与陈子昂持相同主张的人在当时也不匮乏。如初唐“文章四友”之一李峤也批评只重声律的文字观,“推意结字,断天下之疑;垂萌示象,纪天下之德,安可穿凿音韵,假滥言词者哉!”④这段话为《全唐文》卷九百六十二中文章《为王相公请改六书表》的一段,此文在《全唐文》中署名阙名。据陈冠明先生考证:“此表定为李峤所作毫无问题,《书苑箐华》所标极是。”⑤然这些人虽有理论主张,却无相应的足可立世的实践创作。就是大力提倡古文的李华,作品虽多行文自由的刺世之作,最具代表性的作品还是骈体文《吊古战场文》。

文章充实,道义压制形式的转折至中唐达到理论与实践充分结合的境界。唐代安史之乱后,国力由盛转衰、江河日下,藩镇割据、宦官专权、朝臣结党营私的局面在战乱结束后并没有得到有力的改变,国家依然面

① (清)曹寅、彭定求等编纂:《全唐诗》卷八三,中华书局 1999 年版,第 893 页。

② (宋)欧阳修、宋祁:《新唐书》卷一百七,中华书局 1975 年版,第 4078 页。

③ (清)曹寅、彭定求等编纂:《全唐诗》卷三三七,中华书局 1999 年版,第 3786 页。

④ (宋)陈思编撰:《书苑青华校注》,崔尔平校注,上海辞书出版社 2013 年版,第 222 页。

⑤ 陈冠明:《〈全唐文〉李峤卷考辨厘正》,《古籍整理研究学刊》1995 年第 1、2 期合刊。

临着动荡的种种威胁。人们痛定思痛,认为乱政的产生是因为儒学不兴,佛道盛行,世人道行有亏。大家不约而同地感到儒学的危机,要重振儒学,重塑儒家伦理,匡济天下。在此类心愿下,为国家选拔重要人才的科举的实行方式受到了攻击,文人对选才考文的标准提出了质疑。贾至在《议杨绾条奏贡举疏》中说道:

> 考文者以声病为是非,而惟择浮艳,岂能知移风易俗化天下之事乎?是以上失其源,而下袭其流,乘流波荡,不知所止。先王之道,莫能行也。夫先王之道消,则小人之道长;小人之道长,则乱臣贼子由是生焉。臣杀其君,子杀其父,非一朝一夕之故,其所由来者渐矣。渐者何?谓忠信之陵颓,耻尚之失所,末学之驰骋,儒道之不举,四者皆由取士之失也。夫一国之士,系一人之本,谓之风。赞扬其风,系卿大夫也,卿大夫何尝不出于士乎?今取士试之小道,而不以远者大者,使干禄之徒,趋于末术,是诱道之差也。①

针对唐代以诗赋取士的传统,贾至主张以文取士要注重文章的思想内容。文章应以恢复先王之道为己任,依靠儒家经义来正君臣、经夫妇、成孝敬、厚人伦、定名分、移风易俗,以避免君臣相逼、父子相争、臣弑其君、子弑其父的局面。因为十分重视文章的实用性,贾至甚至提出科举中废诗赋的观点。

中唐之人对儒学不兴的局面更加忧虑,急于改变这种状况。韩愈在《与孟尚书书》中道:“汉氏以来,群儒区区修补,百孔千疮,随乱随失,其危如一发引千钧,绵绵延延,浸以微灭。于是时也而倡释老于其间,鼓天下之众而从之。呜乎其亦不仁甚矣!”②当时儒学衰微,佛老兴盛。儒门认为佛老蠹国害民,僭乱纲纪,是导致社会危害的思想根源。以韩愈、柳宗元为领导的古文运动,主张文以贯道,不仅是文章上的改革,更是力求通过此途径达到社会变革,使人们的思想回归正统,复兴儒学,重振士风。

韩愈是古文运动的核心人物,于古文理论与实践两方面都作出了核

---

① (清)董诰等编:《全唐文》卷三百六十八,上海古籍出版社 1990 年版,第 1652 页。

② (清)董诰等编:《全唐文》卷五百五十三,上海古籍出版社 1990 年版,第 2481 页。

心贡献，在文坛中极具影响力。《旧唐书·韩愈传》称："大历、贞元之间，文字多尚古学，效杨雄、董仲舒之述作，而独孤及、梁肃最称渊奥，儒林推重。愈从其徒游，锐意钻仰，欲自振于一代。"①《因话录》道："元和中，后进师匠韩公，文体大变。"②韩愈从者众多，张籍、李翱、皇甫湜、李汉、樊宗师等人受其影响，皆是古文运动的力行者。

韩愈以恢复儒道为己任，将道置于最核心的地位。《原道》可以代表他的主张。《原道》认为人们应该继承道统，以仁义道德为主旨，民众遵礼仪，敬君王，以国事为先。《原道》指斥佛老，独尊儒道，在三教并行的时代独尊儒家地位，对规正社会风气、社会价值取向都起了很大的作用。为了求道，甚至尊卑关系都可暂时有所松动："弟子不必不如师，师不必贤于弟子。闻道有先后，术业有专攻，如是而已。"（《师说》）③

对道的推崇使韩愈反复强调自己写文章的使命在于明道。《争臣论》述，"君子居其位，则思死其官；未得位，则思修其辞以明其道，我将以明道也"④。《题欧阳生哀辞后》中又说："学古道则欲兼通其辞；通其辞者，本志乎古道者也"⑤。韩愈立志修辞明道，他文体变革的目的与儒学复兴的愿望相通，文体变革是其儒学复兴的主要举措。文章的第一要义在于为道统服务，评判文章的标准当然也主要定在合不合天道规矩。骈文对文章修辞行文要求较高，要求对仗工整、音韵协调，容易促成采丽竞繁、内容空洞的风气。注重形式的文章对儒家济世布道的宗旨不会有太大的用处，藻丽辞清，调谐韵雅的骈文在传道中难免有些束手束脚，改革文风就在所难免了。

与韩愈一致，柳宗元认为散文的骈俪化，形成了文辞泛滥而空洞的文风，他在《报崔黯秀才论为文书》一文中指出，当时的文风"贵辞而矜书，

---

① （后晋）刘昫等：《旧唐书》卷一百六十，中华书局 1975 年版，第 4195 页。

② 上海古籍出版社编：《唐五代笔记小说大观》，上海古籍出版社 2000 年版，第 846 页。

③ （清）董诰等编：《全唐文》卷五百五十八，上海古籍出版社 1990 年版，第 2500 页。

④ （清）董诰等编：《全唐文》卷五百五十七，上海古籍出版社 1990 年版，第 2498 页。

⑤ （清）董诰等编：《全唐文》卷五百六十八，上海古籍出版社 1990 年版，第 2543 页。

粉泽以为工,遒密以为能"①。除《报崔黯秀才论为文书》外,柳宗元在《答韦中立论师道书》、《答吴武陵论非国语书》等文中,都明确提出了他的"文以明道"观。

唐代受六朝骈文影响深远,公文、科举文章都喜用典雅华美、逞才使气的骈文。针对这种情况,古文家们提倡文以贯道,要求恢复魏晋以后中断了的儒学传统,提倡文章以阐明儒家道义为主,将改革文学与恢复儒道相联系,使两者相辅相成。总体看来,古文运动反对过于注重修辞,不求风骨的文风,倡导文道合一的"古文"。

二、复古出新

针对"末学驰骋,儒道不举"的社会状况,古文运动力图"文以明道"。文学家们从写作内容、写作方式等方面大力改革散文创作,其对散文风格的改革主要表现在以下几个方面。

第一,崇古复道。尤以韩愈为甚。复古主张首先表现为思想内容上的复古,要求社会重回周、孔、孟之道。韩愈《原道》篇论道:"斯吾所谓道也,非向所谓老与佛之道也。尧以是传之舜,舜以是传之禹,禹以是传之汤,汤以是传之文、武、周公,文、武、周公传之孔子,孔子传之孟轲,轲之死,不得其传焉。荀与扬也,择焉而不精,语焉而不详。"②他又在《重答张籍书》中道:"己之道,乃夫子、孟轲、扬雄所传之道也。"③张籍《上韩昌黎书》说:"自扬子云作《法言》至今近千载莫有言圣人之道者",只有韩愈能言圣人之道,认为韩愈"聪明文章,与孟子、扬雄相若,盍为一书以兴存圣人之道,使时之人、后之人知其去绝异学之所为"④。皮日休曾上《请韩文公配飨太学书》要让韩愈"配飨于孔圣庙堂",因为他"身行圣人之道,口吐圣人之言。行如颜闵,文若游夏"。⑤ 韩愈备受推崇是被时人看作儒学

① (清)董诰等编:《全唐文》卷五百七十五,上海古籍出版社 1990 年版,第 2577 页。
② (清)董诰等编:《全唐文》卷五百五十八,上海古籍出版社 1990 年版,第 2502 页。
③ (清)董诰等编:《全唐文》卷五百五十一,上海古籍出版社 1990 年版,第 2470 页。
④ (清)董诰等编:《全唐文》卷六百八十四,上海古籍出版社 1990 年版,第 3105 页。
⑤ (清)董诰等编:《全唐文》卷七百九十六,上海古籍出版社 1990 年版,第 3701 页。

正统所在,古文运动者以恢复儒学为己任,将自己看作倡导儒学的正统者。

针对文章空洞特征的改革以复古道为主。宋祁在《新唐书·韩愈传》中又说韩愈:"每言文章自汉司马相如、太史公、刘向、扬雄后,作者不世出,故愈深探本元,卓然树立,成一家言。其《原道》、《原性》、《师说》等数十篇,皆奥衍闳深,与孟轲、扬雄相表里而佐六经云。"①韩愈在《题欧阳生哀辞后》(又名《题哀辞后》)述道:"愈之为古文,岂独取其句读不类于今者耶?思古人而不得见,学古道,则欲兼通其辞;通其辞者,本志乎古者也。"②《进学解》又说:"上规姚姒,浑浑无涯,周诰殷盘,佶屈聱牙,春秋谨严,左氏浮夸,易奇而法;诗正而葩。下逮庄骚,太史所录,子云相如,同工异曲。"③韩愈以先秦两汉文章反六朝纤艳文风:"齐梁及陈隋,众作等蝉噪。"(韩愈《荐士》)④

复古主张其次表现为于行文上恢复先秦两汉的散文风。古文运动首推先秦之风,从先秦典籍中吸取养料,"本之《书》以求其质,本之《诗》以求其恒,本之《礼》以求其宜,本之《春秋》以求其断,本之《易》以求其动,此吾所以取道之原也。参之《穀梁氏》以厉其气,参之《孟》、《荀》以畅其支,参之《庄》、《老》以肆其端,参之《国语》以博其趣,参之《离骚》以致其幽,参之太史以著其洁。此吾所以旁推交通而以为之文也"(柳宗元《答韦中立论师道书》)。⑤

除了先秦散文,他们还重两汉文章,"始者非三代两汉之书不敢观,非圣人之志不敢存"(韩愈《答李翊书》)⑥。两汉文章中,韩愈师从司马相如、太史公、刘向、扬雄等人。"汉朝人莫不能为文,独司马相如、太史公、刘向、扬雄为之最。然则用功深者,其收名也远。若皆与世沉浮,不自树立,绝不为当时所怪,亦必无后世之传也。足下家中百物,皆赖而用也,然其所珍爱者,必非常物。夫君子之于文,岂异于是乎?今后进之文能深

① (宋)欧阳修、宋祁:《新唐书》卷一百七十六,中华书局 1975 年版,第 5265 页。
② (清)董诰等编:《全唐文》卷五百六十八,上海古籍出版社 1990 年版,第 2543 页。
③ (清)董诰等编:《全唐文》卷五百五十八,上海古籍出版社 1990 年版,第 2501 页。
④ (清)曹寅、彭定求等编纂:《全唐诗》卷三三七,中华书局 1999 年版,第 3786 页。
⑤ (清)董诰等编:《全唐文》卷五百七十五,上海古籍出版社 1990 年版,第 2575 页。
⑥ (清)董诰等编:《全唐文》卷五百五十二,上海古籍出版社 1990 年版,第 2475 页。

探而力取之,以古圣贤为法者,虽未必皆是,要若有司马相如、太史公、刘向、扬雄之徒出,必自于此,不自于循常之徒也。”(韩愈《答刘正夫书》)①

骈文虽可情文并茂,但无法具体陈述事件,描绘故事。西汉时骈文逐渐盛行,但也未形成僵化格式。古文运动要改革魏晋南北朝的骈文,破除骈文于句法、结构等方面的固定模式,效仿东汉以前的文体,创造出比骈文更加自由灵活的行文方式。先秦文体行文自由,句式长短字数无固定要求,正适合古文改革要求。他们主创骈散相间的文风,散体与骈体相结合,既保持了句式的松散自由,也维持了诗句的雅正整丽。再者,骈文铺事排典,歌功颂德,溢美浮夸的弊端得到了有效的遏制。散体文便于议论,剖理述情。

散文化倾向在诗歌中已经有所体现,表现为古风、乐府类的诗歌创作。如李白乐府诗《战城南》中的诗句:“匈奴以杀戮为耕作,古来唯见白骨黄沙田。……乃知兵者是凶器,圣人不得已而用之”②,已经完全是散体叙事了,特别是“匈奴以杀戮为耕作”这一句是非常完整的陈述句。中唐散文变革将古风诗歌创作的句式保留下来。

韩愈吸收了先秦散文重议论说理与两汉诗赋重描写抒情的优势,将二者相合,于议论辩理中抒发情感抱负,使文章做到了情理的兼顾。

第二,推陈出新。这一个特征的主旨似乎与前一个主旨相矛盾,中唐之人正是在这矛盾中为散文创作寻找新的出路。复古运动虽然以古代佳文为榜样,但一味地效仿抄袭肯定不能带来文学的繁盛,这一点,复古运动者看得很清楚。柳宗元明确反对盲目崇古,认为“荣古虐今者,比肩叠迹”(柳宗元《与友人论为文书》)③,主张“古人亦人耳,夫何远哉”(柳宗元《与杨京兆凭书》)④。

韩愈思考得更加详细,形成了主要在思想上复古,在形式上出新的文学改革方式。韩愈强调言辞的新意,认为文章首先要在语言上推陈出新。

---

① (清)董诰等编:《全唐文》卷五百五十三,上海古籍出版社 1990 年版,第 2480 页。
② (清)曹寅、彭定求等编纂:《全唐诗》卷一七,中华书局 1999 年版,第 167 页。
③ (清)董诰等编:《全唐文》卷五百七十四,上海古籍出版社 1990 年版,第 2570 页。
④ (清)董诰等编:《全唐文》卷五百七十三,上海古籍出版社 1990 年版,第 2565 页。

韩愈主张道："非三代两汉之书不敢观，非圣人之志不敢存，处若忘行若遗，俨乎其若思，茫乎其若迷，当其取于心而注于手也，惟陈言之务去，戛戛乎其难哉"（《答李翊书》）①、"惟古于词必己出，降而不能乃剽贼"（韩愈《南阳樊绍述墓志铭》）②、"愈之志在古道又甚好其言辞"③（《答陈生书》）④。主张思想上复古，遵圣人之言，表达方式却要有新意。所以对古圣贤人的著作，要"师其意，不师其辞"（韩愈《答刘正夫书》）⑤。清代刘熙载评韩愈，"韩文学不掩才，故虽'约六经之旨而成文'，未尝不自我作古。"这都证明了韩愈在思想上复古，在言辞上出新的主张。

韩愈的作品做到了推陈出新，确实是新词迭出。《柳子墓志铭》赞叹柳宗元才华时，接连用"崭然见头角"、"博学宏词"、"俊杰廉悍"、"踔厉风发"等成语。《进学解》中出现了许多名词名句："业精于勤，荒于嬉；行成于思，毁于随"、"爬罗剔抉，刮垢磨光"、"贪多务得，细大不捐"、"补苴罅漏，张皇幽眇"、"含英咀华"、"佶屈聱牙"、"同工异曲"、"跋前踬后，动辄得咎"、"卓荦为杰，校短量长"等。李肇《国史补》："元和已后，为文笔则学奇诡于韩愈，学苦涩于樊宗师。"⑥韩愈创造词汇的语言天分，使他的文章用词新颖，容易带来新奇之感。

韩愈认识到推陈出新的表述不能是一味地追奇求异，还应附带别的要求。韩愈认为"文从字顺各识职"（《南阳樊绍述墓志铭》）⑦，"辞不足不可以为成文"（《答尉迟生书》）⑧。创造上要求自己"丰而不余一言，约而不失一辞，其事信，其理切"（《至邓州北寄上襄阳于相公书》）⑨；"沉潜乎义训，反复乎句读，砻磨乎事业，而奋发乎文章"（《上兵部李侍郎

① （清）董诰等编：《全唐文》卷五百五十二，上海古籍出版社 1990 年版，第 2475 页。
② （清）董诰等编：《全唐文》卷五百六十三，上海古籍出版社 1990 年版，第 2527 页。
③ （清）刘熙载：《艺概》卷一，上海古籍出版社 1978 年版，第 31 页。
④ （清）董诰等编：《全唐文》卷五百五十二，上海古籍出版社 1990 年版，第 2475 页。
⑤ （清）董诰等编：《全唐文》卷五百五十三，上海古籍出版社 1990 年版，第 2480 页。
⑥ （唐）李肇、赵璘：《唐国史补·因话录》，上海古籍出版社 1979 年版，第 57 页。
⑦ （清）董诰等编：《全唐文》卷五百六十三，上海古籍出版社 1990 年版，第 2527 页。
⑧ （清）董诰等编：《全唐文》卷五百五十一，上海古籍出版社 1990 年版，第 2471 页。
⑨ （清）董诰等编：《全唐文》卷五百五十一，上海古籍出版社 1990 年版，第 2472 页。

书》)①,称赞权秀才:“引物连类,穷情尽变,宫商相宣,金石谐和”(《送权秀才序》)②。韩愈主张语言除了新奇外,还应精当,词达言切,注重炼字遣句的恰当贴切。因为注重炼字,韩愈有时甚至以运用生僻字为傲,“奇辞奥旨,靡不通达”(《上兵部李侍郎书》)③。如《进学解》以木喻才时说“夫大木为杗,细木为桷,欂栌、侏儒,椳、闑、扂、楔,各得其宜,施以成室者,匠氏之工也”,各类木材的奇特名字都能跃然纸上,他于奇字僻字是下足了功夫。韩愈运字才华有他的优势,这样可以使文章的描写尽可能细致,但如果过于喜用生字冷字,注意力全在一字一词的锻炼,那也会使文章整体气息不得贯通。韩愈的这篇文章确有弄字之嫌。斗拱不说斗拱,用生僻字“欂栌”;表达“卓越”的意思,偏要用生僻组合“卓荦”。与之类似,樊宗师的散文也过于推重奇崛险怪,使文章晦涩艰深。

为了表现词汇的丰富,运字的从容,韩愈会特用排比句式挑战修辞运用高度。《送孟东野序》:“大凡物不得其平则鸣。草木之无声,风挠之鸣;水之无声,风荡之鸣。其跃也或激之,其趋也或梗之,其沸也或炙之;金石之无声,或击之鸣。……乐也者,郁于中而泄于外者也……维天之于时也亦然,择其善鸣者而假之鸣。是故以鸟鸣春,以雷鸣夏,以虫鸣秋,以风鸣冬。”④文章以不同喻体说明“不平则鸣”在自然中的不同表现,用词百转千变,一气呵成,气势天然。以同类句式酝酿排山倒海的气势,是韩愈所长,再看他《原道》:

> 其言道德仁义者,不入于杨,则入于墨;不入于老,则入于佛。入于彼,必出于此。入者主之,出者奴之;入者附之,出者污之……古之时,人之害多矣。有圣人者立,然后教之以相生养之道。为之君,为之师,驱其虫蛇禽兽,而处之中土。寒,然后为之衣,饥,然后为之食;木处而颠,土处而病也,然后为之宫室。为之工以赡其器用,为之贾以通其有无,为之医药以济其夭死,为之葬埋祭祀以长其恩爱,为之

① (清)董诰等编:《全唐文》卷五百五十一,上海古籍出版社1990年版,第2471页。
② (清)董诰等编:《全唐文》卷五百五十六,上海古籍出版社1990年版,第2491页。
③ (清)董诰等编:《全唐文》卷五百五十一,上海古籍出版社1990年版,第2471页。
④ (清)董诰等编:《全唐文》卷五百五十五,上海古籍出版社1990年版,第2486页。

礼以次其先后，为之乐以宣其湮郁，为之政以率其怠倦，为之刑以锄其强梗。相欺也，为之符玺斗斛、权衡以信之；相夺也，为之城郭、甲兵以守之。①

文章气势充沛，文思泉涌，但这种以排比方式塑造文章气势的风格并不能为所有人掌握，如果一味追求，反倒流于形式。清人施补华指出："《南山诗》五十余'或'字，与《送孟东野序》二十余'鸣'字一例，大开后人恶习，学诗学文者宜戒。"(《岘佣说诗》)②

复古运动于文体上进行大胆改革。柳宗元将杂文和山水游记的创作推向了一个新的高峰，使山水游记体裁成为散文写作的常见题材。韩愈碑文写作突破歌功颂德的虚浮模式，以事为例，以情感人。韩愈在应用性的文章中抒情言志，将其文学化。在碑志书序中大行改革，使原来应酬无实的文章，成为表意抒情、叙怀展志的文学作品。他的序也不仅是述交情、道离别，还可针砭时事、阐述理想、讽刺弊端。《试大理评事王君墓志铭》写王适不参加科举，与时格格不入而落入困境。碑文以王适求妻，假借公文身份骗婚成功这一事件说明世人看才首看官身的习俗。《送许郧州序》批判赋敛过重，将逼民造反。《送孟东野序》、《荆潭唱和诗序》阐述了他"不平则鸣"的观点。韩愈将表彰逝者生平的敷衍碑志发展为以人为中心的传记文学，塑造生动鲜明的形象，如正直刚强、耿介直率的张彻（见《张彻墓志铭》）、李素（见《河南少尹李公墓志铭》），为民请命，爱护百姓的王仲舒（见《唐故江南西道观察使中大夫洪州刺史兼御史中丞上柱国赐紫金鱼袋赠左散骑常侍太原王公神道碑铭》）、韦丹（见《唐故江西观察使韦公墓志铭》）。

柳宗元明确提出创新不仅要求形式的推陈出新，也要求内容的推陈出新。"而为文之士亦多渔猎前作，戕贼文史，抉其意，抽其华，置齿牙间，遇事蜂起，金声玉耀，诳聋瞽之人，徼一时之声。虽终沦弃，而其夺朱乱雅，为害已甚。"（柳宗元《与友人论为文书》）③这种观点比韩愈的师

① （清）董诰等编：《全唐文》卷五百五十八，上海古籍出版社1990年版，第2502页。

② （清）王夫之等：《清诗话》，中华书局1963年版，第982页。

③ （清）董诰等编：《全唐文》卷五百七十四，上海古籍出版社1990年版，第2570页。

古意而出新词的主张更具文学独立意义。但在创作事实中二人实际上在内容、思想上都有新意。韩愈对复古的强调只是为了保证文章不偏离述“道”的传统,“道”的具体内容可以根据实际情况发生改变。

第三,注重文章中的奥义微言。古文运动推崇有实际内容的文章,文章的思想内容为判断文章高下的第一要义。独孤及说:“文章可以假道,道德可以长保,华而不实,君子所丑。”(梁肃《祭独孤常州文》)①文章之道,厚德长馨,华美空洞的文章不是君子所为。韩愈在《答李秀才书》直接表达了他的喜好:“愈之所志于古者,不惟其辞之好,好其道焉尔。”②柳宗元在前人基础上明确提出文以明道的观念,“然圣人之言,期以明道。学者务求诸道而遗其辞。辞之传于世者,必由于书。道假辞而明,辞假书而传,要之,之道而已耳”(《报崔黯秀才论为文书》)③,“始吾幼且少,为文章,以辞为工;及长,乃知文者以明道,是固不苟为炳炳烺烺,务采色,夸声音而以为能也”(《答韦中立论师道书》)④,批判贵辞矜书,不悟其道的风气,推崇词义良高,明道述理的文章。光有文采而内容荒谬的作品,尤其有害,“夫为一书,务富文采,不顾事实,而益之以诬怪,张之以阔诞,以炳然诱后生,而终之以僻,是犹用文锦覆陷井也。不明而出之,则颠者众矣”(柳宗元《答吴武陵论非国语书》)⑤,行文优美的文章以美辞吸引人,如果内容荒诞,将颠倒是非,迷惑民生大众。简单地说,就是文章要义以思想正确为主,价值观不正确的文章言辞再吸引人也必须摒弃。

虽然十分注重文章思想,古文运动也并不仅是主张内容符合道统就行了的僵化运动,他们也主张文道统一,如柳冕认为,“君子之儒,必有其道,有其道必有其文,道不及文则德胜,文不及道则气衰。文多道寡,斯为艺矣。《语》曰:‘文质彬彬然后君子’,兼之者斯为美矣”(《答荆南裴尚

---

① (清)董诰等编:《全唐文》卷五百二十二,上海古籍出版社 1990 年版,第 2349 页。
② (清)董诰等编:《全唐文》卷五百五十二,上海古籍出版社 1990 年版,第 2475 页。
③ (清)董诰等编:《全唐文》卷五百七十五,上海古籍出版社 1990 年版,第 2577 页。
④ (清)董诰等编:《全唐文》卷五百七十五,上海古籍出版社 1990 年版,第 2575 页。
⑤ (清)董诰等编:《全唐文》卷五百七十四,上海古籍出版社 1990 年版,第 2569 页。

书论文书》)①,韩愈述“行之乎仁义之途,游之乎诗书之源”(《答李翊书》)②,既反对华而不实的文章,也认为道统之文应有相应文辞与之匹配。

从创作看,这些人的作品强于阐明义理。如李华作品中《言医》论述贪欲导致疾病;《贤之用舍》论主君应用贤启能,重用人才,发挥人力的作用;《君之牧人》论述为君为圣之道应少安逸,多思虑;《国之兴亡》举出导致国家兴亡的多种关键。这些文章多数篇幅不长,尤其是《君之牧人》、《国之兴亡》两篇短小精悍,述理分明,言辞犀利,针砭国家大事,君主利弊直所畅言。

韩愈散文更是其儒家思想的集中体现。如《原道》述古论道,经纬人伦;《进学解》抵排异端,攘斥佛老。不仅为述理,对文章实质内容的推崇也包括对文章情真意切的需求。如祭文中的绝唱《祭十二郎文》以情动人,文章散文体式,少华文装饰,一咏三叹,语意反复,悲痛凄惨,情真感人。作者先自述身世的伶仃孤苦,简述韩氏人丁凋敝,一句“韩氏两世,唯此而已”,点出韩愈与侄子十二郎之间的相依关系。中间叙述二人因种种原因不能相聚,总以为相聚有时,却噩耗突传,天意弄人,“所谓天者诚难测,而神者诚难明矣!所谓理者不可推,而寿者不可知矣”,作者将满腔悲思,转化为对天神神秘无理的控诉,再联想到年长体强者尚且说去就去,年幼体弱的又凭借什么可以保他顺利长大成人呢?韩氏后代香火能不能保存延续也未可知,思及此,感到命运无常,前途无望,不禁连续发出“呜呼哀哉!呜呼哀哉”的断肠悲叹。其后作者的万念俱灰,以致只想辞官稳居,回乡教子,看子女长大的心愿也就顺理成章了。

古文家们还将文章的充实扩展至对作者人格的要求。韩愈以为作者的人格修养对文章的好坏有关键作用,“所谓文者,必有诸其中,是故君子慎其实。实之美恶,其发也不掩。本深而末茂,形大而声宏,行峻而言厉,心醇而气和。昭晰者无疑,优游者有余;体不备不可以为成人,辞不足

① (清)董诰等编:《全唐文》卷五百二十七,上海古籍出版社1990年版,第2372页。

② (清)董诰等编:《全唐文》卷五百五十二,上海古籍出版社1990年版,第2475页。

不可以为成文"(《答尉迟生书》)①。"将蕲至于古之立言者,则无望其速成,无诱于势利,养其根而竢其实,加其膏而希其光。根之茂者其实遂,膏之沃者其光煜。仁义之人,其言蔼如也。"(《答李翊书》)②认为有道德修养自然能成就好文章,过于将德与美并列、重合,以德吞噬了美。虽然韩愈等人天分极高,从道入手,也可做到德美兼并,但这种主张被天分一般的人所持守,容易被带入僵化重复的文学创作局面。

三、刺世寓言

刺世至深的寓言散文写作从柳宗元开始。虽然元结早有《丐论》、《化虎论》等刺世佳作,惜文采稍逊。柳宗元笔力刚劲,寓意深刻,擅长深入浅出,徐徐述理。韩愈也有《马说》、《祭鳄鱼文》等作品与之齐头并进。

寓言散文的第一个特征是以讽喻为主。柳宗元在《大理评事杨君文集后序》中论:"文之用,辞令褒贬,导扬讽谕而已。"③柳宗元的文章擅长发现社会各种弊端,直指人性各种弱点。《永州铁炉步志》讽刺徒有虚名之辈,在祖先、家庭名气的庇佑下骄傲自大,事实上却无才无德。文章以一铁炉埠头"铁炉"之名为起因,论述名与实的关系,以批评沽名钓誉之辈。《观八骏图说》讽刺忽略才学,只重外貌,按图索骥的择才观。《吏商》中主张保护廉吏之商。"利愈多名愈尊,身富而家强,子孙葆光"④,清廉的官吏行商,不欺行霸市,投机取巧,通过正当行商,实行名利双收,荣耀子孙。《鞭贾》中批评哄抬物价的奸商,"市之鬻鞭者,人问之,其贾直五十,必曰五万,复之以五十,则伏而笑,以五百则小怒,五千则大怒,必以五万而后可。"⑤《三戒》则叙述《临江之麋》、《黔之驴》、《永某氏之鼠》三则寓言,描写了三类可悲的动物,以喻人性三种类型的缺陷。《临江之

① (清)董诰等编:《全唐文》卷五百五十一,上海古籍出版社1990年版,第2471页。
② (清)董诰等编:《全唐文》卷五百五十二,上海古籍出版社1990年版,第2474—2475页。
③ (清)董诰等编:《全唐文》卷五百七十七,上海古籍出版社1990年版,第2583页。
④ (清)董浩等编:《全唐文》卷五百八十六,上海古籍出版社1990年版,第2624页。
⑤ (清)董浩等编:《全唐文》卷五百八十六,上海古籍出版社1990年版,第2624页。

麋》中的麋因为从小被猎人收养保护，在主人的袒护下单纯幼稚，缺乏防患意识，导致长大后不辨敌友，是非不分，最终丧命。《黔之驴》被无知的好事者置于黔地，遇着老虎，无法格斗，死于非命。《永某氏之鼠》贪婪猖獗，因为主家的宽纵胡作非为，旧主迁走房屋换新主后，不知收敛，被新主人扼杀殆尽。

寓言散文的第二个特征是故事性强。寓言散文以事喻理，以小故事见长。柳宗元能编写生动有趣的故事讲述道理。《全唐文》卷五百九十二载其《蝜蝂传》，讲一只贪得无厌的小虫遇到任何事物都将其放在自己背上扛着走。背的东西越来越多，甚至不堪重负都不舍得将东西扔掉，最后被活活压死。柳宗元以不知进退、贪得无厌的小虫直指当世之人的贪欲。

> 蝜蝂者，善负小虫也。行遇物，辄持取，昂其首负之。背愈重，虽困剧不止也。其背甚涩，物积因不散，卒踬仆不能起。人或怜之，为去其负；苟能行，又持取如故，又好上高。极其力不已，至坠地死。
>
> 今世之嗜取者，遇货不避，以厚其室，不知为己累也。唯恐其不积。及其怠而踬也，黜弃之，迁徙之，亦以病矣。苟能起，又不艾。日思高其位，大其禄，而贪取滋甚，以近于危坠，观前之死亡不知戒！虽其形魁然大者也，其名，人也，而智则小虫也。亦足哀夫！

蝜蝂遇物则取，虽已不能负重，但抵不过自己贪财的天性。人们为其减负却死不悔改，最终气力用尽，坠地而死。小小故事将蝜蝂虽死欲贪的天性刻画得入木三分。文章以虫喻人，期待那些欲望膨胀的人可以在死亡的威胁下迷途知返。《谪龙说》以一被贬谪到人间的龙自喻，在对谪龙气质高华，不与人类同伍的描写中展示自己志向高洁，以“非其类而狎其谪，不可哉”，抒发自己被贬后受地方怠慢轻辱的不平心绪。《罴说》中依靠口技吓唬动物的猎人最终被罴分裂而食，此故事影射不提高自身的能力，而依靠外来力量的政策最终是一场空。再有《鞭贾》、《瓶赋》、《三戒》等文都是以故事说理，语言简洁，叙事生动。

寓言散文的第三个特征是民本思想突出。与韩愈极力维护社会秩序，强调上层对下层的统治不同，柳宗元极力为民众说话，更多是对上层人物进行谴责。在《送薛存义之任序》中，柳宗元提出：“凡吏于土者，若知其职乎？盖民之役，非以役民而已也。凡民之食于土者，出其十一佣乎吏，使司平于我也。今我受其直怠其事者，天下皆然。岂唯怠之，又从而盗之。向使佣一夫于家，受若直，怠若事，又盗若货器，则必甚怒而黜罚矣。”①官吏是民众出资养活的，所以他们不应凌驾于百姓之上，而应为民办实事，否则民众必会愤懑不平，欲起事罢黜官员。柳宗元的政论文《咸宜》，批驳以门阀世族出身论人贵贱的想当然观念，提出“兴王之臣，多起污贱”②，肯定下层人民的地位和价值。在《伊尹五就桀赞》中将君与民对比，认为民重于君，“圣人出于天下，不夏商其心，心平生民而已”③。柳宗元认为，伊尹明知夏桀不仁，商汤仁义，还屡次辅佐夏桀，就是出于为天下生民之心。孟子的君轻民贵思想充斥其间。

与他的思想相对应，柳宗元的寓言揭露了官与民之间的矛盾与冲突，在他看来，官民的相处在现实中并不融洽。柳宗元认为民众自有生息之道，为官者为了凸显自己的重要性，喜爱对民众发号施令，又不得要领，导致百姓苦不堪言。《种树郭橐驼传》说“见长人者好烦其令，若甚怜焉，而卒以祸”，认为种树应该“顺木之天以致其性”。官吏治民应像种树顺应树之天性一样顺应民情，不要随性发出指令，让百姓疲于奔命、劳民伤财。治理百姓的关键还是应当让百姓休养生息，自主劳作。《种树郭橐驼传》对官员主导经济生活的作用提出了质疑，而《捕蛇者说》尖锐地指出了进一步激化的官民冲突。《捕蛇者说》同情在苛捐杂税下困顿难以求生的劳动人民，鞭笞“苛政猛于虎”的赋税制度。上位者颁布的赋税制度不但没有造福于民，反而盘剥人民，使民不聊生。依照柳宗元的寓言，民众的不幸大部分都来自于上位者，上位者身份形成的智慧优势与道德优势在他眼中是荡然无存的。

柳宗元的寓言散文更贴近民众现实，从平民的生活中针砭时弊，以故事喻理，形象生动，深入浅出，将深刻的人生哲学、宝贵的生活经验寄于讲故事之中，表现了他对世态人情的深刻洞察力以及对民众生活的深切同情心。

---

① （清）董诰等编：《全唐文》卷五百七十八，上海古籍出版社 1990 年版，第 2586 页。
② （清）董诰等编：《全唐文》卷五百八十六，上海古籍出版社 1990 年版，第 2624 页。
③ （清）董诰等编：《全唐文》卷五百八十三，上海古籍出版社 1990 年版，第 2609 页。

四、晚唐小品

晚唐皮日休、陆龟蒙、罗隐的小品文继承文以载道的传统。因为生活的时代更加困难不堪，他们的散文思想尖锐，多以满腔愤懑之情，鞭挞嘲讽晚唐社会的丑恶残破。鲁迅在《小品文的危机》中赞道："唐末诗风衰落，而小品放了光辉。但罗隐的《谗书》，几乎全部是抗争和愤激之谈；皮日休和陆龟蒙自以为隐士，别人也称之为隐士，而看他们在《皮子文薮》和《笠泽丛书》中的小品文，并没有忘记天下，正是一塌糊涂的泥塘里的光彩和锋芒。"①

晚唐小品文第一个特征是，注重对现实的批判与控诉，多刺时讥事作品，具有深刻的讽刺意义。皮日休、陆龟蒙、罗隐三人品性高洁，不能为晚唐仕途所容，皆怀才不遇，空有抱负而无法施展，不堪的遭遇使他们确立了与社会上层对抗的立场，皮日休甚至是参加了黄巢农民起义的文学家。他们采用著书立说的形式表达自己对社会现实的看法。因为晚唐时期藩镇割据，时局动乱，国家内忧外患，唐政府内部朋党专权，无法控制时局。三人对社会现实十分不满，愤懑之情溢于言表。

唐末政治的弊病主要表现为当权者没有天下为公的信念，各人为了自己的利益钩心斗角，互相攻讦，蝇营狗苟。当权者只顾扩大自己的势力，不顾百姓生灵涂炭。上位者人品败坏已经无以复加，品行端正者又无入仕之门，整个社会的人才运用呈现这种恶性循环，带来社会风气的极速下落。罗隐在《谗书》第一篇《风雨对》中就对影响众人命运的风雨雪霜果为鬼神掌控的合理性提出质疑，"苟祭祀不时则饥馑作，报应不至则疾病生：是鬼神用天地之权，而风雨雪霜为牛羊之本矣。复何岁时为？复何人民为？是以大道不旁出，惧其弄也；大政不闻下，惧其偷也"②。晚唐社会的情景正如文中所说，发生了权利错位，牛鬼蛇神僭越天地职责，使小人弄权，社会的运行也就没有公义正直可言。

---

① 鲁迅：《鲁迅全集》卷四，人民文学出版社 1982 年版，第 575 页。

② （唐）罗隐：《罗隐集》，中华书局 1983 年版，第 197—198 页。

在晚唐小品文中,上位者十分不堪。针对这种情况,作家们或抨击当权者的尸位素餐,“见敌之勇,峨冠俯步,饮啄而已”(罗隐《说天鸡》)①,官僚们高视阔步、自命不凡却无德无能。或者揭发当权者只知盘剥百姓的恶习,罗隐《荆巫》以奢侈骄逸、以公济私的巫者讽刺心存私心、在其位不谋其事的官员。陆龟蒙《记稻鼠》以偷盗的老鼠比喻上层者不劳而获,掠夺人民的劳动成果,农民辛苦劳作“仅得葩坼穗结,十无一二焉。无何,群鼠夜出,啮而僵之,信宿食殆尽。虽庐守版击,殴而骇之,不能胜。若官督尸责,不食者有刑。当是而赋索愈急,棘械束榜箠木肌体者无壮老”②,官员通过赋税方式盘剥人民,正像老鼠盘剥农民粮食一样,夺了人民十之八九的收入。皮日休《请行周典》:“今之田,贫者不足于耕耨,转而输于富者,富者利广占,不利广耕。”③贫富占据耕田量的巨大差异将减少耕种的广度。上梁不正下梁歪的结果导致社会风气败坏。罗隐《秋虫赋》述“物之小兮,迎网而毙;物之大兮,兼网而逝。网也者,绳其小而不绳其大”④,悲叹弱肉强食的社会,弱者难以生存,影射纲纪法令皆废,以强势为胜的社会事实;《吴宫遗事》讽刺阿谀奉承,误国害民的伯嚭与不听谏言、错杀忠臣、好大喜功的吴王;《越妇言》悲叹在富贵安稳中丧失匡国致君、安民济物志向的仕子们。

小品文的第二个特征是,篇幅短小,但言辞犀利,以议论为胜。为了突出文章的讽刺意义,晚唐小品文言辞犀利、锋芒毕露、毫不留情。

小品文说理性非常强,不以文辞舒展为胜,而专注辩理。陆龟蒙《野庙碑》犀利地揭露了剥削者的陋行。“耳弦匏,口粱肉、载车马、拥徒隶者皆是也。解民之悬,清民之暍,未尝贮于胸中。民之当奉者,一日懈怠,则发悍吏,肆淫刑,驱之以就事,较神之祸福,孰为轻重哉?”⑤与光享受俸禄,无所作为的土木之神相比,贪官污吏的所作所为更加无耻,危害也更

① (唐)罗隐:《罗隐集》,中华书局1983年版,第209页。

② (清)董诰等编:《全唐文》卷八百一,上海古籍出版社1990年版,第3727页。

③ (清)董诰等编:《全唐文》卷七百九十九,上海古籍出版社1990年版,第3715—3716页。

④ (唐)罗隐:《罗隐集》,中华书局1983年版,第199页。

⑤ (清)董诰等编:《全唐文》卷八百一,上海古籍出版社1990年版,第3731页。

大。罗隐《辨害》劝人做事从大处着眼，小局服从大局："虎豹之为害也，则焚山不顾野人之菽粟；蛟蜃之为害也，则绝流不顾渔人之钓网。其所全者大，而所去者小也。顺大道而行者，救天下者也；尽规矩而进者，全礼义者也。权济天下而君臣立，上下正，然后礼义在焉。力不能济于用，苟君臣上下之不正，虽抱空器，奚所设施？是以佐盟津之师，焚山绝流者也；扣马而谏，计菽粟而顾钓网者也。"①皮日休《惑雷刑》记了一次意外事件："忽一日，猝雷发山，逢氏震死。"②逢氏死后，人们说逢氏因为作恶，所以天降处罚，逢氏是死有余辜。为了反驳天罚论，皮日休提出疑问，"燕赵无赖少年，椎之以私享，烹之以市货，法不可戢，刑不可威。则天之保牛，皆不降于雷刑哉"，牛为人间重要的事物，天必然保护牛，而无赖少年屠牛，天却不以雷降罪，最后得出结论，"则逢氏之死，吾不知是天地也"③。

小品文的攻击对象包括经籍中颂扬的圣人。罗隐的《伊尹有言》批评伊尹以臣子身份拥立、废除帝王："伊尹放太甲、立太甲，则臣下有权始于是矣，而曰'耻君之不及尧舜'……伊尹不耻其身不及和、仲、稷、契，而耻君之不见尧、舜，在致君之诚则极矣，而励已之事何如耳？"④一代贤相伊尹被罗隐批判为不能反省自己才德不如人，而只将所有过错都推到所事君主身上去的无担当之人。晚唐各方势力以君主不贤为名，肆意扩大自己的地盘，毫不掩饰自己逐鹿天下的野心。《伊尹有言》针对这种情况将伊尹作为反面形象对之鞭挞讽刺，阐释了晚唐地方势力不忠不义的本质表现。陆龟蒙从社会阶层上质疑了圣人的地位，其《田舍赋》论"士农工商"的地位："禄以代耕，如无禄欤？无禄无耕，为工商欤？有沮溺之贤，以仕易农乎？有轮扁之道，以仕易工乎？有弦高之义，以仕易商乎？"⑤陆龟蒙驳斥了中国千年传统"士农工商"的等级观，唾弃"仕"的作用，而肯定"农工商"劳动阶层的社会价值。

---

① (唐)罗隐:《罗隐集》，中华书局1983年版，第216页。
② (清)董诰等编:《全唐文》卷七百九十九，上海古籍出版社1990年版，第3716页。
③ (清)董诰等编:《全唐文》卷七百九十九，上海古籍出版社1990年版，第3716页。
④ (唐)罗隐:《罗隐集》，中华书局1983年版，第201页。
⑤ (清)董诰等编:《全唐文》卷八百，上海古籍出版社1990年版，第3722页。

就算是对天子,文学家们也有其较为隐晦的批判。罗隐《龙之灵》论:“龙之所以能灵者,水也;涓然而取,霈然而神。天之于万物,必职于下以成功,而龙之职水也,不取于下,则无以健其用;不神于上,则无以灵其职。苟或涸一川然后润下,涸一泽然后济物,不惟濡及首尾,利未及施而鱼鳖已敝矣。故龙之取也寡。”①龙的职责是掌管水,如果万物因缺水而凋敝,原因在龙未尽其责。晚唐民生不堪,与龙没有尽到润泽天下的责任相关,龙自然是指天子。天子没有尽到润泽万民的责任,使人民生存艰难,当然应该被指责。

神灵的权威在他们的眼中也是不必要完全遵从的。他们直接质疑鬼神说。如上所述罗隐的《风雨对》就是批判鬼神滥用职权。陆龟蒙《野庙碑》认为,野庙碑无任何实际意义,是“夫毗竭其力以奉无名之土木而已矣!”②罗隐《谗书》中《疑凤台》也指出:“秦穆公女以吹箫降箫史于台上,后乘凤凰而去,名其地曰凤台。吁!神仙不可以伎致,凤鸟不可以意求。伎可致也,则黄帝不当有崆峒之学。意可求也,则仲尼不当有不至之叹。”③

他们文章的犀利性已经到了为造反述理的高度。皮日休的文章犀利尖刻,直指时弊,对当权者们的控诉毫不留情。《鹿门隐书》述:“古之决狱,得民情也,哀;今之决狱,得民情也,喜。哀之者,哀其化之不行;喜之者,喜其赏之必至”④;“古之杀人也,怒;今之杀人也,笑。……古之置吏也,将以逐盗;今之置吏也,将以为盗”⑤;“古之官人也,以天下为己累,故己忧之;今之官人也,以己为天下累,故人忧之”⑥。《读司马法》:“古之取天下也,以民心;今之取天下也,以民命。”⑦皮日休发出了对整个时代合法性的质疑。皮日休的文章不仅是文人悲天悯人的无奈控诉,更增添

① (唐)罗隐:《罗隐集》,中华书局 1983 年版,第 207 页。
② (清)董诰等编:《全唐文》卷八百一,上海古籍出版社 1990 年版,第 3731 页。
③ (唐)罗隐:《罗隐集》,中华书局 1983 年版,第 209 页。
④ (清)董诰等编:《全唐文》卷七百九十八,上海古籍出版社 1990 年版,第 3709 页。
⑤ (清)董诰等编:《全唐文》卷七百九十八,上海古籍出版社 1990 年版,第 3709 页。
⑥ (清)董诰等编:《全唐文》卷七百九十八,上海古籍出版社 1990 年版,第 3708 页。
⑦ (清)董诰等编:《全唐文》卷七百九十九,上海古籍出版社 1990 年版,第 3714 页。

要翻天覆地的极度愤慨和决心,甚至有离经叛道的倾向,《原谤》论“尧舜,大圣也,民且谤之。后之王天下,有不为尧舜之行者,则民扼其吭,捽其首,辱而逐之,折而族之,不为甚矣”①,言辞激烈,明确反对当权者天定的合法领导地位。

小品文的第三个特征是,思想独立,具有创新性的思想结论,能言人之所不言,常具有哲理性的思考。

皮日休的《鹿门隐书》中有很多哲理性的思考。如:“毁人者自毁之;誉人者自誉之。夫毁人者,人亦毁之,不曰自毁乎?誉人者,人亦誉之,不曰自誉乎?”②文中不是一时一处地思考毁人、誉人的行为带来的后果,而是在社会范围中思考毁人、誉人带来的一系列社会影响,从而证明“毁人者,自毁之;誉人者,自誉之”的论点。“洁者不观其穷,观其富也。慎者不观其危,观其势也。苟当穷能洁,当危能慎,戒也非真也。”③这句话一直到今天都十分合理。身卑位贱的人对为富不仁者同仇敌忾,是很普遍的,如当今的“愤青”,但这些敢骂敢恨的人不一定品质高洁,当他们身居高位的时候也许会同样贪婪。只有当人们掌握了权势,身居高位时,他的所作所为才能展现他的品性。皮日休观察深刻,对人性的弱点与矛盾看得十分通透。“才望显于时者殆哉!一君子爱之,百小人妒之。一爱固不胜于百妒,其为进也难”④,明确指出“木秀于林风必摧之”的原因。皮日休的“征税者,非以率民而奉君,亦将以励民而成其业也”⑤指出了国家税收的真正用途。皮日休的《相解》又说:“今之相工言人相者,必曰某相类龙,某相类凤,某相类牛马。某至公侯,某至卿相。是其相类禽兽,则富贵也。噫!立形于天地,分性于成万物,其贵者不过人乎。”⑥文章指出,看相的人总说富贵面相是类似某种禽兽,但人本来是贵于禽兽的,看相的将人比作某种禽兽,人们也听说面相如某种禽兽则开心,如果像人就不开

① (清)董诰等编:《全唐文》卷七百九十八,上海古籍出版社 1990 年版,第 3714 页。
② (清)董诰等编:《全唐文》卷七百九十八,上海古籍出版社 1990 年版,第 3708 页。
③ (清)董诰等编:《全唐文》卷七百九十八,上海古籍出版社 1990 年版,第 3708 页。
④ (清)董诰等编:《全唐文》卷七百九十八,上海古籍出版社 1990 年版,第 3709 页。
⑤ (清)董诰等编:《全唐文》卷七百九十九,上海古籍出版社 1990 年版,第 3715 页。
⑥ (清)董诰等编:《全唐文》卷七百九十九,上海古籍出版社 1990 年版,第 3716 页。

心，这就将禽兽的价值置于人之上。皮日休以此推出以面相识人的不合理，进一步指出，相解应该是“有能以圣贤之道自相其心哉”。

罗隐的论点总能别开生面，逆向而出，想人之未想，得出的结论常常与众不同。他在《谗书》中的《杂说》中道：“珪璧之与瓦砾，其为等差，不俟言而知之矣。然珪璧者，虽丝粟玷类，人必见之，以其为有用之累也。为瓦砾者，虽阜积甃盈，人不疵其质者，知其不能伤无用之性也。”①与劝常人求学上进相比，罗隐指出，有能者将承担更多的责任，所以更要谨慎举止，修正德行。他的《后雪赋》一反前人赞雪之高洁，咏雪颂雪的模式，从雪覆盖万物出发，认为雪“污秽所宗，马牛所避，下下高高，雪为之积。至若涨盐池之水，屹铜山之巅，触类而生，不可殚言。臣所以恶其不择地而下，然后浼洁白之性焉”②。雪不择众物而落，连世上最丑恶的事物都加以覆盖装饰。令人不禁联想到那些掩盖真相、粉饰太平、歌功颂德的花言巧语。罗隐的《疑凤台》质疑传统传说，批评人们强行比附故事，沉浸于虚妄之中，“上行而下效，信而有证”③。

陆龟蒙也常有新语。他的《蚕赋》一改众人对蚕的交口相赞，认为蚕为祸人间。

> 荀卿子有《蚕赋》，杨泉亦为之。皆言蚕有功于世，不斥其祸于民也。余激而赋之，极言其不可，能无意乎？诗人《硕鼠》之刺于是乎在。
>
> 古民之衣，或羽或皮。无得无丧，其游熙熙。艺麻缉纻，官初喜窥。十夺四五，民心乃离。逮蚕之生，茧厚丝美。机杼经纬，龙鸾葩卉。官涎益馋，尽取后已。呜呼！既豢而烹，蚕实病此。伐桑灭蚕，民不冻死。④

文中认为人们没有发现蚕的功能之前，大家穿着简单，对衣着没有过于奢侈的要求。麻出现后，官员为了得到麻已经开始盘剥民众，而蚕织的衣物

① （唐）罗隐：《罗隐集》，中华书局1983年版，第207页。
② （唐）罗隐：《罗隐集》，中华书局1983年版，第202页。
③ （唐）罗隐：《罗隐集》，中华书局1983年版，第209页。
④ （清）董诰等编：《全唐文》卷八百，上海古籍出版社1990年版，第3724页。

华美艳丽，为了得到这种奢侈品，官员对民众的盘剥变本加厉。小品中含有老庄回归自然，抵制文明的思想，这与陆龟蒙的田园生活理想是一致的。陆龟蒙的诗歌有许多都展现了他对简单闲适自然生活的向往，如《五歌·放牛》："江草秋穷似秋半，十角吴牛放江岸。邻肩抵尾乍依隈，横去斜奔忽分散。荒陂断堑无端入，背上时时孤鸟立。日暮相将带雨归，田家烟火微茫湿。"①吴牛在江岸自由嬉戏，与孤鸟和睦共处的画面静谧闲适，清新恬人，放牛回后，家家烧起晚饭的烟火温馨暖人。陆龟蒙的诗歌与小品同样表达了他厌倦俗世、回归自然的人生理想。

小品文在推陈出新之时，也会在前代人的思想上再次创新。如陆龟蒙在《后虱赋》中就针对李商隐《虱赋》提出自己的观点。李商隐《虱赋》论虱："亦气而孕，亦卵而成。晨凫露鹄，不知其生。汝职惟啮，而不善啮：回臭而多，跖香而绝。"②李商隐认为虱会咬人，却不善于咬。要不然为何家穷用不起香料、体臭的颜回身上多，而体香的盗跖身上却很少。李商隐讽刺了虱欺善怕恶的特性。陆龟蒙却赞虱"衣缁守白，发华守黑。不为物迁，是有恒德"，有些人却连虱都不如，"小人趋时，必变颜色。弃瘠逐腴，乃虱之贼"③。

唐代小品文托物起兴，喜以事喻理，又常有新言。这些翻案性的文章表明作家们有意识地要言人之未言，在观点上取得创新。总体来说，小品文也非为文而作，重在辩理求道。

唐文章逐渐讲究风骨兴寄，辩理明义的发展中伴随着骈古之争。骈古之争表面看起来是四六文体与散文体之争，更深的是重于规矩形式、对偶用典提倡与行文自由之争。虽然整个唐代骈文仍占主要位置，例如初唐时倡导古文的李华也有精妙骈文《吊古战场文》，反对雕饰辞章的初唐四杰以骈文知名，主张缘事的白居易、元稹等人都是骈文高手；但唐代散文写作始终贯穿着古文运动的影响。一来古文运动的发展渗透入诗中，

---

① （清）曹寅、彭定求等编纂：《全唐诗》卷六二一，中华书局 1999 年版，第 7193—7194 页。

② （清）董诰等编：《全唐文》卷七百七十一，上海古籍出版社 1990 年版，第 3559 页。

③ （清）董诰等编：《全唐文》卷八百，上海古籍出版社 1990 年版，第 3723 页。

达到了“以文为诗”的境界。二来古文运动促成了人们对骈文的改革。如陆贽等人就在骈文中吸收了散文写法，既保持了骈文对仗工整，铿锵有序，减少用事、用典，堆砌辞藻，又注意文章的传情达意。“陆贽之前，骈文多吟咏哀思，摇荡性灵；陆贽之后，骈体既可描摹风景，可畅怀写情，而且可以议论说理，情文并茂，华实相扶。可以说，至此，骈文已经完全具备了古文的表现功能。”[①]就主张文章述理抒情这一点，唐代古文运动的文学理念得到了普遍的认同，虽败犹荣。

第二节　变文：引经入俗

变文属叙事文体，是唐代俗讲所用文本或记录本，讲唱结合，以说故事的方式微言大义，指摘事理。变文影响了后世多种文学样式：小说、诸宫调、戏曲、弹词、鼓词、宝卷等。郑振铎在《中国俗文学史》中给予了唐代变文极高的评价：

> 在敦煌所发现的许多重要的中国文书里，最重要的要算是“变文”了。在“变文”没有发现以前，我们简直不知道“平话”怎么会突然在宋人产生出来？“诸宫调”的来历是怎样的？盛行于明、清二代的宝卷、弹词及鼓词，到底是近代的产物呢？还是“古已有之”的？许多文学史上的重要问题，都成为疑案而难于有确定的回答。但自从三十年前史坦因把敦煌宝库打开了而发现了变文的一种文体之后，一切的疑问，我们才渐渐地可以得到解决了。我们才在古代文学与近代文学之间得到了一个连锁。我们才知道宋、元话本和六朝小说及唐代传奇之间并没有什么因果关系。我们才明白许多千余年来支配着民间思想的宝卷、鼓词、弹词一类的读物，其来历原来是这样的。这个发现使我们对于中国文学史的探讨，面目为之一新。这关系是异常的重大。假如在敦煌文库里，只发现了韦庄的《秦妇吟》，王梵

① 朱丽霞：《从韩愈古文运动的失败看唐代骈文的文体地位》，《学术月刊》2007年7月。

志的诗集,许多古书的抄本,许多佛道经,许多民间小曲和叙事歌曲,许多游戏文章,像《燕子赋》和《茶酒论》之类,那不过是为我们的文学史添加些新的资料而已。但"变文"的发现,却不仅是发现了许多伟大的名著,同时,也替近代文学史解决了许多难以解决的问题。这便是近十余年来,我们为什么那样的重视"变文"的发现的原因。①

因为变文的定义至今还有争论,哪些文本属于变文,哪些文本属于讲经文,哪些文本属于押座文也争论不休。本文只为研究唐通俗文学之特色,因此基本依据《敦煌变文集》进行论述,将变文看作唐代通俗文学的一种文体。

一、通俗易懂

变文深受唐代民众喜爱,在民众中传播甚广。《全唐诗》记载了吉师老的诗,说的是昭君变文:"妖姬未著石榴裙,自道家连锦水濆。檀口解知千载事,清词堪叹九秋文。翠眉颦处楚边月,画卷开时塞外云。说尽绮罗当日恨,昭君传意向文君"(《看蜀女转昭君变》)。唐姚合的诗句有记载:"无生深旨诚难解,唯是师言得正真。远近持斋来谛听,酒坊鱼市尽无人"(《听僧云端讲经》);"古磬声难尽,秋灯色更鲜。仍闻开讲日,湖上少鱼船"(《赠常州院僧》)。《因话录》载:"有文溆僧者,公为聚众谭说,假托经论所言,无非淫秽鄙亵之事。不逞之徒,转相鼓扇扶树。愚夫冶妇,乐闻其说,听者填咽。寺舍瞻礼崇奉,呼为和尚。教坊效其声调,以为歌曲。"②韩愈也有诗记:"街东街西讲佛经,撞钟吹螺闹宫庭。广张罪福恣诱胁,听众狎恰排浮萍。"(《华山女》)这些诗生动描述了变文开讲时万人空巷,齐聚寺院听讲的情景。甚至是皇帝都不能得免。《资治通鉴》载唐敬宗事:"宝历二年(826年)六月己卯,上幸兴福寺,观沙门文溆俗讲。"③

---

① 郑振铎:《中国俗文学史》,上海人民出版社2006年版,第148页。

② 上海古籍出版社编:《唐五代笔记小说大观》,上海古籍出版社2000年版,第856页。

③ (宋)司马光:《资治通鉴》卷二百四十三,中华书局1956年版,第7850页。

变文之所以在唐代民众间流传这么广,其通俗易懂的故事性质有很大的作用。变文一开始由佛教故事演绎而来。为了在唐代大力推行佛教,释家编一些通俗易懂的口绝、故事、诗歌以劝惩扬善、驱除恶业、教化世人。以诗言佛的释家用最简单、通俗的诗文来传播佛义,开化众生。这些诗文的目的以宣扬佛理为主,其目的在于明心净性,“凡读我诗者,心中须护净。悭贪继日廉,谄曲登时正。驱遣除恶业,归依受真性。今日得佛身,急急如律令”(寒山《诗三百三首》)①。这些诗为了达到普及大众的目的,通常深入浅出,通俗易懂。

出家要清闲,清闲即为贵。如何尘外人,却入尘埃里。一向迷本心,终朝役名利。名利得到身,形容已憔悴。况复不遂者,虚用平生志。可怜无事人,未能笑得尔。(拾得)②

世有多解人,愚痴学闲文。不忧当来果,唯知造恶因。见佛不解礼,睹僧倍生瞋。五逆十恶辈,三毒以为邻。死去入地狱,未有出头辰。(拾得)③

我见世间人,生而还复死。昨朝犹二八,壮气胸襟士。如今七十过,力困形憔悴。恰似春日花,朝开夜落尔。(寒山)④

因为是用来宣扬佛理的诗,所以朴素简单。第一首教人不要因为追逐名利而不顾惜身体,本末倒置。第二首讲因果报应。第三首论时光易逝,白驹过隙,人生短暂。变文中用来唱的那一部分就是诗体,与通俗诗相似,不重意味的无穷,只以述理说事为主。

变文中用来宣讲的散文是释家通俗诗的进一步浅显化,它将佛教佶屈聱牙的义理以通俗浅显、生动活泼的故事形式演绎。首先,将原故事具体化。如《大目乾连冥间救母变文》由《佛说盂兰盆经》而来。《佛说盂兰盆经》叙述目连设盂兰盆救母的故事,经文简短,只有故事梗概。变文中增加了不少情节,如青提夫人生前悭吝不信佛,杀生造业,欺骗目连,死后

① (清)曹寅、彭定求等编纂:《全唐诗》卷八〇六,中华书局1999年版,第9160页。
② (清)曹寅、彭定求等编纂:《全唐诗》卷八〇七,中华书局1999年版,第9188页。
③ (清)曹寅、彭定求等编纂:《全唐诗》卷八〇七,中华书局1999年版,第9192页。
④ (清)曹寅、彭定求等编纂:《全唐诗》卷八〇六,中华书局1999年版,第9183页。

入地狱受苦,目连出家后为报母恩上天入地寻母,青提夫人转世为狗再为人等情节都是变文中加入的。这些情节将故事前因后果叙述得更清楚,使人能更好地了解整个故事的来龙去脉。再如《丑女缘起》由《贤愚经》中的《波斯匿王女金刚品》和《杂宝藏经》中的《波斯匿王丑女赖提缘》改编而成。一公主名曰金刚,生下来却奇丑无比。经书是在后部分论及金刚丑的原因。变文却一开始就述说,此女供养罗汉,却心生轻贱,使众人立即得知故事由来。《舜子至孝变文》虽不是由佛经故事演绎而来,比起《史记》及《孝子传》中的原故事也更丰富饱满。它补充了舜子与其父瞽叟矛盾冲突的由来,使得故事更加完整。

其次,将佛理世俗化。唐变文以儒家孝亲思想融入佛义中,使佛经故事世俗化,更能得到受众的认同。佛教在东传的过程中,有许多观点与儒家义理相冲突,特别因为有悖孝道而受文人排斥。因为僧人落发不婚与"身体发肤,受之父母,不敢毁伤,孝之始也"、"不孝有三,无后为大"等观念相冲突。佛教为了调和二者冲突,与本土文化相融合,开始注重孝亲的宣扬,甚至讲注《孝经》。变文《大目乾连冥间救母变文》将佛理故事世俗化。非佛经故事变文《双恩记》、《父母恩重经讲经文》、《舜子至孝变文》、《董永变文》等都宣扬孝亲思想,劝喻世人孝敬父母。

我们在故事中可以发现二者相融合的倾向。《大目乾连冥间救母变文》中青提夫人不信佛法,对佛门口出恶言,死后被罚入地狱受苦。青提夫人的遭遇显示了佛法无比,宣扬因果报应。佛门弟子目连历经劫难救自己的母亲青提的行为与出家后六根皆净的教义是相背离的。但《大目乾连冥间救母变文》让这种矛盾的行为相结合,闭口不提出家人应尘缘尽了,杜撰一个母子大团圆的结局,只向大众展示了佛法无边,不信佛就会倒霉,信佛自然心想事成的信息,以便拉入更多的信徒,至于佛家教义本身与故事相冲突的地方可暂时不计较。

《大目乾连冥间救母变文》在唐代传播广泛,张祜曾戏称白居易《长恨歌》中"上穷碧落下黄泉,两处茫茫皆不见"二句"非目连变何邪?"①可

---

① (唐)孟棨等:《本事诗、本事词》,古典文学出版社1957年版,第23页。

见大目乾连佛理故事的影响力。

最后,讲唱变文的时候,一般要辅以“变相”。变相是与变文内容相联系的图画。敦煌变文《破魔变文》卷子中就有插图。《大目乾连冥间救母变文并图一卷》的题目说明原来的文章是有图的。《王昭君变文》文中有“上卷立铺毕,此入下卷”的辅图说明。另外,许多变文中都有“时”、“处”等提示语言,显示出对照图画进行讲唱的迹象。唐代有许多画佛像的高手,吴道子无疑是其中的佼佼者。《东观余论》对其名作《地狱变相》的评价是:“视今寺刹所图殊弗同。了无刀林沸镬、牛头阿旁之像,而变状阴惨,使观者腋汗毛耸,不寒而栗,因之迁善远罪者众矣。”①《唐朝名画录》中评吴道子画地狱变相时说:“京都屠沽渔罟之辈,见之而惧罪改业者,往往有之,率皆修善。”②隋唐在莫高窟的洞窟中,“壁画的题材中除了佛、菩萨与佛传、本生故事外,在第423窟、第419窟、第420窟及第276等窟,均画有最早出现于敦煌壁画之中的《维摩诘经变》。这些画面中的维摩诘,身着中原汉装,一副潇洒飘逸的南朝名士形象,为静的境界里增添了动人情趣,突破了西域佛教艺术规范”③,图画的直观视觉信息也可增加娱乐效果,以图文演绎故事使观众得到视觉娱乐。此外,图画的视觉直观理解比文字阅读理解更加简易,变文中的图画有利于佛教故事在许多不识字的人群间进行传播,使民可辨图听故事、说故事。图画对某一场景的定位描写,可帮助观众抓住故事的关键情节点,突出故事主人公的主要个性。如“唐代壁画《维摩诘经变》,以‘问疾品’、‘弟子品’、‘香积品’、‘观众生品’为主要题材”④。其中最主要的是“问疾品”。“问疾品”讲述文殊菩萨带领诸菩萨大弟子及诸天人前往维摩诘处问疾,并与之辩佛理的故事。唐代画面将隋代维摩诘病重羸弱,凭几不言的形象转换成一个据理善辩的光辉人物。唐代变文的重心在于强调维摩诘的辩才,塑

① (宋)黄伯思:《东观余论》,人民美术出版社2010年版,第162页。

② (唐)朱景玄撰:《唐朝名画录》,四川美术出版社1985年版,第4页。

③ 余熙:《一位思辨神灵的历史沉积相——从〈维摩诘经变〉看敦煌艺术的民族性》,《江汉大学学报》1986年第1期。

④ 余熙:《一位思辨神灵的历史沉积相——从〈维摩诘经变〉看敦煌艺术的民族性》,《江汉大学学报》1986年第1期。

造他深谙佛理，足智善辩的形象。

二、义理彰明

变文开始为佛教宣扬因果报应和轮回思想的说唱故事，后来也不仅指佛教的故事，普通民众间的故事以说唱的形式出现，也可称之为变文。前者如《维摩诘经变文》、《降魔变文》、《大目乾连冥间救母变文》等。后者如《伍子胥变文》、《王昭君变文》、《董永变文》、《李陵变文》、《张淮深变文》、《张义潮变文》、《孟姜女变文》等。这些变文都主旨突出，有“宣唱法理、开导众心”的作用。

佛教为了宣扬佛法，经常传颂灵异故事。如《太平广记》记初唐宰相岑文本一次乘船时，船被风浪打翻，因为岑文本时常念佛，所以免于一死。以此事宣扬“但念佛，必不死也”的佛法力量。① 变文本就为宣讲佛法而来，这就形成了变文以述理为重心的行文方式。与短小的灵异故事相比，变文故事更加完整，前因后果，一一述来，法理背景更清晰，使事件的法理渗透力更广泛、深入。

唐代变文主题多样，对义理的阐明主要有以下几个方向。一为写修行成道，演绎修士历练的成道过程，以劝人苦修静待、期得大道。如《太子成道变文》述说佛陀降世、出生、出家、降魔、成道、说法、入灭等多个阶段。《庐山远公话》述说远公出家修行、开坛讲经、坠俗还债、卑身辩法，最后乘法船开往升兜率净土的故事。除佛教修行外，变文还写道士修行。《叶净能诗》述道士叶净能经历修行，终归大罗的故事。二为主写法士大能，以颂佛法无上之义。如《维摩诘经变文》、《妙法莲花经讲经文》、《阿弥陀经变文》、《降魔变文》都颂扬高法大能者。三为宣扬因果报应、业道轮回思想。如《大目乾连冥间求母变文》。目连母亲青提夫人在世时不敬僧佛，不悯孤老，并犯有杀生、欺瞒之罪。因生前诸罪，青提夫人死后被打入地狱，受种种苦罚。后幸为目连所救，才由地狱升至饿鬼道，再由饿鬼托身为狗，最后蜕掉狗皮回转女身。以上三个方向以宣讲佛法义理为

---

① （宋）李昉等编：《太平广记》卷一百六十二，中华书局 1961 年版，第 1168 页。

主,教人诚心向佛,行善积德。这些故事的终极目的是宣讲佛法义理,教众人“礼敬三宝、广结善缘”。

除释家主旨外,变文还有宣讲其他主题的题材,如历史题材与遇仙题材。历史题材的变文演绎历史人物故事。如《伍子胥变文》、《王昭君变文》、《汉将王陵变》都是将历史故事加以改变和虚构,形成新的故事。如《伍子胥变文》在《史记》、《吴越春秋》的基础上增加了伍子胥逃难中见阿姐,被两外甥追拿,伍子胥作法逃离等情节。伍子胥领吴伐越,替吴王报仇后,也毫不留情地杀死了当年背叛自己的外甥,报了自己被缉拿之仇。因为佛家讲因果报应,《伍子胥变文》也偏重于突出恩怨分明,有仇必报的复仇心态。《汉将王陵变》的故事在《史记》与《汉书》的基础上增加了王陵母亲被俘楚营,大义凛然,以身赴死的情节,宣讲的是舍身为国的民族大义。而遇仙题材则讲述凡人遇仙的故事。《董永变文》的内容大部分已经不是佛家思想,而是道家文化背景。《董永变文》沿袭了《搜神记》中的记载,又虚构了董永之子董仲寻母的情节,再加上它本来就有的孝子情节,更加突出母子不可分的天伦之情。《董永变文》更多的是儒家文化与道家文化的结合体。

变文还含有不容于主流文化的民间思想,较为尖锐。《孔子项讬相问书》述孔子东游遇七岁小儿项讬,二人相互问难。项讬博闻强记,才思敏捷。孔子诘问了四十多个问题,他都能从容对答。而当孔子回答项讬提问时却漏洞百出,难以自圆其说,被项讬一一驳回,以至孔子发出后生可畏的感慨。

为了宣扬义理,变文在对佛经故事改编中,突出了人物形象的特征。《丑女缘起》故事源于《波斯匿王女金刚品》。二者故事梗概大致相同,前者在后者的基础改编增进,使故事更加翔实丰富。《丑女缘起》为了突出丑女之丑,增加恐怖氛围,将丑女金刚的形象进一步恶化。如国王见金刚渲染其丑的唱词,众人商量如何嫁丑公主,王郎娶妻时初见妻因其面丑而昏厥等情节都是变文中加进去的,经书中并没有。这些情节极度突出了公主金刚的丑陋,使一个人见人恶的丑妇形象如在眼前。文中前部分极力渲染丑女之丑,以衬托丑女见佛后心中生欢喜,得到佛法救赎,瞬间化生为美女的奇异转变。故事前后对比映衬，金刚面貌相差悬殊，佛法无比的大能神奇功效令人心驰神往。

三、婉转动听

变文是讲唱文学，唱的部分自然摇曳生姿，讲的部分要与唱的部分相应和，自然也要讲究声韵节奏。梅维恒先生给变文定义时，认为变文应具有的特征是："独特的引导韵文的套用语，插入式的叙事铺陈，语言的一致性，与图画的明显或不明显的关系，以及散韵相间的结构。"①

变文形式上的基本的特点是说唱结合、韵散相间。变文的叙述伴以讲唱双重形式。讲的部分用散文，唱的部分用韵文，表演时歌唱与说白相间。讲唱相和是音乐中演奏与唱曲相合形式的变形，讲唱不是同时进行，而是唱一段，讲一段，唱与讲相和。在讲唱之间变文会有专门的套语引入，以利于观众更好地衔接故事情节。《汉将王陵变》在讲唱转换时有引导韵文的套语，如"便是初变"、"谨为陈说"、"而为转说"、"若为陈说"、"遂为陈说"等。《维摩诘经讲经文》在引入韵文时，总有"所以经云"的格式先引一句经文，再开唱韵文。

变文中讲的散文名式灵活，可运用三言、四言、五言、六言、七言不等。讲的部分语言通常平实，通俗易懂，近于白话。"讲"是变文的主体部分，故事情节主要在讲的散文中展开。变文创造了新的渲染事物的叙事方式。以往赋也能讲究铺陈排述，极尽夸张之能事，以描述的方法详尽物象面貌。变文以叙述故事为主，同样重视渲染铺张，但这个功能都由"唱"来完成。

唐变文的说讲已经有一定的叙事技巧。唐代变文会采用故事套故事的框架，将多个故事层层展开，并保证它们之间的联系。如《庐山远公话》中叙述高僧远公一生的修行故事。远公故事是主要线索，其中远公为崔相说法又引入一个新的故事。崔宰相与妻妾奴仆说经时，讲了生苦、老苦、病苦、死苦、五阴苦、求不得、怨憎会、爱别离八苦，八苦都各以一个

---

① ［美］梅维恒：《唐代变文》，杨继东、陈引驰译，中西书局2011年版，第20页。

故事的形式说明。这八个故事与远公本身的经历并没有情节相联性，分别是独立的故事。这么一再地在主线情节中插入故事，主线旁枝逸出，故事结构宏大，主要情节的推进滞缓臃肿。要从讲故事的紧凑集中要求来看，《庐山远公话》主要情节多次被打断，影响了阅读的连贯美。但《庐山远公话》作为佛理变文更多是为了适应宣扬法理的需要，虽然在故事中牺牲了单个故事情节的紧凑，却以多个故事宣扬不同佛理，达到了更好的宣讲效果。如果从旁枝故事来看，这些故事情节都不复杂，如果单讲的话，未免有些单调简陋，穿插在《庐山远公话》中倒为增添奇闻逸事，使故事丰富不少。

讲的散文也会注重文辞对仗工整，间有押韵文出现。唱的韵文是诗歌的形式，有五言与七言。唱的韵文通常押韵，以保证唱腔连贯，富有节奏。如《维摩诘经讲经文》：

> 波旬是日出天来，乐乱清霄碧落排；玉女貌如花艳坼，仙娥体是月空开。妖桃强逞魔(菩萨)，羡美质徒恼圣怀；鼓乐弦歌千万队，相随捧拥竞徘徊。夸艳质、逞身才，窈窕如花向日开；十指纤纤如削玉，双眉隐隐似刀裁。……箫笛音中声远远，琵琶弦上韵哀哀。……须隐审，莫教积，诈作虔诚礼法台；问谇莫教生惊觉，殷勤匆遣有遗乖。①

文中“来”、“排”、“坼”、“开”、“怀”、“徊”、“才”、“裁”、“哀”、“台”、“乖”都押韵。

有的韵文不押韵，也要保证唱文平仄的对比。如《维摩诘经讲经文》中一段唱文：

> 天宫未免得无常(平)，福德才征却堕落(仄)；富贵骄奢终不久(仄)，笙歌恣意未为坚(平)；任夸玉女貌婵娟(平)，任逞月娥多艳态(仄)；任你奢华多自在，终归不免却无常(平)。②
>
> 魔王队仗利天宫(平)，欲恼圣人来下界(仄)；广设香花申供养(仄)，更将音乐及弦歌(平)。清冷空界韵嘈嘈(平)，影乱云中声响

① 王重民、周一良等编：《敦煌变文集》，人民文学出版社1957年版，第622页。
② 王重民、周一良等编：《敦煌变文集》，人民文学出版社1957年版，第625页。

亮(仄);胡乱莫能相比并(仄),龟兹不易对量他(平)。遥遥乐引出魔宫(平),隐隐排于霄汉内(仄);香热烟飞和瑞气(仄),花擎缭乱动祥云(平);琵琶弦上弄春莺(平),箫笛管中鸣锦凤(仄);杨鼓杖头敲碎玉(平),秦筝丝上落珠珍(平)。①

唱的韵文一般是故事人物的对话,或对上一段故事的简短复述,也有少部分会出现预示故事的韵文。如《欢喜国王缘》中一段唱文:"王即情偏宠,其如命不长,忽因歌舞次,死于千边彰。一道深深气,看看七日亡,圣君才见了,流泪两三行。"②这是对下一文讲述欢喜王忽然看到自己宠爱的夫人脸上身上一道死气,知道夫人不久就要辞世这段故事的预告。

与后世的戏曲不同,变文中唱的韵文主要内容在于叙述故事,承担的是叙事功能。虽然唱文中的故事情节在讲文中已经具备了,但唱文对讲文的重复是对上一个情节的总结。如《韩诗外传》、《说苑》、《列女传》等。

与唐代另一叙事文体——传奇相比,变文更注重表演。要求声音动听婉转,易于感人。"长庆中,俗讲僧文叙,善吟经,其声宛畅,感动里人。"③乐工依其声作曲《文叙子》。

唐代变文处于说唱文学的发端时期,影响了宋代的诸宫调,乃至明代戏曲,是中国戏剧的重要开端。这些艺术的说唱结合形式自变文中就已有之。宋明的宝卷也是演绎佛教故事,开头引经文一卷,每一段落宣赞佛号,是散韵相间。明清时期南方的弹词,有表(散文)、有白(散文兼骈文)、有唱(韵文),也是讲唱结合。其次,变文情节构思对后来的小说有影响。如变文中《唐太宗入冥记》的故事为西游记所继承。《唐太宗入冥记》写唐太宗在地狱中的经历。《西游记》第十回写唐太宗游地府的情节就和变文《唐太宗入冥记》有多处关联。唐太宗在两文中皆持近者书信寻得阴司判官的帮助;唐太宗入地府皆得延寿还阳;见阎王时均讨论了太宗要不要参拜阎王之事;两文中判官都劝皇帝修功德,大赦天下。变文中

---

① 王重民、周一良等编:《敦煌变文集》,人民文学出版社 1957 年版,第 621—622 页。

② 王重民、周一良等编:《敦煌变文集》,人民文学出版社 1957 年版,第 772 页。

③ 王云五主编:《乐府杂录及其它二种》,商务印书馆 1936 年版,第 38 页。

的斗法场面影响了《西游记》与《封神演义》。如《降魔变文》中舍利弗降伏六师与《西游记》中车迟国斗圣故事类同。《维摩诘经讲文》影响了《西游记》以取经为中心的故事结构。唐变文不仅从形式上影响了以后的戏剧,也从内容上影响了之后的小说创作,是中国文学小说与戏剧起源研究的重要资料。

第三节 传奇:叙事传情

变文与传奇都为唐代的叙事文学,两类文体以故事的形式点评信义情爱,撰写悲欢离合,明镜照物,妍媸毕露。传奇中如蒋防《霍小玉传》、白行简《李娃传》、李朝威《柳毅传》等作品都有强烈的劝善惩恶色彩。与变文相比,传奇更靠近小说形式,甚至已经可以算作短篇或中篇小说。唐之前就有记载奇闻逸事的传奇,如刘义庆的《世说新语》,干宝的《搜神记》。志类似史,但一般只记录生活中的奇怪杂谈,只需呈现故事梗概、大纲即可。唐传奇与志怪还是有很大的差别:"小说亦如诗,至唐代而一变,虽尚不离于搜奇记逸,然叙述宛转,文辞华艳,与六朝之粗陈梗概者较,演进之迹甚明,而尤显者乃在是时则始有意为小说。"①唐传奇是在六朝志怪小说的基础上发展起来的,注重文辞华彩、情节叙述的中短篇小说。

一、意想丰富

大多数时候唐人还不能完全直接书写个人之荣辱福祸,而是将之托于神仙、鬼魂、精灵。李渔说:"传奇无实,大半皆寓言耳。欲劝人为孝,则举一孝子出名,但有一行可纪,则不必尽有其事,凡属孝亲所应有者,悉取而加之,亦犹纣之不善,不如是之甚也,一居下流,天下之恶皆归焉。"②传奇之奇有奇人奇事之意,是偏离现实常景、正统文化的奇异怪谈。传奇

① 鲁迅:《中国小说史略》,中华书局 2010 年版,第 39 页。
② (清)李渔:《闲情偶寄》,中华书局 2007 年版,第 27 页。

以私密奇闻夺人耳目。在这方面,传奇继承的是志怪的特征,但传奇比志怪的梗概记录更加生动有趣、丰满细致。

传奇中多奇闻逸事,常以妖魔鬼怪、灵异宝物等超现实的想象为主题。如《古镜记》记王度从汾阴侯中得一古镜,能降妖辟邪。王度携它消灭了老狐与大蛇所化的精怪。降妖除魔的故事模式在六朝中也是常见,但《古镜记》围绕着古镜的前缘、古镜可与日月同辉映、治病、平缓骇浪、除妖等特征,编出一个连一个的小故事,形成了古镜历经多个奇异事件的一系列经历。多个想象交织在一起,且能自圆其说,前后呼应。《补江总白猿传》讲一只大白猿掳绝色女子至一与世隔绝的山峰,自行淫乐,后被寻妻至此的欧阳纥带领将士与被掳众妇人联手杀死的故事。故事前情后因,捕抓白猿的具体过程均叙述得十分翔实。对白猿秘具之地、白猿武功神奇之处、白猿的癖好弱点皆设计得连贯合理。《游仙窟》中想象了美妙的神仙窟:"深谷带地,凿穿崖岸之形;高岭横天,刀削岗峦之势。烟霞子细,泉石分明,实天上之灵奇,乃人间之妙绝。目所不见,耳所不闻。……险峻非常,向上则有青壁万寻,直下则有碧潭千仞。……人迹罕及,鸟道才通,每有香果琼枝,天衣锡钵,自然浮出,不知从何而至。"①这是一个被大山、烟霞、湖川所阻隔的世外桃源。此处自给自足,物产丰富,蕴藏着凡俗世界没有的奇珍异宝。

唐传奇在妖怪想象领域产生了更丰富的价值判断。传奇中很多妖魔鬼怪依然有许多是对人不利的,如上文讲的《补江总白猿传》中的白猿专门掠人妻女,填己私欲。《三水小牍》中的故事《王知古为狐招婿》,书生王知古就差点为狐所害。《马拯》中变为僧人的老虎常噬人为伥。传奇中有些妖物又能与人和睦相处。沈既济《任氏传》中说的就是这类狐妖的故事。郑六原是懂些武艺,又好酒色的浪荡子。走在大路上看见一个白衣女子十分漂亮,就涎着脸紧跟不舍,并以言调戏。白衣女子就是任氏。她将郑六带回宅中,招待他一夜,天不亮将郑六送出门。郑六从旁人

---

① (唐)张文成撰:《游仙窟校注》,李时人、詹绪左校注,中华书局 2010 年版,第 1 页。

口中知道任氏是狐妖。郑六倒是胆大气壮，毫不忌讳，竟公然与任氏相处。后任氏为苍狗所捕，不幸殒命。狐妖貌美脱俗，以荒宅寄身这些情节倒也寻常。《任氏传》后面的情节奇兵突起，任氏狐妖被郑六识破身份后，与郑六在集市相遇，郑六连声相呼，任氏却以扇掩面不肯应答，直到郑六发誓说不嫌弃她为狐妖，二人才和好如初。郑六也待任氏如妻室。狐妖的自矜、廉耻感，使她血肉丰满。不仅如此，任氏还具有从一而终的品质。自她答应终身侍奉郑六后，不再委身他人。任氏对韦崟的强逼据理相抗，但又感激韦崟的知遇之感，为韦崟物色各样美人。作者赞道："异物之情也有人道！遇暴不失节，徇人以至死，虽今妇人，有不如者矣。"郑六不计二人身份，为色所诱也能以诚相待，这打破界限的至情结合叫人羡慕称叹。《任氏传》对妖物的态度已大为不同，不仅将之视为常人，可共结家室，还能在妖物身上寄托高格的品性，消弭了传奇中人与妖剑拔弩张的氛围。

怪异之事除妖外，还有人。传奇多记奇人逸事。《昆仑奴》中崔生家奴磨勒聪颖矫健，且武艺超群，被五十多军士所围，可"遂持匕首，飞出高垣，瞥若翅翎，疾同鹰隼，攒矢如雨，莫能中之；顷刻之间，不知所向"①。磨勒不同常人之处还在于历经年华，容颜不改："后十余年，崔家有人见磨勒卖药于洛阳市，容颜如旧耳。"②《周邯》中名为水精的人精于水性，为主家周邯出入江陵、瞿塘、水井中寻宝，如鱼入水，神通无比。《蒋武》中蒋武善射，所射之物无不应弦而落。《樊夫人》中的樊夫人法术高强，能檄召鬼神，行禁制变化之事，与其夫道士刘纲斗法，也常能胜出。唐传奇人物不仅表现为法术武功高强，英雄人格之奇也在其中，如《虬髯客传》、《李娃传》、《霍小玉传》等作品都是在现实范围谈英雄异士仗义出手之奇。

除神怪灵异外，唐传奇常以闺闱秘事为想象对象。《长恨传》想象杨

---

① 上海古籍出版社编：《唐五代笔记小说大观》，上海古籍出版社2000年版，第1116页。

② 上海古籍出版社编：《唐五代笔记小说大观》，上海古籍出版社2000年版，第1116页。

贵妃死后居于仙山，道士以秘术访之，得杨贵妃旧物回返时要求杨贵妃述一秘事以取信唐皇，杨贵妃道："昔天宝十载，侍辇避暑于骊山宫。秋七月，牵牛织女相见之夕，秦人风俗，夜张锦绣，陈饮食，树花燔香于庭，号为'乞巧'。宫掖间尤尚之。时夜始半，休侍卫于东西厢，独侍上。上凭肩而立，因仰天感牛女事，密相誓心，愿世世为夫妇。"言毕，又称此事只有君王知道。二人情定终身的秘闻如何能让旁人得知，而且细节详尽，此段应是经过作者想象加工后的成果。再有《莺莺传》中莺莺与张生的眉目传情，私相会晤，私自耦合；《游仙窟》中崔十娘与书生的调情都能满足人们对闺闱秘事的好奇心。

唐传奇还另辟空间，将之与世俗对比，以叹惜光阴似箭、尘世如梦。如沈既济《枕中记》、李公佐《南柯太守传》。《枕中记》中主人公卢生家有良田，身体健康，但依然羡慕富贵人家的生活，认为自己学识非凡，想出将入相，列鼎而食。修道之人吕翁给了他一个枕头，卢生依枕而睡后做了一个梦。梦中他中举登第，仕途顺利，虽中间有波折，但最终位列三公，儿孙满堂。八十岁时，因病不治而卒。卢生醒来后，发现自己只是做了个梦，梦里几十年的时间在现实中连一顿饭都没蒸熟。卢生顿时开悟，认为自己该经历的都经历了，对将相生活也没那么向往了，可以安心过自己的日子。故事是为劝诫众人遏制自己的欲望，因为富贵如烟云，再大的权势也有烟消云散的一日。卢生梦中经历过所以开悟了，但没有经历过的人不会知道，为什么富贵生活也不过如此。是因为人终有一死，所以经历的过程就全无意义？还是因为富贵也有富贵的烦恼，悠然自适的生活才是最好的人生？《南柯太守传》同样是写"浮生一梦"，其荣升的进程更加让人匪夷所思。《枕中记》中卢生中举登第，步入仕途，走的是一般士子的道路，凭借才华开辟一番天地。遇政治清明，运势不错时这种愿望要实现还是有可能的。《南柯太守传》主人公淳于棼却是凭姻亲登上高位，做了安槐国的南柯太守。与卢生相比，淳于棼的遭遇更像白日美梦，使之一步登天的亲事来得莫名其妙，文章含糊地以其死去的父亲与国王结亲带过，至于淳父何德何能可与皇家结亲却语焉不详。殊途同归，二人的一世荣华最后都化为烟云。李公佐专在《南柯太守传》结语处，附上判词"贵极禄位,权倾国都,达人视此,蚁聚何殊"①,告诫众人富贵不足取,如过眼云烟,顷刻皆无。

明代胡应麟指出"传奇"作为小说一体,乃是有意记述奇闻逸事,借以寄托思想感情,唐代尤其凸显其想象虚构的特征:"小说,唐人以前纪述多虚而藻绘可观,宋人以后论次多实而彩艳殊乏。盖唐以前出文人才士之手,而宋以后率俚儒野老之谈故也。"②胡应麟又说:"凡变异之谈,盛于六朝,然多是传录舛讹,未必尽幻设语。至唐人乃作意好奇,假小说以寄笔端,如《毛颖》、《南柯》之类尚可,若《东阳夜怪录》称成自虚、《玄怪录》元无有,皆但可付之一笑,其文气亦卑下亡足论。宋人所记乃多有近实者,而文彩无足观。"③胡应麟指出了唐传奇想象与文采皆得的特征。

唐代传奇也不仅全是记载奇异想象的故事。唐传奇不乏历史传奇,以史为鉴,评议政事得失,感发盛衰兴替之叹。如《东城老父传》以斗鸡为由抨击唐玄宗政治上的缺失,本由历史故事改编。主人公贾昌因为擅长驯养斗鸡,受到唐玄宗赏识,飞黄腾达,平步青云,其妻潘氏又因歌舞受宠于杨贵妃,二人以玩意左道享富贵荣华,受宠长达四十年。故事通过贾昌因斗鸡受宠,侧面批评了唐玄宗沉湎于玩乐,荒废朝政,置国家于水火的行为。唐玄宗用人不明,在诗作中也被多加批评,如李白的《古风》第二十二、四十二,《答王十二寒夜独酌有杯》都揭露了当时鸡童得宠、良才难立的可悲局面。杜甫的《壮游》、《斗鸡》也是抨击斗鸡、戏马这些游乐活动耗费国财,损伤民力。《东城老父传》对当时京城全民嗜鸡的癫狂情况,描述得更清晰:"上之好之,民风尤甚。诸王世家、外戚家、贵主家、侯家,倾帑破产市鸡,以偿鸡直。都中男女以弄鸡为事,贫者弄假鸡。"④使全民上下不务正业,甚至倾家荡产的爱好,极易造成小人得志的局面。君主的荒谬偏好使身居要位的官员都是只知游乐、没有担当的奸佞之人,因

① (宋)李昉等编:《太平广记》卷四百七十五,中华书局 1961 年版,第 3915 页。

② (明)胡应麟:《少室山房笔丛 · 九流绪论下》,上海书店出版社 2009 年版,第 283 页。

③ (明)胡应麟:《少室山房笔丛 · 二酉缀遗中》,上海书店出版社 2009 年版,第 371 页。

④ (宋)李昉等编:《太平广记》卷四百八十五,中华书局 1961 年版,第 3992 页。

为“生儿不用识文字，斗鸡走马胜读书”①。如掌握大权的李林甫、杨国忠、安禄山之流都擅长揣摩上意，迎合皇帝玩乐嗜好。选才用人的失当终成大乱，“胡羯陷洛，潼关不守”②。唐代经安史之乱后，由盛转衰的历史，通过一擅长驯养斗鸡之人在历史浮沉中的经历而显现，以一个小人物故事的编写点出唐由盛转衰的成因与过程。

与历史故事又不尽相同，唐传奇在实录历史时，经常添之以非常情的奇闻异谈，如陈鸿《长恨传》。陈鸿《长恨传》前半部分实录唐玄宗与杨贵妃的故事，后半部分写贵妃死后，唐玄宗思念成疾，派道士上天入地寻之不得，最后在东边一仙山上找到贵妃。贵妃托道士带回金钗旧物，终不得见。陈鸿的《长恨传》故事脉络与白居易的历史叙事长诗《长恨歌》基本相同，只是更加详尽。

除《东城老父传》外，另有《莺莺传》、《李娃传》、《霍小玉传》等作品不再托精灵神怪故事阐扬立场，而是直接书写现实生活。唐传奇从灵异到现实的转折标志着叙事文学从志怪“但有出奇，不顾文理”的窠臼中脱离出来，在注重奇闻逸事的同时，也开始注重故事本身的编排与叙述。

二、叙述婉转

与六朝志怪相比，唐传奇叙事细致生动，多人物对话与细节描写，使故事更丰满具体。唐传奇为唐文人所创，甚至有人以传奇所作为干谒文，以求仕途进阶。唐传奇的作者有一些甚至是进士出身，如牛僧孺、许尧佐、白行简、李公佐、元稹、沈亚之等人。唐传奇为专业文人所创，篇幅虽大都不长，却注重结构严谨，措辞惊艳，文采斐然。

唐初的传奇《游仙窟》沿袭六朝文风，通常运用四六骈文形式，人物对话也多为诗歌。如形容崔十娘容貌这一段：“华容婀娜，天上无俦，玉体逶迤，人间少匹。辉辉面子，荏苒畏弹穿，细细腰支，参差疑勒断。韩娥宋玉，见则愁生，绛树青琴，对之羞死。千娇百媚，造次无可比方。弱体轻

① （宋）李昉等编：《太平广记》卷四百八十五，中华书局1961年版，第3993页。
② （宋）李昉等编：《太平广记》卷四百八十五，中华书局1961年版，第3993页。

身，谈之不能备尽。"以比喻、烘托、夸张等手法衬写女郎美貌，且全句通用对仗体，这样的句式几乎通文都是。《游仙窟》咏情爱，层层铺垫，在反复的对话中渐渐渲染主人公的感情，用大量的比喻，借物抒情，吟咏主人公对崔十娘的爱慕之心。如：

下官咏曰："忽然心里爱，不觉眼中怜。未关双眼曲，直是寸心偏。"

十娘咏曰："眼心非一处，心眼旧分离。直令渠眼见，谁遣报心知！"

下官咏曰："旧来心使眼，心思眼剩传。由心使眼见，眼亦共心怜。"

十娘咏曰："眼心俱忆念，心眼共追寻。谁家解事眼，副着可怜心？"①

因主人公拿眼偷觑十娘，引来十娘娇嗔，引出了四首关于心、眼关系的诉情诗。二人互诉款曲，一来是直白爱慕之心，二来是印证郎君之意。与下文咏刀、刀鞘、围棋、破熨斗、笔砚、鸭头铛子、双燕、李子、蜜蜂、雉、弓等借景抒情诗一致，两人在一唱一和、一问一答中，相互勾搭，确定彼此的心意。

以诗配文是唐传奇的一大特征。唐传奇中有许多著名的诗歌。这些诗歌既增添了故事的艺术辞采，也便于评弹家们传唱这些故事。《莺莺传》中的诗歌由元稹创作，具有很强的艺术魅力。有些诗歌是故事的梗概，如曹唐的《游仙诗》，施蛰存认为它是"说唱故事的人用作插曲的，正和《李娃传》之有《李娃歌》、《冯燕传》之有《冯燕歌》一样"②。曹唐的《游仙诗》多为故事梗概，诗题多为叙事性质，如《刘晨阮肇游天台》、《刘阮洞中遇仙子》、《仙子送刘阮出洞》、《仙子洞中有怀刘阮》、《刘阮再到天台不复见仙子》这一系列的题目就形成一完整的故事情节。

为增强故事吸引力，唐传奇中一些作品情节跌宕起伏，大起大落，出

① (唐)张文成撰:《游仙窟校注》，李时人、詹绪左校注，中华书局 2010 年版，第 18—19 页。

② 施蛰存:《唐诗百话》，上海古籍出版社 1987 年版，第 645 页。

人意料之外。《李娃传》中李娃与荥阳公子的爱情一波三折。李娃是京城倡门之妇,荥阳公子上京赴考时无意中见到李娃对之一见钟情。为了与之相聚,公子携金拜会,与意中人共相厮守。但好景不长,公子最终银两告罄,被老鸨使计赶了出去。公子身无分文,回乡无门,流落为唱挽歌的伶人。后被父亲发现,鞭挞几百,丢弃路旁。好不容易捡回一条命,沦为叫花子,沿街乞讨,竟乞讨至李娃屋前。李娃怜其遭遇,自我赎身,倾其所有供公子读书,考科举。最后公子高中,得与父亲相认,偕李娃重归家族。故事中公子自是命途多舛。父亲老来得子,公子自小又聪慧异常,正是少年不知愁滋味的时期。见李娃后两相缱绻,少年得意时,却突坠深渊,人财两空。落魄时忽遇家父,本想这回可让小儿迷途知返了,父亲却出奇狠心,为了脸面欲将之鞭笞至死。这个父子相认的转折不但没有改变公子命运,反而叫他更加凄惨。就在这时,令人意想不到的是,正是原来的背叛者李娃出手相助,将其拉回正轨,使之最后摆脱困窘,最终得以衣锦还乡。公子命运的多变与李娃的前后相悖的行为两相结合,正是败也李娃,成也李娃。李娃的高洁侠义心肠在故事的前半部隐而不发,在后半部与老鸨、公子父亲的对比中脱颖而出。两个主角命运、性格在故事中合情合理地飞快变化,大起大落,使故事情节辗转波动,非常有吸引力。

唐传奇擅长制造情节冲突,增强事件中人物之间矛盾。《任氏传》中郑六与任氏之间的人妖之恋可谓惊世骇俗,虽然二人情投意合,但人妖殊途,使二人不能偕手共老。《非烟传》中步非烟被媒妁所骗嫁给武公业为妾。步非烟才情高雅,人品风流,本倾慕文采卓然的书生学子,然而她的丈夫却是一介武夫,对婚姻自然郁郁不满。后步非烟与赵氏公子赵象以诗传意,最终情投意合,又囿于身份,不能与赵象双宿双飞。步非烟的身份与情感发生矛盾,只能以偷情的方式暂缓矛盾,最终被武公业发现私情而香消玉殒。

设置悬念也是唐传奇用以吸引读者的重要手段。《任氏传》中郑六出行赴任,要带任氏去。任氏一再推托,称巫者言她此行不利,宁愿在家中等候郑六。此处设置悬念,令人不禁想象到时底是什么不利之事。任氏最终拗不过郑六的恳求,与郑六同行,后终被猎狗所杀。前面的疑问也随着这悲惨的结局得到解答。郑六对任氏的反复劝解正是情节悬念着重书写处。郑六与韦鉴一再恳求任氏同行,任氏的一再拒绝渲染了故事的凝重氛围。

人物形象鲜明生动也是唐传奇一大特征。如《太平广记》载《柳毅传》中刻画了一系列形象,柳毅正直侠义,龙女柔弱深情,钱塘君骁勇刚烈。文中有一段描写钱塘君的脾气个性,钱塘君听说侄女被欺时,"语未毕,而大声忽发,天拆地裂。宫殿摆簸,云烟沸涌。俄有赤龙长千余尺,电目血舌,朱鳞火鬣,项掣金锁,锁牵玉柱。千雷万霆,激绕其身,霰雪雨雹,一时皆下。乃劈青天而飞去"。钱塘君发脾气时地震海摇的阵势将急公好义的侠士柳毅吓得扑倒在地。然"俄而"间,钱塘君就将侄女带回。办事雷厉风行,作战所向无敌的暴龙形象就跃然纸上。《游仙窟》中的崔十娘、《莺莺传》中的崔莺莺都是容貌娇艳的尤物形象。《虬髯客传》中的虬髯客、《柳毅传》中的柳毅、《李娃传》中的李娃都颇有侠义精神。《太平广记》中《古镜记》叙述的妖怪颇具个性。狐狸被镜子照住,却久为人,羞于变回原形,喝酒醉后复形而死。死前起舞而歌:"宝镜宝镜,哀哉予命!自我离形,于今几姓?生虽可乐,死必不伤。何为眷恋,守此一方!"有时为使形象更加突出、义理更加鲜明,唐传奇也会使用对比、衬托手法。如《虬髯客传》大肆渲染虬髯客英雄气概,奴仆成群、挥金如土、笑啖人肝等情节都突出了虬髯客非一般人物,是有"龙虎之状"的英雄,但此类人与李世民比起来,却又输一筹。二人对比,既突出了李世民不世英豪形象,又阐发了天子应天命而降,旁人不可窥视的观念。

为了使情节出奇,唐传奇甚至带些诡异。如《王居贞》,王居贞与一道士同行,发现道士有一皮,披此皮可变为老虎,并夜行百里。王居贞思念家人,披皮夜驰。至家中不得其门而入,见一猪立在门口,扑而食之。后来回家后才知道那天王居贞的次子被老虎吃了。《马拯》中白日佛室中的一僧人竟是披着人皮的虎妖,食人而众魂变以伥,助纣为虐。《集异记》中贾人妻报仇后,为断俗念,将自己的亲生孩子杀死,再遁隐而去。这些故事情节的设置在出人意料的同时,又令人毛骨悚然,不寒而栗。

唐传奇重视叙述手法、情节建构,以动人为特征。鲁迅指出唐传奇特征:“神仙人鬼妖物,都可以随便驱使;文笔是精细,曲折的,至于被崇尚简古者所诟病;所叙的事,也大抵具有首尾和波澜,不止一点断片的谈柄;而且作者往往故意显示着这事迹的虚构,以见他想象的才能了。”①《唐人说荟》记南宋洪迈说:“唐人小说,不可不熟。小小情事,凄惋欲绝,洵有神遇而不自知者。与诗律可称一代之奇。”②可见唐传奇叙述的生动细致。

三、俚 俗

传奇开辟了史传小说的另一途径。史传小说终以补充历史为目的,大都不偏离实录的叙述手法,情感判断比较平稳隐晦。唐传奇以普通小人物为描写对象,更近世俗人情,能体察普通人物的悲喜哀乐,或言奇闻逸事,或语世事报应,或述神灵鬼怪,表现了唐代民众的人生观与价值观。传奇既不像诗文歌赋一样是选官应举的工具,也不像变文一样是宣扬佛门义理的手段,它大都只是民众闲暇宴饮之时的笑料谈资,茶余饭后的休闲读本。因为写作对象、传播方式的不同,唐代传奇情节设置、语言运用都偏向俚俗。

史书的描写对象大都是帝王将相或鼎鼎大名的侠客大盗。传奇中的人物多是一般的士子、名不见经传之侠客、大家族中的不得志子弟,甚至有下层的妓女等,写的都是老百姓可触及的市井生活。传奇所叙述的事件也不是关系民众生计、建功立业的国家大事,而是日常生活中的一些事情。即使有些传奇的叙述对象为帝王,如《长恨传》,它叙述的事迹中心亦不在政治活动,而是在古代上不得台面的唐玄宗与杨贵妃之间的爱情故事。

以市井人物、百姓生活为主要书写对象的唐传奇能成为主流文学的一大分支,得益于唐文化对民众价值一定的认同。非贵族人物,甚至也非英雄人物的普通人的信念、普通人的存在的价值获得了社会的认同,他们

① 鲁迅:《鲁迅全集》卷六,人民文学出版社 1981 年版,第 323 页。
② (清)陈世熙编:《唐人说荟·例言》,扫叶山房石印 1911 年版,第 1 页。

各式各样的行为模式在传奇中得到了针砭或颂扬。如《虬髯客传》中虬髯就是市井侠义形象,身世来历成谜,却有雄才大能,吞并天下之志。此人志向高远,又心胸开阔,他一旦发现并确定另有比他强的贤能可担主持天下的责任,立即甘心急流勇退,还对李世民倾囊相助。虬髯客以平民的身份持凌云壮志,在一定程度上透露出人们对市井间藏龙卧虎、英雄辈出的向往。李靖第一次见虬髯客,虬髯客骑驴而来;见红拂梳头,为其美色吸引,毫不掩饰地驻足观看;与红拂第一次见面,问及二人都姓张就立刻结拜为兄妹;杀人后取人心肝而食等行为违背礼仪,不是有身份地位的贵族士大夫们所行的,反而充满着浪迹于江湖的市井人物气息。

唐传奇以对平民的书写表现扬善除恶的期望,故事常推崇侠义心肠,赞扬能急人所急、拔刀相助的古道热肠。《柳毅传》中的柳毅,急公好义,见龙女无辜被婆家欺负,义愤填膺,帮龙女送信。《霍小玉》传中的黄衫客,不备名姓,听了霍小玉的遭遇后,十分同情她。为了满足霍小玉临终的愿望,黄衫客主动请缨将李益押到霍小玉住处,最终让二人见面。《李娃传》中的李娃原是娼妓出身。"婊子无情"是勾栏院的揽钱规则,将公子骗得身无分文也是她们的原定计划。但李娃发现公子被父亲所弃后落魄悲惨时,挺身而出,倾其所有帮助公子重回正轨,这是一个娼妓的侠义心肠。《莺莺传》中的张生虽然后来有负莺莺,但开始时也是舍生忘死,出入兵戈中,护得莺莺一家安全,侠义之举赢得了少女的芳心。《任氏传》中狐妖任氏遇暴不屈服,信守承诺,从一而终,懂得报人恩情,品质也令人赞叹。《虬髯客传》中虬髯客与红拂女、李靖皆有侠名,三人并称"风尘三侠"。

这样一来,唐传奇在某种程度上较为俚俗。相传《李娃传》的作者白行简有一篇《天地阴阳交欢大乐赋》,大肆描写房中之术,这样的描写在《游仙窟》、《莺莺传》中也会出现,可见唐传奇作者是有些离经叛道。

唐传奇还显示了人们对爱情伦理的思考。将《霍小玉传》与《莺莺传》作比较,可见两者的爱情观差异较大。《霍小玉传》是才子佳人的爱情悲剧,这对郎才女貌的情侣终成怨偶。李益因为家族压力最终负心于霍小玉,霍小玉对李益的负心不得释怀,郁郁而终。霍小玉死后化为鬼魅作祟复仇，弄得李益家不得安宁。作者同情霍小玉的遭遇，为李益的负心愤愤不平。故事笔墨多书写李益负心后避而不见，霍小玉想尽各种方法力求见李益一面，以衬托小玉之痴情、李益之无情。两部作品主人公性格大不相同。论痴情专一崔莺莺不如霍小玉，论决绝果敢霍小玉远不如崔莺莺。崔莺莺身为大家闺秀，敢为心中的爱情悖礼私会，暗度陈仓。做出这种行为对于一个闺阁女子而言意味着冒天下之大不韪，对她以后的生存、名誉都是很大的牺牲。与霍小玉一样，这种飞蛾扑火的爱恋没有寻找到合适的对象，失败了。但崔莺莺发现张生变心后，毅然选择不再与他见面。处事果决，拿得起，放得下。霍小玉是个完全陷入爱情的女子，没有李益根本就活不下去。即使死后为了报复李益，也一心只想破坏李益与其他女子的感情，致使李益家宅不宁。比起《莺莺传》中元稹为张生负心辩解，让二人成功分手的情节设置；蒋防的故事安排显示他更重信诺与情感，同情处于弱势的女子，尊重她们的爱情选择，并谴责男人的始乱终弃。

唐传奇对待爱情的态度多为猎艳狎妓思想，比之《孔雀东南飞》这样的爱情诗大为逊色。《莺莺传》与《长恨传》中都有美丽女子为祸害，奉劝世人远离尤物的思想。《莺莺传》中明明是张生始乱终弃，他却义正词严地为自己辩解："大凡天之所命尤物也，不妖其身，必妖于人。使崔氏子遇合富贵，乘宠娇，不为云，不为雨，为蛟为螭，吾不知其所变化矣。昔殷之辛，周之幽，据百万之国，其势甚厚。然而一女子败之，溃其众，屠其身，至今为天下僇笑。予之德不足以胜妖孽，是用忍情。"这是一段为自己始乱终弃的行为进行辩解的言辞。其话语认为凡是世间美丽女子都必然是祸害，将迷人神志、祸国殃民。张生对崔莺莺不负责的行为不仅不是负心的表现，不应为当世人唾弃，反而显露他抵抗外物诱惑的坚定心志，是堂而皇之的有德行为，是浪子回头金不换，应该为世人警戒效仿。

《游仙窟》也是写主人公碰到一群"仙女们"猎艳而回，这些"仙女们"的行为更像妓女，对初次见面的男子就可眉目传情，甚至是投怀送抱。这些文章中的仙姑们毫无端庄清贵可言，是最媚俗的、迎合世人欲望想象出来的群体。《游仙窟》中大量精致骈体文辞只为调情。以及《薛昭》中薛昭的艳遇，无不追慕仙境中的殊色女子。唐传奇中的这些才子们痴情不足,猥琐有余,可以享受两性的欢娱,却担当不起爱情的沉重,也只能在没办法拒绝他们的可怜妓女们中寻求奇遇,以津津乐道自己的艳遇奇闻,并在好似人见人爱的众星拱月的地位中得到雄性的自慰满足。因为对艳遇的渴望,唐传奇甚至发出了对端方之君子的讽刺。《封陟》中书生封陟不解风情,冥顽不灵。他被仙人所恋,面对屡次上门告白,却铁石心肠,硬将仙人认作妖魅。后封陟染疾而终,入地府后才知那被他认为妖魅的女子确实是神仙,但已追悔不及。

可见,已有一女皇为先例的唐代非但不能正视女子的重要性,对爱情的观念也以色艺为重心。古代人大都不能面对女子可能与男子平起平坐、同样优秀这一现实,更愿意将女子作为低人一等的物件赏玩。唐传奇尤其体现了这一点。在男人眼中,男人与女人的关系处于二元对立之中,他们可亵玩之,可远离之。因为礼仪的宽松,唐代女子偶尔可出外踏青游春,远影的回眸或许给了男子们想象的空间,使他们愿意在脑海中思量一场艳遇奇缘。但谈及要交心谈情,与女人们成为知己伴侣,携手并进,唐代男人大概还没有这种心思与自觉。这样一比较,《李娃传》的大团圆爱情观倒显得弥足珍贵。虽然最后的封妻荫子落入俗套,这也正是人民对美好情感的祝福:诚挚的感情值得人类尊重,它可以超越礼俗、身份及以往的过失。另外,《李娃传》中李娃的侠义形象也与一般的被动式狩猎对象大不一样。在这一场男女关系中,女性具有主动地位,使公子对李娃的情感不仅仅停留在色艺上,而有人伦关系的更深刻的思考。

《枕中记》、《南柯太守传》餍足人们希望升官发财的愿望。《裴航》中记述人们求仙得道的心愿的同时,也流露出心羡珠翠珍玩、琼楼殊室的期望。《古镜记》主要论述了古镜作为法器降妖除魔的强大作用,突出古镜之神奇妙用,满足人们对逸事怪闻的好奇心,但于天地正义、人伦价值漠然无视。

唐传奇情节设置较为暴力,以武力服膺。《聂隐娘》中武功高手尼姑教聂隐娘武功有所成后,将聂隐娘带到市集,指着过往行人,要聂隐娘取人首级。一次聂隐娘奉命杀一大官,空手而归,受尼诘问,隐娘回答见这个人与小孩子戏玩,不忍下手。尼责备道:“已后遇此辈,先断其所爱,然后决之。”①这就是不问青红皂白，连孩童都要下手。快意恩仇、不问是非、不遵法纪的尚武思想是民间私断恩怨行为的扭曲体现。

唐代出现了许多笔记体小说，如《酉阳杂俎》、《博异志》、《隋唐嘉话》、《朝野佥载》等。这些笔记体小说中记载了许多奇闻逸事，是小说中的短篇，不过多为直白叙事，以记录体为主，少情节设置与人物个性塑造。唐传奇故事完整，情节有起伏转换，人物性格鲜明，补充了唐笔记体小说的不足。与六朝志怪相通，传奇中的一部分作品集中记载奇闻逸事，如《古镜记》、《补江总白猿传》。比志怪小说更进一步的是，唐传奇旨义集中，寓理于文，人物形象也更为细致丰满。唐传奇是唐代的小说形式，以故事动人。唐人说故事形象鲜明，情节连贯，能借事喻理，彰显主旨。

唐代文章努力摆脱卖弄文辞的空洞美文，重视载道明理的文章功用，在兴寄风骨中取得了重大成果，形式上以散体的方式冲破骈文独树一帜的文章格局。变文、传奇等俗文学在唐代大为流行，表现了唐人在叙事文体上的才华与热情。从整体上说，唐代文章从惺惺作态的辞藻堆砌中走了出来，不仅重新树立了写作文章的健康标准，还增加了娱乐性，扩大了文章的传播范围。

① 上海古籍出版社编：《唐五代笔记小说大观》，上海古籍出版社2000年版，第1117页。

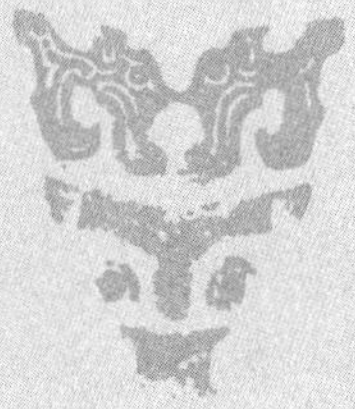

第三章

绘画中的审美意识

隋唐出现了大批题材各异、风格不一的画家，呈现了百舸争流的局面。隋朝就出现了著名画家，有展子虔、董伯仁、郑法士等。西域画家尉迟跋质那与他的儿子尉迟乙僧，运用“凹凸”法作画而闻名于世。唐代更是名家荟萃，拥有佛教艺术作画高手阎立德、阎立本、吴道子；有山水写意开创者王维；金碧山水画家李思训、李昭道、卢鸿；花鸟名家边鸾、梁广等。根据朱景玄的《唐朝名画录》与张彦远的《历代名画记》记载，唐代知名画家竟达到四百多位。这些画家各尽其妙，名作荟萃，铸就了博采众长、涌动开放的唐代绘画。唐代绘画既开创了水墨山水的绘画传统，固定了水墨晕染的墨法绘画技巧，又在线描的笔法中开创了提按缓急的兰叶描法，且将花鸟畜兽作为单独审美对象，使之以独立身份进入唐代画家的创作领域。于题材与技法中创新的唐代绘画虽还未全面达到成熟的境界，但多样化的画风及各种流派的出现，确立了唐代绘画的重要艺术成就，为中国传统绘画的成熟奠定了全方位的基础。

第一节　唐五代人物画：顿挫传神

唐宋时期是中国传统写实人物画的发展高峰时期。唐代人物画得到了进一步的发展，在描摹技巧上具有更深入的探讨，在题材上也大有突破，出现了阎立本、吴道子、张萱、周昉等人物画的名画家。唐代人物画呈现世俗化特征，由原来主要偏向神灵、模范的人物描绘转向世俗人物的描绘。不过这些人物也不是一般的人物，他们多为帝王将相、官宦重臣或贵族世家。不同于魏晋时期人物画题材多用于教化，集中于“烈女”、“孝子”图，唐代人物画开始转向对更广阔现实题材的关注，也包括描绘皇室贵族的日常生活。

一、记史肖像

唐初画家阎立德、阎立本兄弟延续了以往人物画家的传统，擅长以肖像画为重心的人物画。二人属于御用画家，常奉王命绘制政事。唐初专门有一批这样的知名画家在宫廷内为皇族作肖像画，如陈义、殷季友、许琨、僧人法明、康子元、钱国养等人。阎立本是唐初肖像画的高手。《秦府十八学士图》、《凌烟阁功臣图》、《列帝图》、《职贡图》、《异国人物职贡图》、《番客入朝图》等都是阎立本的作品。传世的《步辇图》虽被认为是宋人摹本，但也能代表阎立本的画风。阎立本继承了汉代、南北朝画名臣像的传统，他的画主要取材于历史人物与朝政要事，以画入史，评说得失，歌颂功绩，取材严肃，描物绘人都具有一定的程式。

《列帝图》又称《古帝王图》、《历代帝王图》、《十三帝图》等，是大型绢画，绘制了从汉至隋共十三位帝王的画像。每位帝王独立成一组，一般身后都有两名侍从。帝王们或坐或立，侍从们侍立两旁。为了突出帝王的身份威仪，侍从的大小比例均被刻意缩小，以突出帝王气势。在构图上，每位帝王组都单独成图，组图之间没有明显的呼应关系。十三位帝王均凤目隆鼻，龙章之姿，可贵处在于外貌虽相近，又各不相同。绘者善于抓住胡须、眼睛、双手的排闼等特征描绘人物气势的不同。如汉昭帝刘弗陵脸型修长圆润，细眉修目，八字胡秀气短小，微微下垂于嘴角旁，温文尔雅；光武皇帝刘秀眼大有神，嘴上胡须上翘张扬，面容清秀俊朗；魏文帝曹丕五官较为集中，下巴肥厚，上面胡须浓密厚重，眼露凶光，更有武将气势；吴主孙权面容与刘秀相似，但眼睛更细长，面露微笑，贵气又亲切；蜀主刘备额骨前突，眼部下陷，眉间与额头纹醒目，尽显愁态；晋武帝司马炎两手向旁排开，眉间紧锁，眼珠大眼白少，威仪不可亲近；陈宣帝面容与汉昭帝相似，但脸颊更圆润，八字胡直接垂于嘴角，眼角平直，安静平和；陈文帝天庭饱满，眉目修长，八字胡下撇，有仙风道骨之姿。作者善于抓住人物面部与姿态的微妙特征刻画人物精神情致。

《步辇图》的绘画题材非唐代初创，唐以前就有类似题材，比如南齐谢赫画的《晋明帝步辇图》。阎立本的《步辇图》特殊性在于以时事入画，画了松赞干布与文成公主的故事。贞观十四年(640年)，吐蕃王松赞干布仰慕大唐文明，为了学习大唐文化，派使者禄东赞到长安拜见唐太宗，迎娶文成公主。《步辇图》所绘是禄东赞朝见唐太宗时的场景。画中着红、黑、白、赭、青绿色，有限的几种色调搭配出精致妍丽的效果。阎立本运用对比手法突出画中中心人物，确立绘画构图的君臣、主次关系。居于画卷右侧的唐太宗面目俊朗清新，神情庄严蔼然，体态强壮健硕。从《步辇图》中的唐太宗形象可见唐代美男子的形象标准。唐太宗凤眉修目，双眼向两鬓斜飞，鼻子挺直，八字胡与下颌胡须秀美修长，脸颊饱满富态，身形魁梧。即使以现代人的眼光来看，比起红袍译员、内侍、禄东赞这些人，唐太宗的面貌可说温文儒雅、俊美无俦。唐太宗的仪仗由九名女子组成，面容都是细眉修目，清丽端正。阎立本对人物形象的塑造有些类似于顾恺之的《洛神赋图》，但比洛神赋图更注重五官的刻画。图中人物服饰形成了色彩对比。唐人服饰颜色雅致简单。唐太宗穿一色淡赭锦衣，侍女们衣服红白相间，译官是一身红袍，内侍为白袍。唯独吐蕃人禄东赞衣饰图案最为艳丽华贵。禄东赞身穿吐蕃朝服，这朝服通体由一种花纹依序编成，朝服领口、袖口、前襟、衣摆处都饰着红色，与主人唐太宗一色锦袍正成对比。

从这两幅画可以看出阎立本的人物画具有一定的模式。第一，人物大小比例依君臣之分而有显著差别。高位者身形健硕，低位者身形短小或纤细。第二，画人物相貌依脾性而有一定的章程。如性格柔弱，生性散淡者八字胡下撇，性格刚硬，执着不息者八字胡上扬；性格暴躁者多络腮胡，眼珠突起，性格平和者多细眉修目。第三，画人物相貌风神时依身份有一定的变化。帝王之相，必凤眼隆鼻，重臣之相也是高鼻深目，唯内侍的像鼻梁短小，且鼻孔朝天。皇亲贵族都昂头挺胸，内侍则耸肩缩脖，躬背弯腰。阎立本的人物画注重面相神态中的贵贱之分。在唐墓室画中也出现了许多这样的对比，可以看出阎立本对当时绘画模式的影响。

阎立本人物画是汉、魏晋朝名臣画的进一步发展，他的进步首先在于对人物神态的捕捉更加细致,能从人物五官的细致差别中表现人物的性格特征,而不是千人一面,主要靠服装来区分人物。阎立本使这些人物有其音容笑貌。这一点即使是后来的张萱、周昉也没能做得这么成功,更不要说唐以前的人物画了。其次,阎立本在人物构图选景上已经学会讲究整体效果。《步辇图》左疏右密,一幅画就是一个独立场景。绘画选用了禄东赞觐见这个时刻叙述唐朝政府与吐蕃和亲的故事,宣扬大唐威仪,截取了事件中的关键情节点。完整的单幅人物故事图技法在《步辇图》中已炉火纯青,成为以后历代人物故事图的古法标杆。如唐朝末年画家孙位的《高逸图》中的人物表现就与阎立本十分相近,基本模式都是取法阎立本的《列帝图》。

阎立本的缺陷在于作画内容常与政治相关,基本为御用画家,未能突破人物画题材。人物画常为历代政治歌功颂德。李世民的《图功臣像于凌烟阁诏》述:"自古皇王,褒崇勋德,既勒铭于钟鼎,又图形于丹青。是以甘露良佐,麟阁著其美;建武功臣,云台纪其迹"①,明确规定了肖像人物画褒奖功德的政治作用。御用画家阎氏家族未能脱离此范围。阎立德与阎立本的父亲阎毗,历经周、隋二朝,在世时"数以雕丽之物,取悦于皇太子"②。阎立本曾多次为唐初功臣绘像。为了取悦君主,奉命写貌时"奔走流汗,俯伏池侧,手挥丹素,目瞻坐宾,不胜愧赧"③,因在这种创作中找不到自由感,劝戒其子:"躬厮役之务,辱莫大焉,尔宜深戒,勿习此艺。"④这种现实目的一方面成就了阎立本绘画的神态写实,另一方面又使他绘画的体裁与目的过于狭窄,主要指向经世致用,法则虽妙,而与艺术最本真的自主价值失之交臂。

二、文人仕女

人物画题材首先得到拓展的领域在仕女画中。唐代仕女画显示了唐

---

① (清)董诰等编:《全唐文》卷七,上海古籍出版社 1990 年版,第 29 页。
② (唐)张彦远:《历代名画记》,人民美术出版社 1963 年版,第 158 页。
③ (唐)张彦远:《历代名画记》,人民美术出版社 1963 年版,第 169 页。
④ (唐)张彦远:《历代名画记》,人民美术出版社 1963 年版,第 169 页。

人物画取材发生了从历史故事向日常生活的转向，是专业画师人物画取材的重大突破。唐代张萱、周古言、韩嶷、戴重席、周昉等人都善写女子貌。其中张萱、周昉是唐代仕女图画家的主要代表。此二人主要擅长画女子图像，他们画中的女子多柔媚巧丽，丰盈圆润，展现了唐人对女子体态的审美品位。

张萱擅画仕女画。其笔下人物体态丰腴，色彩富丽，喜以朱色晕染耳根，如他的《虢国夫人游春图》、《捣练图》。《虢国夫人游春图》是单组画面，绘制权势滔天、富贵显赫的虢国夫人带着家人与侍从出游的情景。这些人身份尊贵，他们的形象显示了唐代社会的贵族风貌。画中人物修眉细目，面目简约清淡，丰满圆润。从五官中很难分出人物不同，绘画多以衣饰区分人物。从神态描摹刻画来说，肖像画家阎立本比张萱确实更胜一筹。张萱更注重画面色彩的清丽，他选用黄、红、绿等明亮色彩敷色，在衣饰与马匹上错落用色，使画面鲜艳轻快。前三后五，前疏后密的构图将画面从容展开。绘画颜色绚烂，布局巧妙，显得富丽堂皇。画中最大的缺陷是最后三骑的居中妇女手中抱的儿童面容、服饰与成人无异，只是比例缩小。说明在《虢国夫人游春图》中，绘者对人物脸部神情的刻画并不太在意，更注重通过人物的身体姿态表现人物行为不同。

《捣练图》描绘了宫中妇女捣练、缝衣、熨烫的三组场面。画面善于描摹动态。画中仕女或捣练衣裳，或制作成衣，皆各有分工，各司其职：有凭案理线者，有引针缝纫者，有抻平布帛者，有持熨斗熨帛者等。捣练场面中四个人物都在持棍捣练，前后两个高举棍者，一露正面，一露反面；旁边两个停棍歇息者，也是一正面，一反面，其中一个还在做着挽袖动作，构图讲究相互对照、动静相宜、正反结合。画中人物衣饰华贵，体态丰腴，同样细眉凤目，面如皎月，清朗华贵。画中人物面容依然没有突出个性，仅以衣饰、大小、发型区分人物。例外的是熨烫组下有一女童在绢布下穿来跑去，其脸型与《虢国夫人游春图》中女童的小大人脸不一样，不是大人们富态修长的鹅蛋脸，而是略为偏圆，露出小儿的稚气。这组图旁边煽火燃炭的宫女脸型也是略为肥圆。虽然《捣练图》大多数人物脸型基本一致，这两个人物的变化显示了张萱在人物面目描绘的突破尝试。画家以多种颜色上色,色彩艳丽绚烂。衣饰线条流畅圆润,纹饰表现细致严谨。与《虢国夫人游春图》一样画面雍容富丽,描绘了贵族女子的日常生活。

从这两幅作品看,张萱擅长设色、构图,描摹人物动作。笔下女子面容清丽富态,身姿丰腴颀长,衣饰华贵轻柔。张萱绘画中主从人物大小比例对比不那么夸张,基本按现实取人物大小。张萱的绘画已经脱离肖像与历史故事记载的图经模式,而是转向贵族日常生活,展现人物的日常情趣。

唐代另一位仕女图高手周昉,作画细腻精致,为人虚心谦逊,善于吸取他人意见。杜牧有《屏风绝句》赞道:"屏风周昉画纤腰,岁久丹青色半销。斜倚玉窗鸾发女,拂尘犹自妒娇娆。"他曾为章明寺画壁画,"落土之际,都人士庶观者以万数。其间鉴别之士,有称其善者,或指其瑕者,昉随日改定,月余是非语绝,无不叹其神妙"①。周昉画的佛像为"水月观音体",又称"周家样"。存世作品有《簪花仕女图》、《挥扇仕女图》、《调琴啜茗图》,画中女性都面容圆润,仪表富态。

周昉长于绘制人物神态。唐代另一位名画家韩干与周昉曾先后为赵纵作画。赵纵的妻子是郭子仪的女儿。赵纵妻子归宁时,将两幅画拿给郭子仪评议,郭子仪评说:"二画皆似,后画者为佳。盖前画者空得赵郎状貌,后画者兼得赵郎情性笑言之姿尔。"②周昉画作刻画入微,《簪花仕女图》主要突出了周昉绘画的两种特征:一是细致,二是善于描摹动态。先论细致。画中绘了六个女性形象,五名仕女,一名侍女。五名仕女梳蓬松高髻、髻上簪花、衣裙华丽、外罩轻纱、酥胸微露,体态丰腴中稍见婀娜,富丽华贵又妩媚风流。《簪花仕女图》创制了透明披纱的绘制方法,仕女的雪肤玉臂在轻纱下若隐若现,拥有"罗薄透凝脂"(白居易《杨柳枝二十韵》)的美妙。纱滑里衫,纱从内衫上轻轻地滑落下来,柔软无依,清澈透明,内里高束的彩裙图案被轻纱覆盖后依然清晰可见。轻纱敷色清淡恰到好处,几笔细线就描绘出了轻纱下垂之质感,显示了周昉高超的用色技

① 俞剑华编著:《中国画论类编》,人民美术出版社 1957 年版,第 452 页。
② 俞剑华编著:《中国画论类编》,人民美术出版社 1957 年版,第 452 页。

巧与用笔功力。图中鹤与小狗纤毫毕现,展示了周昉一丝不苟,精益求精的作画态度。除用笔细腻外,周昉还擅长于描摹动态。《簪花仕女图》中六个女子姿态各异,她们在庭园中或散步,或赏花,或逗犬,或观鹤,神态均闲适优雅。这些动物也各呈动态:鹤缩脖、展翅、提脚;小狗皆摇头摆尾,憨态可掬。可见,周昉很注重对象的动态特征。在动态细节中描绘对象特征是唐代人物画的一大进步。以前的人物画多以神像为主,着重身份塑造。唐代人物画开始将重心转移到对人物动作的关注。

与张萱对贵族的娱乐享受场景描绘对比,周昉笔下的人物神态常苦闷空虚,摹写的是贵族女子生活不如意处。如《挥扇仕女图》,画面色彩暗淡,仕女额头宽阔,面颊滚圆,下巴饱满,表情肃穆端正。画面色彩也不如张萱画作明媚欢快,而是用色暗沉,使画面略显沉郁。画中女子眉眼轻颦,面露愁绪。衣饰线条不如张萱画作那么圆润,而是更加直硬,多有棱角。《挥扇仕女图》以色彩、衣饰线条、人物表情等特征流露出嫔妃们的宫怨情绪。

从现存画作看,周昉与张萱一样更注重人物的动态描摹,周昉用色暗淡些,喜以屏风式组图方式构图。比之张萱更进一步,周昉画中注重人物形象神态的摹写,以面容、表情绘制人物状态。

张萱、周昉的人物画像影响了唐墓室绘画。在唐墓室绘画的仕女形象中常可看到类似的女子形象。她们多面颊饱满,修眉凤目,身披轻帛,丰腴婀娜,身份不俗,是唐代贵族女子形象。这些女子手中常捧着各种日常用器,与两人的绘画一样都是处于日常生活的情景,描摹的是她们日常生活的情态。

唐代女子人物画在题材上倾向日常生活,突破了魏晋时代的人物画"烈女"、"孝子"题材及历史故事题材,以日常生活描写为中心,并只展现贵族生活。从张、周二人的仕女图可看出,唐代贵族对女性的审美倾向是曲眉丰颊、体态微肥的绮罗人物。二人用色厚实,追求富丽堂皇的画面效果,并开始重视人物的动态描写,能从细节中描摹人物动作特征,捕捉人物神态气韵。

三、吴带当风

唐代历来最受称颂的人物画家是吴道子。苏东坡在《书吴道子画后》一文中说:"诗至于杜子美,文至于韩退之,书至于颜鲁公,画至于吴道子,而古今之变,天下能事毕矣!"吴道子被誉为"百代画圣",其人物画被称为"吴家样"①。

吴道子绘画以笔简意周而著称,传说画风与张僧繇为一系,因而与张僧繇一起被誉为"笔才一二,象已应焉"②,属于"疏体"派。吴道子的人物画主要在笔法与人物神韵塑造上取得了大的突破。相传他在东西都共画寺院壁画三百多幅,且奇踪怪状,无有雷同。长安荐福寺《维摩诘本行变》相传是他的名作。

中国人作画讲究笔法。吴道子专力于绘画之前,向唐代著名书法家张旭、贺知章学过书法。不仅如此,吴道子的笔画还与剑术相通。《明皇杂录逸闻》记:"吴道玄善画,将军裴旻请画天宫寺壁,道玄曰:'闻将军善舞剑,愿作气以助挥毫。'旻欣然为舞一曲,道玄看毕,奋笔立成,若有神助。"③与剑术、书法相通的吴道子绘画首先是在绘画线条上有了前所未有的突破。

吴道子在线条上开创了莼菜线条绘法,也被称为兰叶描。宋代书画家米芾在《画史》中记吴道子绘画:"行笔磊落,挥霍如莼菜条,圜润推算,方圆凹凸。"④吴道子作品现存的主要是《送子天王图卷》,又名《释迦降生图》,绘制的是净饭王之子释迦出生的故事。《送子天王图卷》也有人称之为宋人摹本,但即便是摹本也是照着吴道子的画风画的,所以在相当程度上代表了吴道子的绘画特色。《送子天王图卷》这幅佛教画已经完成了汉民族本地化的转变。图中各人物形象不再高鼻深目,他们的服饰

---

① 参见俞剑华编著:《中国画论类编》,人民美术出版社 1957 年版,第 455 页。

② 俞剑华编著:《中国画论类编》,人民美术出版社 1957 年版,第 402—403 页。

③ (唐、五代)王仁裕等:《开元天宝遗事(外七种)》,上海古籍出版社 2012 年版,第 123 页。

④ 俞剑华编著:《中国画论类编》,人民美术出版社 1957 年版,第 402—403 页。

造型都已汉化。《送子天王图卷》的线描打破了像铁线一样无变化的线描。铁线描虽紧劲连绵、圆润挺健，却缺少变化。如顾恺之的作品，用笔细劲古朴，恰如“春蚕吐丝”，却无大的变化。吴道子开创了粗细有致、起伏交错、变化转合的莼菜条线描。

吴道子的线条顿挫变化容易表现生动之气。《图画见闻志》记：“曹吴二体，学者所宗。……吴之笔其势圆转而衣服飘举，曹之笔其体稠叠而衣服紧窄，故后辈称之曰：‘吴带当风，曹衣出水。’”①北齐曹仲达绘画线条紧密，喜画紧窄衣服，吴道子因为用笔线条开阔，常爱表现衣服飘举的状态。苏州瑞光寺塔的《四天王木函彩画》近似吴道子风格。画面行笔用的是兰叶描，线条随衣饰、绶带的转折发生明显的粗细变化。在线条的变化中，画中衣服随风飘举，御气而动。人物正符合张彦远对吴道子人物图的评语：“虬须云鬓，数尺飞动。毛根出肉，力健有余。”②这幅作品与吴道子的《搜山图》和《鬼伯》这两幅作品加以对比，风格相近，神韵相似。吴道子的莼菜线条善于表现缓急、流动，尤其在描摹衣物、毛发时善于表现飞动之感，因此有“吴带当风”之誉。黄伯思观吴道子《地狱变相图》赞道：“吴道玄作此画，视今寺刹所图殊弗同，了无刀林沸镬、牛头阿旁之像，而变状阴惨，使观者腋汗毛耸，不寒而栗，因之迁善远罪者众矣。孰谓丹青为末技欤？”③线条的飞动带来人物形象生动逼真，欲脱出画面的效果。

吴道子绘画对笔法要求严格，需要精湛的笔力。《历代名画记》载其弟子卢棱伽绘画的故事：

> 卢棱伽，吴弟子也，画迹似吴，但才能有限。颇能细画，咫尺间山水寥廓，物像精备，经变佛事，是其所长。吴生尝于京师画总持寺三门，大获泉货。棱伽乃窃画庄严寺三门，锐意开张，颇臻其妙。一日，吴生忽见之，惊叹曰：“此子笔力常时不及我，今乃类我。是子也，精

① （宋）郭若虚：《图画见闻志》，俞剑华注译，江苏美术出版社 2007 年版，第 27 页。
② （唐）张彦远：《历代名画记》，人民美术出版社 1963 年版，第 24 页。
③ （宋）黄伯思：《东观余论》，人民美术出版社 2010 年版，第 162 页。

爽尽于此矣。"居一月,棱伽果卒。①

卢棱伽能细笔描摹,使物像精备,但因才力有限,笔法未能圆融。吴道子集各样变化,一气呵成于图像中,需要长劲的气力与娴熟地把握线条气韵的才能。有了这种笔法,才能形成吴道子独特的"疏体"。

吴道子被张彦远称为"疏体"的奠基者之一。绘画中的疏体与顾恺之的"密体"相对应。"顾、陆之神,不可见其盼际,所谓笔迹周密也。张、吴之妙,笔才一二,象已应焉。离披点画,时见缺落。此虽笔不同而意周也。若知画有疏密二体,方可议乎画。"②吴道子学习过张僧繇的画。张僧繇是梁代的著名画家,善用"凹凸法",绘画有立体感。唐李嗣真赞他:"骨气雄伟,师模宏远,岂唯六法备精,实以万类皆妙。"③张僧繇的绘画有简括的造型技巧,唐张怀瓘在《画断》论之为"思若涌泉,取资天造,笔才一二,象已应焉"④。吴道子被称为张僧繇的"后身",笔法也被称为"疏体"。他发展了张僧繇简括的用笔方式,以少数的笔画勾勒出人物的神采气韵,达到笔不周而意足,貌有缺而神全,在寥寥数笔中,恣意挥洒,以显绘画的整体气韵雄壮。《历代名画记》赞他:"六法俱全,万象必尽,神人假手,穷极造化也。"⑤

"疏体"笔法讲究笔少意真,以最少的笔画勾勒物象之情态,捕捉物象之神韵。《历代名画记·论顾陆张吴用笔》评吴道子笔法:"众皆密于盼际,我则离披其点画,众皆谨于象似,我则脱落其凡俗。"⑥相比细笔勾勒的精致绘法,"疏体"笔法更主张直接对神韵的把握。唐玄宗曾命李思训与吴道子先后绘制蜀地的嘉陵山水风光,画家李思训费数月之力才完成嘉陵山水的创作,而吴道子一日就挥就。两者画风迥异,李思训善于精雕细刻,吴道子笔画精简,直取神韵。《送子天王图卷》以线描

① (唐)张彦远:《历代名画记》,人民美术出版社1963年版,第178页。
② (唐)张彦远:《历代名画记》,人民美术出版社1963年版,第25页。
③ 俞剑华编著:《中国画论类编》,人民美术出版社1957年版,第395页。
④ 俞剑华编著:《中国画论类编》,人民美术出版社1957年版,第402—403页。
⑤ (唐)张彦远:《历代名画记》,人民美术出版社1963年版,第14页。
⑥ (唐)张彦远:《历代名画记》,人民美术出版社1963年版,第24页。

物，落笔雄劲、乘兴挥毫，落笔而去。虽是简笔勾勒，人物容貌各自不同。吴道子的疏体画风在唐时已经备受瞩目，弟子众多，多数注重笔法，以笔少意周见长，如前文说的卢楞伽，还有张藏“亦吴弟子也。裁度粗快，思若涌泉。寺壁十间，不旬而毕”①。作画也是不求笔密意细，而是简笔求神。

吴道子的人物画遒劲雄放，敷粉简淡。相貌描写简约而有变化，人物衣饰多广袖长衫，鼓风而动。吴道子所用线条尤其注意笔法，粗细有别，顿挫转合，有轻重缓急之分，融书法于绘画，奠定了中国绘画重笔法的艺术创作基础。

四、五代进益

五代时期人物图进一步取得了重要突破。在线描上出现了周文矩的“战笔描”，在写生上出现了顾闳中的《韩熙载夜宴图》，还有贯休、赵岩、石恪等出色的人物画家。这些人的风格近似于唐代，又在唐人的基础上有了发展，他们的努力使唐末人物画更加丰富细致。

人物绘画用笔在唐代发生了从铁线描向书法线条“莼菜”的新变，在五代时期出现了新的笔法：“战笔描”。“战笔描”线条细劲曲折，又圆润流畅，它发展了吴道子莼菜线条的顿挫转合，又保持了传统铁线描的细劲圆润风格，使绘画秀雅端正，又有曲折变化，平淡静谧之风下暗潮汹涌。它不像吴道子的人物线条大开大阖，气势磅礴，也不像顾恺之的人物线条温润雅和，圆转飞畅，而是处于刚柔之间，在细笔中描写线条的变化。“战笔描”的代表作品是周文矩的《文苑图》，又称《琉璃堂人物图》。绘制的是王昌龄在江宁任县丞时与朋友宴集题诗的故事。四位文士坐在庭园中沉吟苦思，容貌各异，神情相似。有一小童正在为最右边的文士磨墨。小童与文士大小对比悬殊，突出人物身份不同。人物衣袍、石案都为战笔描，细劲有力，圆润又有顿挫感。

五代写生人物画有进一步发展。出现了屏风式连环画《韩熙载夜宴

---

① （唐）张彦远：《历代名画记》，人民美术出版社1963年版，第177页。

图》。虽然这种绘画形式早已有之,但南唐画家顾闳中的历史人物图,集中表现了唐人人物描摹注重写生的绘画追求。现存的绘画也可能是宋代摹本。绘画内容根据真实场景摹写。为挽回南唐败局,李后主欲起用韩熙载为相。韩熙载自知回天无术,整日沉浸于歌舞宴饮之中麻痹自身。李后主为打探韩熙载的真正意图,派画家顾闳中夜入韩府,将韩府夜宴默画出来,这就是《韩熙载夜宴图》。全画由夜宴中的五段场景组成,每个场景都以屏风巧妙隔开。第一个场景是听琵琶乐。众人凝气屏息听一女子弹琵琶。韩熙载与一红衫男子同坐于榻上,榻前设两几,其他人或坐或站在几旁。大家都听得很认真,或身体前倾,或应拍击节,只有韩熙载左手自然松弛,无力地下垂,似乎进入了某个冥想境界。第二个场景中,韩熙载亲自击鼓,为绿腰舞伴奏。画面处于两个节拍之间的那一刹那,因为周围人击节伴奏的动作都停于两拍之间。第三个场景中,韩熙载在后堂休息。不用面对外人时,韩熙载流露出了发自内心的落寞与失意。他双手胡乱地放在侍女端的面盆中洗手,两眼直视前方,神情不属,愁绪万端,不可排解。第四个场景中,韩熙载毫无顾忌、敞胸露肚、玩世不恭地出现在宾客间。第五个场景中,韩熙载与众客作别。有客依然与伎女依依惜别。在五个场景中,韩熙载的衣服接连变换,这说明他在不停地换衣服。是天气燥热使他如此,还是内心焦灼使他如此呢?这不禁引人深思。

顾闳中的人物画是对现实生活场景的描摹,他观察细致,描摹现实,将众多人物神态、动作一一绘于笔下,尤其是对韩熙载神态的刻画,不夸张掩饰,通过细微动作,点到为止,将韩熙载内心焦虑、外表伪装平静的神态表现了出来。与张萱笔下人物画类似。画中线条流畅细密,家具界线工整,衣饰纹路精细。画面颜色浓丽多变,以蓝、红、黑、白、黄几种颜色为主,色彩华艳典雅。另一写生式人物画家赵岩的《八达游春图》同样用色浓艳,画中人物与马匹线条细劲,石栏界线工整。再联系张萱、周昉的人物画可发现,这一批人的人物画线条大都细劲工整,用色鲜艳,人物俊朗风流,神态动作刻画细致,呈现出纤丽精致之风。

与这股风气不同的是贯休与石恪。贯休的《十六罗汉图》是宗教题材画。《益州名画录》记贯休"师阎立本画罗汉十六帧,庞眉大目,朵颐隆鼻者，倚松石者，坐山水者，胡貌梵相，曲尽其态”①。其罗汉图身体线条弧线排叠，下用墨色渲染，表现皮肤一层叠一层的褶皱。罗汉多骨瘦嶙峋，愁眉深目。愁苦之状的罗汉造型奇异夸张，有些甚至狰狞丑陋。石恪的《二祖调心图》以泼墨法绘出两个似睡非睡的高僧。该画用笔极为简练，以淡墨勾勒渲染出头脸手脚等身体部位，再以浓墨粗笔画出衣饰轮廓。浓墨迅疾如飞，如狂草般有叉笔与飞白，淡墨流畅细腻，浓淡相间，粗细交错，寥寥数笔，神态憨然。贯休与石恪的人物图不同于其他作者的妍丽精致，而是纵逸粗犷，率性而为，笔画精简，意态尽出，这种风格与吴道子的疏体有承接之处，重意象与神态的捕捉。

五代的人物画在线条、场景描摹、简笔运神等方面都与唐代绘画一脉相承，甚至做得更为极致。唐代人物画的绘制技巧在五代已经基本成熟，并形成了一定的共识，重视构图与人物动作神态刻画的艺术追求。绘画的重点不在于肖像，而转向了对场景的关注。

第二节 唐五代花鸟畜兽画：富贵荣华

花鸟画主要体现了工笔取意的特征。工笔画是以线条勾勒、敷色渲染为主要技法，用来绘制人物与花鸟等。唐代花鸟画以工笔取意为主，并追求笔画渲染，笔墨兼得、勾染两备。花鸟画的设色技巧到了唐代有了很大提高，形成了色彩妍丽、明媚鲜亮的富贵气息，以工巧细致见胜。

一、渐获追捧

唐代花鸟开始成为画家们考虑的独立题材，并出现了许多擅长此项的画家。花鸟画家有：薛稷、程修己、边鸾、于锡、强颖、梁广、陈庶、姜皎、冯绍正、萧悦、滕昌祐、刁光胤等。

唐人爱花，尤其是牡丹，“京城贵游，尚牡丹三十余年矣。每春暮车

① (宋)黄休复：《益州名画录》，人民美术出版社 1964 年版，第 55 页。

马若狂,以不耽玩为耻"①。色彩鲜艳的名品牡丹价格自然不菲,"一丛深色花,十户中人赋"(白居易《买花》),"近来无奈牡丹何,数十千钱买一棵"(柳浑《牡丹》),"秦陇州缘鹦鹉贵,王侯家为牡丹贫"(王建《闲说》)。趋之若鹜的爱花者抬高了花卉的价格,供人欣赏怡情的花卉成为富贵的象征。因此唐人绘花卉、禽鸟必使之富贵,"花之于牡丹芍药,禽之于鸾凤孔翠,必使之富贵"②。

引入花卉题材是唐人对绘画题材发展作出的贡献。唐之前花鸟极少出现在绘画之中,尤其是专门的花鸟画。花鸟一般被饰在盒子、陶器、团扇等器物上,是器物装饰。唐代花鸟逐渐形成了从衬景至主要绘制对象的转变。这种转变首先发生在墓葬壁画中。如章怀太子墓石椁西壁有专门的花鸟线刻;陕西省乾县懿德太子墓甬道上部藻井图中专门的花卉图案;陕西省乾县永泰公主墓墓道顶部藻井上的宝相花图案;陕西省西安市唐代唐安公主墓西壁的花鸟图;河南省安阳市赵逸公墓西壁的花鸟屏风图;北京市海淀区八里庄唐代王公淑墓北壁壁画的花鸟屏风。这样看来,唐初花鸟题材的独立性已经在墓葬壁画中形成。

墓葬壁画中花鸟题材的普遍运用,也使这类作品艺术效果比较突出。1991 年北京市海淀区八里庄出土唐人王公淑墓,在墓室中发现了一幅通壁画《牡丹芦雁图》,是唐代花鸟艺术杰作。这幅画长近三米,高一米半,四周绘制朱红色边框。因年代久远,画面有剥落现象,不能观其全貌。从现存的地方看,可看到画面以牡丹为主,数朵牡丹俯仰生息,各有情态,与花朵旁的芦雁、蝴蝶各自对应。牡丹花瓣用了颜色晕染出重重叠叠的效果。唐代花鸟画成熟作品是五代徐熙的《玉堂富贵图》。此图或为摹本,保存较好。这幅图以牡丹花为主题,旁及海棠、玉兰,通过勾勒、落墨、晕染创作出花团锦簇、富贵荣华的热闹气象。

唐代出土的器物也常以花为主要装饰。如陕西省扶风县出土的唐代

① (唐)李肇、赵璘:《唐国史补·因话录》,上海古籍出版社 1979 年版,第 45 页。

② (宋)佚名:《宣和画谱》卷第十五,俞剑华注译,江苏美术出版社 2007 年版,第 321 页。

法门寺银芙蓉，以银丝、银片缠绕、打造成两朵芙蓉花。出土的唐代铜镜后面多以花卉装饰，如陕西省蓝田县出土了唐代宝相花纹菱花铜镜。铜镜的整个形状就是八角菱花形，外圈是八角菱花状，内圈还是八角菱花状，内圈内又均匀铺陈着八个大小一致的精致菱花。这说明唐代饰物已经有以花卉为主要题材的物品了。

花鸟画在唐代的专职画家中逐渐受到青睐。传薛稷善画鹤“尚书省考功员外郎厅有稷画鹤，宋之问为赞……东京尚书坊、歧王宅亦有稷画鹤，皆称精绝”①。滕王善画蜂蝶，“朱景元尝见其粉本，谓能巧之外，曲尽精理，不敢第品其格”②。于锡“善画花鸟，最长于鸡，极臻其妙”③。刁光“善画湖石、花竹、猫兔、鸟雀之类。慎交游，所与者皆一时之佳士，如黄荃(筌)、孔嵩皆师事之”④。梅行思“不知何许人也。能画人物、牛马，最工于鸡，以此知名，世号曰梅家鸡。为斗鸡尤精，其赴敌之状，昂然而来，竦然而待，磔毛怒瘿莫不如生。至于饮啄闲暇，雌雄相将，众雏散漫，呼食助叫，态度有余，曲尽赤帻之妙，宜其得誉焉”⑤。乾晖“常于郊居畜其禽鸟，每澄思寂虑，玩心其间，偶得意即命笔，格律老劲，曲尽物性之妙”⑥。滕昌祐“工画花鸟蝉蝶，折枝生菜，笔迹轻利，傅彩鲜泽，尤于画鹅得名，有《四时花鸟》、《鱼》、《龟》、《猴》、《兔》及《梅花》、《鹅》、《茴香下睡鹅》，又有《群鹅泛莲沼》等图传于世”⑦。李逖“工画蝇蝶蜂蝉之类”⑧。“贝

---

① (唐)封演:《封氏闻见记》,中华书局 1985 年版,第 65 页。

② (宋)佚名:《宣和画谱》卷第十五,俞剑华注译,江苏美术出版社 2007 年版,第 325 页。

③ (宋)佚名:《宣和画谱》卷第十五,俞剑华注译,江苏美术出版社 2007 年版,第 329 页。

④ (宋)佚名:《宣和画谱》卷第十五,俞剑华注译,江苏美术出版社 2007 年版,第 331 页。

⑤ (宋)佚名:《宣和画谱》卷第十五,俞剑华注译,江苏美术出版社 2007 年版,第 334 页。

⑥ (宋)佚名:《宣和画谱》卷第十五,俞剑华注译,江苏美术出版社 2007 年版,第 335 页。

⑦ (宋)郭若虚:《图画见闻志》,俞剑华注译,江苏美术出版社 2007 年版,第 94 页。

⑧ (唐)张彦远:《历代名画记》,人民美术出版社 1963 年版,第 193 页。

俊、李韶、魏晋孙、蒯廉，已上四人，并工花鸟。俊尤工鹰鹘，蒯廉最为妙”①。“于锡善画花鸟及鸡。强颖，善水鸟。梁广，工花鸟，善赋彩……陈庶，扬州人，师边鸾，花鸟尤善布色”②。

边鸾是唐花鸟画的代表人物之一。《宣和画谱》记宋代宫廷收其花鸟画三十三幅。《太平广记》引《画断》：“唐边鸾，京兆人。攻丹青，最长于花鸟折枝之妙，古所未有。观其下笔轻利，善用色。穷羽毛之变态，奋春华之芳丽。贞元中，新罗国献孔雀，解舞。德宗召于玄武门写貌。一正一背。翠彩生动，金钿遗妍。若运清声，宛应繁节。后以困穷，于泽潞貌五参连根，精妙之极也。近代折枝花，居其首也。折枝花卉蜂蝶并雀等，妙品上。”③边鸾工笔细腻，妙于传神，所绘孔雀羽毛形状、色彩变化生动，使孔雀好像在画中合着拍子起舞。

边鸾精于设色，浓艳生动。董逌评他的《牡丹图》：“边鸾作牡丹图而其下为人畜大小六七相戏状，妙于得意。世推鸾绝笔于此矣。然花色红深，若浥露疏风，光色艳发，披多而洁，燥不失润泽凝之则，信设色有异也。沈存中言有辨日中花者，若葳蕤倒下，而猫目睛中有竖线。”④汤垕《画鉴》记载：“唐人花鸟，边鸾最为驰誉。大抵精于设色，浓艳如生。”⑤边鸾传世之作有《梅花山茶雪雀图》，花叶用色妍丽，雪雀羽毛整丽精微，确实功夫在用色与勾勒中。花鸟画工笔勾勒的进步使形象刻画精细逼真，以形写神的方式更靠近写生绘画。

除了温和无害的喜鹊、孔雀之类的禽鸟，唐人的花鸟题材还包括凶猛的鹰。杜甫有诗《姜楚公画角鹰歌》描写了姜皎画的雄鹰的气势：“楚公画鹰鹰戴角，杀气森森到幽朔。观者贪愁掣臂飞，画师不是无心学。此鹰写真在左绵，却嗟真骨遂虚传。梁间燕雀休惊怕，亦未抟空上九天。”⑥乾

① (唐)张彦远：《历代名画记》，人民美术出版社 1963 年版，第 194 页。
② (唐)张彦远：《历代名画记》，人民美术出版社 1963 年版，第 200 页。
③ (宋)李昉等编：《太平广记》卷第二百一十三，中华书局 1961 年版，第 1633 页。
④ 俞剑华编著：《中国画论类编》，人民美术出版社 1957 年版，第 1035 页。
⑤ 俞剑华编著：《中国画论类编》，人民美术出版社 1957 年版，第 1065 页。
⑥ (清)曹寅、彭定求等编纂：《全唐诗》卷二二〇，中华书局 1999 年版，第 2318 页。

晖的弟弟乾祐画鹰隼,“使人见之,则有击搏之意,然后为工”①,传杜甫为其赋诗“何当击凡鸟,毛血洒平芜”(《画鹰》)。

中唐时期,竹子就已经成为绘画中的主要题材。白居易在《画竹歌》中称:“人画竹身肥拥肿,萧画茎瘦节节竦。人画竹梢死羸垂,萧画枝活叶叶动。”②将萧悦与其他人画的竹子对比,称赞萧悦的竹子劲节生动。《历代名画记》认为萧悦“工竹,一色,有雅趣。”③《宣和画谱》说他:“唯喜画竹,深得竹之生意,名擅当世。”④《图画见闻志》称:“梁千牛卫将军刘彦齐,善画竹,为时所称”⑤;又称“丁谦,晋陵义兴人,工画竹,兼善写蔬果”⑥。

中国花鸟画题材的成熟圆融在唐以后。但唐时,花鸟题材已经比重较大地出现在绘画中。人们对花鸟的喜爱,从而带来的观察揣摩,使唐人大规模地在此领域进行绘画。正是他们的努力,使花鸟题材从绘画中独立出来。

二、肥马花牛

唐代画畜兽的名家有:曹霸、韩干、陈宏、韦偃、韩滉、戴嵩等人。畜兽题材主要以马牛为主。除了主要的马牛外也会出现其他题材,如:“韩王元嘉,亦善书画。天后授之太尉。善画龙马虎豹。”⑦“韦无忝,官至左武卫将军,善鞍马、鹘、象、鹰。图杂兽皆妙。……竺元标、蔡金刚、毛嵩、姚彦山、程逊善寺壁禽兽。”⑧赵博文“画子母犬、兔”⑨。

---

① (宋)佚名:《宣和画谱》卷第十五,俞剑华注译,江苏美术出版社 2007 年版,第 337 页。

② (清)曹寅、彭定求等编纂:《全唐诗》卷四三五,中华书局 1999 年版,第 4826 页。

③ (唐)张彦远:《历代名画记》,人民美术出版社 1963 年版,第 203 页。

④ (宋)佚名:《宣和画谱》卷第十五,俞剑华注译,江苏美术出版社 2007 年版,第 330 页。

⑤ (宋)郭若虚:《图画见闻志》,俞剑华注译,江苏美术出版社 2007 年版,第 216 页。

⑥ (宋)郭若虚:《图画见闻志》,俞剑华注译,江苏美术出版社 2007 年版,第 100 页。

⑦ (唐)张彦远:《历代名画记》,人民美术出版社 1963 年版,第 166 页。

⑧ (唐)张彦远:《历代名画记》,人民美术出版社 1963 年版,第 183 页。

⑨ (唐)张彦远:《历代名画记》,人民美术出版社 1963 年版,第 201 页。

马深受唐代畜兽画家们的喜爱。唐政府重视马业。唐太宗、唐玄宗等人都很喜欢搜集骏马。《唐会要》卷七十二《马》记载:“贞观二十一年八月十七日,骨力干遣史朝贡,献良马百匹,其中十匹尤骏。太宗奇之,各为制名,号曰十骥……”①画师们跟风而上,将马作为主要题材。唐代画马最出名的是曹霸与韩干,“唐人善马者甚众,而韩、曹为之最”②孔荣、陈宏、孟仲晖、韦鉴等都工于画马。

唐时第一个畜兽画的成名画师是曹霸。曹霸官至武卫大将军,是盛唐时代的著名画师。他曾为唐玄宗修葺凌烟阁二十四功臣像,得到唐玄宗的嘉奖。曹霸也是画马大师。杜甫赞他画的马,“斯须九重真龙出,一洗万古凡马空”(《丹青引赠曹将军霸》)③。在杜甫看来曹霸画的马远胜于其弟子韩干绘的马,韩干绘的马:“干惟画肉不画骨,忍使骅骝气凋丧。”(《丹青引赠曹将军霸》)④曹霸绘画现已亡佚,韩干的绘画却保存下来了。

唐代的马以轻肥为美。《图画见闻志》记载:“唐开元天宝之间,承平日久,世尚轻肥,三花饰马。”⑤韩干所画的马多为皇帝与贵族马厩中所藏名马,皆俊逸非常。米芾曾见过韩干画的一幅由于阗国进贡的黄马,赞道:“马翘举雄杰”⑥。韩干绘的马与常马不同,《酉阳杂俎》记韩干画马的故事:“建中初,有人牵马访马医,毛色骨相,马医未常见,笑曰:‘君马大似韩干所画者,真马中固无也。’忽值干,干亦惊曰:‘真是吾设色者。’乃知随意所匠,必冥会所肖也。遂摩挲,马若蹶,因损前足,干心异之。至舍视其所画马,本脚有一点黑缺,方知是画通灵矣。”⑦古人已经认识到,

---

① (宋)王溥:《唐会要·马》卷七十二,上海古籍出版社1991年版,第1542页。

② (清)王原祁等纂辑:《佩文斋书画谱》卷四十七,文物出版社2013年版,第2019页。

③ (清)曹寅、彭定求等编纂:《全唐诗》卷二二〇,中华书局1999年版,第2326页。

④ (清)曹寅、彭定求等编纂:《全唐诗》卷二二〇,中华书局1999年版,第2326页。

⑤ (宋)郭若虚:《图画见闻志》,俞剑华注译,江苏美术出版社2007年版,第202页。

⑥ (清)王原祁等纂辑:《佩文斋书画谱》卷四十七,文物出版社2013年版,第2020页。

⑦ (清)王原祁等纂辑:《佩文斋书画谱》卷四十七,文物出版社2013年版,第2020页。

韩干绘的马比普通马要肥大。现存的画主要有《牧马图》和《照夜白》。从这两幅马图来看，韩干笔下的马臀肥膘厚，如他的《牧马图》，丰肌体圆，确实如杜甫所说是见肉难见骨。这种风格与以前绘制的画大为不同，因为“古之马喙尖而腹细”①，是“螭颈龙体，矢激电驰，非马之状也”②。与喙尖腹细，效仿螭龙的古之马比较，韩干绘的马更形似现实中的好马，他也因此受称赞，杜甫赞他“弟子韩干早入室，亦能画马穷殊相”（《丹青引赠曹将军霸》），宋人袁文《论形神》也说：“曹将军画马神胜形，韩丞画马形胜神。”③

韩干绘的马除形似外，也讲神韵。如韩干的另一幅作品《照夜白图》，画的是唐玄宗的名驹照夜白。照夜白被拴在木桩上，比寻常的马比例要短一些，所以更显肥厚，腰、背、臀部都圆厚饱满。刻画蹄、眼、嘴等细节处的线条凝练有力。不甘被缚的名马鬃毛竖立、瞳目突起、鼻孔大张、昂首振脖，四蹄蹬踏，肌肉紧绷，欲脱缰而出。俊健壮实、桀骜不驯的名马殊相跃然纸上。韩干绘的马脖颈粗壮，腹部滚圆，臀部肥厚，马身与马脖比一般的马要粗短一些，表现了他对健硕、肥壮之美的追求。韩干用笔非常细腻，于马的口鼻、眼目、颈部、四蹄、鬃毛的刻画格外传神、细致。韩干画的马虽然肥美得有些夸张，但比以前绘马作品更加生动传神。韩干绘的马不是对对象单纯的描摹，而是大胆地融入了马本身的个性色彩，取的是此马不同于常马的“殊相”，使人更能从韩干绘制的马中体会出生存的个性。可惜现在看不到曹霸的绘画，要不然可以比较出为何杜甫等人会赞曹霸绘马神韵在韩干之上。

韩干绘制的肥马形象在唐代其他人的绘画中也常出现。如张萱的《虢国夫人游春图》，马匹俊美肥硕，鞍辔华丽鲜亮。马身比例的缩短虽不如韩干那么夸张，但总体来说马匹也是因健美壮实而显圆浑。李昭道的《明皇幸蜀图》中众人所乘骏马身躯多为如鸡蛋状的一个椭圆形。五代画家赵岩的《八达游春图》中在庭院中嬉戏奔驰的骏马也是如此，脖粗

---

① （唐）张彦远：《历代名画记》，人民美术出版社 1963 年版，第 14 页。

② （唐）张彦远：《历代名画记》，人民美术出版社 1963 年版，第 188 页。

③ 俞剑华编著：《中国画论类编》，人民美术出版社 1957 年版，第 592 页。

臀圆,以肥为美。唐人对马的鉴赏与对仕女的鉴赏一样,都以肥为美,偏好丰肌肉骨。

牛也是唐代畜兽类绘画重要的题材。《历代名画记》载:“董萼,字重照。开元中多在尚方,善杂画。车牛最推其妙。”①戴嵩,“不善他物,唯善水牛而已”②。另外,还有章草、戴峄等人都善画牛。与韩干差不多同时代的韩滉擅长画牛,并留有《五牛图》。此图于同一幅纸面上画了五头不同花色、不同形态的牛。五牛在横轴上一字并列排开,或回首转身,或低头侧目,或伸颈探头,姿态各不相同。除中间一头牛是正面绘制外,其他的牛都取材侧面。取材侧面的牛皆头左尾右,这使牛的排列具有秩序感。正面绘制的牛居于中间,将四牛从中对半分开,又形成了画面的对称美。韩滉用粗壮雄健的线条,表现了牛的骨骼和筋肉,这些线条依据需要或平滑,或顿挫,不拘一格,各有形态。上色时浓淡适中,变色自然,恰到好处地利用了留白,使牛体具有多层次的变化与立体感。牛的花色也各不相同,互有差异。韩滉在细节处十分重视写生,对牛的犄角、眼睛、口舌、鼻子、尾部的描写生动逼真、变化丰富。

韩干与韩滉的绘画都有写生意识。他们善于抓住单个动物的个性特征,塑造不同形象趣味的个体,想象大胆,并于细节中做足功夫。

三、富筌逸熙

五代时期花鸟画至成熟期发展出两种风格。一种是工笔勾勒,一种是水墨渲染。花鸟画的分野形成了“黄筌富贵,徐熙野逸”的说法。前者崇尚勾勒,厚施色彩。后者墨写枝叶花萼,再敷以色彩。将水墨与五彩相兼合的花鸟画画法唐时已有,《历代名画记》记,“闻礼子仲容,天后任大仆秘书丞,工部郎中,申州刺史。善书画,工写貌及花鸟,妙得其真。或用墨色,如兼五彩”③。有个叫仲容的人,写花鸟或用五彩,或用水墨,同样绘得物貌神韵。五代时两种方式更加在花鸟画中形成差异。

---

① (唐)张彦远:《历代名画记》,人民美术出版社 1963 年版,第 178 页。
② (唐)张彦远:《历代名画记》,人民美术出版社 1963 年版,第 202 页。
③ (唐)张彦远:《历代名画记》,人民美术出版社 1963 年版,第 185 页。

黄筌五代后蜀人，他的花鸟以富丽工整为名。题材多为皇家宫苑的珍禽异卉，寓富贵吉祥之意。技巧倍极工细，线条绵密瘦硬，所绘昆虫禽鸟翎毛触角俱出，形象逼真。颜色绚丽华彩。沈括《梦溪笔谈》评其“妙在敷色，用笔极精细，几不见墨迹，但以五彩布成，谓之写生”①。黄筌的绘画在宋初极有影响，《宣和画谱》卷十七记：“自祖宗以来图画院为一时之标准，较艺著视黄氏体制为优劣去取。”②黄筌代表作《写生珍禽图》绘有多种禽鸟、昆虫，还有一大一小两只乌龟。该画通体双线勾勒，中间施彩。画中用笔刚柔并济：昆虫翅翼轻薄透明，触须柔软；鸟喙坚硬尖锐，足趾瘦劲有力；乌龟背壳坚硬有棱角，四肢柔软多肉。黄筌以形写神的精微笔法反映了工笔画的成熟。

徐熙在花鸟画的画法上创立了落墨的方式。他在所著《翠微堂记》中自谓：“落笔之际，未尝以傅色晕淡细碎为功。”③也就是说，画画的时候并不是先勾勒再填色，追求色彩细微变化。徐熙的落墨是以笔黑直写花卉的枝叶蕊萼，再在墨上敷色。当时徐铉记徐熙画是：“落墨为格，杂彩副之，迹与色不相隐映也。”④宋人的记载更是突出了徐熙的墨法，抓住了徐熙以墨代色的特征。

宋代沈括形容徐熙画“以墨笔为之，殊草草，略施丹粉而已，神气迥出，别有生动之意”⑤，又评“今之画花者，往往以色晕淡而成，独熙落墨以写其枝叶蕊萼，然后传色，故骨气风神，为古今之绝笔”⑥。宋代李廌的《德隅斋画品》中著录徐熙《鹤竹图》，谓其画竹“根干节叶皆用浓墨粗笔，其间栉比，略以青绿点拂，而其梢萧然有拂云之气”⑦。米芾论他画花果有时用澄心堂纸，用绢如布，汤垕《画鉴》记：“徐熙画花果多在澄心纸上，

① （宋）沈括：《梦溪笔谈》，胡道静校证，上海古籍出版社1985年版，第555页。

② （宋）佚名：《宣和画谱》卷第十七，俞剑华注译，江苏美术出版社2007年版，第361页。

③ （宋）郭若虚：《图画见闻志》，俞剑华注译，江苏美术出版社2007年版，第165页。

④ （宋）郭若虚：《图画见闻志》，俞剑华注译，江苏美术出版社2007年版，第165页。

⑤ （宋）沈括：《梦溪笔谈》，胡道静校证，上海古籍出版社1985年版，第555页。

⑥ （宋）沈括：《梦溪笔谈》，胡道静校证，上海古籍出版社1985年版，第556页。

⑦ （宋）李廌：《德隅斋画品》，《四库全书》812册，上海古籍出版社1987年版，第944页。

至于画绢，绢文稍粗，元章谓徐熙绢如布是也。”①徐熙作画以墨为底，先用墨色将物象勾勒渲染出来，再略加色彩，所以画面清新，有野逸之气。

徐熙的另一作品《石榴图》在一株树上画百多个石榴果，气势雄伟，笔简而意周。宋太宗见徐熙画的《安榴树》，“带百余实，嗟异久之曰：‘花果之妙，吾独知有熙矣，其余不足观也。’”②《图画见闻志》中记载徐熙曾为南唐宫廷绘画，再装饰成宫中的挂设，称为“铺殿花”、“装堂花”，“江南徐熙辈，有于双缣幅素上画丛艳叠石，傍出药苗，杂以禽鸟蜂蝉之妙，乃是供李后主宫中挂设之具，谓之铺殿花。次曰装堂花，意在位置端庄，骈罗整肃，多不取生意自然之态，故观者往往不甚采鉴”③。这种富有装饰性的富贵绘画是徐熙绘画的另一风貌，虽不能体现野逸一面，倒显出徐熙多方面的绘画才能。

刘道醇将徐熙列入花鸟画的神品，称“士大夫议为花果者往往宗尚黄筌、赵昌之笔，盖其写生设色迥出人意。以熙视之，彼有惭德。筌神而不妙，昌妙而不神。神妙俱完，舍熙无矣。夫精于画者不过薄其彩绘，以取形似，于气骨能全之乎？熙独不然，必先以其墨定其枝叶蕊萼等，而后传之以色，故其气格前就，态度弥茂，与造化之功不甚远宜乎。为天下冠也。故列神品”④。

从五代开始，现存作品出现了花鸟这种独立的画院派绘画体裁。与墓室中的花鸟壁画相比，这些花鸟画无论是构图、用笔都更胜一筹，它们或工致精巧，或传情达物，独抒性灵，达到专职画家的技艺高度。从整体趋势看，五代花鸟画延续了唐人花鸟畜兽画多为富贵肥美，健壮雍容之风，并常于精致中糅合雄健气势。

唐代花鸟画以工笔手法为主，勾勒对象更加细致，上色绚烂，追求富丽堂皇的效果。另外，唐代花鸟画绘画出现了不着色彩，以墨写神的审美

---

① 俞剑华编著：《中国画论类编》，人民美术出版社1957年版，第1065页。

② （宋）刘道醇：《宋朝名画评》，《四库全书》812册，上海古籍出版社1987年版，第469页。

③ （宋）郭若虚：《图画见闻志》，俞剑华注译，江苏美术出版社2007年版，第239页。

④ （清）王原祁等纂辑：《佩文斋书画谱》卷十八，文物出版社2013年版，第672页。

倾向。唐代畜兽画以轻肥为主要特征。画家们已能表现物象的个性特征。

第三节 隋唐五代山水画:写意畅神

唐代山水画是中国山水画风格的奠基时期,这一时期产生了两个飞跃。一是从原来的背景山水发展到了青绿山水,山水画正式成为一独立绘画题材;二是又从青绿山水发展到了水墨山水,从而形成了中国山水画的水墨运笔的基本特征。唐代山水画的代表人物有李思训、李昭道、王维、王洽等人。至五代时,唐山水画有新的突破,出现了山水理论家荆浩及其弟子关仝,并有董源与其对峙,形成南北山水风格的差异。

一、青绿山水

隋唐山水画摆脱了六朝时期画山水"人大于山,水不容泛"的特质。如顾恺之《洛神赋图》中,宓妃处于众山之间,竟与山齐高,在严重的比例缺失下,四周高山犹如假山。山上树木有时会高于山体,显得特别突兀。湖水如积水一般,没有波浪起伏。隋唐以前的山水形象主要是人物的背景,山水景观为人物形象的烘托,属于人物画的一部分,因此容易形成"人大于山,水不容泛"的情境。经过南北朝理论的探索,到了隋唐时期山水题材绘画不但完全独立出来,还偏重写生、上色,并将之与楼阁亭台、人物相互搭配,注重山水人物之间的结构比例,从而使山水画迅速成熟,建立了山水绘画中的一个重要派别——"青绿山水"派,也称"金碧山水"派。

这一派的第一个人物是隋代展子虔。展子虔是北周隋初人,官至朝散大夫、账内都督。展子虔善画山水,其山水画:"触物留情,备皆妙绝。尤善台阁、人马、山川,咫尺千里。"①展子虔山水画以青绿设色,并且能在方寸之地容纳山川、人马、台阁,具备成熟的山水构图意识。其《游春图》

① (唐)张彦远:《历代名画记》,人民美术出版社1963年版,第159页。

描绘万木争荣的初春时景,以青绿色点缀、描漫山脉。画面两侧群山连绵,山头微露葱郁,有春意渐显。崇山耸立中,树木依势长于山腰与山顶,都有新芽发出。图中人物微小,比例适中,又重细处勾勒。江面细笔描绘,波光粼粼。此画色彩丰富,山头晕染青绿,山脚染金泥色,桥栏、阁楼敷色为红,服饰、祥云、桃杏用了白色,画面色彩绚烂,正合踏青时春景。展子虔的这幅画构图开阔,色泽绚丽,描绘细致,山水人物比例适中,奠基了青绿山水画的主要画风。

与展子虔齐名的隋代画家董伯仁虽未见其传世之作,但从评画家对他们的鉴语来看,也可略知二人的风格相近。《历代名画记》载:

> 僧悰云:"综步多端,尤精位置。屏障一种,亡愧前贤。在陈善见下。"窦蒙云:"楼台人物,旷绝今古。杂画巧瞻,高视孙、田,乃变化万殊,何止屏风一种?"李云:"董与展皆天生纵任,亡所祖述。动笔形似,画外有情,足使先辈名流,动容变色。但地处平原,阙江山之助;迹参戎马,少簪裾之仪。此是所未习,非其所不至。若较其优劣,则欣戚笑言,皆穷生动之意;驰骋弋猎,各有奔飞之状。必也三休轮奂,董氏造其微;六辔沃若,展生居其骏,董有展之车马,展亡董之台阁。"①

这样看来董伯仁善画各种题材,他与展子虔的画都可摹形表情,突破前人。董伯仁甚至比展子虔还高出一筹,因为展子虔没法绘出董伯仁所绘的亭台楼阁,而董伯仁却可绘出展子虔所绘的车马。两人缺点是都少"簪裾之仪",也就是缺少文人底蕴,他们可状物写景,无微不至,却在抒情写志、主体表达方面存在欠缺,这也是后来水墨山水画派对青绿山水画派的批评。

继展子虔后,李思训是唐代青绿山水画代表人物,李思训的"金碧山水"又被董其昌称为"北宗"之祖。李思训出身世家,做过左武卫大将军彭国公。地位显贵,身份雍华,汤垕《画鉴》中称他"画著色山水用金碧辉

---

① (唐)张彦远:《历代名画记》,人民美术出版社 1963 年版,第 162 页。

映，自成一家法”①。李思训绘画线条多钩斫，再加以浓厚的金碧青绿色彩，擅长将对象摹写入微。《宣和画谱》赞他“画皆超绝，尤工山石林泉，笔格遒劲，得湍濑潺湲烟霞缥缈难写之状”②。李思训作画以写实逼真为特长，唐玄宗曾叫李思训画大同殿的壁画与屏风，所画山水，夜间竟可听到流水声，《唐朝名画录》记载了这个故事：“思训山水绝妙，鸟兽草木皆穷其态。天宝中，明皇召思训画大同殿壁兼掩障，异日因对语思训：‘日卿所画掩障，夜闻水声，通神之佳手也。’国朝山水第一。”③

传为李思训的《江帆楼阁图》展示了青绿山水派的细致功底。《江帆楼阁图》为立轴，作者只取江岸一角，描绘林岚江水的生意盎然。比起展子虔的《游春图》，这幅图画面布局紧凑，色彩更浓烈。李思训用表现力度与转折的线条勾勒江岸，树木、山石，再以细笔描写隐在树木丛林间的楼阁、人物。一池江水从江岸边逐渐向远处延伸，江上波光粼粼，水纹上下均匀起伏，二三小舟点缀其上。全图不用皴法，单以勾勒法就将山水人物描摹得细腻生动，用心专注，用笔精当，肯在细致处下足功夫。细致勾勒后，画面再上青绿色，楼阁用朱红色，这江岸原本幽静古淡，以青绿、朱红上色又使其有富贵之气，正是贵人幽居闲逸时所居之处。

李思训的风格为其子所继承。李思训的儿子李昭道山水绘画与其一脉相承，“昭道，变父之势，妙又过之。时人号为大李将军小李将军”④。除其子外，唐人不乏此类山水风的画家。如僧人楚安妙于山水，精于点缀，“西蜀圣寿寺僧楚安妙画山水，而点缀甚细。至于尺素之上，山川林木，洞府峰峦，寺观烟岚人物，悉皆有之。每画一小团扇，内安姑苏台或画滕王阁。其有千山万水尽在目前”⑤。王熊，“官至澶州都督，尝与张燕公

① 俞剑华编著：《中国画论类编》，人民美术出版社 1957 年版，第 686 页。

② （宋）佚名：《宣和画谱》卷第十，俞剑华注译，江苏美术出版社 2007 年版，第 219 页。

③ （清）王原祁等纂辑：《佩文斋书画谱》卷四十六，文物出版社 2013 年版，第 1993 页。

④ 俞剑华编著：《中国画论类编》，人民美术出版社 1957 年版，第 686 页。

⑤ （宋）李昉等编：《太平广记》卷第二百一十四，中华书局 1961 年版，第 1639 页。

唱和诗句。善湘中山水，似李将军”①。李昇人称小李将军，“工画蜀川山水……有《武陵溪》、《青城》、《峨嵋》、《二十四化》等图传于世”②。

青绿山水在唐代影响深远，从敦煌壁画中也可以看出这点。敦煌莫高窟第320窟北壁是盛唐时的绘画，以青绿山水的方式画了观无量寿经变中“日想观”。“日想观”是一种修行方法，通过对落日的观想，得以进入净土世界。冰天雪地中，赭色山石与蓝色远山交相辉映，一人席地坐在冰雪中，遥望远山之落日。用色鲜艳秾丽，构图层次清晰。这幅青绿山水图被认为是盛唐艺术，但从画面上有两处技法值得思考。第一是山石的皴法。二李的青绿山水图的山石以勾勒为主，少皴擦法，此处赭红色山崖中的皴擦法在五代时才出现在文人画中。出现这种技法，要么不是唐作，是后世所做，只是做在唐代开掘的洞窟中。要么也有可能在民间更早使用皴法，后世画家正是从民间汲取材料，从山水的勾勒中发展出了皴擦法。第二是此画中冰雪的渲染，不像二李所用先勾后染的精致手笔，也不似水墨画以水墨渲染。倒有点像油画的用色方式，多色杂糅，晕染出冰雪场景。此外，敦煌莫高窟第220窟的维摩诘经变图中主人公背面是青绿山水画背景。

青绿山水画构图或开阔或紧凑，能在画面上集多样事物于一体，山水亭台人物比例皆适中，构图技巧已基本成熟。用笔细腻，精于点缀，能状难描之象。擅于从细处入手勾勒人物、山石、岸汀。喜欢给山水上色，使画面呈现富贵繁盛的气息，比较有利于表现春夏之景。

二、水墨熏染

唐代绘画在初唐时以人物画更胜一筹，随着中国审美意识的转变与形成，山水画逐渐兴盛，与人物画齐头并驱，并最终形成了中国绘画不重人物更重山水的大趋势。其原因之一是中国绘画不重色彩而重笔墨的特征在唐代渐成大气。唐代水墨山水画代表主要有：王维、卢鸿一、郑虔、张

---

① （唐）张彦远：《历代名画记》，人民美术出版社1963年版，第192页。

② （宋）郭若虚：《图画见闻志》，俞剑华注译，江苏美术出版社2007年版，第78页。

通、王洽、张志和、韦偃。

唐代山水画分为两派，一派是著色山水，以李思训父子为代表，另一派是水墨山水，以王维为代表。唐代水墨山水画在构图上延续了金碧山水的优点，一方面山水亭台人物比例皆适中，另一方面能在有限的画面上合理地安排山水走势，展示山水画咫尺千里的效果。而水墨山水画与金碧山水画的不同主要在于笔墨的运用。金碧山水画用笔细致，线笔勾勒后，再上青绿、金泥色，画面各式景物写实生动，用色富丽鲜明。水墨山水画很少上色，以墨为色，依托墨色的浓淡变化便可展示空间的远近、地势的起伏与阴阳向背。

水墨山水画最为主要的奠基人是王维。董其昌论文人画时，将王维列为肇端，“文人之书，自王右丞始。其后董源、巨然、李成、范宽为嫡子”①。王维是唐代著名诗人，也是唐代著名画家，他艺术创作的特征之一为“诗画合一”。他可绘制各种题材的绘画，于人物、山水都有涉猎，尤其擅长山水画。王维山水画技法重点不在于线条钩斫，而是水墨晕染。以墨代色，造成清润气象。王维在《山水诀》中提出了他的用墨主张：“夫画道之中，水墨最为上，肇自然之性，成造化之功。”②现今归为王维名下的作品有《辋川图》、《雪溪图》、《江山雪霁图》。这些画本也可能是宋人摹仿的，但宋人摹仿的风格也说明了水墨画的绘画特征。

水墨画境界远逸淡泊，用笔简约，追求以少数的笔墨表现物象神韵。以《雪溪图》为例，水墨轻染，简笔勾勒，大片留白营造了白雪晶莹、空灵静谧的银装素裹。因画面基本为水墨渲染所致，画面淋漓湿润，云水飞动，意境清新恬静、高远淡泊、超然洒脱。不管《雪溪图》是不是王维的真迹，都可从中看出水墨画的特征在于以简单的墨色营造出主体意境，抒发主体情志。宋人黄伯思看过《辋川图》的真本，则赞道：“赋象简远而运笔劲峻，盖摩诘遗迹之不失其真者。”③

---

① (清)王原祁等纂辑：《佩文斋书画谱》卷四十七，文物出版社2013年版，第2017页。

② 俞剑华编著：《中国画论类编》，人民美术出版社1957年版，第592页。

③ (宋)黄伯思：《东观余论》，人民美术出版社2010年版，第109页。

水墨山水画重视渲染，画面湿润氤氲，用笔润泽饱满。如杜甫在《奉先刘少府画山水歌》中赞刘少府的山水画"元气淋漓障犹湿"。这一派绘画用色简淡。唐代张璪善于画水墨山水画，荆浩认为他的作品："树石气韵俱盛，笔墨积微，真思卓然，不贵五采，旷古绝今，未之有也。"①不贵五彩，以墨为色为水墨山水画的又一特征。这些画作用色简淡，数笔勾勒，笔简而意真。宋郑刚中论阎立本与郑虔优劣时认为郑虔更加有优势，因为"虔高才在诸儒间，如赤霄孔翠，酒酣意放，搜罗物象，驱入豪端，窥造化而见天性；虽片纸点墨，自然可喜"②。项容也被评为："用墨独得玄门，用笔全无其骨。然于放逸不失真元气象。"③

继水墨画后，唐代首次出现了泼墨画。泼墨画通体都以泼洒般的淋漓水墨抒写，粗阔而含蓄的大片泼墨，使笔简神具、自然潇洒。王维已有"破墨画"，且"笔迹劲爽"④。《唐诗纪事》载："维善画破墨山水，尝自制诗曰：'宿世谬词客，前身应画师。不能舍余习，偶被时人知'。"⑤唐代泼墨画代表是王洽。王洽又名王墨、王默。《太平广记》引《画断》："唐王墨，不知何许人，名洽，善泼墨。时人谓之王墨。多游江湖，善画山水松柏杂树。性疏野好酒，每欲图障，兴酣之后，先已泼墨。或叫或吟，脚蹙手抹，或指或干，随其形象，为山为石，为水为树。应心随意，倏若造化。图成，云霞澹之，风雨扫之，不见其墨污之迹也。"⑥《宣和画谱》评他的画"非画史之笔墨所能到也"⑦。王洽这位画家举止狂放，平时极喜欢饮酒，酒醉后，即以泼墨作画，或笑或吟，或哭或叫，手脚并用，随意挥洒，即成其形，为山为石，为云为水，为汀为岚，混若天成。王洽在一种极度兴奋状态中进行艺术创作，与另一位艺术家张旭极为相似，创作时不拘法度。他甚

---

① 俞剑华编著：《中国画论类编》，人民美术出版社 1957 年版，第 607 页。

② 俞剑华编著：《中国画论类编》，人民美术出版社 1957 年版，第 69 页。

③ 俞剑华编著：《中国画论类编》，人民美术出版社 1957 年版，第 609 页。

④ （唐）张彦远：《历代名画记》，人民美术出版社 1963 年版，第 191 页。

⑤ （清）王原祁等纂辑：《佩文斋书画谱》卷四十七，文物出版社 2013 年版，第 2016 页。

⑥ （宋）李昉等编：《太平广记》卷第二百一十三，中华书局 1961 年版，第 1634 页。

⑦ （宋）佚名：《宣和画谱》卷第十，俞剑华注译，江苏美术出版社 2007 年版，第 228 页。

至可以以头蘸墨涂抹绢布，作品竟也能达到“流俗亦好”的成效。《唐朝名画录》也有类似记载，名字却是王墨。王洽的山水画，“应手随意，倏若造化。图出云霞，染成风雨，宛若神巧，俯观不见其墨污之迹，皆谓奇异也”①。此外，张图“善泼墨山水”②；张志和画山水画时，“酒酣或击鼓吹笛，舐笔辄成”③；五代末、宋初的画家石恪的泼墨画，以淡水墨渲染主要部位，浓墨粗笔狂草勾勒，浓墨粗笔迅捷如飞，时有留白、断笔。

泼墨画是水墨山水的极致表达。水墨山水画敷色比较简淡，甚至不着色。笔简气壮、景少意深，水墨运用淋漓酣畅，富有变化，注重画面虚景的塑造。清人笪重光《画荃》说：“空本难图，实景清而空景现；神无可绘，真境逼而神境生。位置相戾，有画处多属赘疣；虚实相生，无画处皆成妙境。”④清人邹一桂《小山画谱》说：“实者逼肖，则虚者自出。”⑤唐五代画论中虽未有这么清晰的表述，但在创作中取景简澹，用笔深邃，能于简景中取真，深得虚实之味。

水墨画直取神韵，而可以打破规矩。黄伯思评画道：“昔人深于画者，得意忘象，其形模位置有不可以常法观者。……故九方皋之相马，略其玄黄，取其驵隽，惟真赏者独知之。”⑥

唐代水墨运用与疏体的推崇与唐代笔不周而意周的意境论相关。张彦远对山水画技法总结道：“草木敷荣，不待丹绿之采；云雪飘扬，不待铅粉而白。山不待空青而翠，凤不待五色而綷。是故运墨而五色具，谓之得意。意在五色，则物象乖矣。夫画物特忌形貌采章，历历具足，甚谨甚细，而外露巧密，所以不患不了，而患于了。”⑦未了的空境提供了广阔的空白区域，供人想象、回味。

---

① （唐）朱景玄撰：《唐朝名画录》，四川美术出版社1985年版，第35页。

② （宋）郭若虚：《图画见闻志》，俞剑华注译，江苏美术出版社2007年版，第76页。

③ （清）王原祁等纂辑：《佩文斋书画谱》卷四十七，文物出版社2013年版，第2022页。

④ （清）笪重光：《画筌》，载潘运告编：《清人论画》，湖南美术出版社2004年版，第271页。

⑤ （清）邹一桂：《小山画谱》，中华书局1985年版，第36页。

⑥ （宋）黄伯思：《东观余论》，人民美术出版社2010年版，第133—134页。

⑦ （唐）张彦远：《历代名画记》，人民美术出版社1963年版，第26页。

三、皴染两备

唐代山水画成熟的表现一为继承了青绿山水画的紧凑构图,细致勾勒渲染技巧;二为继承了水墨山水画以水墨作色,以山水抒发情感的技法。五代时期山水画基本成型,成为后世山水画的范本。代表人物为:荆浩、关仝、董源。

五代山水画的第一个特征是"皴染两备"。荆浩首先认识到了"皴染两备"的重要性。荆浩是五代后梁画家,因避常年战乱隐居于太行山一带的洪谷,所以自号洪谷子。荆浩的《笔法记》是最早一部系统论述山水画创作方法与原则的画论。《笔法记》中提出了山水画创作原则的"六要"、"四势"、"四等"等原则。荆浩主张作画有笔有墨,皴染两备,他曾说:"吴道子画山水有笔而无墨,项容有墨而无笔,吾当采二子之所长,成一家之体。"①荆浩先以线条勾勒山体石块的前后轮廓,再用侧锋皴擦,最后还以水墨渲染。多种手法的运用使山水画可以做到山势重叠、逶迤连绵又层次分明、秩序井然。

荆浩的弟子关仝延续了荆浩的画法,且有"出蓝之美,驰名当代,无敌分庭"②之誉。关仝喜爱作秋山寒林、村居野渡、幽人逸士等超脱尘俗之景。他的《秋山晚翠图》与《关山行旅图》都是勾勒、皴擦、渲染共用,并使用了立式全景式构图。《宣和画谱》评他:"盖仝之所画,其脱略毫楮,笔愈简而气愈壮,景愈少而意愈长也。而深造古淡,如诗中渊明,琴中贺若,非碌碌之画工所能知。"③

董源同样承袭金碧山水与水墨山水之长。"董元山水有二种。一样水墨矾头,疏林远树,平远幽深,山石作麻皮皴。一样著色,皴文甚少,用色秾古,人物多用红青衣,人面亦用粉素者。二种皆佳作也。"④郭若虚

---

① (宋)郭若虚:《图画见闻志》,俞剑华注译,江苏美术出版社 2007 年版,第 54 页。

② (宋)郭若虚:《图画见闻志》,俞剑华注译,江苏美术出版社 2007 年版,第 66 页。

③ (宋)佚名:《宣和画谱》卷第十,俞剑华注译,江苏美术出版社 2007 年版,第 234—235 页。

④ 俞剑华编著:《中国画论类编》,人民美术出版社 1957 年版,第 687 页。

《图画见闻志》论他:“善画山水,水墨类王维,着色如李思训。”①董源的《潇湘图》用披麻皴表现山势柔和,分为“长披麻”与“短披麻”,以水墨渲染出河滩洲渚,画中人物淡施色彩。《洞天山堂图》勾勒出山石结构与脉络,山石以披麻皴、荷叶皴表现山势起伏转合。画幅遍施淡彩,以花青色点染山石与树木,以突出苍翠欲滴之感。此画不一定是董源真迹,但后人定为董源之作,可见其风格特征。

第二个特征是多使用了立式全景图的构图方式,其山水画开图千里、气势雄伟。荆浩的《匡庐图》画远处一主峰高耸险峻,周围群山拱立,再往近处山势渐缓,有飞流依山阶梯而下,山脚下可见平整傍山之路,山路的尽头便是一人家村落,村落周围树木郁郁葱葱,极富生趣。村落右侧是一片低洼之地,上面云气缭绕,与远处巍峨山峰渐成一体。村落再近处是一边湖泊,有渔父泛舟而行。山势绵延,由近渐远的构图方式使中国的山水画能在一蜿蜒的中心轴线中依据立式条幅发生渐次变化,形成了中国山水构图最常见的方式。

五代时期的画家卫贤也精于山水,他的《高士图》是一幅历史山水画,同样采用了立式全景构图。图中画的是东汉高士梁鸿与妻子孟光“举案齐眉”的故事。群山之中有一简陋屋宇,房屋器具界画严谨,人物线条细劲,山水树木有渲染皴擦。画面由近至远,群山耸立,树木葱茏,立式面景紧凑细密。

第三个特征是五代人划分了山水画中地载性山水的不同特征。荆浩等人喜画北方山水,以险峻为美,山水画讲究峰峦险峻奇特,为唐人一偏好。张彦远在《历代名画记》中评价陈云“工山水,有情趣,但峰峦少奇,往往繁碎”②。又评“鉴子鸥,工山水、高僧奇士、老松异石。笔力劲健,风格高举。善小马、牛羊、山原。俗人空知鸥善马,不知松石更佳也。咫尺千寻,骈柯攒影,烟霞翳薄,风雨飕飗,轮囷尽偃盖之形,宛转极盘龙之

① (宋)郭若虚:《图画见闻志》,俞剑华注译,江苏美术出版社2007年版,第116页。
② (唐)张彦远:《历代名画记》,人民美术出版社1963年版,第199页。

状”①。“朱审,吴兴人。工画山水,深沉环壮,险黑磊落,湍濑激人,平远极目。王宰,蜀中人,多画蜀山,玲珑窳窆,巉差巧峭。……杨公南……善山水,高奇雅赡。”②以此可见,唐人山水图好奇峻险峭。《宣和画谱》也评项容山水画“笔法枯硬而少温润,故昔之评画者,讥其顽涩,然挺特巉绝,亦自是一家。”③

与他们不同的是董源的山水画。董源笔中的山以南方丘陵山势为主要模仿对象。董源的《洞山天堂图》也是立式全景,但山势已不是一主峰高耸,拔地擎天,而是群峰连绵,山头树木繁茂,云雾缭绕,笔墨湿润。再看他的《潇湘图》以江南平缓山峦为绘制对象,山势横向展开,山头圆平、蓬松起伏、自然舒展。远山点缀众多小墨点,近处树木葳蕤、草叶葱茏。董源山水意境平和沉缓,葱郁湿润,与北方山水画风格不一。米芾《画史》评他:“峰峦出没,云雾显晦,不装巧趣,皆得天真;岚色郁苍,枝干劲挺,咸有生意;溪桥渔浦,洲渚掩映,一片江南也。”④《梦溪笔谈》论:“董源善画,尤工秋岚远景,多写江南真山,不为奇峭之笔。”⑤明张丑的《清河石画舫》在评他的《仙山楼阁图》时同意沈括的观点,“不为奇峭,其用笔极草草,近视之几不类物象,远观则景色粲然,是未许其秀润也”⑥。

山水画在唐代进步极大。山水从背景图的作用中脱离出来,发展为独立题材,并在唐代形成了青绿山水与水墨山水两种不同风格。五代时期这两种风格融为一处,使山水画有笔有墨,皴染两备,形成中国山水画的基本风格。

唐代绘画取得了极大的进步。唐代文人的人物画以贵族生活为主,在题材、笔法、构图方面都进行了拓展。花鸟画与山水画在唐代逐步定

① (唐)张彦远:《历代名画记》,人民美术出版社1963年版,第197页。

② (唐)张彦远:《历代名画记》,人民美术出版社1963年版,第196页。

③ (宋)佚名:《宣和画谱》卷第十,俞剑华注译,江苏美术出版社2007年版,第229页。

④ (宋)米芾:《画史》,中华书局1985年版,第15页。

⑤ (宋)沈括:《梦溪笔谈》,胡道静校证,上海古籍出版社1985年版,第565页。

⑥ (清)王原祁等纂辑:《佩文斋书画谱》卷八十二,文物出版社2013年版,第3882页。

型,形成重要的独立题材,并广泛流传。唐代花鸟畜兽画以色彩明媚,用笔细腻,精工亮丽为主要特色。唐代山水画具有金碧山水与水墨山水两大传统,并在五代时期结合二者之长,确立皴染两备的画风,基本奠立了中国山水画的主要风格。

第四节　墓葬绘画:世俗荟萃

唐墓室中有大量的绘画,主要画在石制棺椁内外、墓道壁、甬道壁、墓室壁与墓室顶上。棺椁上采用的手法是阴刻法,在石头上用锐物刻制线条,以阴刻线条表现对象。墓道、墓室里的绘画多为彩绘,以枝条类的硬物在墙面起草图画基本形式,再以墨线定图案,最后根据墨线涂绘颜料,制成图像。唐墓室绘画题材广泛,技法上良莠不齐,从比较精致的图像上可以看到文人绘画的痕迹。我们将从石刻与涂绘两种技法中探讨唐墓室画的特质。

一、石刻线画

继汉代画像砖、画像石与魏晋南北朝佛教造像后,唐代石刻线画是中国古代信仰世界转变的又一重大载体。唐代保存下来的石刻线画主要在唐十八陵及其陪葬陵墓中。古人在墓室壁及棺椁上用线条刻制了各种题材的绘画。唐代石刻线画保留了古人“视死如生”的丧葬观念,又在表现手法与题材选择上更加精致化。

首先,唐代石刻线画多了花卉题材。《通典·棺椁制》载:“大唐制:诸葬不得以石为棺椁及石室,其棺椁皆不得雕镂彩画,施户墉栏槛,棺内又不得有金宝珠玉。”①如章怀太子墓石椁、懿德太子墓石椁、永泰公主墓、李宪墓等石椁上的线刻画基本上是现实人物画与花鸟画,间隔杂画一些走兽。石椁分石柱与石壁。石柱上多是线刻花卉纹。花卉二方相连。粗看觉得是一样的花卉相接相连,细看却能觉出同中有异的差别来。它

① (唐)杜佑:《通典》卷八十五,中华书局1988年版,第2299页。

们或是花瓣层次数量有别，或是花瓣舒展方向不一，或是花蕊伸曲程度不同，但都雍容华贵。大瓣花朵以二方的方式有序地排列，空隙间花茎交缠，花朵与花茎细细密密地分布在石柱上，繁复纷沓，层出不穷。这种排列已经具有了后代瓷器上缠枝纹的特征。花卉一般是石榴、牡丹、芍药、宝相花的图案。永泰公主墓石柱上还大量地雕刻了回折的莲花。以一定秩序相互缠绕的花卉中常出现两两相对的各式飞禽，有时还会夹杂走兽，永泰公主墓的石柱上出现了人首禽身的嫔伽。嫔伽又称迦陵频伽，是佛教的图案，在敦煌图案中较为常见。嫔伽是一种鸟名，因为声音动听，在佛经中被称为妙声鸟。它常被描绘成美女与凤鸟的结合，所以是人首鸟身。李宪墓石椁立柱上也有相似的人首鸟身图案。各式飞禽异兽被包围在花团锦簇的天地中。

棺椁石壁上还有单独的花卉图案。石柱上的花纹图案繁缛细致，密密匝匝，富丽堂皇。石壁上的写生花卉没有摆脱程式性的花纹图案的影响，通常是一根花枝直上，枝上依次长出大小形状相同的叶子，偶尔可见花朵，枝头一两朵花苞，大多长得都像稻谷的模样。承载叶子与花苞的主枝蔓纤细柔长，在实际情况中根本不可能承载了这么多负担还立得这么直。可见这花卉虽有写生意，却受花卉图案的影响，按照一定的模式所创，并没有考虑到实际情况。花卉图案单调呆板，成就不高，这也可能是椁壁中单独成画的花卉画没有人物画多的原因。

花卉充斥着唐石刻画的多个空间。如李宪墓华表上刻的是二方忍冬纹。新城长公主墓石门额线刻图有八个对称的八瓣团花图，空隙中饰有忍冬卷叶纹。《大智禅师碑》、《常允逸神道碑》碑侧以减地法刻有宝相花纹，《隆禅法师碑》以减地法雕刻了蔓草连枝纹。还有《道德寺碑》、《三坟记碑》、《梁官运亨通谦功德碑》、《玄秘塔碑》、《道因法师碑》、《慧坚禅师碑》等都在碑身两侧刻了花纹图案。

唐石刻画依然保留了动物题材。如石椁门的两边石壁上都刻着直棂窗图案，直棂窗上下皆有瑞兽守护。章怀太子石椁直棂窗上面是两只飞马，下面是两只飞狮；懿德太子石椁直棂窗上面是一条龙，下面是两只飞狮；永泰公主石椁直棂窗上面是两只朱雀，两侧是两只狮子。公主墓与太子墓的格局差别立显。因为花卉题材的大量介入,唐花卉与动物图像常结合在一起。如昭陵陪葬墓尉迟敬德墓墓志四周雕刻忍冬纹蔓草纹,并间以十二生肖图。花卉图案的大量出现使唐石刻画更具有装饰韵味。

其次,唐石刻画以侍从图为主,尤多仕女图,除此之外还有些身份高贵的女子图像。这些女子面容饱满,细目浓眉,鼻梁挺直,嘴唇小巧圆润,身姿修长,体态婀娜。石柱与石柱相连的石壁上常刻着仕女图与花卉图。章怀太子墓石椁内外有 15 幅人物图。这些人物基本为仕女。她们或戴幞帽,或梳髻插簪。簪饰华丽,可见人物身份不俗。这些女子穿着裙装或类似男子的袍装。裙装外罩披帛,窄袖高裙,交于前襟的半臂短襦,腰间结绶带。有些女子穿着的是类似男装的长袍,圆领窄袖。窄袖的设计吸收了胡装特征,取消了汉代的宽袍长袖,便于行动。"太常乐尚胡曲,贵人御馔,尽供胡食,士女皆竟衣胡服"①,男装女子腰带处佩戴多样饰件,除绶带外,还有短带、香囊之类的东西。短带可能是鞊鞢,"景云中又制,令依上元故事,一品以下带手巾、算袋,其刀子、砺石等许不佩。武官五品以上佩鞊鞢七事,七谓佩刀、刀子、砺石、契苾真、哕厥针筒、火石袋等也,至开元初复罢之"②。石刻画对服饰的描绘较为细致,写实手法较多。

女子的形象多婀娜妩媚的风格,有些形象融端庄高贵与妩媚清丽于一体。懿德太子墓石椁的门上一幅宫装仕女图。图内两个女子的背景是一扇门,门上花团锦簇地装饰着各色花卉,没有刻意显露门钉。门楣上是两只处于众花包裹中的展翅朱雀。女子的着装与其他图也不同,她们头上不是日常的幞帽和高髻,而是前后饰以凤簪的正冠。二人皆身着长裙,脚登祥云,裙裾包住整个鞋子曳于祥云之上。饰有花纹的宽腰带束身于胸下,腰间垂下的绶带上佩有长串玉珠。领口极低,几乎要袒胸而出,但面容肃整,并不见绮丽媚容。端庄神态、正式宫服与衣着大胆的对比中流露出唐人对女性身体美的从容赞赏。懿德太子墓石椁中另一幅仕女图,头戴幞帽,帽前有一玉簪,胸前也勾勒了乳线。永泰公主墓也是如此,石

① (后晋)刘昫等:《旧唐书》卷四十五,中华书局 1975 年版,第 1958 页。
② (后晋)刘昫等:《旧唐书》卷四十五,中华书局 1975 年版,第 1952 页。

椁内东面明间,石椁内西面南次间,石椁内西南北次间,石椁内北面东间的三幅仕女图,胸前两条乳线十分醒目。在这里,唐人并没有将女子身体的美排斥贬低为使人惑乱淫佚的尤物,而是在最高贵身份的女子身上展示了女性的特征之美。虽然这种展示还是欲说还羞,遮遮掩掩,但却无疑是比后世的噤声忌讳要宽容大度得多。唐代妇女低胸服装不仅出现在石椁线刻中,墓室壁画、唐三彩女俑中都有这样的穿着,唐诗中也有"漆点双眸鬓绕蝉,长留白雪占胸前"(施肩吾《观美人》)①、"粉胸半掩疑晴雪,醉眼斜回小样刀"(方干《赠美人》)②这样色香浓郁的句子。唐人对妇女身体曲线美的欣赏在艺术上公然昭显,反映了唐代社会风气的开放宽松。

石刻线中也有专门表现女子柔美的绘画。李寿墓石椁西壁有六名梳双环髻的女伎,她们腰肢柔软,身体侧曲,着窄衫长裙,袖袍宽大。舞女们双袖舒展,正在翩翩起舞。椁内北壁、东壁分别刻有坐部伎与立部伎图。图中也都为女子形象,长裙外披有衣帛,线条流动处轻柔妩媚。

有时男侍图也会出现在石刻画中。如章怀太子石椁东外壁正中的门,左为男侍右为女侍。男侍容貌远不如女侍。该男子额间、眼角、鼻梁侧都出现了表示皱纹的刻线,鼻孔大张,眉毛稀少,嘴唇肥厚,下巴也过于肥大且无须,其身份应为内侍。总体来说,男侍图不如女侍图多,形象也不如女侍图美丽可亲。

最后,石刻画中出现了从故事到抽象图案的演变。以女子、花卉、异兽为主要题材的石椁线刻与唐以前石椁刻画相比较,发生了较大的变化。徐州汉画像石艺术馆收藏一幅长 8 米的《缉盗荣归图》,此图雕刻在一石椁内部。该石椁图像故事有情节、有形象、有人物、有冲突,故事的起承转合都包含在内,以连环图画的形式生动记载了墓主人缉盗荣归的光荣事迹。但是到了唐代情况发生很大变化,唐墓石椁上的线刻画,一方面不仅在石椁内侧刻上图像,也在石椁外侧刻入图像,拓展了石椁图像的发挥空间,另一方面不再有明显的故事情节,而以形象展现为主。如上所述的仕

---

① (清)曹寅、彭定求等编纂:《全唐诗》卷四九四,中华书局 1999 年版,第 5649 页。
② (清)曹寅、彭定求等编纂:《全唐诗》卷六五一,中华书局 1999 年版,第 7529 页。

女图，分别排列在棺椁的不同石壁中，图画与图画之间并无明显的故事联系。《图画见闻志》述："历观古名士画金童玉女及神仙星官中有妇人形相者，貌虽端严，神必清古，自有威重俨然之色，使人见则肃恭有归仰之心。"①棺椁中的仕女图形象妍丽，虽也装束动作各异，但大多数是端庄柔美地站立于花卉与雀鸟群中，美人与花卉、珍禽相互映照。为了使形象不呆板，她们或持木盒，或捧包裹，或持花深嗅，更多的则是两手合于腹前，藏于巾帛之后的亭亭玉立。

线刻画多为花卉、仕女、瑞兽形象，多以人物形象，特别是女性形象为主像。与汉画像石、画像砖中出现了大量的力士图像相比，唐人更多地眷恋女性形象，而且石椁线刻中的仕女形象较为开放，从某种程度上表现了唐人石刻线画中更多的审美倾向。唐代石刻线条流畅、匀称，能在石制棺椁内外作出如此线条的人绝非等闲之辈，但这些人都名不见经传，是隐藏在青史之外的民间高手。石刻线条画是唐代匠人绘画水平的集中表现。

二、墓室壁画

墓室壁画在唐代皇族与高官的墓室中较常出现，"西安及附近地区经考古调查、发掘的唐代墓葬已近万座，其中有壁画的超过一百座，占中国唐代壁画墓总数的70%以上；级别也最高，上至皇帝、贵妃、皇太子、公主、亲王等皇室人员，下至四品以上高级官吏"②。贵族墓葬中壁画占据重要地位，仅章怀太子墓中就有五十幅壁画。壁画既是对死者的颂功定德，也是生者对死者往生的美好期盼。

（一）技法特征

与唐代其他载体的绘画比起来，墓室壁画线条要粗很多。这种线条粗壮不像吴道子一样讲究线条顿挫变化，也不像阎立本一样细密一致，在绘制人物面容时，整体上会给人十分粗犷的感觉。刻画脸型、眼型、嘴唇的线条如果过粗，很容易产生狰狞的效果。这可能是画家技法略逊的原

① （宋）郭若虚：《图画见闻志》，俞剑华注译，江苏美术出版社2007年版，第29页。
② 冀东山主编：《神韵与辉煌·唐墓壁画卷》，三秦出版社2006年版，第133页。

因,也可能是因为壁画构图过大,为了留存画面故意为之的原因。还好线条总体上非常流畅,足以表现衣饰褶皱与眉目的变化。从上色来说,墓室壁画上色血气方刚,有些地方甚至是非常拙劣的。如长安县郭杜镇执失捧节墓葬墓室东壁的三仕女图身着红衣。画手为之上红色时,十分轻率,不但上色边缘不规整,颜色不均衡,画作上还有许多明显失误的颜色流痕。

但墓室壁画中也有一些非常精致的作品。昭陵韦贵妃墓线条与用色比较精致,颇有阎立本之风。韦贵妃墓前甬道西壁存有一残缺的绿袍女子图。该女子头左侧梳一单髻,面容、鼻头、下巴无不圆润。下巴小巧,嘴唇小而饱满。实际上下颌过于发达的女子很容易流露出凶悍之气势,新城长公主墓仕女图经常有这个缺陷。而韦贵妃墓中绿袍女子脸部线条细腻,五官除眉毛外无一不柔和。衣裙线条稍粗,上色自然均衡。她右身着绿色外袍,左身却露出了里面的黑白条纹状襦裙。条纹由上至下,逐渐加粗,条纹间间隙匀称。西安市雁塔区羊头镇李爽墓墓室东壁有一男装乐伎形象。此伎面容清丽秀气,应为着男装的女子。永泰公主墓前室东壁南边的宫女图,制作精细。九位妙龄少女手捧不同物品或正,或侧,或背地站立着。她们面容圆润,眉眼纤细,身材高挑,且微微扭转呈“S”形,更显婀娜。

唐墓室壁画中组图意识明显。组图意识一方面指墓室壁画中具有固定的模式图,如墓道中青龙、白虎、朱雀、玄武四大守护神,墓室顶的星辰图,墓道壁中的捧物仕女图、仪仗图、列戟图等;另一方面指唐墓室壁画以形象塑造为目的,经常出现同一形象的屏风式组图。

唐代墓室壁画出现了大量的屏风画。相似的系列形象出现在墓室画中。故事性不明显,但可看出是对同一主题或同一形象的反复绘制。西安市长安县韦曲唐墓墓室西壁有一六合屏风《树下仕女图》。六个屏风之间用红线隔开,每个屏风中画的都是同一个中心人物,一仕女穿着不同的衣服,带着不同的侍者或站或立于一花园树下弹琵琶、赏花等情景。该仕女面容圆润,富态端庄,与侍从相对比,形象高大。女子面容、衣饰、发髻都刻画细致,树木石头随笔勾勒,也颇见意趣。在衣裳与树木、石头上都染有色彩，树干空白，独以墨色突出。属墨笔勾勒，淡色轻染类型。

相似的树下人物画还出现于山西省太原市南郊金胜村太原化工焦化厂唐墓墓室东壁连续三幅图、北壁的两幅图，西壁的连续三幅图都是绘同一人站在树下做不同的动作，或以手指树，或陷入沉思状，或掩袖哭泣。新疆阿斯塔那三十八号墓主室后壁有一六屏式树下人物图，描绘男主人与仆从在树下活动的场景。节愍太子墓室西壁是一组六合屏风画，可惜除了最北与从北往南数第三幅画还依稀可见，其他画都已经剥落。剩余的两幅是树下仕女图，仕女面目模糊，“但其娉婷的身材和闲雅的姿态尚可辨认”①。

陕西省富平县朱家道村墓室西壁出现了六合山水屏风画。这六幅山水图画了一主峰，主峰下群山依势而下，主峰上祥云缭绕。与一般的山水图不同，这六合山水屏风画强调了山上腾起的祥云，似乎在说明仙山道场的位置。新疆阿斯塔那二一六号墓墓室后壁有一六屏式鉴诫图。阿斯塔那二七号墓墓室后壁有一六屏式花鸟。每幅图中都绘有一或两只禽鸟，禽鸟有鸳鸯、锦鸡等。禽鸟身后以花卉为背景。花卉主茎挺拔，花与叶都呈对称形。花卉与禽鸟处于画幅正中央，将画面分为对称的两半。懿德太子墓第一过洞东壁是一组人物驯豹图。整图为四段，每一段都是一个白袍人在驯豹子，猎豹颈部拴有项圈。图与图之间用树隔开，树下以石块衬托。图的比例不当，人皆大于树。与其说树起着背景的作用，不如说它只起着隔断的作用。树的隔断使这组图类似四合屏风，每合上都展示了人物与豹子的特定动作。组图意识不仅出现在唐墓室绘画中，在阎立本、周昉等人的人物画中也经常可以看到这种构图。如阎立本的《历代帝王图》、张萱的《捣练图》图、周昉的《簪花仕女图》、顾闳中的《韩熙载夜宴图》都有连环长卷的组图意识。

汉画像石多为树的形象，常见柏树、柳树。树上还经常站着小鸟。到了唐代，墓室鸟却常与花一起出现。花的形象代替了树的形象的重要

---

① 陕西考古研究所、富平县文物管理委员会：《唐节愍太子墓发掘报告》，科学出版社 2004 年版，第 79 页。

位置。

唐代墓室画的意义与汉画像石不一样,它不再侧重于表现墓主人在世的生活,歌颂墓主人在世的功绩。而是对侍从、兵卫多有刻画。唐代墓室画更多地表现墓主人生前所受的礼仪待遇,以及期望死后也能继续享受的周到服侍。所以在唐代墓室壁画中可以看到大量的仕女图、仪仗图。

(二)建筑空间

墓室壁画是墓室建筑的有机部分,依然具备筹备彼岸的明确意图。古人希望死后是去另一个世界生活,认为死后依然能与现世一样生存。所以在墓室的建构中有仿生活的趋向。

唐代常将整个墓室营造成居住建筑的场景。因为条件所限,并不能真正在地下建一座地上居室,所以就以壁画来弥补其中的不足。墓室天井中常绘制团花藻井图案,仿的是唐代木制建筑结构上的藻井建构。墓室过洞上部与甬道两侧都绘制了木制建筑图案。如阿史那忠墓过洞东西壁绘制的人物画,常以红色木柱分隔开。当然这不是真正的木制柱子,而是画出来的。章怀太子墓第四过洞东西两壁上绘有三开间的殿廊,有廊柱、阑额、补间铺作。章怀太子墓、懿德太子墓、李思摩墓等过道墙壁绘制建筑的补间铺作中多用的是侏儒柱。陕西省富平县吕村李凤墓甬道墙壁上绘的是人字拱的补间铺作。新城长公主墓二者皆重。利用壁画将墓室仿制成居住建筑是唐代墓室建筑中常见的现象,唐壁画在墓室中已经不仅仅是"画"的功能,还同时具备了筹备彼岸的"建筑"功能。

墓室的前后顶上多绘有银河、日月、星辰,还有青龙、白虎。青龙、白虎、朱雀、玄武是道教的四大守护神。唐让帝李宪的惠陵墓室顶上散布着众多的白灰团点,好似夜空中的星星,东南有一红色圆团,应该是太阳,而且"西北边天际绘有直径0.3米的白色月亮图案"①。节愍太子墓室穹隆顶壁面上绘有星象图,整个壁面上用颜色涂绘成蓝灰与银灰色的苍穹,上面有不规律的白色的小点,应该是天空中的星星。壁面上有一道横贯东

① 陕西省教研研究所编著:《唐李宪墓发掘报告》,科学出版社2005年版,第158—159页。

西的灰白色长带，可能是银河。东壁上方，绘有红色太阳，太阳中间立着一黑色的三足乌。西部上部有一小小的弯钩，应该指月亮。日月星辰图在长乐公主墓、章怀太子墓等墓室顶部也有发现。在墓室中画日月星辰，试图将封闭墓室缺少的光带到墓室之中。这种房间的创造表明唐人认为人死后去的是一个暗无天日的世界，所以需要为他们准备日月星辰。

唐代墓室壁画以人物图为主，这些壁画常记录墓主人生前的生活场景，如懿德太子墓“前室东壁、南壁、西壁，后室的东壁残存有五十余名手拿盘、杯、瓶、盒、包裹、扇子、蜡烛、拂尘和箜篌、古琴等乐器的宫女，表现的是侍奉主人安寝的情景”①。在壁画中重现主人公的日常生活，特别是生活起居的物质享受，很可能是希望通过壁画的作用将这种享受带入彼岸世界，希望死者能在死后同样尊享荣华。所以墓室壁画除墓主人形象外，就多为侍从形象了，包括内侍、侍女及侍卫。这都是希望幕主人离世后依然可享受这些人的侍奉。

壁画中常出现门的意象。与石椁上的门相呼应，壁画中也常出现门的形象，象征着墓主人去了门后的另一个世界。如 1973 年发掘的位于陕西省三原县的李寿墓，墓道东西两壁，仪仗队向行的尽头绘制了两扇门。长城公主墓也有类似的绘画。

唐墓室壁画是整个墓室结构的建筑成分，不仅象征着墓室建筑的木质结构，还描绘了墓室主人于冥界生活的自然环境，画中内容有支撑着墓室主人在另一个世界生活的各种生活条件。古人虽死犹生的墓葬观念，使墓室壁画具有更多的生活内容。

（三）日常娱乐

唐人注重日常生活的娱乐色彩，墓室壁画同样如此。它的内容丰富多样，却以生活场景为主。《美的历程》一书论唐壁画说：“正是对现实生活的审美兴味的加浓，使壁画中的所谓‘生活小景’在这一时期也愈发增多：上层的得医、宴会、阅兵……中下层的行旅、耕作、挤奶、拉纤……虽然其中有些是为了配合佛教经文，许多却纯是与宗教无关的独立场景，它们

① 冀东山主编：《神韵与辉煌·唐墓壁画卷》，三秦出版社 2006 年版，第 133 页。

表现了对真正的现实世俗生活的同一意兴。它的重要历史意义在于：人世的生活毕竟战胜了天国的信仰，而艺术形象远远大过了宗教教义。”①唐墓室壁画形象生动可感，基本为日常生活中常见物象，不同社会阶层的生活场景都在其中有所体现，因为经济身份的原因，只有具有一定地位的墓主人才可能拥有壁画，壁画内容又以表现上层阶级生活为主，以至于唐墓画中出现了许多游乐图。

唐人好游乐，喜欢玩，也会玩。《唐国史补》记载：“古之饮酒，有杯盘狼藉、扬觯绝缨之说，甚则甚矣，然未有言其法者。国朝麟德中，壁州刺史邓弘庆始创‘平’‘索’‘看’‘精’四字令，至李稍云而大备。自上及下，以为宜然。大抵有律令，有头盘，有抛打，盖工于举场，而盛于使幕。衣冠有男女杂履舄者，长幼同灯烛者，外府则立将校而坐妇人，其弊如此。又有击球、畋猎之乐，皆溺人者也。”②唐以前喝酒一味以畅饮为主，唐人饮酒加入酒令等游戏，使饮酒的活动更具有娱乐性质。喝酒都能玩得花样百出的唐人，其他的娱乐也不在话下。唐墓室出现牵狗图、架鹰图、驯豹图、狩猎、击球等一系列与玩乐相关的图画，这些都能表现出唐人对生活的兴趣。

以章怀太子墓为例，可看出唐壁画的总体倾向。章怀太子墓墓道东壁有一狩猎出行图。图中狩猎队伍浩大，共有人物 46 个。队伍前有 3 人开路，队伍最后还有 2 匹辎重骆驼，几个人在赶着骆驼追上大部队。中间的大队人马由前后及两侧举着四旒红旗的人簇拥着。这群人可能身份不俗，他们有人怀中抱着猎犬，有人臂上架着鹰，有的人马上甚至带着猎豹。惠庄太子李撝墓墓道东西壁壁画是车马出行图，画面虽已剥落严重，但仍看得到：“马车之辕、轮、辐、舆等皆为朱红色，车残宽 0. 83 米、高 0. 89 米，应为单辕四马即两服两骖马车，舆呈方形且较高，轮十二幅。”③东西壁都有两组车马图，车马涂以朱红色，车马人物均在前行，道路两边是河水、山

---

① 李泽厚：《美的历程》，中国社会科学出版社 1989 年版，第 115 页。

② （唐）李肇、赵璘：《唐国史补·因话录》，上海古籍出版社 1979 年版，第 61 页。

③ 陕西省考古研究所：《唐惠庄太子李撝墓发掘报告》，科学出版社 2004 年版，第 22—23 页。

脉与树木。乘车马游山玩水大概是唐人休闲中非常普遍的游乐项目了。章怀太子墓墓道西壁有一马球图。图中有20多名骑者在场地中激烈击球。懿德太子墓第二过洞东壁南侧有架鹰驯鹞图,西壁北侧有架鹞戏犬图;懿德太子墓第二过洞东壁北侧一人身持弓弦;第一过洞东壁有驯豹图。再看关于李重俊墓墓道西壁的记载:"最南部绘有起伏的山峦,若隐若现的红绿小草,山峦之北即为平坦的马球场。画面正中隐约可辨有马球杆一个,以及手持球杆、跨于奔马上的红袍选手的身形,这一场景让人可以推想那是一场激烈紧张的比赛。"①节愍太子墓墓道西壁是马球图,一群人手持球杆骑马等候在树下,似乎在等待马球的开始。

乐舞是唐人的主要娱乐项目。西安市东郊苏思勖墓室东壁绘制了乐舞图。图中人皆穿圆领白衫。中间是一头戴蕃帽的舞者,正在做着扭身、甩袖的踏步动作。两边是奏乐者与歌者。一侧是六个人,演奏者持琵琶、笙、铜钹、横笛、拍板正在各自弹奏,一歌者立在他们身后,引吭高歌。另一侧是五个人,演奏者持箜篌、筝、筚篥、排箫演奏,中间同样有一歌者。两侧似乎在对歌,同时又为中间的舞者伴乐。陕西省富平县朱家道村墓室东壁北侧的乐舞图,图内坐部乐队部分保存较好,有琵琶、笛、箜篌、笙、拍板、铜钹、箫这些乐器。这乐舞图中所使用的乐器与苏思勖墓室乐舞图使用的乐器大部分是相似的。陕西省富平县淮南大长公主墓前室西壁北铺两个侍女,一吹笛,另一吹排箫。西安市雁塔区羊头镇李爽墓墓室东壁呈现一男装吹箫仕女图。陕西省西安陕棉十厂墓墓室东壁有乐舞图。李宪墓室东壁也有坐部伎乐队图,并有两个歌舞者。这些乐队持有的乐器十分近似,旁边还经常伴有歌者或舞者,在乐声中载歌载舞。李宪墓室东壁乐队图的北部还端坐着一位手持长柄团扇的仕女,女子身边有三个服饰清丽的贵妇,大家正一起专注地欣赏乐队的表演。李寿的石椁线刻画中也出现了舞蹈图画及立部伎、坐部伎表演图。舞乐图是唐时墓室绘画的重要题材。

---

① 陕西考古研究所、富平县文物管理委员会:《唐节愍太子墓发掘报告》,科学出版社2004年版,第42页。

西安市长安县韦曲唐墓墓室东壁北侧是一幅宴饮图。九个穿圆袍戴黑色幞头的男子围着一方案用餐，并相谈甚欢，两边都有人站着，右边人群中有人两手交于胸前揖礼，似乎是来拜访的宾客，但身份并不高贵，因为宴饮者并没有站起来迎接。宴饮者神态放松，坐姿随意地享受着他们的盛宴。

为了能充分享受娱乐带来的乐趣，墓室壁画中人物穿的服饰大都是方便娱乐的便捷常服。景龙二年(708 年)，刘子玄进议道："夫冠履而出，止可配车而行，今乘车既停，而冠履不易，可谓唯知其一而未知其二。何者？褒衣博带，革履高冠，本非马上所施，自是车中之服。必也袜而升镫，跣以乘鞍，非惟不师古道，亦自取惊今俗，求诸折中，进退无可。且长裙广袖，襜如翼如，鸣珮纡组，锵锵弈弈，驰骤于风尘之内，出入于旌棨之间，傥马有惊逸，人从颠坠，遂使属车之右，遗履不收，清道之傍，结骖相续，固以受嗤行路，有损威仪。"[①]这样一来，大家穿的广袖宽袍改良成了便于乘车马的服装。墓室壁画中经常可看到女子穿圆领长袍的男装，着平底尖头鞋；男子也戴幞头，衣圆袍，少置褒衣博带、革履高冠的正式衣装。即使是在仪仗图中那么正式的场合，人物也经常只是身穿圆袍，头戴幞头。如节愍太子墓道东西壁北部的偏下部的持矟武士图，武士们穿着各色圆袍，头戴前部系巾的幞巾，一手持矟，一手执按佩刀柄，队列整齐，三排九人。与披甲的队伍和壁画的迎宾图中人物着高冠博带、长袖宽袍相对比，这些人物的形象更加日常化。

墓室壁画中出现的出行图、狩猎图、舞乐图、宴饮图都表明了唐人游乐风气。唐人对彼岸世界的期待，不仅是物质、地位可以满足的，"游乐"生活也是唐人生存的基本追求，在生活质量方面，他们似乎要求更多一些。

(四)多元文化

唐墓室规葬制度结合了三教的风俗，将三教文化合为一体。壁画中有表示佛教文化的莲花图，有表示儒家礼仪等级的仪仗队、列戟图，还有

---

① (后晋)刘昫等：《旧唐书》卷四十五，中华书局 1975 年版，第 1950 页。

道家文化的四大守护神。唐墓室绘画显示了中国人对信仰的宽容,三教之间互相影响,义理相通,并不泾渭分明。中国人的信仰没有那么强的排他性,更多的是互退一步、相互吸收的共存于世。

唐代有表现儒家世俗文化的仪仗图与列戟图。仪仗图是墓室壁画中非常重要的主题。光李寿墓室就有 12 幅步行仪仗图,涉及人物近百个。在墓道中出现的仪仗图,既是墓主人生前出行仪式的写照,也暗示着墓主人死后归入地府的排场。如李寿墓道的东壁骑马仪仗图,虽然保存得不好,但从保存下来的第三组图中可看出,人皆手持四旒红旗开道,马匹一字排开,气势汹汹,威风凛凛。马匹先用线条勾勒,再使用青、灰、红、褐等色平涂,马匹的颜色参差错落。马肥圆健硕,马具齐全。而第一过洞东西壁的步行仪仗图,为道者分别举五旒红旗与六旒红旗,其后跟随者举四旒红旗。仪仗队人马按一定的秩序排列。李寿墓室步行仪仗图,主要分三类人。一类是头戴平巾帻,身穿红色裲裆,腰身可佩剑的武将,这类人虽并不在最前面,但常处于画面的最中心,为他人所环绕,而且他们手里不持红旗。紧随其侧的人,头戴白色风帽,身披白色披风,再外围则是头戴黑色幞头,身穿白色圆领袍衫的人。

仪仗队中除了持旌旗的仪式,还有列戟的仪式。戟是我国特有的兵器,呈长形,尖头与两侧皆有刃,在战场上可直刺与横扫,运用较灵活,杀伤面很广,适于群战。唐代列戟是身份的象征。按唐代列戟制度,三品以上官员都可以在自己的府邸列戟,官位越高,能列的戟数越多。“凡戟,庙、社、宫、殿之门二十有四,东宫之门一十八,一品之门十六,二品及京兆河南太原尹、大都督、大都护之门十四,三品及上都督、中都督、上都护、上州之门十二,下都督、下都护、中州、下州之门各十。”①惠庄太子第二东西壁共列戟数十八,符合历史记载。三原县李寿墓第四天井东壁共列戟十四。新城长公主墓第一天井东西壁各有戟架,两个戟架上均有戟六竿,共十二竿。永泰公主墓也列戟十二竿。而《新唐书》记载:“皇姑为大长公

① (宋)欧阳修、宋祁:《新唐书》卷四十八,中华书局 1975 年版,第 1249 页。

主,正一品;姊妹为长公主,女为公主,皆视一品。”①史书与墓室并不相符合。阿史那忠墓的列戟图东西壁各插六戟,东壁的戟上还饰一圆形虎头幡。

目前唐代出土的最有气势的仪仗图是懿德太子墓墓道的大型仪仗图。此图全长约 7 米,西壁一共有 92 人,东壁有 104 人。仪仗队分为骑马队、步行队、车队三部分。每队队首皆有旗帜,或七旒旗帜,或九旒旗。旗帜后有时饰以雉尾,有时绘着狮、豹、虎等动物。卫士幞头、圆领袍、长靴,多穿白色长袍,间有红色与绿色长袍,腰间佩横刀、弓等物。辂车前有长扇与圆扇。

新城长公主墓墓道东壁从南到北依次为门吏、大门、仪卫、牵马、擔子、仪仗图。西壁与之对应,由南到北依次为门吏、大门、仪卫、牵马、犊车、仪仗图。离墓道口最近的地方绘制的是门吏图,两个空黑色高靴,拄剑而立的门吏站在一赫红色大门前。门北侧当先六人,腰斜挎剑,手持黑色长杆兵器,威仪显赫。其后是牵马图,两匹马膘肥体壮,马具齐全,一白一红,均由人牵着。牵马图后东壁是擔子图,由四人抬着,擔子仿建筑制作,“浅蓝色的庑殿式顶,红色方形椽头,双层阑额。五组斗拱均一斗三升,补间铺作为 4 个人字形拱”②;西壁是犊车图,两人走在牛的后面,牵引牛的方向。这是贵人出行的工具。车辇后是由八人组成的仪仗队,他们手持旒旗,紧跟其后。

道家文化主要表现在墓道壁画中的四大守护神。章怀太子墓、新城公主墓、长乐公主墓等处都在墓道口的东西壁上绘有青龙与白虎。而石椁正门上又必绘制朱雀图。墓室中的朱雀图分为正面与侧面两种形象。侧面朱雀很像展翅凤凰,但是尾翎不如凤凰那么多。墓室中也经常绘制朱雀的正面形象。如宁夏回族自治区固原市羊坊村史索岩墓第五过洞上方有朱雀图。

---

① (宋)欧阳修、宋祁:《新唐书》卷四十六,中华书局 1975 年版,第 1188 页。

② 陕西省考古研究所、陕西历史博物馆、昭陵博物馆:《唐昭陵新城长公主墓发掘简报》,《考古与文物》1997 年第 3 期。

西安东郊苏思勖墓墓室北壁有一玄武图，由一长颈龟和一长蛇组成。龟身被巨甲，足壮颈长。蛇用修长的身躯在龟身上方构成一个正圆，颈尾相交于空中。龟与蛇口大张，龇牙吐舌，圆睁双目相互对视，似乎在冲着对方吼叫。该图构图为一环形，且形象逼真，动感十足。山西省太原市南郊金胜村太原化工焦化厂唐墓墓室东壁、西壁、南壁、北壁保存了非常清楚的青龙、白虎、朱雀、玄武图。青龙基本是龙的形象，身后有两条有力的布满龙鳞的后腿，以及一条虎尾。玄武的形象与苏思勖墓墓室差不多，蛇身要稍微短一点。朱雀是侧身形象。白虎基本写实，身形与尾巴稍微拉长了些。

还有一些其他的图案可以表明道家文化的影响。永泰公主墓第四、第五过洞顶上画的是云鹤图。中宗韦皇后之弟韦泂墓的后甬道顶部及后室四壁上都绘有云鹤图。五代后梁河北曲阳王处直墓前室西壁上侧均为云鹤图。陕西省富平县朱家道村墓室北壁东侧是独扇民间风式双鹤图。节愍太子墓前甬道顶壁绘有祥云与飞禽，包括两对仙鹤，一对孔雀，一对凤凰。飞禽绘制细致，姿态生动。先用墨线细笔勾勒，再在墨线中上绿、红、黑、黄、黑色，翎毛细爪无一不精。凤凰与孔雀都呈展翅曳尾状，亮丽富贵。仙鹤丹顶红嘴、黑颈白羽，长颈后弯，各衔一串组佩。五色瑞禽飞翔在彩色祥云中，可以想象当年这幅画是何等富丽堂皇。李爽墓墓室西壁有一执拂尘仕女图。拂尘可用来打扫灰尘或赶走小蝇虫，但因为与之对应的东壁是一执如意仕女图。所以这拂尘不只是日常工具，还应有道教法器之用。

与石椁线刻画一样，墓室壁画也具有佛教因素。唐墓室壁画中出现了如意的图案。如意最初的原型是民间用来挠痒痒的带长柄的爪形工具，可挠到通常手挠不到的痒痒处，因此称为如意。世人也有用如意打节拍的。如意也是佛教用具，法师讲经时常手持如意，并将经文记于其上。唐张祜《题画僧》诗记："终年不语看如意，似证禅心入大乘。"魏晋南北朝时，如意就被普遍使用，甚至用于佩饰之上。唐时如意已为仪仗所用。节愍太子墓室东壁有一人拱手持如意。陕西省富平县房陵大长公主墓前室南壁一侍女手持如意，前室西壁一侍女左手持拂尘，轻轻甩在左肩后。陕西省富平县吕村李凤墓甬道西壁一着圆领绿袍，梳双丫髻少女右手臂下夹一如意。

除如意形象，还有莲花形象显示了释家在墓室壁画中的存在。李寿墓室长5米的甬道东西壁下方是仪仗图，上方各有一个身披彩带、手捧莲花的飞天图。新城公主墓第二过洞西壁一头梳单刀半翻髻的侍女手持一朵半开的莲花，第五过洞东壁一侍女双手端着一黑色浅盘，盘中是一盛开的红莲。莲花在唐代有文采的意义，“谓为莲花，取其文采者”①。更多的时候，它是代表佛教之花。墓室中出现的莲花，以及人首禽身的嫔伽像都是与佛教相关的图像。

唐墓室壁画多为单个形象的塑造，故事性淡薄，程式化比较明显。这些人物形象是瞬间场景的捕捉，人物虽然以组图的形式出现，但人物之间的故事性不明显，反而仪式意味强烈。唐人“视死如生”的观念表现在壁画中主要突出墓室建筑的仿木制壁画创造与星辰创造，以及各种生活场景的表现。唐壁画塑造了大量的娱乐性生活场景，表达了唐人对生活更高一层的期盼与追求。在对生活的展现中，唐壁画融三教于一体，儒、释、道三教文化皆在壁画中有显著表现。

三、敦煌壁画

敦煌是佛教文化中心，敦煌的成就主要包括佛雕与壁画。壁画中多为反映佛教文化的绘画，但也有很多超越了佛教文化范围。如《张议潮统军出行图》、《宋国河内郡夫人宋氏出行图》、《曹义金出行图》、《回鹘公主出行图》都是讲述俗世生活的作品。在敦煌壁画中，这些作品并不止画在一处，而是于多个洞窟中反复塑造。

唐敦煌壁画用色秾丽，画面色彩亮丽，十分引人注目。莫高窟第57窟的《大势至菩萨图》虽然褪色严重，仍可看出大势至菩萨的头与脖上的首饰涂了闪亮的金色。莫高窟159窟《文殊菩萨》绘画，似青绿山水图，

---

① （后晋）刘昫等:《旧唐书》卷四十五，中华书局1975年版，第1949页。

以绿色为主色调,加以浅棕色、深综色、红色、蓝色,图像四周还饰以颜色同样亮丽的花卉。佛教绘画的目的在于宣讲义理,引人信服。佛教绘画以色彩夺人眼球,在感官世界中先塑造炫目形象,吸引众人的注意力,从而引人入胜,让人目眩神迷,激发人们心中的向往情感。莫高窟220窟是初唐开掘的佛窟。里面包括多幅壁画,有《药师经变》、《说法图》、《维摩诘图》等。各图颜色都以绿色、红色、蓝色为主,加以黑色、棕色。画面中很少有单色物象,除甬道北壁的翟氏供养人像比较素净,着同色黑帽黑衣外,其他佛祖、菩萨、力士等画像都以多种颜色调配,撩人眼目。晚唐156窟的《宋国河内郡夫人宋氏出行图》依然保持了色彩的丰富性。画中人物五官描摹十分模糊,多以色块表现。画面主色调以青绿为主,加以红色、黑色、蓝色。可见唐时佛教绘画从初唐到晚唐都以色彩绚丽丰富为要。

莫高窟唐代壁画不仅色彩艳丽,而且能以明快色调表现历险故事。如莫高窟103窟有壁画法华经中《化城喻品图》。此经讲一富商历经艰难寻宝的故事,以喻佛教修行要冲破重重险阻。富人寻宝的途中以清绿山水技法表现山清水秀,而不见地狱之穷凶极恶状,世俗色彩更加凸显。217窟也有同样的作品。两者的色彩相近,构图相似,都是“之”字形的立式全景图,没有穷山恶水历经艰苦之险,反而有山水明媚的感觉。

唐敦煌壁画用笔精致细腻。220窟《舞乐图》中两舞者单脚独立,双手将长长的彩带挥舞。彩带萦绕在舞伎身边,呈上下左右翻滚的急速飞动状态。线条对彩带的绘制极为细腻,彩带飘飞的动态细节都处理得流畅圆润。虽然线条本身没有做轻重变化,但线条之间的疏密间隔将彩带的展开与转折之状表现得很是飘逸自然。该窟的人物绘制笔画同样精准,有阎立本《五代帝王图》的风采,无论是《维摩诘图》中的维摩诘还是东壁门的群侍臣们,面貌描摹都极具个性色彩,仅用线条勾勒,就将众生相的差异明确表达出来,传达了画师们精湛的以线写神功力。敦煌壁画中的线条运用再一次告诉世人,中国绘画持有以线写形的无与伦比的高超技艺。盛唐148窟的《药师经变》与《观无量寿佛经图》中绘制了排列整齐的唐代建筑,用线工整,绘制细密,很是花费工夫。初唐321窟的飞天图画面虽已斑驳,还可清楚地看出画师在绘制云彩时,将各种颜色精心糅合在一片云彩之中。云彩的形状也随飞天女的飞天身形而变化。

敦煌壁画以宣扬佛经故事为主。《药师经变》是莫高窟中经常出现的图像。如初唐的220窟,盛唐的148窟,中唐的12窟等都有制作精良的《药师经变》。《药师经变》根据《佛说药师如来本愿经》绘制。药师佛掌管东方琉璃净土,可控制人的生老病死,是人们常用来祈求消灾延寿的佛。药师佛曾发十二大愿,愿为众生解脱人生疾苦,归于琉璃世界。148窟《药师经变》绘于主室东壁。药师居中,日光、月光菩萨及其他菩萨转绕在药师佛周围。148窟中除《药师经变》外,东壁还有《观无量寿佛经图》。《观无量寿佛经图》也与净土宗思想相关,经中讲王舍城太子阿阇世将自己的父王频婆娑罗幽闭,其母亲韦提希夫人为了救自己的丈夫,偷偷运送食物给频婆娑罗。这件事被阿阇世发现后,阿阇世又将自己的母亲幽禁起来。韦提希夫人向世尊求解脱之道。世尊传她三福、十三观、发三种心等往极乐世界的办法。329窟绘《夜半逾城图》,绘释迦夜为修道半夜乘马出城的故事。释迦骑一骏马腾于空中,形体高大,前面引路的仙人,下方托马蹄的力士,围绕着他飞舞的力士与仙人形体较小,与释迦形成对比。同窟还有《乘象入胎图》,也是同样的大小对比手法,在众仙瞩目中善慧菩萨乘象将要投入母胎。再有初唐372窟《阿弥陀经变》,初唐321窟的《宝雨经变》,初唐401窟《供养菩萨图》,盛唐103窟的《法华经变》,中唐时期158窟的《天请问经变》,盛唐172窟《观无量寿经变》等都与佛理故事相关。

宣讲故事的初衷,使敦煌壁画出了许多记叙历史故事的作品。同样是叙事,与墓室壁画只关注墓主人的生活不同,敦煌壁画讲述的故事为超出常人的历史人物,这些故事都是人们耳熟能详的。如《吐蕃赞普贤礼佛图》中的赞普是吐蕃王的称呼,《吐蕃赞普贤礼佛图》记载的是历代吐蕃统治者拜佛的情景。156窟的《张议潮统军出行图》中张议潮是敦煌地区汉族的军事领袖。在唐宣宗大中二年(848年),他带领敦煌人民起义,驱逐了吐蕃统治者,使敦煌重归大唐。《维摩诘经变》在莫高窟中共绘有60多幅。绘画的构图依据《维摩诘经》中的故事分为两大阵营:一边是以文殊菩萨为头领的众佛弟子,另一边是维摩诘在讲经论法,维摩诘身边也会聚了来听法的众神与众多佛门弟子。100窟的《曹义金出行图》是五代时期敦煌统治者曹元德为纪念其父亲曹议金命人开凿的,这幅图绘于主室的东、南、西三壁。该室北面还绘有《回鹘公主出行图》。

以画叙史的习惯在唐代其他绘画中也常出现,如著名的凌烟阁二十四功臣图。唐太宗为记住与他一起打天下的功臣,让画师阎立本描绘了二十四位功臣的画像,摆在凌烟阁。阎立本的《步辇图》也是讲述唐代与吐蕃建交的故事。还有《太宗破阵图》作图由来是“唐太宗平高丽,名所幸山为驻跸山。领将作造破阵图。命中书侍郎许敬宗为文,勒石以纪其功”[①];《玄奘取经图》是因为玄奘从“天竺,得经六百五十七部。西京翻经院尝写玄奘游西域道路所经”[②];《孙承景战图》是“万岁通天二年,监察御史孙承景监清边军,战还,画战图以奏。每阵必画承景躬当矢石、先锋御贼之状”[③];《贺监归越图》记“天宝二年,知章以老入道归乡里,诏许之。皇太子、诸王就见于第以拜,群臣赋诗,上制序。所司供账,百职饯宴祖西都门外。观者错聚,为一时异事”[④]。再有《杜美骑驴图》、《邢房悟前生图》、《归降图》等都是以画记事。将绘画作为教育题材,述功记德并不是唐人所创,比如以前的烈女图、孝子图都有这个作用。唐的教育题材的人物绘画较为注重故事的叙述。

与北魏的敦煌壁画相较,唐代壁画对故事的叙述更加完整。如220窟南壁的《阿弥陀经变》图也称为《西方净土变相》图不但包括了虚空空间、宝池、宝地,还有树下阿弥陀三尊图,构图完整宏大,着实显示了唐代壁画绘制非同凡响的实力。

---

① (清)王原祁等纂辑:《佩文斋书画谱》卷六十五,文物出版社2013年版,第3127页。

② (清)王原祁等纂辑:《佩文斋书画谱》卷六十五,文物出版社2013年版,第3128页。

③ (清)王原祁等纂辑:《佩文斋书画谱》卷六十五,文物出版社2013年版,第3128页。

④ (清)王原祁等纂辑:《佩文斋书画谱》卷六十五,文物出版社2013年版,第3132页。

唐人工笔细致,又追求笔简意周。两种风格共存,唐人也没有形成扬此抑彼的理论,而是兼容并蓄地推进两种风格的进步与发展。在花鸟人物画中,唐人总体形成富丽堂皇的雍容贵气,在山水画中唐人总体追求笔墨意简的山水风格。人物画中,唐人于线条运用中作出了重大变革,并重视上色与细节处的描摹,演绎了衣袂飘逸,体态丰富的唐人形象。唐人墓葬绘画虽不够精致,却也在一定程度上表现了唐人绘画成就,体现人物画中线条艺术的成熟,表达了唐人转向花鸟题材的兴趣,并展现了唐人对彼岸世界的期许。敦煌壁画上色成熟,人物构图繁杂,延续了唐以前绘画的义理与人伦化教育意义,并增强了绘画的故事表现,突出了历史人物的故事,呈现出官方教育性的绘画倾向。

第四章

书法中的审美意识

唐代重视书法，上至帝王，下至百姓无不以书法为重。唐代帝王喜爱书法，唐太宗、唐玄宗曾遍搜历代书法家特别是“二王”书法的真迹。唐太宗、武则天、唐中宗、唐玄宗等人都曾以历代书帖赐臣下，臣子也以得到二王真帖为荣。唐太宗亲自为《晋书·王羲之本传》作《赞》，又将书学立为国学，与经家同列，科举中特列“明字”科以考察书法，这些行为对唐代尚书的风气起到极大的影响。唐代许多帝王如李渊、李世民、李治、武则天、李旦、李隆基、李亨、李豫、李适、李忱、李晔等人都工于书法。皇室之中不乏书法高手。仅《续书断》就记高宗“雅善真、草、隶、飞白”；玄宗“少能八分正书，锡之臣工，勒之金石，不倦于勤，尚艺之至”；顺宗“善正书”；汉王元昌，“祖述羲、献，尤善行书”；临川公主“工篆籀，能籀文”；晋阳公主“善临帝飞白书，下莫能辩”①等多位皇室书家。甚至朱长文的《续书断》将李世民与虞世南、欧阳询等齐名，都列入神品。唐代科举行卷中“书”是重要的判断指标，科举中有“书”科。国家开通了以书取仕的途径，《宣和书谱》记：“（唐代）张官置吏以为侍书，世不乏人。”②《新唐书·选举志》中述唐时国子监中国子学、太学和四门馆学生研读儒经之外，皆需“学书，日纸一幅”③。因为字写得好，可以得到天子及贵人的喜爱，书法优劣与权势升迁息息相通。唐以碑显名的风俗习惯也使得唐代书法家辈出。唐代喜好书法之风炽烈，不仅产生了初唐四大家，还有贺知章、张旭、李邕、颜真卿、怀素、柳宗元、柳公权等一批优秀的知名书法家，更有许

① （宋）朱长文：《续书断》，江苏美术出版社 2009 年版，第 144—145 页。
② （宋）佚名：《宣和书谱》，人民美术出版社 2011 年版，第 7 页。
③ （宋）欧阳修、宋祁：《新唐书》卷四十四，中华书局 1975 年版，第 1160 页。

多籍籍无名的书家。因为唐代书家众多,不可一一赘述,这里只举有唐一代影响甚广的,且于书法创作有历史意义的书家为代表,希望可以描摹出唐代书法的审美追求。

第一节 初唐书法:遒丽婉媚

初唐书法是过渡时期。这时期,唐代书法还未演变为自己的风格,而是更多地承接于魏晋六朝。虽未能做出突变,但这个时代的书法不容小觑,它展现了唐人的延续精神,以及他们在前人风格上精益求精的努力。

一、承隋类王

唐代书法的兴盛承接于魏晋六朝,肇端于初唐。书法受世间喜爱,政权之力不可忽视。因为唐初帝王推崇书法,为了迎合帝王的喜好,官员贵戚中善书者甚众。唐初书法家,除著名的初唐四大家外,还有杨师道、裴行俭、魏叔瑜、魏华、王知敬等许多书法高手。唐初对书法的重视已然延及女子,乃至唐初时女子中就不乏名家,如临川公主、晋阳公主、武则天等人,“盖唐世以书相尚,至于女子皆习而能,可谓盛矣”①。

初唐的书法基本建立在对魏晋六朝的学习上,隋是两者之间的承接时代。隋时的楷书还保存着隶书的痕迹。如隋代蜀王杨秀的《美人董氏墓志铭》布局疏朗,结体端正,笔法秀润,而字体稍横,依然留有隶书之势。隋代大部分书法已经摆脱了隶书的基本形式。米芾曾叹道:“永有八面。已少钟法。丁道护、欧、虞笔始匀,古法亡矣。”②如果不是同米芾一样的复古派,至少可以看到,隋代书法的这种变化不尽是坏事,至少这说明隋唐书法已经逐渐摆脱真书以隶书为笔法基础的状况,逐渐走向了楷书的独立。一种新的书体将要应运而生,并大放异彩,焕发出勃勃生机,出现于应试、记录各个重要场所,也一直沿用至今。

---

① (宋)朱长文:《续书断》,江苏美术出版社 2009 年版,第 145 页。

② (宋)米芾:《海岳名言》,《丛书集成初编》卷一六二八,商务印书馆 1935 年版,第 1 页。

隋代书法代表有“丁真永草”之说。“丁”指丁道护，“永”指“智永”。丁道护擅长楷书，传世书帖有《启法兴国寺碑》（简称《启法寺碑》）。《启法兴国寺碑》在唐代十分有名，多得人赞叹。《集古录跋尾》卷五载：“隋之晚年，书学尤盛。吾家率更与虞世南皆当时人也。后显于唐，遂为绝笔。余所集录开皇、仁寿、大业时碑颇多，其笔画率皆精劲，而往往不著名氏……惟道护能自著之。”①刘熙载《艺概·书概》记载，宋人蔡襄评《启法寺碑》：“此书兼后魏遗法。隋、唐之交，善书者众，皆出一法，道护所得最多。”②作为改革者，丁道护书法结合了北魏与“二王”风格，既有魏碑的方严遒劲，又有“二王”的平正和美。

僧人智永是王羲之的后裔。“学书以羲之为师法，笔力纵横，真草兼备，绰有祖风。”③智永代表作《真草千字文》，真书与草书都各字独立，字体温润秀丽，米芾赞他：“智永临集千文，秀润圆劲，八面具备。”④《书断》称他：“师远祖逸少，历记专精，摄齐升堂，真、草唯命，夷途良辔，大海安波。微尚有道之风，半得右军之肉。兼能诸体，于草最优，气调下于欧、虞，精熟过于羊、薄。”⑤智永弟子智果也以习得王字为傲，“工书铭石，甚为瘦健，尝谓永师云：‘和尚得右军肉，智果得右军骨。’”⑥

康有为在《广艺舟双楫》中大赞隋代书法：“隋碑内承周、齐峻整之绪，外收梁、陈绵丽之风，故简要清通，汇成一局，淳朴未除，精能不露。譬之骈文之有彦昇、休文，诗家之有元晖、兰成，皆荟萃六朝之美，成其风会者也。隋碑风神疏朗，体格峻整，大开唐风。”⑦隋代书法平正严峻，又淳雅婉丽，集魏碑结构与梁陈笔画秀丽于一体，正是前承六朝，后开初唐之势的风格。

---

① （宋）欧阳修：《集古录跋尾》，人民美术出版社2010年版，第111页。

② （清）刘熙载：《艺概》卷五，上海古籍出版社1978年版，第150页。

③ （宋）佚名：《宣和书谱》，人民美术出版社2011年版，第178页。

④ （宋）米芾：《海岳名言》，《丛书集成初编》卷一六二八，商务印书馆1935年版，第3页。

⑤ （唐）张怀瓘：《书断》，浙江人民美术出版社2010年版，第174页。

⑥ （唐）张怀瓘：《书断》，浙江人民美术出版社2010年版，第206页。

⑦ （清）康有为：《广艺舟双楫》，中国书店1983年版，第31—32页。

唐代书法推崇王羲之与王献之两位书法家的风格。各种书体的创作都从“二王”追源溯流,“羲、献以字画之妙出东晋,旷然为千古翰墨之祖。后之学者,未论升堂入室,而稍窥其藩篱,已足以名世”①,“唐人学字,多仿王氏,其或肥瘦、疏密、大小布置之不同,要其笔意则一而已”②。唐人作品中多有临王羲之的帖子,如褚遂良有《临王羲之永兴帖》、《临王羲之中郎帖》、《摹王羲之官舍帖》③。唐代书法只要类似二王所作,就足以闻名于世,极大的诱惑使初唐书法家以二王为圭臬,在二王的风格基础上进行变化。二王之中唐人又尤推大王——王羲之。如唐太宗就认为:“详察古今,研精篆素,尽善尽美,其惟王逸少乎！观其点曳之工,裁成之妙,烟霏露结,状若断而还连;凤翥龙蟠,势如斜而反直。玩之不觉为倦,览之莫识其端,心慕手追,此人而已。其余区区之类,何足论哉!”④在唐太宗的倡导下,尊二王之风更炽。初唐四家无不以二王为楷模,风格都近似妍丽秀媚,平和雅正。

太宗时代曾遍购王羲之书法,光从王家就得四十多幅。武则天曾向王家索书,王方庆奏道:“臣十代从伯祖羲之书,先有四十余纸,贞观十二年,太宗购求,先臣并已进之。唯有一卷见今在。又进臣十一代祖导、十代祖洽、九代祖珣、八代祖昙首、七代祖僧绰、六代祖仲宝、五代祖骞、高祖规、曾祖褒,并九代三从伯祖晋中书令献之已下二十八人书,共十卷。”⑤太宗求得王羲之书法,“凡真行二百九十纸,装为七十卷;草书二千纸,装为八十卷。每听政之暇,则临看之”⑥。

二王书法以潇洒适意、秀丽爽劲为主要特征。王羲之的《兰亭集序》,是在惠风和畅的环境中创作的,大家一边欣赏自然美景,一边曲水流觞、演绎诗文,在自然风光中暂时忘却尘世烦忧,惬意舒适,怡然自得。

① (宋)佚名:《宣和书谱》,人民美术出版社 2011 年版,第 187 页。

② (宋)佚名:《宣和书谱》,人民美术出版社 2011 年版,第 186 页。

③ 参见(宋)佚名:《宣和书谱》,人民美术出版社 2011 年版,第 200 页。

④ (宋)陈思编撰:《书苑菁华校注》,崔尔平校注,上海辞书出版社 2013 年版,第 305 页。

⑤ (后晋)刘昫等:《旧唐书》卷八十九,中华书局 1975 年版,第 2899 页。

⑥ (宋)王溥:《唐会要・书法》卷三十五,上海古籍出版社 1991 年版,第 755 页。

所以《兰亭集序》的书法表现了与之相适的清丽潇洒、超逸飞动的温润气息。初唐书法结体虽端正严谨，但笔画、章法无不追求这种清朗爽劲的骨秀肌丰。

唐赞人书法卓越，多以类王而称。如褚遂良因王羲之而成名，“魏徵曰：‘褚遂良下笔遒劲，甚得王羲之之体。’……遂良初师世南，晚造羲之，正书尤得媚趣”①；陆希声得笔法“凡五字：擪、押、钩、格、抵。自言出自二王”②；孙过庭，“善临模，往往真赝不能辨。文皇尝谓‘过庭小字书乱二王’，盖其似真可知也”③；韦权，“工草书，其笔画宗王氏羲献之法”④；裴素，“善草书，其笔意盖规模王氏羲献之父子之学”⑤；五代薛存贵，“变态百出，或妍或丑，其温润足绳墨处，便类献之字学”⑥；五代杨凝式，“盖昔之名世之书，惟二王而已，后人仿之，莫得其点画。凝式稽究其学，遂能超逸如此。”⑦除此以外，还有许多人类王，“虞世南庙堂碑全是王法最可师”⑧，“当时如智永、梦龟、高闲辈，皆以书称于唐，而怀素得王氏羲、献法为多”⑨。二王成为唐代书法评价所能达到的最高境界，无怪这么多人临王、学王，以二王书法为最高造诣。

初唐书法以二王为圭臬，结体端正严谨，布局疏朗飘逸秀润，清朗爽劲，喜爱潇洒秀丽之美。上行下效，唐代皇室，尤其是唐太宗对二王的偏好，促成了唐代书法规范中二王风格，特别是大王风格的遗留。这使初唐书法家多追求平正温润、潇洒飘逸的风格。初唐多样性的作品的变化是建立在整体不偏离此风格的基础上的。

---

① （宋）佚名：《宣和书谱》，人民美术出版社 2011 年版，第 30 页。
② （宋）佚名：《宣和书谱》，人民美术出版社 2011 年版，第 42 页。
③ （宋）佚名：《宣和书谱》，人民美术出版社 2011 年版，第 184 页。
④ （宋）佚名：《宣和书谱》，人民美术出版社 2011 年版，第 187 页。
⑤ （宋）佚名：《宣和书谱》，人民美术出版社 2011 年版，第 187 页。
⑥ （宋）佚名：《宣和书谱》，人民美术出版社 2011 年版，第 199 页。
⑦ （宋）佚名：《宣和书谱》，人民美术出版社 2011 年版，第 200 页。
⑧ （清）冯班：《钝吟书要》，载《美术丛书》第四集，上海神州国光社 1920 年版，第 2 页。
⑨ （宋）佚名：《宣和书谱》，人民美术出版社 2011 年版，第 185 页。

二、欧虞褚薛

唐代是楷书发展成型的时代，又以四大家为主心骨。初唐四家“欧虞褚薛”分别是欧阳询、虞世南、褚遂良、薛稷，其皆以楷书闻名。也有称初唐四家为“欧虞褚陆”。“陆”是指陆柬之，与欧阳询、褚遂良齐名，但他只有行书《文赋》留存下来，并没有楷书的传世作品，因此我们暂且讨论“欧虞褚薛”四大家。初唐时期书法延续了二王的风格，后人总结二王的风格道：“其蜿蜒欹倾之状，若行云流水，似不拘于律，然即以笔意求之，其端庄流丽，皆有余韵。”①这种端庄流丽的风格被初唐四大家延续了下来，“唐初欧、虞、褚、薛、王、陆，并辔轨叠，皆尚爽健”②。唐初书法字体、章法都与二王相似，如楷书中横笔倾斜，收笔时驻笔回峰，字形为纵式的特征。在学习二王的同时，他们也有自己的变化创新。唐徐浩在《论书》中总结了四家的特征：“然人谓虞得其筋，褚得其肉，欧得其骨，当矣。夫鹰隼乏彩，而翰飞戾天，骨劲而气猛也。翚翟备色，而翱翔百步，肉丰而力沈也。若藻耀而高翔，书之凤凰矣。欧、虞为鹰隼，褚、薛为翚翟焉。”③就其论看来，欧阳询与虞世南骨劲气猛，褚遂良与薛稷则筋肉丰盈。但细观现存书帖，这种说法并不太妥贴。

欧阳询与颜真卿、柳公权、赵孟頫并称为“中国楷书四大家”。欧阳询是四个人中年代最早的书法家。《唐会要·弘文馆》记，贞观元年(627年)太宗诏京城五品弟子中书法出众的人入弘门馆学习：“‘有性爱学书，及有书性者，听于馆内学书，其书法内出。’其年，有二十四人入馆，敕虞世南，欧阳询教示楷法。”④欧阳询在唐初已经是声名远播，唐人得其只字片纸都视为珍宝，甚至域外都争相追捧，“人得其尺犊文字，咸以为楷范焉。高丽甚重其书，尝遣使求之”⑤。欧阳询书法在继承二王风格的同时

① (元)王恽：《玉堂嘉话》第二卷，中华书局 1985 年版，第 19 页。
② (清)康有为：《广艺舟双楫》，中国书店 1983 年版，第 14 页。
③ (唐)张彦远编：《法书要录》，上海书画出版社 1986 年版，第 92 页。
④ (宋)王溥：《唐会要·弘文馆》卷六十四，上海古籍出版社 1991 年版，第 1317 页。
⑤ (后晋)刘昫等：《旧唐书》卷一百八十九，中华书局 1975 年版，第 4947 页。

又受碑刻影响，曾为晋代大书法家索靖的石碑驻足三日，在二王风韵之上，更显俊峭、严整，讲究法度。

欧阳询楷书，结体严谨，用笔紧实，重视每个字的书写规矩与章法。欧阳询楷书早期代表作是《皇甫诞碑》。翁方纲说："学欧必从此入手。"①《皇甫诞碑》笔画、字体安排十分紧密，每个单独的字都凝聚在字体中心。笔画都在以整字为基础的矩形内，少有单独笔画超出者。字与字之间靠字体大小、部件的稍稍上下错位来调节字体间位置，形成字体间的错落变化。世人评价此碑多以险峭二字，宋袁桷在《清容居士集》中说："渤海公以险劲易王体，故碑石照耀四裔，大小皆合宜。"②王世贞评此碑："比之诸贴，尤为险劲"③。明杨士奇论欧阳询的书法："骨气劲峭，法度严整，论者谓虞得晋风之飘逸，欧得晋之规矩。观此，其振发动荡，岂非逸哉？非所谓不逾矩者乎？初学者师此以立本，而后入虞、入永、入钟、王，有所持循，而成功不难也。"④杨士奇指出欧阳询书法仍保持了王羲之的飘逸，只是比王羲之等人更加重规矩法度，可以为初学者所习。

欧阳询字体紧凑，笔画瘦劲，字形削长，容易给予人险绝的印象。其行书《张翰帖》也是字体瘦长，风格险峻，与《皇甫诞碑》风格极为相近。险绝的书风全在筋骨，难以书写，这也是欧阳询风格的特有处。所以张怀瓘说他："真、行之书，虽于大令亦别成一体，森森焉若武库矛戟，风神严于智永，润色寡于虞世南。"⑤峻利严整是欧阳询书法的突出特征。

欧阳询晚年作品《虞恭公碑》（又称《温公碑》、《温彦博碑》）、《九成宫醴泉铭》，结体稍稍放松，不似他的《皇甫诞碑》与《张翰帖》那样峻峭得有些险绝，以至常人难以企及。《虞恭公碑》笔画、结体都更加舒展，字体

---

① （清）翁方纲：《苏斋唐碑选》，中华书局1985年版，第2页。

② （清）王原祁等纂辑：《佩文斋书画谱》卷七十二，文物出版社2013年版，第3335页。

③ （清）王原祁等纂辑：《佩文斋书画谱》卷七十二，文物出版社2013年版，第3336页。

④ （清）王原祁等纂辑：《佩文斋书画谱》卷七十二，文物出版社2013年版，第3336页。

⑤ （唐）张怀瓘：《书断》，浙江人民美术出版社2010年版，第176页。

平稳而齐正。虽然笔画还是以瘦峭为主，但在险峻中添圆润，气韵沉稳舒缓，依然严整端方，峻利之势稍缓。

虞世南是与欧阳询并名的书法家。古文倡导者李华对之十分推崇，在《字决》一文中评道："大抵字不可拙，不可巧，不可今，不可古，华质相半可也。钟王之法，悉而备矣。近世虞世南深得其体，别有婉媚之态。"①李嗣真的《书后品》列其书法水平为上之下品，评云："潇散洒落，真草惟命，如罗绮娇春，鹤鸿戏沼，故当(萧)子云之上。"②张怀瓘《书断》中认为虞世南与欧阳询势均力敌，甚至更胜一筹："欧之于虞，可谓智均力敌，亦犹韩卢之追东郭郊也。论之众体，则虞有不逮。欧若猛将深入，时或不利；虞若行人妙选，罕有失辞。虞则内含刚柔，欧则外露筋骨。君子藏器，以虞为优。"③《宣和书谱》卷八也有类似的论述："虞则内含刚柔，欧则外露筋骨，君子藏器，以虞为优。"④这是认为欧阳询的书法以骨劲为主，而虞世南书风更见柔婉。从各书评家的判词中看，大家都认识到虞世南书法风格的婉转清逸，而这也是虞世南与欧阳询大为不同之处。

虞世南留下的碑刻有一通《孔子庙堂碑》，现保存的拓本虽是后朝的摹本，但也能参证一些虞世南书法的特征。《孔子庙堂碑》刻石一存陕西省博物馆，俗称《西庙堂碑》；另一存山东成武县，俗称《东庙堂碑》。两碑字体相近，《西庙堂碑》更加圆润。两碑齐用撇、捺笔锋的坚硬与收笔、转折处的圆润，笔画瘦劲，形成了圆融遒劲的风格。《孔子庙堂碑》结体散逸，始终保持字体间适度距离，为了达到这种效果，有时不惜使单个字松散。如其中的"胙土锡圭"的"胙"字左大右小，两部件稍稍隔开，单看这个字会觉得骨架太散。"祖述先圣"的祖字也是这样，单个看，字很松散，不够平稳，这在欧阳询的书法中是不可能出现的情况。敢如此行文，自是艺高胆大，于谋篇布局胸有成竹。董其昌在《画禅室随笔·临虞永兴书

① (清)董诰等编:《全唐文》卷五百五十五，上海古籍出版社 1990 年版，第 2490 页。

② (宋)陈思编撰:《书苑菁华校注》，崔尔平校注，上海辞书出版社 2013 年版，第 61 页。

③ (唐)张彦远编:《法书要录》，上海书画出版社 1986 年版，第 225 页。

④ (宋)佚名:《宣和书谱》，人民美术出版社 2011 年版，第 88 页。

跋后》赞道："虞永兴尝自谓于道学有悟，盖于发笔处出锋如抽刀断水，正与颜太师'锥画沙'、'屋漏痕'同趣。"①这正是赞赏虞世南笔力劲健又连贯，能形成字与字之间的自然呼应。

褚遂良是欧阳询与虞世南的后辈。虞世南去世后，他得魏徵推荐顶替虞世南的位置，为李世民侍书。褚遂良善于辨别笔迹，是书法鉴定专家。唐太宗喜欢王羲之笔墨，天下人争献王羲之作品，可惜没人能识别真伪，而"遂良备论所出，咸为证据，一无舛误"②。褚遂良继承了虞世南的圆润遒劲，与欧阳询字体的内敛平稳，又有新的突破。褚遂良笔力劲健："用笔如印印泥……悉欲令笔锋透过纸背，用笔如画沙印泥"。③

褚遂良早期笔间变化的写法参照了隶书的写法。褚遂良的《孟法师碑》现存拓本，就呈现隶书风格。《孟法师碑》全称《唐京师至德观主孟法师碑》。明王世贞跋称："波拂转折处，毫发遗恨，真墨池中至宝也。考褚公以贞观十六年书，时尚刻意信本，而微参以分隶法，最为端雅饶古意。"④李宗瀚为《孟法师碑》跋道："遒丽处似虞，端劲处似欧，而运以分隶遗法，风规振六代之余，高古近二王以上，殆登善早年极用意之作。"隶书横笔的一波三折，捺笔角度的尖锐这些风格常出现在《孟法师碑》中。《伊阙佛龛碑》也与之近似，有隶书痕迹。《孟法师碑》与《伊阙佛龛碑》的风格都宽舒遒丽，并已有虚和之风。

褚遂良晚期的另一碑书《雁塔圣教序》笔画愈加轻盈纤丽、疏瘦劲炼。《雁塔圣教序》碑石有两块：一块是《大唐太宗文皇帝制三藏圣教序》，另一块是《大唐皇帝述三藏圣教记》。《孟法师碑》中一波三折的隶书横笔，在这里基本成为微微向上拱起飞舞的弧线，保持了笔画的变化，又将之革新为更轻灵的用笔。许多用笔处为了让笔画在有限的空间显得

---

① （明）董其昌：《画禅室随笔》，《四库全书》867 册，上海古籍出版社 1987 年版，第 435 页。

② （宋）李昉等编：《太平广记》卷二百九，中华书局 1961 年版，第 1600 页。

③ （宋）陈思编撰：《书苑菁华校注》，崔尔平校注，上海辞书出版社 2013 年版，第 181 页。

④ （明）王世贞：《弇州续稿》卷一六六，《四库全书》1284 册，上海古籍出版社 1987 年版，第 408 页。

更加舒展,用笔十分纤细,并且在细处依然保持了变化。或一笔三折,如“治辄以轻尘足岳”中“辄”字中间的那一竖;或细中有细,“文抱风云之润”中“风”字的横弯钩。大部分时候,它们都呈现为一条纤细圆润的弧线。《雁塔圣教序》的用笔在圆润谦和中保持了清远萧散的蹁跹轻盈之势。

传为褚遂良作品的《倪宽赞》,现收台湾故宫博物馆。《倪宽赞》的风格与《雁塔圣教序》相似,最大特点在于突出用笔的变化。褚遂良用笔时故意以起笔沉着,提笔轻盈,收笔凝重的方式,在一笔中强调轻重、厚薄的参差变化。起收重,而运笔轻,笔画得到最大程度的舒展,给人翩翩起舞、轻盈欲飞的感觉,又因为起收之间压了笔墨,使字体在飞舞间依然沉稳扎实。

褚遂良笔法的轻盈之美,使他的楷书具有行书的韵味。为了使笔法灵动,褚遂良对一些笔画进行减化,或缩短,或拉细,笔画与笔画之间在倏忽往来中,互相回应。杨宾的《大瓢偶笔》评他:“褚登善初师虞文懿,晚造右军,得其媚趣,评者况之瑶台青琐,窅映春林,婵娟美女,不胜罗绮,此正专言其媚也。余谓登善本领全在瘦劲,瘦劲之极而媚生焉。今但言其媚,则失之矣。”①

第四个人物是薛稷。张怀瓘在《书断》中将他列入能品,称他:“书学褚公,尤尚绮丽媚好,肤肉得师之半,可谓河南公之高足,甚为时所珍尚。”②杜甫曾见其普赞寺题额三大字,笔势雄健,有《观薛少保书画壁》诗赞云:“仰看垂露姿,不崩亦不骞。郁郁三大字,蛟龙岌相缠。”董逌《广川书跋》卷七有评:“薛稷于书,得欧、虞、褚、陆(陆柬之)遗墨至备,故于法可据。然其师承血脉,则于褚为近。至于用笔纤瘦,结字疏通,又自别为一家。”③薛稷楷书代表作为《信行禅师碑》,又名《隋大善知识信行禅师兴教之碑》,碑石已佚,现存宋代拓本。从拓本中可以看出薛稷书法受褚遂良影响,结体疏朗,只是笔画更见纤细,竖画微曲略带弧度。

① (清)王伯敏等编:《书学集成·清》,河北美术出版社 2002 年版,第 106 页。
② (唐)张彦远编:《法书要录》,上海书画出版社 1986 年版,第 238 页。
③ (宋)董逌:《广川书跋》卷七,中华书局 1985 年版,第 84 页。

唐初楷书以欧、虞、褚、薛四大家为代表。四大家受二王影响，平正温和，温润秀雅。四大家的书法布白较多，字里行间隔得较开，字体偏瘦长形，布局显得较为宽松，总体上是险峻遒丽之风。他们的字也有些变化，字体本身由峻峭严密逐渐向疏朗宽散发展，笔画由端劲平直向纤细舒展发展。因为这种变势，再加上与后世书法的对比，初唐书法家总体风格给人以“轻盈华美，婀娜多姿，或蝉娟春媚、云雾轻笼，或高谢风尘、精神洒落”①的印象。

第二节　中唐楷书：颜筋柳骨

唐代楷书兴盛，在社会上广为流行。一种原因是因为楷书是科举时选用的书法形式。《新唐书·选举志》载：“凡择人之法有四：一曰身，体貌丰伟；二曰言，言辞辩正；三曰书，楷法遒美；四曰判，文理优长。”②为了保证卷面的清晰，古人行卷时都要以楷书形式书写，行卷楷书的优劣也是选人的重要条件。另一种原因是因为唐代书法以碑显名。写碑的兴盛使碑版楷书成为一大宗。碑版书写要求法度庄严，字字独立，界格严整，一丝不苟，不允许率性挥洒。楷书体势尤其适合碑版的书写。书法创作的规则也更加严谨。楷书的书法在唐中期颜真卿为一变，以朴拙雄厚之风改变了初唐所追求的妍丽娟秀之姿。柳公权又在颜体上更生一变，在端守法则的基础上，更露筋骨。

一、真卿雄健

颜真卿是中国楷书四大家之一。颜真卿的书法历来受人赞赏，成熟时期作品被称为“颜体”。颜真卿留帖很多，楷书作品主要有《多宝塔碑》、《八关斋会报德记》、《麻姑仙坛记》、《颜勤礼碑》、《大唐中兴颂》、《颜家庙碑》、《干禄字样》。书法理论文章有《述张长史笔法十二意》。

① 李泽厚：《美的历程》，中国社会科学出版社 1989 年版，第 128 页。
② （宋）欧阳修、宋祁：《新唐书》卷四十八，中华书局 1975 年版，第 1171 页。

颜真卿书法的特色与他的人生经历极其相近。颜真卿自幼家贫，但仍勤学不辍。颜真卿是北齐颜之推的后人，家学渊博，一门忠烈，为官清廉，正气凛然，其品节为人皆备所推崇。《新唐书》称他："真卿立朝正色，刚而有礼，非公言直道，不萌于心。天下不以姓名称，而独曰'鲁公'。"①颜真卿的书法与其人格相称，"颜公忠义之节，皎如日月，其为人尊严刚劲，像其笔画"②，"余谓颜公书如忠臣烈士、道德君子，其端严尊重，人初见而畏之，然愈久而愈可爱也。其见宝于世者不必多，然虽多而不厌也，故虽其残缺不忍弃之"③"惟其忠贯白日，识高天下，故精神见于翰墨之表者，特立而兼括"④。将颜真卿的书法与其人格相联系，并不是牵强附会，而是颜的楷书风骨劲硬，与颜真卿持身秉正的处世之道正相契合。

颜真卿的"颜体"楷书饱满厚重、雄健有力。他笔画粗重，横笔又略细，字体平衡厚实。单字中笔画粗细对比分明，求单字的韵律节奏。此风格在初唐四家也有，但只出现在他们的成熟作品中，如褚遂良的《倪宽赞》。颜真卿的字体与初唐时瘦劲体不同，而是方中有圆，两边线条是略为外拓的圆弧形，在字体方正，用笔圆润中追求结体端正。在章法上，颜真卿减少了字里行间的布白，因为字呈方形，字与字可以挨得较紧密，布局上充实雍容。《多宝塔碑》是颜真卿早期作品，全称《大唐西京千福寺多宝塔感应碑》。该碑字体笔画已见丰润，布白虽多，但字体已经较为饱满。《八关斋会报德记》，全名《有唐宋州官吏八关斋会报德记》。该碑书中笔画格架饱满，少初唐时那种短小跳脱的撇，如"有"字中的撇就常将其拉长。笔画粗笔多，粗重而舒展，使字体特别雄健遒力，布白也大为减少。碑体布局紧致，字体却疏朗伸展，洒脱大气，在紧密的格局中施展拳脚，游刃有余。《颜勤礼碑》又称《唐故秘书省著作郎夔州都督府长史上护军颜君神道碑》，是颜真卿晚年的作品，1992 年出土。与之一贯的风格一样，布白少，宽润疏朗。字体丰满厚重，骨架开阔，有横细竖粗、轻撇重

① （宋）欧阳修、宋祁：《新唐书》卷一百五十三，中华书局 1975 年版，第 4861 页。

② （宋）欧阳修：《集古录跋尾》，人民美术出版社 2010 年版，第 160 页。

③ （宋）欧阳修：《集古录跋尾》，人民美术出版社 2010 年版，第 176 页。

④ （宋）佚名：《宣和书谱》，人民美术出版社 2011 年版，第 31 页。

捺的规范。其中很多笔画类似大篆，出现了藏锋笔内的圆头。《颜勤礼碑》的笔画有大智若愚的风格，如在同一个字中遇到连续的横笔与竖笔时，有时颜真卿并不突出并排者的差异；相反，而是让并排者极其相似，再在该字的其他笔画中进行变化，以达到整个字的错落效果。这使他的字看起来雍容古朴，又不呆板僵化。

颜真卿楷书风格并不单一。《宣和书谱》评他，"至其千变万化，各具一体，若《中兴颂》之闳伟，《家庙碑》之庄重，《仙坛记》之秀颖，《元鲁山铭》之深厚，又种种有不同者"①。朱长文的《续书断》也有类似的见解。这些字风格有变化，却都讲究法度。《颜勤礼碑》中字体肥厚，布局密实，却疏朗开阔，有横细竖粗的趋向。《麻姑仙坛记》风格一变，初看觉得不是颜真卿的作品，因为字体偏小，不是颜真卿一贯写大字的大气磅礴，但依然在法度上与《颜勤礼碑》相通。欧阳修评此帖道："或疑非鲁公书，鲁公喜书大字。余家所藏颜氏碑最多，未尝有小字者，惟《干禄字书》注最为小字，而其体法与此记不同。盖《干禄》之注持重舒和而不局蹙，此记遒峻紧结，尤为精悍。此所以或者疑之也。余初亦颇以为惑，及把玩久之，笔画巨细皆有法，愈看愈佳，然后知非鲁公不能书也。"②《麻姑仙坛记》中依然可以看出颜真卿的风格，笔画之间相互错落、照应，尤其是字帖保持了颜真卿惯常的字体间留白的均匀，如"佳"字右边四横之间的空白高度是相同的。还有"修"字的三撇，左边的两竖，这些平行笔画都保持了留白相同。这种从容而归于法度的笔法与颜真卿确实十分相似，应该是鲁公的作品。

颜真卿的字改变瘦劲清虚之风，以法度严谨，笔力雄健而为人所称道。《虚舟题跋》论他的《家庙碑》，"评者议鲁公书，真不及草，草不及稿，以太方严为鲁公病，岂知宁朴无华，宁拙无巧，故是篆籀正法。此《家庙碑》乃公用力深至之作"③。康有为说："大卷弥满，体尚正方，非笔力雄

① （宋）佚名：《宣和书谱》，人民美术出版社 2011 年版，第 32 页。

② （宋）欧阳修：《集古录跋尾》，人民美术出版社 2010 年版，第 160 页。

③ （清）王澍：《虚舟题跋》，《续修四库全书》1067 册，上海古籍出版社 2002 年版，第 433 页。

健不足镇压,宜参学颜书以撑柱之。颜碑但法三事,《臧怀恪》之清劲,《多宝塔》之丰整,《郭家庙》之端和,皆可兼收而并用之。先学清劲以美其根,次学丰整以壮其气。《郭家庙》体方笔圆,又画有轻重,最合时宜,缩移入卷,美壮可观,此宜后学者也。但学三碑,已为大卷绝唱,能专用《臧怀恪》,尤见笔力也。"①唐代偏肥厚的书风,并不只颜真卿一个人,"开元御宇,天下平乐,明皇极丰肥,故李北海、颜平原、苏灵芝辈,并趋时主之好,皆宗肥厚。……五代杨凝式、李建中,亦重肥厚"②。"开元已来,缘明皇字体肥俗,始有徐浩以合时君所好,经生字亦自此肥"③。上行下效,君主偏爱肥厚字体,也令这种字体蔚然成风。杨凝式"笔迹独为雄强,与颜真卿行书相上下,自是当时翰墨中豪杰"④。薛纯陀"效询草,伤于肥钝,乃通之亚也"⑤。唐人字体肥健也是其独有的特色。

颜公的作品虽然历来备受瞩目,但也为人所非议。颜真卿书如其人,稳重端庄,法理严谨,少了魏晋时潇洒飘逸的风姿。米芾批评说,"颜、柳挑剔,为后世恶札之祖"⑥。"挑剔"应是指二人规则过多,如颜真卿的运笔讲究规则,而出现"蚕头燕尾"的固定模式。苏轼则对他褒贬参半:"书之美者,莫如颜鲁公,然书法之坏自鲁公始"⑦。楷书至颜真卿结体、运笔的规则已然基本确立,所以说"书之美者,莫如颜鲁公",但规则确立后,如不能在此基础上进行创新,墨守成规,创作必会僵化拘束,就是再好的规则也成为坏事了。因其用笔古拙,体势丰腴,而将以前的骨劲隐于筋肉之中。据《书林藻鉴》卷八所载《颜真卿》记:"真卿得右军之筋,而失于粗鲁。颜书有楷法,而无佳处,正如叉手并脚田舍汉。"⑧唐人喜爱载着镣铐

---

① (清)康有为:《广艺舟双楫》,中国书店 1983 年版,第 62 页。

② (清)康有为:《广艺舟双楫》,中国书店 1983 年版,第 14 页。

③ (宋)米芾:《海岳名言》,《丛书集成初编》卷一六二八,商务印书馆 1935 年版,第 2 页。

④ (宋)佚名:《宣和书谱》,人民美术出版社 2011 年版,第 200 页。

⑤ (唐)张怀瓘:《书断》,浙江人民美术出版社 2010 年版,第 177 页。

⑥ (宋)米芾:《海岳名言》,《丛书集成初编》卷一六二八,商务印书馆 1935 年版,第 2 页。

⑦ (宋)胡仔:《苕溪渔隐丛话》卷一七,人民文学出版社 1981 年版,第 109 页。

⑧ 马宗霍辑:《书林藻鉴、书林记事》,文物出版社 1984 年版,第 97 页。

跳舞,并不惧怕为规则所束,反而喜欢在规则的确立中发现最为极致齐整的美。从唐近体诗的严谨与辉煌中可以看出唐人的喜好。唐代书法自然也是如此,他们一边在寻找着规则,看怎么样写才能创作出最好的艺术,规则确立后,就在此规则中创作最佳作品。但不尚法而尚意的后人对此就有非议了。宋书法评论家姜夔论唐人楷书时说:"真书以平正为善,此世俗之论,唐人之失也。古今真书之妙,无出钟元常,其次王逸少。今观二家之书,皆潇洒纵横,何拘平正?良由唐人以书判取士,而士大夫字画类有科举习气。颜鲁公作《干禄字书》,是其证也。矧欧、虞、颜、柳,前后相望,故唐人下笔应规入矩,无复魏晋飘逸之气。"①这是批评颜真卿过于注重法度,不够潇洒写意。杨宾论道:"颜鲁公多宝塔感应碑,前辈多病其整齐,至有贬之谓最下最传者。余谓唐人书大段整齐,不止一鲁公多宝塔也。就鲁公书而论,则如东方赞、中兴家庙之类,皆有败笔,不若多宝之严整完密也。"②颜真卿的风格浑朴凝整,能够代表唐人尚法的艺术创作追求。

颜真卿的风格开阔雄壮、质朴正直,与妍丽秀媚、恬逸清和的风格截然不同。这个时代的唐人虽也遭遇战乱之苦,但这种厄运并不能打消他们积极入世的进取之心,对家国的信心、对现实的肯定,督促着唐人以更端正入世、开拓进取的信念追寻法理的可求性。

二、公权铿锵

柳公权历穆宗、文宗、武宗三代,为人耿直,常向皇帝谏言。柳公权的书法连皇帝都非常羡慕,《旧唐书》卷一六五《柳公绰传附柳公权传》记穆宗即位,柳公权入奏事,帝召见,谓公权曰:"我于佛寺见卿笔迹,思之久矣。"③柳公权书迹在当时名噪一时,《旧唐书》同卷又记:"公权初学王书,遍阅近代笔法,体势劲媚,自成一家。当时公卿大臣家碑版,不得公权手笔者,人以为不孝。外夷入贡,皆别置货贝,曰此购柳书。……公权志

① (唐)孙过庭、(宋)姜夔:《书谱 续书谱》,浙江人民美术出版社 2012 年版,第 100 页。

② (清)王伯敏等编:《书学集成·清》,河北美术出版社 2002 年版,第 112 页。

③ (后晋)刘昫等:《旧唐书》卷一百六十五,中华书局 1975 年版,第 4310 页。

耽书学,不能治生。为勋戚家碑版,问遗岁时钜万。”[1]《宣和书谱》也有类似的记载:“其书名达于外夷,往往以货贝购之。当时大臣之家碑志,非公权书,以子孙为不孝。”[2]柳公权在世时已经名扬四海,大唐海内外人士争相慕名而来,不惜以巨资购得柳公权的书迹。柳公权的代表作有:《金刚经》、《消灾护命经》、《福林寺式塔铭》、《冯宿碑》、《钟楼铭》、《玄秘塔碑》、《神策军碑》等。

柳公权的字受欢迎与他早期承于二王之风有一定的关系。《旧唐书·柳公权传》记:“公权初学王书,遍阅近代笔法,体势劲媚,自成一家。……上都西明寺《金刚经碑》备有钟(繇)、王(羲之)、欧(阳询)、虞(世南)、褚(遂良)、陆(柬之)之体,尤为得意。”[3]董其昌在《画禅室随笔·评书法》中说:“柳诚悬书,极力变右军法,盖不欲与《禊帖》面目相似。所谓神奇化为臭腐,故离之耳。凡人学书,以姿态取媚,鲜能解此。余于虞、褚、颜、欧,皆曾仿佛十一,自学柳诚悬,方悟用笔古淡处。自今以往,不得舍柳法而趋右军也。”[4]柳公权善于学习,临摹他人字帖十分神似,他能在临摹中提炼笔法规则,再创造出一套稳定的风骨建构,可以说是楷书书法中的集大成者。就像所有集大成者所面临的处境一样,一方面他们总结了一个艺术时代,另一方面他们的成就在属于他们的领域达到了最高峰,亟待后来人超越。

柳公权的楷书与颜真卿楷书在用笔方面有相似之处,笔画润朗平直,遒劲有力。很多字的结构也是十分相似的。如“以”字都是左右部件稍稍分开,左边部件紧缩,右边的“人”字重心右倾,撇长捺短。朱长文《续书断》论柳公权书法,“盖其法出于颜,而加以遒劲丰润,自名一家,而不及颜之体局宽裕也”[5]。柳在颜的基础上具有显著的改变。

---

① (后晋)刘昫等:《旧唐书》卷一百六十五,中华书局1975年版,第4311—4312页。

② (宋)佚名:《宣和书谱》,人民美术出版社2011年版,第36页。

③ (后晋)刘昫等:《旧唐书》卷一百六十五,中华书局1975年版,第4311页。

④ (明)董其昌:《画禅室随笔》,《四库全书》867册,上海古籍出版社1987年版,第426页。

⑤ (宋)朱长文:《墨池编》,《四库全书》812册,上海古籍出版社1987年版,第739页。

柳公权字体第一变为瘦硬风格。虽然字体有很多相似之处，但二者的风格还是大相径庭。柳公权的楷书字体清癯疏淡，内含筋骨，这与颜真卿充实饱满，气势雄伟的字体不同。颜真卿的字体雍容富贵，不急不躁，自有一股迟缓大肚的气势。柳公权的字重在瘦骨，这瘦骨又与褚遂良的飞弧跳动线条不一样，而更见沉郁，自有一股文人体弱而筋骨铿锵之势。《续书谱》评之："柳氏大字，偏旁清劲可喜，更为奇妙。近世亦有仿之者，则浊俗不足观。故知与其太肥，不若瘦硬也。"①明王世贞《弇州四部稿》论他的《玄秘塔碑》："《玄秘塔铭》石刻在关中，会昌元年建……此碑柳书中之最露筋骨者，遒媚劲健固自不乏，要之晋法一大变耳。"②杜甫论书时有"书贵瘦硬方通神"（《李潮八分小篆歌》）③之句。书法如果笔画过于肥大容易出现肉多筋少的现象，"夫马筋多肉少为上，肉多筋少为下。书亦如之。今之书人，或得肉多筋少之法，薰莸同器，十年不分，宁知不有藏其智能，混其体法，雷同赏遇，或使之然。……若筋骨不任其脂肉，在马为驽骀，在人为肉疾，在书为墨猪"④。柳公权以瘦硬风格一改颜真卿肥厚朴拙，而留存了颜真卿方圆兼备、结字平正端严的法度。因为筋骨毕露，柳公权的耿介也被批评。如明项穆在《书法雅言》中评："柳诚悬骨鲠气刚，耿介特立，然严厉不温和矣。"⑤赵崡《石墨镌华》论他："柳书筋骨太露，不免支离，宜米南宫之鄙为恶札，而宣城陈氏之笑其不能用右军笔也。"⑥又评他的《玄秘塔碑》："书虽极劲健，而不免脱巾露肘之病。"⑦颜柳之字更多地持气节铿锵之势，主张人格的饱满持重，入世较深。他们比起潇洒自然的温和飘逸派要严厉端正些。这种意图尽显的书法风格也为

① （唐）孙过庭、（宋）姜夔：《书谱　续书谱》，浙江人民美术出版社 2012 年版，第 114 页。

② （明）王世贞：《弇州四部稿》，《四库全书》1281 册，上海古籍出版社 1987 年版，第 245 页。

③ （清）曹寅、彭定求等编纂：《全唐诗》卷二二二，中华书局 1999 年版，第 2365 页。

④ （宋）陈思编撰：《书苑菁华校注》，崔尔平校注，上海辞书出版社 2013 年版，第 182 页。

⑤ （明）项穆：《书法雅言》，中华书局 1985 年版，第 11 页。

⑥ （明）赵崡：《石墨镌华》卷三，中华书局 1985 年版，第 39 页。

⑦ （明）赵崡：《石墨镌华》卷三，中华书局 1985 年版，第 44 页。

一些人所不喜。

柳公权字体的第二变在用笔方面。柳公权的笔画更加圆润齐整。继续说上文中的"以"字,颜体右边的"人"字最后一笔虽短,但依然用的是有棱有角的"捺"。而柳体中就改为一个圆润的长"点"了。柳公权的点变化不一,总体上来说趋于圆润。宋董逌《广川书跋》中记柳公权"善藏笔锋,自是书家所共,恐不能尽其妙处,观其平时论曰:'尖如锥,捺如凿,不得出,只得却。'文宗问之,曰:'凡缚笔头极紧,一毛出,即不堪用。'"①可见柳公权的用笔极为齐整,不能有丝毫偏露。李煜批评颜真卿笔画粗鲁,似田舍汉的缺点,在柳公权这里都得到修正。柳体笔画多比颜体更加规整。观看柳体,会发现它一点一画都是依一定的规矩而行:起势与笔画转折处用笔端方,横平竖直,点画运笔圆整,如滴水之形,捺与钩的收笔是一个三角形。柳体笔画粗细当然也有变化,但不像颜体那样明显突兀,少了颜体中的粗笔。颜体由朴拙中散发的大度从容、高雅规整,非一般境界所能赏析,非得细细体会琢磨他的用笔之意,方能得其神韵。柳体将字体、用笔都回归到常态常境,精炼了用笔的规整之美,保证了第一眼的端正美感。柳体后期用笔无一笔不齐整,尽显柳氏之风,所以后人对他的批评也只能是过于齐整,过于重法度。但这就是柳公权的特征,也是唐代书法的优势。唐人并不害怕法规,他们对艺术的热情,使他们饱含信心可以在严谨的规则法度中将艺术锤炼得更加精美。

结体中柳公权也有突破。柳公权一改颜真卿字体内松外紧的特征,回归到初唐时期的内紧外松,收紧中宫,留白舒放。柳公权的字的结体又与初唐不同,一方面表现在他虽然中宫紧密,笔画却体势开张,使字体间的留白在不断地变化,而不是像初唐一样始终保持平和之气,拘谨于留白的变化。另一方面,柳公权的字与初唐四大家多取侧身倚体不同,他的字笔画端正,与颜真卿一样也是以正面示人。如在撇与捺的处理上,初唐之人多有倚侧之势,会将撇写得极细,捺笔与之对比极粗,如褚遂良在《倪宽赞》中的"敞"、"文"、"更"、"度"、"使"、"洛""枚"、"汲"等字都可看到这种笔画

① (宋)董逌:《广川书跋》卷八,中华书局1985年版,第100—101页。

之间的对比取势。柳公权的撇捺也有粗细对比,不过他的撇笔更为劲健,且常将撇笔下压,捺笔位置抬高,以平衡二者笔画粗细不同带来的不稳。细细对照柳公权与初唐、颜真卿的字,会发现柳公权与他们一样也讲究变化,甚至在结体中有更多的变化,但他力图在最少的变化中保持着字体的变化。因为平衡方式,柳公权的书法大体上呈现了左低右高的态势,特别是他的《玄秘塔碑》,横笔,撇折、平行两点、横字间的走向都是左低右高,再通过竖笔,如向外开的左撇、左点;中轴分割偏右等方式使字体平衡。因为这些规则的综合使用,柳公权的字达到了规整而见变化的效果。

如朱关田先生所议:"柳氏之书,乃本于是,而出入颜真卿,兼收欧阳询的峭劲、虞世南的圆融、褚遂良的疏朗,取精用弘,神明变化,遂以方拓峭险,而别开生面。"①因为法则的继承与改革,柳公权的书法美更能为人所接受,他不仅在当世盛名,也被历来的书法家所称誉。《墨池编》中引《续书断》赞柳公权:"正书及行皆妙品之最,草不失能。盖其法出于颜,而加以遒劲丰润,自名一家。"②康有为在《广艺舟双楫·干禄第二十六》中说:"唐末柳诚悬、沈传师、裴休,并以遒劲取胜,皆有清劲方整之气。柳之《冯宿》、《魏公先庙》、《高元祐》最可学,直可缩入卷摺。大卷得此,清劲可喜,若能写之作摺,尤为遒媚绝伦。"③

但因为筋骨毕露,柳公权也被人指责:"元和后沈传师、柳公权出矫肥厚之病,专尚清劲,然骨存肉削,天下病矣。"④柳公权的楷书受后人非议甚众,而又以米芾的批评为代表。米芾的《海岳名言》称:"柳公权《国清寺》,大小不相称,费尽筋骨。"⑤"柳公权师欧,不及远甚,而为丑怪恶札之祖。自柳世始有俗书。"⑥"柳与欧为丑怪恶札祖。其弟公绰乃不俗

① 朱关田:《中国书法史·隋唐五代》,江苏教育出版社2009年版,第176—177页。

② (宋)朱长文:《墨池编》,《四库全书》812册,上海古籍出版社1987年版,第739页。

③ (清)康有为:《广艺舟双楫》,中国书店1983年版,第62页。

④ (清)康有为:《广艺舟双楫》,中国书店1983年版,第14页。

⑤ (宋)米芾:《海岳名言》,《丛书集成初编》卷一六二八,商务印书馆1935年版,第1页。

⑥ (宋)米芾:《海岳名言》,《丛书集成初编》卷一六二八,商务印书馆1935年版,第1—2页。

于兄。筋骨之说出于柳，世人但以怒张为筋骨，不知不怒张，自有筋骨焉。”①“欧、虞、褚、柳、颜、皆一笔书也。安排费工，岂能垂世。”②

米芾大力批判柳公权与米芾求意的书法主张相关。二人主张不同，也可代表唐宋书法审美趣味的差异。唐书法求心正，旧唐书记载，柳公权受穆宗召见，穆宗问他用笔之法何以臻至完善，柳公权对道：“用笔在心，心正则笔正。”③《新唐书》也有同样的记载，柳公权回答穆宗道：“心正则笔正，笔正乃可法矣。”④苏轼《书唐氏六家书后》中论：“柳少师书，本出于颜，而能自出新意，一字百金，非虚语也。其言‘心正则笔正’者，非独讽谏，理固然也。世之小人，书字虽工，而其神情终有睢盱侧媚之态。不知人情随想而见，如《韩子》所谓窃斧者乎，抑真尔也？然至使人见其书而犹憎之，则其人可知矣。”⑤费瀛在《大书长语》中论道：“柳诚悬谓‘心正则笔正’，皆书家名言也。大书笔笔从心画出，必端人雅士，胸次光莹，胆壮气完，肆笔而书，自然庄重温雅，为世所珍。故学书自作人始，作人自正心始。未有心不正而能工书者，即工，随纸墨而渝灭耳。”⑥唐代楷书与人的品性相连。颜真卿与柳公权的书法备受推崇与这二人的品性备受瞩目有关。颜真卿品性刚正被尊称为严鲁公，而柳公权的品性虽不如颜真卿那般盛名，也是耿直敢言，文宗穿洗过三次的衣服，就向群臣炫耀自己的节俭，群臣皆贺，唯柳公权不吭声，文宗问他原因，柳公权道：“人主当进贤退不肖，纳谏诤，明赏罚。服浣濯之衣，此小节耳，非有益治道者。”⑦柳公权以心正标榜书法，自然入笔从骨着书，以笔法的严谨规整彰显人心品格。这与宋代书法求意的追求有所差异，柳公权因规则过甚而被批也

---

① （宋）米芾：《海岳名言》，《丛书集成初编》卷一六二八，商务印书馆 1935 年版，第 2 页。

② （宋）米芾：《海岳名言》，《丛书集成初编》卷一六二八，商务印书馆 1935 年版，第 3 页。

③ （后晋）刘昫等：《旧唐书》卷一百六十五，中华书局 1975 年版，第 4310 页。

④ （宋）欧阳修、宋祁：《新唐书》卷一百六十三，中华书局 1975 年版，第 5029 页。

⑤ （宋）苏轼：《苏轼文集》第五册，中华书局 1986 年版，第 2206—2207 页。

⑥ （明）费瀛：《大书长语》，《续修四库全书》1065 册，上海古籍出版社 2002 年版，第 177 页。

⑦ （宋）欧阳修、宋祁：《新唐书》卷一百六十三，中华书局 1975 年版，第 5029 页。

在情理之中了。

唐人楷书法度森严，以规则为筋骨，倒便于初学。冯班在《钝吟书要》中述："颜书胜柳书，柳书法却甚备，便初学。"①因为有法可循，后辈循则运斤，根据基本法度就可得其形貌，却难以进一步深化创造，得其神髓。整体看来唐代书法的法度形成在于点画圆润均匀、结体正身示人、端严平稳、章法均衡齐整，风格平和舒缓。这些规则使楷书字体更加稳健、疏朗。后人从颜柳书体中发展了一些用笔规律，如横细竖粗，"蚕头燕尾"，左右笔画略带拓弧形，甚至是"左低右高、左紧右松、左细右粗、上紧下松、上细下粗"②的规则。法则的成熟变成了易于学习的程式，被后世传承下来。颜柳也因此成为书法法度的典范。这样一来，遵守法度也带来楷书字体延续旧俗的墨守成规。因此，才有书法至此完美，又至此败坏一说。

第三节　唐五代草书：感兴而发

唐代草书创作领域，出现了中国草书界两大高峰人物，一是张旭，一是怀素。如楷书界的颜柳一样，仅此二人就可说明唐代在草书创作上取得了顶尖成就。楷书与草书各自的两大传奇在唐代同时上演。

一、时代潮流

唐代草书之变，异于晋代。初唐对王羲之的膜拜，使他们的书法较多地会效仿王羲之的风格。王羲之书法，"末年多妙，当缘思虑通审，志气和平，不激不厉，而风规自远"③。草书在初唐时因为承续王羲之的风格，平和舒缓，后发展为狂草。唐草体势放纵，气象开阔，用笔一拓直下，以转笔为主要特征，更适应唐代文化风气的磅礴豪放。

---

① （清）冯班：《钝吟书要》，《美术丛书》第四集，上海神州国光社 1920 年版，第 2 页。

② 沃兴华：《书法创作论》，上海古籍出版社 2008 年版，第 42 页。

③ （唐）孙过庭、（宋）姜夔：《书谱　续书谱》，浙江人民美术出版社 2012 年版，第 60 页。

唐初期的草书偏于平正,以孙过庭为代表。孙过庭是初唐时期的书法家,张怀瓘赞他:“博雅有文章,草书宪章二王,工于用笔,隽拔刚断,尚异好奇,然所谓少功用,有天材,真、行之书,亚于草矣。……过庭隶、行、草入能。”①他的草书代表作有《书谱》、《草书千字文》。其草书与王羲之书法不激不厉的风格相似。米芾评道:“孙过庭草书《书谱》,甚有右军法,作字落脚差近前而直,此乃过庭法。凡世称右军书有此等字,皆孙笔也。凡唐草得二王法,无出其右。”②孙过庭草书有中正平和之美,但变化不足。窦臮《述书赋》评他:“千纸一类,一字万同。如见疑于冰冷,甘没齿于夏虫。”③还有其他人的批评:“体多同而格不高尔”④、“余见拓本三种,皆极拘滞,所谓万字皆同者。”⑤孙过庭的《草书千字文》已经变化较多,不过总体还是趋于平正。

草书发展到张旭,进入癫境。张旭,世人又称“张颠”,是唐代的草书大家,他的书法是唐代三绝之一。张旭生平嗜酒,与李白、贺知章、李适之等人并称为“饮中八仙”,又与贺知章、张若虚、包融并称“吴中四士”。张旭以草书盛名,被人称为“草圣”,草书代表作有《肚痛帖》、“四诗帖”。《太平广记》引《国史补》记张旭:“草书得笔法,后传崔邈、颜真卿。旭言,始吾闻公主与担夫争路,而得笔法之意。后见公孙氏舞剑器而得其神。饮醉辄草书。挥笔大叫,以头揾水墨中而书之。天下呼为张颠。醒后自视,以为神异,不可复得。后辈言笔札者,欧虞褚薛,或有异论,至长史无间言。”⑥张旭的草书豪放激越,以字表情。其《肚痛帖》写他突然肚痛不堪忍受。字列变化从粗至细,最后一列突然又变粗。列与列之间有粗细变化,每一列字的粗细变化对称均衡。在变化中,保持了字列的平整统

---

① (唐)张怀瓘:《书断》,浙江人民美术出版社 2010 年版,第 214 页。

② (宋)米芾等:《书史(及其他一种)》,中华书局 1985 年版,第 14—15 页。

③ (宋)陈思编撰:《书苑菁华校注》,崔尔平校注,上海辞书出版社 2013 年版,第 148 页。

④ (宋)朱长文:《墨池编》,《四库全书》812 册,上海古籍出版社 1987 年版,第 744 页。

⑤ (清)王伯敏等编:《书学集成·清》,河北美术出版社 2002 年版,第 107 页。

⑥ (宋)李昉等编:《太平广记》卷二百八,中华书局 1961 年版,第 1595—1596 页。

一。笔法线条流畅,一气呵成,中宫紧致,运笔之处虽鬼神莫测,一列之间字体联系十分紧密,列与列之间的留白清晰明确。颜真卿《祭侄文稿》,全名《祭侄赠赞善大夫季明文》是行草书。从文献中看颜真卿的书法受张旭影响。将这两部作品相比较,至少在中宫收紧处是保持一致的。而张旭的《古诗四帖》结构就比较放松,有些列之间基本没有明确留白。很多地方挨得很紧,如"出没上烟霞。春泉下玉溜"两句中的"霞"字与"溜"字笔画都碰到一起了。再如"桃"与"华","齐"与"帝","候"与"看"都互相在对方的结体空白处下笔。在线条运用上《古诗四帖》顿挫处较多,未能像《肚痛帖》一样一气呵成。可能是《古诗四帖》字较多,《肚痛帖》的字较少,所以《肚痛帖》可以达到一笔直下的气势,《古诗四帖》却要通过停顿来表现更清楚的笔画节奏。

唐代佛教盛行,佛教十分重视抄经活动,在僧侣中出现了许多杰出的书法家。《宣和书谱》记:"唐兴,士夫习尚字学,此外惟释子多喜之,而释子者又往往喜作草字,其故何耶?以智永、怀素前为之倡,名盖流辈,耸动当世,则后生晚学,瞠若光尘者,不啻膻蚁之慕。"①如怀素、怀仁、高闲、辩光、景云、贯休、梦龟、文楚、亚栖等僧人都是唐代有名的书法家。怀素更是其中的佼佼者。怀素俗姓钱,湖南人,怀素是他的僧名。因为他在《自叙帖》中自称"家长沙",所以后人常以"长沙"代称他。怀素习字十分勤奋,"而以学书为事业,至终老而穷年,疲敝精神,而不以为苦者"②。相传怀素习字弄坏丢弃的笔可以堆成小山。《太平广记》引《国史补》:"长沙僧怀素好草书。自言得草圣三昧。弃笔堆积,埋于山下,号曰笔冢。"③怀素草书代表作众多,有《自叙帖》、《苦笋帖》、《食鱼帖》、《圣母帖》、《论书帖》、《大草千文》、《小草千文》、《千字文》、《藏真帖》、《律公帖》、《北亭草笔》,等等。其中讨论得最多的是他的《自叙帖》,圆笔中多有折笔。怀素字"寒猿饮水撼枯藤,壮士拔山伸劲铁"(王颙《怀素上人草书歌》),虽是圆转为主,却气势充沛。怀素用笔圆转自如,将草书的横势转为下行的

① (宋)佚名:《宣和书谱》,人民美术出版社 2011 年版,第 197 页。

② (宋)欧阳修:《集古录跋尾》,人民美术出版社 2010 年版,第 160 页。

③ (宋)李昉等编:《太平广记》卷二百八,中华书局 1961 年版,第 1596 页。

纵势，并且常向右下倾斜。向下倾斜，连绵不断的圆弧曲线成为怀素书法的最大特征。

除怀素外，贯休、亚栖等人也是擅长草书的唐代僧人。《益州名画录》称贯休"善草书图画，时人比诸怀素"[①]。《书小史》谓其"工草隶，南土皆比之怀素"[②]。《书史会要》评他："作字尤奇崛，至草书益胜。"[③]贯休崇尚超于法度之外的书法："粉壁素屏不问主，乱拏乱抹无规矩。……我恐山为墨兮磨海水，天与笔兮书大地，乃能略展狂僧意。"(《观怀素草书歌》)[④]对于僧人亚栖，有评价曰："喜作字，得张颠笔意，每论颠云：'世徒知张旭颠，而不知实非颠也。观其自谓：吾书不大不小，得其中道，若飞鸟出林，惊蛇入草，则果颠也耶。此亚栖所以独得，而世俗未必知也。"[⑤]另有释景云"喜草法，初学张颠，久之精熟，有意外之妙。观其书左盘右蹴，若浓云之兴，迅雷之发，使人惊骇"[⑥]；释梦龟"作颠草，奇怪百出。虽未可语惊蛇飞鸟之迹，而笔力遒劲亦自是一门之学"[⑦]；释广利大师"工草书。吴融诗云：'崩云落石千万状，随手变化生空虚'"[⑧]；释高闲"御草圣……其学出于张颠，在唐得名甚显"[⑨]；释遗则"从张怀瓘学草书，独尽笔妙"[⑩]。

五代书法家杨凝式又被称为"杨风子"，草书代表作《神仙起居法》。杨凝式"笔迹遒放，师欧阳询、颜真卿，加以纵逸。"[⑪]宋高宗赞他："杨凝式，在五代最号能书，每不自检束，号杨风子，人莫测也。其笔札豪放，杰

---

① (宋)黄休复:《益州名画录》,人民美术出版社1964年版,第55页。

② (宋)陈思:《书小史》,《四库全书》814册,上海古籍出版社1987年版,第280页。

③ (明)陆宗仪:《书史会要》,上海书店出版社1984年版,第200页。

④ (清)曹寅、彭定求等编纂:《全唐诗》卷八二八,中华书局1999年版,第9419页。

⑤ (明)陆宗仪:《书史会要》,上海书店出版社1984年版,第198页。

⑥ (明)陆宗仪:《书史会要》,上海书店出版社1984年版,第200页。

⑦ (明)陆宗仪:《书史会要》,上海书店出版社1984年版,第200页。

⑧ (明)陆宗仪:《书史会要》,上海书店出版社1984年版,第202页。

⑨ (清)王原祁等纂辑:《佩文斋书画谱》卷三十,文物出版社2013年版,第1230页。

⑩ (清)王原祁等纂辑:《佩文斋书画谱》卷三十,文物出版社2013年版,第1231页。

⑪ (清)王原祁等纂辑:《佩文斋书画谱》卷三十一,文物出版社2013年版,第1241页。

出风尘之际。历后唐、周、汉，卒能全身名，其智与字法亦俱高矣。”①杨凝式书法笔法放纵，淋漓酣畅，情绪外露。

从最早孙过庭的平和一致，到张旭的“颠”，怀素的“狂”，杨凝式的“疯”，可看出唐草书的发展逐渐成熟，在运笔布局上与隶书、楷书、篆文、行书拉开距离，形成了独特的表情书法。任华在《怀素上人草书歌》中说得很清楚：“岂不知右军与献之，虽有壮丽之骨，恨无狂逸之姿。”吴融在《辨光上人草书歌》也有类似的对草书评语：“篆书朴，隶书俗，草圣贵在无羁束。”唐代草书狂放飘逸，个性张扬，最适于表现不可自抑的情感，说明草书的奔逸不羁的精髓已为唐人所掌握。

二、激荡痴狂

狂草的情绪表现强烈激荡。孙过庭《书谱》说：“真以点画为形质，使转为情性；草以点画为情性，使转为形质。草乖使转，不能成字，真亏点画，犹可记文。”②唐人以草书表现各类情绪，将情绪化为笔画，草书为情绪的表达。韩愈在《送高闲上人序》中述张旭草书：“喜怒窘穷，忧悲、愉佚、怨恨、思慕、酣醉，无聊不平，有动于心，必于草书焉发之。”③贯休《辩光大师草书歌》：“雪压千峰横枕上，穷困虽多还激壮。看师逸迹两相宜，高适歌行李白诗。”草书纵横驰骋、淋漓尽致、横拖直扫、意兴迸发的笔画更容易直接宣泄心中的或快、或闷、或愁的情感。唐人已提出书法是为表达思想情感，“写《乐毅》则情多怫郁，书《画赞》则意涉瑰奇，《黄庭经》则怡怿虚无，《太师箴》又从横争折，暨乎《兰亭》兴集，思逸神超，私门诫誓，情拘志惨，所谓涉乐方笑，言哀已叹”④。唐人已发现草书激扬飞跃、气势宏逸的妙处，因此十分钟爱用它表情传意。

---

① （宋）高宗《翰墨志》，《丛书集成初编》卷一六二八，商务印书馆 1935 年版，第 6 页。

② （唐）孙过庭：《书谱》，吉林文史出版社 1997 年版，第 19—20 页。

③ （清）董诰等编：《全唐文》卷五百五十五，上海古籍出版社 1990 年版，第 2490 页。

④ （唐）孙过庭、（宋）姜夔：《书谱　续书谱》，浙江人民美术出版社 2012 年版，第 52 页。

草书是用来传达情感的，情感发生时，往往不知所起，强烈的情感会一闪而过，为了抓住这种创作冲动，书法家们创作草书时速度极快，一挥而就。怀素在创作时常常随兴而发，“时酒酣兴发，遇寺壁里墙、衣裳、器皿、靡不书之”①。因为情感激扬饱和，急需宣泄，创作速度非常快，有时会表现异常，“忽然绝叫三五声，满壁纵横千万字”（窦冀《怀素上人草书歌》）②。草书的创造过程往往极快，并非仅仅怀素如此。皎然《陈氏童子草书歌》中描写作草书的过程：“飙挥电洒眼不及，但觉毫端鸣飒飒。”③再有李欣的《赠张旭》：“露顶据胡床，长叫三五声。兴来洒素壁，挥笔如流星。”④吴融《赠䛒光上人草书歌》道：“人家好壁试挥拂，瞬目已流三五行。”⑤草书过程非常快是极为普遍的情况。书法家情感激荡处，来不及深思熟虑，基本是即兴而成，随兴所致。排结构、置章法的规则都是平时练就，成竹在胸的，到创作的时候书法的规则在惯性中瞬间成就。

在电光石火间的创作过程中，草书写出的字体变化各异，“谓若惊蛇走虺，骤雨狂风；又谓援豪掣电，随身万变”⑥；“崩云落日千万状，随手变化生空虚”（吴融《赠广利大师歌》）⑦。可见，草书变化一是要多，二是要出于常人所料。《书断》引索靖《草书状》：“草书之状也，宛若银钩，飘若惊鸾。舒翼未发，若举复安。于是多才之英，笃艺之彦。役心精微，耽思文宪。守道兼权，触类生变。离析八体，靡形不判。骋辞放手，雨行冰散。高音翰厉，溢越流漫。著绝艺于纨素，垂百代之殊观。”⑧《书苑菁华校注》载皎然的《张伯高草书歌》：“须臾变态皆自我，写形类物无不可。阆风游云千万朵，惊龙蹴踏飞欲堕。更睹邓林花落朝，狂风乱搅何飘飖。有时凝然笔空握，情在寥天独飞鹤。有时取势气更高，意得春江千里涛。张

① （宋）陈思编撰：《书苑菁华校注》，崔尔平校注，上海辞书出版社 2013 年版，第 279 页。

② （清）曹寅、彭定求等编纂：《全唐诗》卷二〇四，中华书局 1999 年版，第 2136 页。

③ （清）曹寅、彭定求等编纂：《全唐诗》卷八二一，中华书局 1999 年版，第 9345 页。

④ （清）曹寅、彭定求等编纂：《全唐诗》卷一三二，中华书局 1999 年版，第 1340 页。

⑤ （清）曹寅、彭定求等编纂：《全唐诗》卷六八七，中华书局 1999 年版，第 79699 页。

⑥ （明）陆宗仪：《书史会要》，上海书店出版社 1984 年版，第 197 页。

⑦ （清）曹寅、彭定求等编纂：《全唐诗》卷六八七，中华书局 1999 年版，第 7971 页。

⑧ （唐）张怀瓘：《书断》，浙江人民美术出版社 2010 年版，第 93 页。

生奇绝难再遇,草罢临风展轻素。阴惨阳舒如有道,鬼状魑容若可惧。”笔画运用之中,不仅要保持线条连贯流畅,而且有“象”的意识参与其中。草书不仅要考虑结体、章法、布局,线条的象形也很重要。而且这些“象”的运用常有对立性,如“宛若银钩”与“飘若惊鸾”、“狂风乱搅何飘飖”与“有时凝然笔空握”、“阴惨”与“阳舒”等。

因为情感的变化十分细微,草书以“象”的千变万化去表现时,形成了率性而出、独抒性灵的艺术追求,“坚如百炼钢,挺特不可屈。又如千里马,脱缰飞灭没。好是不雕刻,纵横冲口发。昨来示我十余篇,咏杀江南风与月。乃知性是天,习是人”(吴融《赠广利大师歌》)①,“僧家爱诗自拘束,僧家爱画亦局促。唯师草圣艺偏高,一掬山泉心便足”(贯休《䛒光大师草书歌》)②。个性发展的极致使草书的变化看起来更像率性而为的创作,不受常理所束,不为常法所缚。“草圣欲成狂便发,真堪画入醉僧图”(怀素《题赠张僧繇醉僧图》)。③

草书的创作过程看似脱离规则,“粉壁素屏不问主,乱拏乱抹无规矩”(贯休《观怀素草书歌》)④。怀素在《自叙帖》中自述得意忘形的写作状态:“志在新奇无定则,古瘦漓骊半无墨。醉来信手两三行,醒后却书书不得。”奋笔疾书时,物我两忘,在癫狂痴醉,不为法则束缚的心境中信笔而书,写出的字却神韵独特,不是按法则而行可做到的。清醒时反而创作不了这么好的作品。与怀素相类似的书法创作情况在唐代其他书家身上也时有发生,如贺知章:“每醉必作为文词,初不经意,卒然便就,行草相间,时及于怪逸,尤见真率,往往自以为奇。使醒而复书,未必尔也。”⑤张旭:“一日酒酣,以发濡墨作大字,既醒视之,自以为神,不可复得。”⑥任凭情绪起伏、意念所至一挥而就。不入规则反臻至规则。不仅草书要入醉,甚至唐代真书都是如此。唐人书法也重灵感、激情。与宋人在字体中

① (清)曹寅、彭定求等编纂:《全唐诗》卷六八七,中华书局 1999 年版,第 7971 页。
② (清)曹寅、彭定求等编纂:《全唐诗》卷八三七,中华书局 1999 年版,第 9512 页。
③ (清)曹寅、彭定求等编纂:《全唐诗》卷八〇八,中华书局 1999 年版,第 9205 页。
④ (清)曹寅、彭定求等编纂:《全唐诗》卷八二八,中华书局 1999 年版,第 9419 页。
⑤ (宋)佚名:《宣和书谱》,人民美术出版社 2011 年版,第 181 页。
⑥ (宋)佚名:《宣和书谱》,人民美术出版社 2011 年版,第 183 页。

刻意显意相比，唐人虽然遵守法则，但也能于本能的痴狂中掌握书法规则。

三、依法而立

草书任性妄为，变化多端，有利于表情达意，似乎可以超越规则所在。但唐代草书虽飘逸纵姿，但不是一味的胡乱涂抹，在逞气使性之后具有明确的规范。唐草中的规则明确，基本奠定了草书布局法则，如大小错综、借笔牵丝等规则。张颠、怀素落笔纵横、兴到挥毫，又法度完备。司空图评说草书，“故逸迹遒劲之外，亦恣为歌诗，以导江湖沉郁之气，是佛首而儒其业者也”（《送草书僧归楚越》）①。

借笔牵丝，一气呵成，是唐人书法的主要优势。孙过庭指出：“草贵流而畅”②。草书体势连绵，贵于流转通畅，忌讳艰涩滞阻。两个笔法相连处有游丝现象。游丝并不是字体本身的笔画，而是书时写笔法产生的衍生线条。借笔牵丝手法以衍生线条牵制两个笔画，笔画在行走间产生行云流水，一带而过的感觉，避免了笔画的停滞感，达到笔画不怯滞的效果，有时甚至可“累数十字而不断，号曰‘连绵’、‘游丝’”③。孙过庭《书谱》依然与二王一样，字字独立，到了《草书千字文》已经出现七字带连的现象，比起以前的三字带连、四字带连增多了带连字数。蔡希综论：“夫始下笔，须藏锋转腕，前缓后急，字体形势状如虫蛇相钩连，意莫令断。仍须简略为尚，不贵繁冗。至如棱侧起伏，随势所立。大抵之意，圆规最妙。其有误发，不可再摹，恐失其笔势。若字有点处，须空中遥掷下，其势犹高峰坠石。又下笔意如放箭，箭不欲迟，迟则中物不入。”④张旭的《肚痛帖》除前三字“忽肚痛”外，每一列都一笔到底，字与字之间牵丝而行，无

---

① （清）曹寅、彭定求等编纂：《全唐诗》卷八百七，中华书局1999年版，第3763页。

② （唐）孙过庭、（宋）姜夔：《书谱　续书谱》，浙江人民美术出版社2012年版，第31页。

③ （唐）孙过庭、（宋）姜夔：《书谱　续书谱》，浙江人民美术出版社2012年版，第118页。

④ （宋）陈思编撰：《书苑菁华校注》，崔尔平校注，上海辞书出版社2013年版，第180页。

空白停顿。怀素的《自叙帖》也以笔画圆转流畅为美。

草书讲究字与字笔画的牵连，也讲究停抑顿挫："古人作草，如今人作真，何尝苟且。其相连处特是引带，尝考其字，是点画处皆重，非点画处偶相引带，其笔皆轻。虽复变化多端，而未尝乱其法度。张颠、怀素规矩最号逸野，而不失此法。"①张旭与怀素都擅长以收笔为停顿，还夹杂着点的停顿作用。张旭在《古诗四帖》中用笔画粗细变化表现运笔节奏，前半部分较为喜欢用粗"横"突出运笔变化。怀素将横笔化为圆弧曲线，或将之细化，弱化"横"的阻隔笔势，笔画粗细也不如张旭那般明显，使得运笔节奏更轻快飘逸。

两人相比较，张旭草书提按强烈、顿挫分明。与张旭相比，怀素的字更夸大字体间的大小错综、疏密变化。怀素的作品经常有突兀表现的字体，"有时一字两字长丈二"（任华《怀素上人草书歌》）②。怀素的《自叙帖》字势开拓，大小疏密变化强烈。《自叙帖》全篇 698 字，126 行。每行五六字不等，有些字极为突出，如"戴公"二字不仅独自占了一行，而且这一行的宽度是其他行列的三倍。大小错综法在草书中常见，但这么突兀首先出现在怀素的狂草中。怀素《藏真帖》中写他从颜真卿处学习张旭的八法，"颜尚书"三字也是字体奇大。怀素的字以快为特征，线条均衡流畅地一泄而过，这种写法不利表达顿挫之感，怀素以独兀的大字强行在线条飞快的流动中设置了阻碍，使线条的笔走龙蛇凸显变化，顿挫之感也得到了弥补。

无论是在字体的表现中提按分明，还是有意突出大小错综，都是为了达到字体间的平衡。宋人黄伯思观张旭所书千文，"雄隐轩举，槎卉丝缕，千状万变，虽左驰右骛，而不离绳矩之内，犹纵风鸢者翔戾于空，随风上下而纶常在手，击剑者交光飞刃，欻忽若神而器不离身"③。张旭所书虽千变万化，但终有轴线、规制在其中，而不仅仅是奇怪的变异。如前文

---

① （唐）孙过庭、（宋）姜夔：《书谱　续书谱》，浙江人民美术出版社 2012 年版，第 122 页。

② （清）曹寅、彭定求等编纂：《全唐诗》卷二六一，中华书局 1999 年版，第 2897 页。

③ （宋）黄伯思：《东观余论》，人民美术出版社 2010 年版，第 69 页。

所述张旭《肚痛帖》在列的粗细变化间有很明显的平衡措施。而《古诗四帖》以笔画的粗细变化表达线条节奏。二帖方法不一，平衡目的却尤为明显。怀素“点”、收笔、大小错综的运用也是为了使整体的字达到平衡的目的。

唐五代草书虽以恣意纵情为主要特征，但法理规矩明确，各帖的表现形式不同，目的却一致。唯有技艺超群的书法家才能将之以癫、狂的不经意方式随心所欲地表达出来。

第四节　法理：端正典雅

初唐书法典雅端正，初唐四家受二王影响，在章法、结体上内收有致，又各有变化，到颜真卿实现了正体的表现，再到柳公权对颜真卿过古、过拙、过朴特征的纠正，都是法度的平缓中和。与书法创作法理彰明相对应，唐代书法理论达到了前所未有的成熟，出现了孙过庭、张怀瓘、窦臮等书法理论大家。这些针对书法创作的理论总结说明唐人对书法艺术形成了较为一致的规范。张旭言书法：“或问书法之妙，何得齐古人？曰妙在执笔，令其圆畅，勿使拘挛；其次识法，须口传手授；勿使无度，所谓笔法也；其次在布置，不慢不越，巧使合宜；其次变通适怀，纵合规矩。其次纸笔精佳。五者备矣，然后能齐古人。”①我们依张旭的分法，从执笔、笔法、布局三方面论述唐人书法的法理观念。

一、竖腕而握

唐人首先对握笔的方式进行思考与总结，确立了竖腕而握、指实掌虚的握笔姿式。唐太宗论笔法诀道：

> 夫欲攻书之时，当收视反听，绝虑凝神。心正气和，则契于玄妙；心神不正，字则欹斜；志气不和，书必颠覆。……大抵锐竖则锋正，锋

① （宋）陈思编撰：《书苑菁华校注》，崔尔平校注，上海辞书出版社2013年版，第181页。

正则四面势全实指，指实则节力均平。次虚掌，掌虚则运用便易。①

唐太宗明确提出了新式握笔的要求。概括起来一是竖腕运笔，使笔锋为中锋用笔。二是虚掌握笔。与之类似，欧阳询说“虚拳直腕，指齐掌空”②；李华论“盖用笔贵乎虚掌而实指，缓屻而急送”③。这两点应该在唐人已经达到了共识。汉代人们的起居方式基本是低坐，即跪坐在席上写字，所以经常出现左手执卷，右手执笔的写作模式。这种情况下握笔时，笔杆与卷面角度倾斜。握笔的姿势也是以拇指、食指、中指将笔抓实，其他二指虚扣掌心，与我们现在握水笔方式相近。东汉时期，高座家具逐渐为人们所使用，握笔的手法也产生了变化。到了唐代，人们正式提出另一种握笔手法，也就是我们现在握毛笔的方法。这种方法便是唐太宗所说的竖腕、实指、虚掌。更具体一点是后来卢携在《临池诀》中的叙述：“拓大指，擪中指，斂第二指，拒名指，令掌心虚如握卵，此大要也。凡用笔，以大指节外置笔，令动转自在。然后奔头微拒，奔中中钩，笔拒亦勿令大紧，名指拒中指，小指拒名指，此细要也。皆不过双苞，自然虚掌实指。”④卢携详细地说明了虚掌握笔的具体方法，并指出这种方式是为了使毛笔“动转自在”，保证笔势的最大灵活机巧性。

竖腕而握是为了保证执笔时毛笔与纸面的接触面更大，具有更广阔的变化空间。张怀瓘《书论》中道：“执笔亦有法，若执笔浅而坚，掣打劲利，掣三寸而一寸着纸，势有余矣；若执笔深而束，牵三寸而一寸着纸，势已尽矣。其故何也？笔在指端则掌虚，运动适意，腾跃顿挫，生气在焉；笔居半则掌实，如枢不转，掣岂自由？转运旋回，乃成棱角。”⑤竖腕而握，笔锋与纸面接触的面积可大可小，小至一点一线，大至出现偃墨，都可适意

① （宋）陈思编撰：《书苑菁华校注》，崔尔平校注，上海辞书出版社 2013 年版，第 285 页。

② （清）王原祁等纂辑：《佩文斋书画谱》卷三，文物出版社 2013 年版，第 91 页。

③ （清）王原祁等纂辑：《佩文斋书画谱》卷三，文物出版社 2013 年版，第 105 页。

④ （宋）陈思编撰：《书苑菁华校注》，崔尔平校注，上海辞书出版社 2013 年版，第 288 页。

⑤ （宋）陈思编撰：《书苑菁华校注》，崔尔平校注，上海辞书出版社 2013 年版，第 177 页。

畅行地随处行走,取得圆转自如、顿挫有韵的效果。竖腕而握使运笔多为中锋,字体平稳端正。这也可能是后来颜真卿等人字体平正的原因之一。

指实掌虚,五指运劲,手肘悬空运笔,可加大毛笔在纸面上的运动速度,线条流畅而均衡。李华《论书》中也说:"盖用笔在乎虚掌而实指,缓钩而急送,意在笔前,字居笔后,其势如舞凤翔鸾,则其妙也。"①《全唐文》卷三百十八中李华《字诀》中有同样记载。以手肘为运笔中心,比起以手腕为运笔中心,可控制的范围自然更大,能达到的速度自然更强。唐代草书变革中的连笔方式得益于以肘为支点的指实掌虚的握笔方式。如若不然,恐怕草书还是以断字为主,达不到唐代笔势一泻千里的气势。

对运笔规则的总结,唐林韫在《拨镫四字法》提出运笔的"推、拖、捻、拽"四法。唐陆希声在《拨镫五字法》中提出"擪、压、钩、格、抵"五种方式。可惜留存下来的文稿中都没有具体的论述。李煜对之有详细的论述:"擪者,擪大指骨上节,下端用力欲直,如提千钧。压者,捺食指著中节旁。钩者,钩中指著指尖钩笔,令向下。揭者,揭名指著指爪之际揭笔,令向上。抵者,名指揭笔,中指抵住,拒者,中指钩笔,名指拒定。导者,小指引名指过右。"②唐张敬玄将楷书执笔与草书执笔相区分:"楷书把笔,妙在虚掌。运腕不可太紧,紧则腕不能转。既腕不转,则字体或粗或细,上下不均,虽多用力,元来不当。又云楷书只虚掌转腕,不要悬臂,气力有限。行草书即须悬腕,笔势无限。不悬腕,笔势有限。"③

新的握笔方式得到了唐人的一致赞同,并以口诀的形式公之于众。这种握笔方式一直流传至今,是唐人为书法普及作出的重大贡献。

二、精雕笔画

《新唐书·选举志》载:"凡择人之法有四:一曰身,体貌丰伟;二曰

① (宋)陈思编撰:《书苑菁华校注》,崔尔平校注,上海辞书出版社 2013 年版,第 307 页。

② (清)王原祁等纂辑:《佩文斋书画谱》卷三,文物出版社 2013 年版,第 123 页。

③ (清)王原祁等纂辑:《佩文斋书画谱》卷六,文物出版社 2013 年版,第 231 页。

言，言辞辩正；三曰书，楷法遒美；四曰判，文理优长。”[①]楷法遒美首先是对于笔画的严格规定。隋智永禅师已经确立了“永字八法”：“一点为侧。二横为勒。三竖为努。四挑为趋。五左上为策。六左下为掠。七右上为啄。八右下为磔。”[②]清人戈守智所编《汉溪书法通解》录有《智永永字八法》对“永”字笔画有形象性的要求：“点”要求侧法第一如鸟翻然侧下。“横”勒法第二如勒马之用缰。“竖”努法第三用力也。“竖钩”趋法第四趋音别，跳貌，与跃同。“提”策法第五如策马之用鞭。“撇”掠法第六，如篦之掠法。“撇点”啄法第七如鸟之啄法。“捺”磔法第八磔音窄，裂牲谓之磔。笔锋开张也。[③] 永字八法与晋卫夫人的“笔阵图”十分相似，都是以形象论笔法。唐人十分喜爱“永字八法”，并不断阐释改进它，将之具体化。

卫夫人的“笔阵图”与智永禅师“永字八法”的论述形象，但不够明确。欧阳询论八法其他笔画依然以象形方式论述，唯“撇”与“捺”有所改变：“‘撇’利剑截断犀牛象之角牙。‘捺’一波常三过笔。”[④]欧阳询强调了“撇”的出锋与“捺”的提按变化。柳宗元在《永字八法颂》中也有相关的对笔画的论述：“侧不愧卧，勒常患平。努过直而力败。趯宜峻而势生。策仰收而暗揭。掠左出而锋轻。啄仓皇而疾罨，磔�趞以开撑。”[⑤]李世民对笔画有更细致的讲解：

> 为点必收，贵紧而重。为画必勒，贵涩而迟。为撇必掠，贵险而劲。为竖必努，贵战而雄。为戈必润，贵迟疑而右顾。为环必郁，贵蹙锋而总转。为波必磔，贵三折而遣毫。……夫点要作棱角，忌于圆平，贵于通变。[⑥]

唐太宗的论述详细具体，使书法初学者有章可循。依据唐太宗的论

① （宋）欧阳修、宋祁：《新唐书》卷四十五，中华书局1975年版，第1171页。
② （清）王原祁等纂辑：《佩文斋书画谱》卷三，文物出版社2013年版，第92页。
③ （清）戈守智：《汉溪书法通解》卷三，上海书画出版社1986年版，第1—2页。
④ （清）王原祁等纂辑：《佩文斋书画谱》卷三，文物出版社2013年版，第91页。
⑤ （清）董诰等编：《全唐文》卷五百八十三，上海古籍出版社1990年版，第2609页。
⑥ （宋）陈思编撰：《书苑菁华校注》，崔尔平校注，上海辞书出版社2013年版，第285—286页。

述:“横”、“弯钩”忌过于平直轻浮,用笔迟缓为好;“撇”要快,能出笔锋,方显险劲;“竖”笔要用力,笔画雄健;“横折”处要有停顿回锋转笔;“捺”应表现一波三折的走势;“点”要用棱角,不能全是圆润无锋。如唐太宗所言,“点”的作用贵在通变,一方面多变的“点”当然可以增加整幅字的生动活泼感。另一方面,在草书中“点”有很重要的打节奏作用。顺势而下,一笔带过的“点”与上下笔画在同一节拍中,而单独出来的“点”常起到中止节拍的停顿作用。这类点最好有棱角,才能在流畅的连笔中显得更突兀些。张怀瓘《书论》指出:“每字皆须骨气雄强,爽爽然有飞动之态。屈折之状,如钢铁为钩,牵掣之踪,若劲针直下。”①

草书笔画也有相应要求。圆畅是唐人对草书笔画的基本要求,“既不圆畅,神格亡矣”②。草书笔画要借笔牵丝,字体之间的牵制不仅表现在字与字相互俯仰照应,更直观地体现在字体笔画相连之中。颜真卿有一形象比喻,叫“屋漏痕”。相传颜真卿与怀素在一起论草书,怀素以飞鸟、惊蛇、小路形容草书笔画,论述的都是草书笔画圆畅弯曲的变化。颜真卿以屋漏痕形容草书笔画得到了怀素的赞同。③ 房屋漏水,墙壁留下因为时间不同而产生的虚实变化水痕,正如草书笔画似断非断的走势。

三、布局典雅

唐代书法的法则还表现在结体与章法中。此类法则以楷书为最。楷法遒美的标准,是笔画配合间相互协调。欧阳询对之有所论述,“分间布白,勿令偏侧。墨淡则伤神彩,绝浓必滞锋毫。肥则为钝,瘦则露骨,勿使伤于软弱,不须怒降为奇。点画调匀,上下均平,递相顾揖”④。楷法遒美

① (宋)陈思编撰:《书苑菁华校注》,崔尔平校注,上海辞书出版社 2013 年版,第 180 页。

② (宋)陈思编撰:《书苑菁华校注》,崔尔平校注,上海辞书出版社 2013 年版,第 288 页。

③ 参见(清)王原祁等纂辑:《佩文斋书画谱》卷五,文物出版社 2013 年版,第 223 页。

④ (宋)陈思编撰:《书苑菁华校注》,崔尔平校注,上海辞书出版社 2013 年版,第 33—34 页。

要求布白均衡、浓淡适宜、肥瘦合度、结体平正，笔画字体间相互呼应。后人总结楷法规则道："左低右高、左紧右松、左细右粗、上紧下松、上细下粗等，无论欧（阳询）体、颜（真卿）体、柳（公权）体、褚（遂良）体，只要写楷书，都多少带有这些结体特征。"①

不仅是楷书，其他书法也是如此。早在东汉时期蔡邕的《九势》就有相关论述："凡落笔结字，上皆覆下，下以承上，使其形势递相映带，无使势背。"②这是讲论述结体中字体构成上下应注意互相呼应，但具体应怎样达到这一点并没有集中论述。唐代于字体各部分构成、笔画搭配有进一步的详细说明。唐不知何人所作的《笔法门》讲述了书法十门，除提纲挈领的第一门神秘不知所云，后九门都是论笔画在结体中的变化规则："二阴阳门，浓淡去住，内外肥瘦等。三君臣门，内外、左右、上下，君须君，臣须臣，不得违背。四向背门，向即俱向，背即俱背，不得一向一背。五偏枯门，不得一边真，一边草，一面大，一面小。六孤露门，肥瘦上下不等，名曰孤露，须得自在。七石指玲珑门，凡点笔常回避相触也。八停笔迟涩门，迟自迟，涩自涩，常欲令其透过纸背。九通气门，凡书画内令通其气，不得塞也。十顾答门，凡点画字势常须相顾也。"③二、三、九都是讲笔画之间的一种效果，皆为以蔡邕《九势》为基础的重复性详细说明，这里不再加以论述。第四条向背门，要求字体部件体势一致，要么从四周向中宫收紧，要么从中宫向四周展开，不能一展一收，使字的体势不一。五偏枯门主张单字的连带停顿要一致，不能一部分用草书，一部分用楷书，使字连断不统一。这一点张怀瓘论用笔十法时也有论述。第六，论字粗细要上下一致。第七，点画不要挨在一起，要留一定空隙。第八，用笔缓慢时要有力度。第十，讲笔画间要相互呼应。

与《笔法门》相似，唐张怀瓘论用笔十法：偃仰向背、阴阳相应、鳞羽参差、峰峦起伏、真草偏枯、邪正失则、迟涩飞动、射空玲珑、尺寸规度、随

① 沃兴华：《书法创作论》，上海古籍出版社 2008 年版，第 42 页。

② （清）王原祁等纂辑：《佩文斋书画谱》卷三，文物出版社 2013 年版，第 83 页。

③ （清）王原祁等纂辑：《佩文斋书画谱》卷三，文物出版社 2013 年版，第 106 页。

字转变。① 传为颜真卿所作的《述张长史笔法十二意》一文中,论述了十二种笔法的笔意:横、竖、均、密、末锋、骨体、转折、牵掣、补、损、巧、大小。颜真卿用笔、结体、章法均循法度,表现出自尊、自重的矜持。楷书与篆书、隶书笔法不同。篆书、隶书笔画平正,讲究对齐平整,笔画可齐头、平行。楷书笔法讲究参差,俯仰参照,长短竖直都有欹斜变化,在笔画的侧重中将中宫收紧。

> 合勤处勒,"士"字是也。凡横画并仰上覆收,"土"字是也。三须解磔,上平、中仰、下覆,"春""主"字是也。凡三画悉用之。合掠即掠,"户"字是也。"彡"乃"形""影"字右边,不可一向为之,须背下撇之。爻须上磔刃锋,下磔放出,不可双出。"多"字四撇,一缩,二少缩,三亦缩,四须出锋。②

这些变化都是依据法度而施。唐人找到物象的平衡点,在诸种变化中维持这个平衡。楷书的不激不厉、中正平稳正是这些法则的集中体现。

唐楷书严格的法则规范受到了一些书法家的批评。《海岳名言》:"柳公权师欧不及远甚,而为丑怪恶札之祖。自柳世始有俗书。"③又批评颜真卿:"颜鲁公行字可教,真便入俗品"④。《广艺舟双楫》:"至于有唐,虽设书学,士大夫讲之犹甚。然缵承陈、隋之余,缀有遗绪之一二,不复能变。专讲结构,几若算子;截鹤续凫,整齐过甚。欧、虞、褚、薛,笔法虽未尽亡,然浇淳散朴,古意已漓。而颜、柳迭奏,澌灭尽矣。"⑤

草书的法则与楷书有所差别,主要表现为两方面:一为不拘法度。

---

① 参见(宋)陈思编撰:《书苑菁华校注》,崔尔平校注,上海辞书出版社 2013 年版,第 30—32 页。

② (宋)陈思编撰:《书苑菁华校注》,崔尔平校注,上海辞书出版社 2013 年版,第 286 页。

③ (宋)米芾:《海岳名言》,《丛书集成初编》卷一六二八,商务印书馆 1935 年版,第 1—2 页。

④ (宋)米芾:《海岳名言》,《丛书集成初编》卷一六二八,商务印书馆 1935 年版,第 3 页。

⑤ (清)康有为:《广艺舟双楫》,中国书店 1983 年版,第 33 页。

草书要求不拘常法,信手拈来,才是张颠素狂。吴融《赠䛒光上人草书歌》:"篆书朴,隶书俗,草圣贵在无羁束。江南有僧名䛒光,紫毫一管能颠狂。"①草书多为僧人所书。情感表达,独抒情灵,追求变化,狂逸酣畅。唐代突破了以往草书整齐的布局,在章法中与楷书拉开距离。二为法式错综。唐草的不拘法度并不是抛弃法则,而是以错综的法式有别于拘泥法式单一的方法。法式错综除与章法留白,紧密有致外,还讲究笔法的行走变化。草书要求用笔内旋外拓,"左为外,右为内"②,如张旭《古诗四帖》中"谢灵运王子晋赞"的"灵"字,先是一笔从左到右的横笔,再从右下向左上运笔,接着从右向左运横笔。草书多为顺时针弧线,偶尔会出现逆时针,如怀素《大草千字文》中的"日月盈昃"的"昃"字上面的"日"部由两段逆时针的弧线绘成。右下方逆笔起势也出现在唐草中,如《四书诗帖》中"其人必贤哲"的"贤"字,从下往上,从右向左开始起笔。

《法书论》述:"主客胜负皆须姑息,先作者主也,后为者客也。既构筋力,然后装束,心须举措合则,起发相承,轻浓似云雾往来,舒卷如林花间吐。每书一纸,或有重字,亦须字字意殊。"③无论是楷书还是草书都要求书法体现错落美,楷书更多地表现在结体之中,而草书不仅在结体如此,在章法布局上也是大做文章。

唐书法理论中,人们改革了握笔姿势,确立了竖腕而握、指实掌虚的毛笔写法,使毛笔的运势更加灵活,范围更加宽广。以"永字八法"为基本模式,唐人规定了楷书笔法具体书写方式。在草书中,唐人也以圆畅、顿挫规定了草书的笔法。唐人善于借鉴前贤风骨神韵,又不囿于前贤规则束缚,而是自成一格,自出机杼。力守中宫、方圆兼施、大小错综、刚柔相济这些规则是每一位书法家都遵守并追求的,但唐代书法家们在表现

---

① (清)曹寅、彭定求等编纂:《全唐诗》卷六八七,中华书局1999年版,第7969页。

② (宋)陈思编撰:《书苑菁华校注》,崔尔平校注,上海辞书出版社2013年版,第14页。

③ (宋)陈思编撰:《书苑菁华校注》,崔尔平校注,上海辞书出版社2013年版,第180页。

这些规则时,形成了不同的兴味。向背、长短、粗细、方圆、揖让等不同笔势之间精微的变化也形成了唐代书法参差的风格,或雄健,或舒朗,或飘逸,或豪爽,或秀气。

第五章

乐舞中的审美意识

东汉至魏晋南北朝的长期战乱，导致音乐被大规模破坏。隋唐继社会动荡后，面临重建雅乐的重任。隋代已经非常重视音乐亡佚问题，试图复兴音乐。《隋书》载："大业初，考绩连最。炀帝闻其(指裴蕴)善政，征为太常少卿。初，高祖不好声技，遣牛弘定乐，非正声清商及九部四舞之色，皆罢遣从民。至是，蕴端知帝意，奏括天下周、齐、梁、陈乐家子弟，皆为乐户。其六品已下，至于民庶，有善音乐及倡优百戏者，皆直太常。是后异技淫声咸萃乐府，皆置博士弟子，递相教传，增益乐人至三万余。"① 隋代曾多次重建雅乐，均未成功。唐人首先修复并完善了雅乐。贞观二年(628 年)，尚书右丞魏徵进曰："古人称：'礼云礼云，玉帛云乎哉！乐云乐云，钟鼓云乎哉！'乐在人和，不由音调。"太宗然之。孝孙又奏："陈、梁旧乐，杂用吴、楚之音；周、齐旧乐，多涉胡戎之伎。于是斟酌南北，考以古音，作为大唐雅乐。以十二律各顺其月，旋相为宫。"按《礼记》云，"大乐与天地同和"，故制十二和之乐，合三十一曲，八十四调。祭圆丘以黄钟为宫，方泽以林钟为宫，宗庙以太簇为宫。五郊、朝贺、飨宴，则随月用律为宫。初，隋但用黄钟一宫，惟扣七钟，余五钟虚悬而不扣。及孝孙建旋宫之法，皆遍扣钟，无复虚悬者矣。② 到此唐代雅乐完备，突破了隋代只用黄钟一宫的单调音乐，兼顾十二律中各个音素，成天地、人声之和。

唐人爱乐，宫廷民间、朝堂伎馆、王府杂肆皆盛行乐舞。唐代政府设置了四个专门的音乐机构：大乐署、鼓吹署、教坊和梨园。前两者归掌宗

① (唐)魏徵等：《隋书》卷六十七，中华书局 1973 年版，第 1574—1575 页。
② (后晋)刘昫等：《旧唐书》卷二十八，中华书局 1975 年版，第 1041 页。

庙礼仪的太常寺管,后两者归宫廷直接管辖。唐代皇帝颇通音律,常亲自作乐制曲,唐太宗、唐高宗、唐玄宗都有作品。这个习惯以前的朝代就有,陈后主有《玉树后庭花》、《堂堂》、《黄鹂留》、《金钗两臂垂》,隋炀帝有《骁壶》、《泛龙舟》等。其中《玉树后庭花》与《泛龙舟》作为唐代大曲被保存下来。但唐皇作品尤胜。唐太宗有《庆善乐》、《破阵乐》,唐高宗有《春莺啭》、《神宫大乐》,而唐玄宗制有《霓裳羽衣曲》,唐德宗有《中和舞》等。皇宫有教坊、梨园等专门的乐舞机关,民间也多歌楼伎坊。王公贵族争相学习音乐,如"咸通间,诸王多习音声、倡优杂戏,天子幸其院,则迎驾奏乐"①。唐代的著名吹笛家李子牟是"唐蔡王第七子也,风仪爽秀,才调高雅,性闲音律,尤善吹笛,天下莫比其能"②。因为音乐的兴盛,唐代也出现了许多专门的乐舞著作。如徐景安的《乐书》、刘贶的《太乐令壁记》、崔令钦的《教坊记》、段安节的《乐府杂录》、南卓的《羯鼓录》以及作者不详的《乐书要录》,都记录了唐时的乐舞。

第一节 武乐:壮怀激烈

唐人尚武好动,壮怀激烈。初唐文化以关陇文化为本位。关陇位置偏西北,属于北方文化,既有正统中原文化,也有五胡乱华后的异质文化,具有北方民族骁勇善战的血性,唐代一开始就具有与其他朝代所不同的崇武精神。唐代建立了专门祭祀武将的宗庙,"建中三年,礼仪使颜真卿奏:'治武成庙,请如月令春、秋释奠。其追封以王,宜用诸侯之数,乐奏轩悬。'诏史馆考定可配享者,列古今名将凡六十四人图形焉"③。唐在科举考试中首开武举,并建立府兵制,使习武成为国家正式认可的谋生手段。以武显国的唐人在武乐中显示了他们的自信与自强。自周代以降,用来祭祀、朝贺、飨宴的舞乐就分文舞与武舞,或文乐与武乐。武乐并不是唐代突创与独有,如周武的《武》乐,梁武帝时期的《大壮》乐,都是武

① (宋)欧阳修、宋祁:《新唐书》卷二十二,中华书局1975年版,第478页。
② (唐)薛用弱:《集异记》,中华书局1980年版,第29页。
③ (宋)欧阳修、宋祁:《新唐书》卷十五,中华书局1975年版,第377页。

乐,但武乐从来没有像唐时这般兴盛。武舞与武乐发展至唐代才不仅停留于雅乐、宴飨,而于民间广泛流传,在民间形成了任侠尚义的流俗。唐代军乐、剑器舞与健舞三种类型的舞乐传达了唐人的崇武精神。

一、悚然强悍的军乐

与历世重文轻武的风尚不同,唐代彰显武力,以强大的军事力量奠定了唐代经济、文化的昌盛。贞观四年(631 年),唐军大破东突厥,使突厥国臣服于唐王朝。显庆三年(658 年),唐高宗迁安西都护府于龟兹,设安西四镇,确立西域统治秩序。疆域的扩张使唐人对国力充满自信。颂扬王业昌盛,文治武功,激励士气,建武扬德,风敌励兵,以武力绥服四海,这些功业都需要用乐舞来显颂高歌。

唐代首次提出将武乐列于文乐之前。隋唐军乐实具有北朝尚武之风。魏宣帝时改前代鼓吹十五曲。十五曲中除第十三曲是颂高祖以圣德继天,天下向风的德行,其他十四曲皆颂高祖南征北伐,俘馘百万,君临诸国的威武尊严。唐人重武,对以武得天下,建功立业,同样直言不讳,并颇感自豪。太常少卿韦万石在进行音乐改革时就向高宗奏道:"若以征伐得天下,则先奏武舞。望请应用二舞日,先奏《神功破阵乐》,次奏《功成庆善乐》。"[①]此种排列的建议仍为唐代极具气魄之创举。因为历代音乐理论皆有意识地打压武乐。如《论语·八佾》对《韶》乐与《武》乐的评价就是崇文抑武的。唐代以前音乐要求直正宽和,重文德教化,《周易·豫·象传》载:"先王以乐崇德,殷荐之上帝,以配祖考"。在乐舞教育中,文乐在前,武乐在后,已成为历代默认之正乐传统。唐人敢提出排武乐在前说明他们虽然一方面十分谦逊,要以文德建国,故有唐太宗将《破阵乐舞》改为《七德》之举,另一方面他们对武技也是十分推崇,服膺武力的强大,故唐代有任侠尚游之风,唐代武乐也能居于显赫地位,武力昌盛是唐人的自豪。性格软弱的高宗虽不喜《破阵乐》,但也要说:"追思往日,王

① (后晋)刘昫等:《旧唐书》卷二十八,中华书局 1975 年版,第 1049 页。

业艰难勤苦若此,朕今嗣守洪业,可忘武功?”①所以他也只能重演记其父亲武德的《破阵乐》。

军乐是一种阵法乐舞,用于宴飨、祭祀、凯旋等场景中。最有代表性的当为《破阵乐》。《破阵乐》已出现在唐代的祭祀音乐中,属雅乐的一种,是唐代宴飨与郊祀时的重要乐舞,它也可用于将帅出征、凯旋时的仪式。《乐府诗集》载《破阵乐》:“受律辞元首,相将讨叛臣。咸歌《破阵乐》,共赏太平人。”②历代的武舞、武乐也没有哪一支像唐代《破阵乐》一样久负盛名,流传海外。它不仅镶嵌于唐代的骨血之中,也历久弥新,隔离千年后,依然可以在文字记载中触摸到那慷慨激昂、雄宏壮阔的盛世之音。《破阵乐》原名《秦王破阵乐》,是人们歌颂当时还为秦王的李世民的征伐之功,后改名为《破阵乐》,贞观元年改为《七德》,唐高宗显庆元年正月改为《神功破阵乐》。《破阵乐》成为唐代最具代表性的武乐,影响了其他音乐,如高宗伐辽时期的《一戎大定乐》,也出自《破阵乐》,是为军乐之一。《乐府诗集》记《破阵乐》为太宗所造,曲词如下:

秋来四面足风沙,塞外征人暂别家。千里不辞行路远,时光早晚到天涯。③

《破阵乐》原从兵法军阵中化形而出。《乐府杂录》记载《破阵乐》属于“龟兹部”:“秦王所制,舞人皆衣画甲,执旗旆。外藩镇春冬犒军,亦舞此曲,兼马军引入场,尤甚壮观也。”④披甲骨、持旗,由马匹伴舞都为仿效战场杀敌情状。《太平御览》引《唐会要》:“太宗七年正月七日制破阵乐舞。左圆右方,先偏后五。鱼丽鹅贯,箕张翼舒,交错屈伸,首尾迴牙,以像战阵之形。……十五日奏之于庭,观者见其抑扬蹈厉,莫不扼腕踊跃,悚然震悚。”⑤“左圆右方,先偏后五。鱼丽鹅贯,箕张翼舒”讲的都是阵形。舞蹈中阵形变化倏忽,张舒有致,秩序井然,阵法的快速变化中产生抑扬

① (后晋)刘昫等:《旧唐书》卷二十八,中华书局 1975 年版,第 1050 页。
② (宋)郭茂倩编:《乐府诗集》,中华书局 1979 年版,第 301 页。
③ (宋)郭茂倩编:《乐府诗集》,中华书局 1979 年版,第 1127 页。
④ (唐)崔令钦等:《教坊记(外三种)》,中华书局 2012 年版,第 123 页。
⑤ (宋)李昉等撰:《太平御览》卷五七四,中华书局 1960 年版,第 2559 页。

蹈厉、悚然震悚的气势。

《破阵乐》需甲胄披身以示为军乐。高宗时期演破阵乐时,“皆被甲持戟,其执纛之人,亦着金甲。人数并依八佾,仍量加箫、笛、歌鼓等,并于悬南列坐,若舞即与宫悬合奏”①。被玄宗改造后的立部伎《破阵乐》气势就柔和多了:“舞四人,金甲胄。”②人数大为减少,只在衣着上保持了甲胄的装扮。

唐代军乐的乐器有:铙、笛、筚篥、箫、笳、铙、鼓等。这些乐器声音响亮,节奏分明,正适合军乐高昂蹈厉之音。根据使用乐器的不同,唐代军乐可分为鼓吹与横吹两种。鼓吹是用短箫、铙、鼓伴奏的军乐,横吹是用鼓角在马上吹奏的音乐。唐代军乐对鼓吹乐器更为看重,设立了专门的鼓吹署。鼓吹节奏鲜明,气势强悍。《太平御览》引《唐会要》,唐代如有军士凯旋,献俘于朝,则“鼓吹令丞前导,分行于兵马俘馘之前。将入都门,鼓吹振作迭奏破阵乐、应圣期、贺朝欢、君臣同庆乐等四曲”③。鼓吹乐器最能表现军乐壮怀激烈的氛围。唐李贺《公莫舞歌》用鼓吹乐器突出樊哙救主的勇猛无畏,“华筵鼓吹无桐竹,长刀直立割鸣筝”。李贺在想象这场暗潮汹涌的宴会时,引用了唐人的审美习惯,舍去丝竹弦筝,却留下了鼓吹乐器的助阵。鼓吹之乐在唐代被一些人认为是军乐专用。高祖时期皇帝特赐鼓吹于平阳公主的葬礼。太常立即认为此举不合宜,因为妇人不能用鼓吹,而唐高祖认为公主于举兵有功,可特加鼓吹殊荣。景龙二年(708 年),皇后上奏要求妃子及五品以上官员的母亲妻子婚宴、入葬可享受鼓吹。御史又立即反对,因为鼓吹是武乐专用,表天子征伐,丈夫平定四方之功,“假如郊祀天地,唯有宫悬而无案架,故知军乐之用尚不给于神祀,岂容接于闺阁哉”④。这就将军乐的地位提得很高了,就连祭天地也只用编钟,不能乱用鼓吹,又怎能用于妇人之上,宫闱之内。不过皇帝没有采纳此言,所以鼓吹乐器也能在其他乐舞中看到,但却不如军

① (后晋)刘昫等:《旧唐书》卷二十八,中华书局 1975 年版,第 1047—1048 页。
② (后晋)刘昫等:《旧唐书》卷二十九,中华书局 1975 年版,第 1062 页。
③ (宋)李昉等撰:《太平御览》卷五七四,中华书局 1960 年版,第 2561 页。
④ (宋)李昉等撰:《太平御览》卷五七四,中华书局 1960 年版,第 2563 页。

乐的鼓吹这么集中。

受军乐的影响,唐代乐舞多借鉴军乐阵容,声势浩大,且可随机变阵。《旧唐书》记:“长寿二年正月,则天亲享万象神宫。先是,上自制《神宫大乐》,舞用九百人,至是舞于神宫之庭。”①高宗制的《神宫大乐》规模已经达到了九百人。玄宗时,舞乐不但规模宏大,且花样繁多。《旧唐书》记载:

> 玄宗在位多年,善音乐,若宴设酺会,即御勤政楼。……太常大鼓,藻绘如锦,乐工齐击,声震城阙。太常卿引雅乐,每色数十人,自南鱼贯而进,列于楼下。鼓笛鸡娄,充庭考击。太常乐立部伎、坐部伎依点鼓舞,间以胡夷之伎。日旰,即内闲厩引蹀马三十匹,为《倾杯乐曲》,奋首鼓尾,纵横应节。又施三层板床,乘马而上,抃转如飞。又令宫女数百人自帷出击雷鼓,为《破阵乐》、《太平乐》、《上元乐》。虽太常积习,皆不如其妙也。若《圣寿乐》,则回身换衣,作字如画。又五坊使引大象入场,或拜或舞,动容鼓振,中于音律,竟日而退。玄宗又于听政之暇,教太常乐工子弟三百人为丝竹之戏,音响齐发,有一声误,玄宗必觉而正之。②

唐玄宗喜爱的舞蹈阵式浩大,且有军乐阵式。《倾杯乐曲》中马匹上下腾跃,应节而舞,借用了军乐的马舞形式。演《破阵乐》、《太平乐》、《上元乐》时将军乐《破阵乐》置于前。宫女齐击雷鼓,声震城阙,大象在鼓声中进退有据,利用军乐的鼓吹乐器渲染造势。再有三百子弟齐振丝竹等情节都可使人设想当时场面的悚然强悍,气势磅礴。

唐人重视武乐,曾提出将之列在文乐前表演。唐代军乐气势浩然,将行兵作战时期的阵法运用于乐舞中,使大型舞蹈产生无穷变化。唐代军乐以鼓吹为乐,节奏鲜明,高亢激越。唐代的军乐特征影响了其他大型舞蹈,展现了唐人气势恢宏的壮志雄心。

---

① (后晋)刘昫等:《旧唐书》卷二十八,中华书局1975年版,第1050页。

② (后晋)刘昫等:《旧唐书》卷二十八,中华书局1975年版,第1051页。

二、惊栗矫捷的剑舞

剑舞是一种与武术有关的舞蹈。至唐代专门出现了“舞剑器”一说，舞者依然可舞剑，也可将“剑器”中的“剑”以其他的形式代替，从而开创新的一类舞蹈。段安节在《乐府杂录》中将剑器舞归为剑舞一类。唐人崔令钦在《教坊记》曲名中记载有“剑器子”、“西河剑气”和“醉浑脱”等剑器舞。唐代最著名的舞剑舞蹈家是裴旻与公孙大娘。

裴旻是唐代剑术高明的将军，他的剑出神入化，仅凭手中之剑便可击落敌人射来的箭矢。武艺高强的裴将军表演的剑舞赏心悦目、勇武有力，为唐代舞蹈剑舞类的代表。《太平广记》载：

> 又开元中，将军裴旻居母丧，诣道子，请于东都天宫寺画神鬼数壁，以资冥助。道子答曰：废画已久，若将军有意，为吾缠结，舞剑一曲。庶因猛励，获通幽冥。旻于是脱去缞服，若时常装饰，走马如飞，左旋右抽，掷剑入云，高数十丈，若电光下射，旻引手执鞘承之，剑透室而入。观者数千百人，无不惊栗。道子于是援毫画壁，飒然风起。为天下之壮观。道子平生所画，得意无出于此。①

从上段文字的记载中可看出裴旻剑舞猛力刚健、气势雄浑、大开大阖、收放自如，又夹有惊天动地的掷剑入云，还剑入鞘一幕，更添杂技般惊险刺激，在动作的迅猛中，营造了惊心动魄的武场气势，被称为唐代“三绝”之一。裴旻的剑舞也进入舞蹈曲名之中留载史册，这就是《裴将军满堂势》。

唐代尚武，不但男子好武，连一些女子的功夫也十分高明。这些女子武艺高强，出入无形。李白有诗《东海有勇妇》记一女子剑术卓越：

> 梁山感杞妻，恸哭为之倾。金石忽暂开，都由激深情。东海有勇妇，何惭苏子卿。学剑越处子，超腾若流星。捐躯报夫仇，万死不顾生。白刃耀素雪，苍天感精诚。十步两躩跃，三呼一交兵。斩首掉国门，蹴踏五藏行。豁此伉俪愤，粲然大义明。北海李使君，飞章奏天

① （宋）李昉等编：《太平广记》卷二百一十二，中华书局1961年版，第1623页。

庭。舍罪警风俗,流芳播沧瀛。名在列女籍,行帛已光荣。淳于免诏狱,汉主为缇萦。津妾一棹歌,脱父于严刑。十子若不肖,不如一女英。豫让斩空衣,有心竟无成。要离杀庆忌,壮夫素所轻。妻子亦何辜,焚之买虚声。岂如东海妇,事立独扬名。①

文中称颂一女子义勇贞烈,为报夫仇,痛斩敌凶。她身姿轻盈,动作起来"超腾若流星",剑术高强,挥舞起来"白刃耀素雪",迅急猛烈,卓越不凡,远超同时代之男子。当然李白没有亲眼观摩她的复仇,这都是出自他崇尚快意恩仇、剑游天下的想象。这种想法不但表现在李白的作品中。《太平广记》卷一九六转《集异记》中贾人妻的故事。贾人妻武功不凡,身如飞鸟,可逾墙而走。但她个性决绝,报仇后逃逸之前,将自己的孩子杀死,以断眷恋。其行事乖张令人惊诧,显露出唐时为武之人率性妄为,唯吾独尊的气势。《太平广记》卷一九四"崔慎思"条记载了同样的故事。再有聂隐娘、红线、荆十三娘等人都剑术不凡,可轻取人命。这些都流露出唐人以武说话,刚直如铁的个性特征。

与李白相比,亲眼观看剑术表演的杜甫就写得更细致。杜甫称赞的这位剑器高手也是一女子,名公孙大娘。公孙大娘是唐代剑器舞的代表人物。剑器舞是舞蹈化了的剑舞,指"手执器械(道具)而舞"②。公孙大娘的舞蹈多见于文献称颂。郑嵎的《津阳门诗》中述:"公孙剑器方神奇"。公孙大娘会多套剑舞,包括《邻里曲》、《裴将军满堂势》、《西河剑器浑脱》。杜甫的《观公孙大娘弟子舞剑器行》中对公孙大娘舞蹈的描写,使我们得以窥见公孙大娘剑器舞的风姿神韵。

昔有佳人公孙氏,一舞剑气动四方。观者如山色沮丧,天地为之久低昂。㸌如羿射九日落,娇如群帝骖龙翔。来如雷霆收震怒,罢如江海凝清光。绛唇珠袖两寂寞,况有弟子传芬芳。临颍美人在白帝,妙舞此曲神扬扬。③

---

① (清)曹寅、彭定求等编纂:《全唐诗》卷一六四,中华书局1999年版,第1700—1701页。

② 王永平:《唐代剑器舞考》,《青海师范大学学报》1990年第3期。

③ (清)曹寅、彭定求等编纂:《全唐诗》卷二二二,中华书局1999年版,第2361页。

从诗中看公孙大娘的剑器舞气势不输裴旻。“观者如山色沮丧”与“裴旻”的“观者数千人,无不惊栗”效果类似。“㸌如羿射九日落,娇如群帝骖龙翔”,舞蹈多转腾跳跃,且猛历快速,幅度超然。“来如雷霆收震怒,罢如江海凝清光”虽无裴旻杂技似的精准,也是讲究动作迅捷中的收放自如。

公孙大娘的剑器舞甚至影响了书法,对唐代著名书法家张旭、怀素二人产生了较大的影响。杜甫《观公孙大娘弟子舞剑器行》中的序称:“往者吴人张旭,善草书帖,数常于邺县见公孙大娘舞西河剑器,自此草书长进……”①唐段安节在“乐府杂录”也记载:“开元中,有公孙大娘善舞剑器,僧怀素见之,草书遂长,盖准其顿挫之势也。”②由此可见公孙大娘的剑器舞给予了这二位唐代草书大家艺术的启迪。

除这两位剑器高手外,还有许多剑器高手。《酉阳杂俎》记兰陵老人:“紫衣朱鬓,拥剑长短七口,舞于庭中,迭跃挥霍,攙光电激,或横若裂帛,旋若规火。”③唐代诗人岑参有“酒泉太守能剑舞,高堂置酒夜击鼓”④的诗句。敦煌曲子词《剑器辞》称:“排备白旗舞,先自有由来。合如花焰秀,散若电光开。喊声天地裂,腾踏出岳摧。剑器呈多少,浑脱向前来。”⑤唐代诗人姚合的《剑器词三首》描写剑器舞蹈:“掉剑龙缠臂,开旗火满身。积尸川没岸,流血野无尘。今日当场舞,应知是战人”;“雪光偏著甲,风力不禁旗。阵变龙蛇活,军雄鼓角知。今朝重起舞,记得战酣时”;“破虏行千里,三军意气粗。展旗遮日黑,驱马饮河枯。邻境求兵略,皇恩索阵图。元和太平乐,自古恐应无”。⑥ 词中遍是刀光剑影、血流遍野、鼓角激烈、英雄意气,唐人不畏战可见一斑。

唐剑器舞与武术、杂技相联系,这种武乐不但运用于祭祀,还经常运用于宴飨,甚至是民间表演。唐剑器舞与书法、绘画相并肩,并称三绝,是

① (清)曹寅、彭定求等编纂:《全唐诗》卷二二二,中华书局 1999 年版,第 2361 页。
② (唐)崔令钦等:《教坊记(外三种)》,中华书局 2012 年版,第 128 页。
③ (唐)段成式撰:《酉阳杂俎》,上海古籍出版社 2012 年版,第 51 页。
④ (清)曹寅、彭定求等编纂:《全唐诗》卷二〇一,中华书局 1999 年版,第 2108 页。
⑤ 任半塘编著:《敦煌歌辞总编》,上海古籍出版社 2006 年版,第 1693 页。
⑥ (清)曹寅、彭定求等编纂:《全唐诗》卷五〇二,中华书局 1999 年版,第 5751 页。

唐代艺术的杰出代表。以武乐舞成之为一个时代的顶尖之作，也可看出唐人对拥有卓越武术的任侠尚义精神的推崇。

三、猛力快速的健舞

唐人段安节的《乐府杂录》舞工条中载："舞者，乐之容也。有大垂手、小垂手，或如惊鸿，或如飞燕。婆娑，舞态也；蔓延，舞缀也。古之能者不可胜记。即有健舞、软舞、字舞、花舞、马舞。健舞曲有棱大、阿连、柘枝、剑器、胡旋、胡腾。软舞曲有凉州、绿腰、苏合香、屈柘、团圆旋、甘州等。"①《乐府诗集》将舞乐《大祁》、《阿连》、《剑器》、《胡旋》、《胡腾》、《阿辽》、《柘枝》、《黄獐》、《拂菻》、《大渭州》、《达摩支》都列为健舞。②《教坊记》中称"阿辽、柘枝、黄獐、拂林、达摩支之属"为健舞。③

健舞与军乐相近，也可歌颂勇士，表现战争。《黄獐》是歌颂勇士的健舞。《旧唐书·王孝杰》传记载，公元696年，契丹人孙万荣、李尽忠攻陷营州。王孝杰统兵前往征讨，大军行至黄獐谷。遇敌埋伏。王孝杰部众与敌展开殊死博战，最终全军覆没。王孝杰部众忠勇敢死的行为，被编入《黄獐》歌传颂歌唱。除《黄獐》外，《达摩支》（或称《达摩之》与《达磨支》）亦属此类。温庭筠《达摩支》中的歌词唱叹的正是边塞战事，"红泪文姬洛水春，白头苏武天山雪"，引用文姬、苏武典故寓意唐人为外族所侵，"一旦臣僚共囚虏，欲吹羌笛先洒澜。旧臣头鬓霜华早，可惜雄心醉中老"，直言战事不利，故土收复无望。《黄獐》、《达摩支》此类健舞皆可酬唱军事，但他们并不是用于盛大仪式的凯歌，所以与真正的军乐有所不同。与《破阵乐》的雄浑壮烈相比，《黄獐》、《达摩支》消退了雄心壮志，夹杂着更多的战争反思与苍凉无奈。

《柘枝舞》这种健舞也与军乐相关。郭茂倩《乐府诗集》引《乐府杂录》记："健舞曲有《柘枝》。软舞曲有《屈柘》。"④薛能《柘枝词》三首均

---

① 王云五主编：《乐府杂录及其它二种》，商务印书馆1936年版，第19—20页。
② 参见（宋）郭茂倩：《乐府诗集》，中华书局1979年版，第767页。
③ 参见（唐）崔令钦等：《教坊记（外三种）》，中华书局2012年版，第14页。
④ （宋）郭茂倩：《乐府诗集》卷五十六，中华书局1979年版，第818页。

描写军旅生涯。

同营三十万，震鼓伐西羌。战血黏秋草，征尘搅夕阳。归来人不识，帝里独戎装。

悬军征拓羯，内地隔萧关。日色昆仑上，风声朔漠间。何当千万骑，飒飒贰师还。

意气成功日，春风起絮天。楼台新邸第，歌舞小婵娟。急破催摇曳，罗衫半脱肩。①

词中鼓点急促响劲，将士奋战沙场，洒血退敌，凯旋后意气风发，气势慷慨激烈。

《苏幕遮》是一种剑舞，也由军乐演变而来。《新唐书·宋务光传》记载中宗时，吕元泰曾上书："比见坊邑相率为浑脱队，俊马胡服，名曰'苏莫遮'。旗鼓相当，军阵势也；腾逐喧噪，战争象也。"②这说明《苏幕遮》原为战争之舞，后来逐渐成了健舞。

因为由军舞改编而来，健舞多跳跃、腾踏动作，再加上多为胡舞，健舞还多旋转动作。如胡旋舞急转如风，"天宝季年时欲变，臣妾人人学圜转"（白居易《胡旋女》）③，"环行急蹴皆应节，反手叉腰如却月"（李端《胡腾儿》）④。舞到快时人眼竟分不清舞者的前后面："潜鲸暗嗡笪波海，回风乱舞当空霰。万过其谁辨终始，四座安能分背面。"（元稹《胡旋女》）⑤胡旋舞常伴有跳跃动作，"跳身转毂宝带鸣，弄脚缤纷锦靴软"（刘言史《王中丞宅夜观舞胡腾》）⑥。

健舞矫健明快，尤其重视腰部动作，要求腰部灵巧且有力。因为健舞矫健明快，所以常以鼓乐伴舞。其音乐鼓点强劲，人随声而动。白居易《柘枝妓》记载柘枝舞，"平铺一合锦筵开，连击三声画鼓催。红蜡烛移桃

① (清)曹寅、彭定求等编纂：《全唐诗》卷五〇二，中华书局1999年版，第6530—6531页。

② (宋)欧阳修、宋祁：《新唐书》卷一百一十八，中华书局1975年版，第4277页。

③ (清)曹寅、彭定求等编纂：《全唐诗》卷四二六，中华书局1999年版，第4705页。

④ (清)曹寅、彭定求等编纂：《全唐诗》卷二八四，中华书局1999年版，第3236页。

⑤ (清)曹寅、彭定求等编纂：《全唐诗》卷四一九，中华书局1999年版，第4630页。

⑥ (清)曹寅、彭定求等编纂：《全唐诗》卷四六八，中华书局1999年版，第5354页。

叶起，紫罗衫动柘枝来"①。为增强舞蹈的节奏，舞者还会在衣饰上坠上小铃铛。"旁收拍拍金铃摆，却踏声声锦袎催"（张祜《观杭州柘枝》）②，衣服上挂着金铃，随着舞步而摆动；"帽转金铃雪面回"（白居易《柘枝妓》），头部摇摆回旋产生金铃颤动效果。柘枝舞重视胯部动作，"带垂钿胯花腰重"（白居易《柘枝妓》）③，说的是胯部动作轻巧灵活，竟显得腰上饰物都累赘了；"鼓催残拍腰身软，汗透罗衣雨点花"（刘禹锡《和乐天柘枝》）④，腰肢柔软有力，可能是下腰动作；"身轻入宠尽恩私，腰细偏能舞柘枝"（徐凝《宫中曲》）⑤，细腰颤动更觉轻盈敏捷。

与身形柔媚，长袖翩翩，舞态婆娑的软舞比起来，唐代健舞鼓点强劲、猛力快速，多跳跃旋转动作，腰胯位摆动频繁，主要表现战争、征戎、军旅生活。

以武显国的唐代乐舞中出现了一批气势磅礴、雄健壮烈的武乐。军乐、剑器舞、健舞是唐代武乐最集中的表现形式，他们或人数众多，阵式浩大；或动作敏捷，迅如电光；或跳腾旋转，明快热烈。武乐在唐代的盛行，显示了唐人仗剑任侠，建功立业的豪情壮志。唐人虽文采斐然，却不懦弱偏安，对勇猛热烈的军旅生活竟十分向往。

第二节 乐舞：文化融合

唐代音乐融俗入雅，融胡入华。唐氏皇朝采用、赏析音乐时在政治上更加包容，能接受多种音乐的共存。贞观二年（628 年），唐太宗与大臣论析音乐的功用。御史大夫杜淹欲辨析音乐优劣："前代兴亡，实由于乐。陈将亡也，为《玉树后庭花》；齐将亡也，而为《伴侣曲》。行路闻之，莫不悲泣，所谓亡国之音也。以是观之，盖乐之由也。"太宗反对道："不然，夫

---

① （清）曹寅、彭定求等编纂：《全唐诗》卷四四六，中华书局 1999 年版，第 5028 页。
② （清）曹寅、彭定求等编纂：《全唐诗》卷五一一，中华书局 1999 年版，第 5865 页。
③ （清）曹寅、彭定求等编纂：《全唐诗》卷四四六，中华书局 1999 年版，第 5028 页。
④ （清）曹寅、彭定求等编纂：《全唐诗》卷三六〇，中华书局 1999 年版，第 4075 页。
⑤ （清）曹寅、彭定求等编纂：《全唐诗》卷四七四，中华书局 1999 年版，第 5412 页。

音声能感人,自然之道也。故欢者闻之则悦,忧者听之则悲,悲欢之情,在于人心,非由乐也。将亡之政,其民必苦,然苦心所感,故闻之则悲耳,何有乐声哀怨,能使悦者悲乎?今《玉树》、《伴侣》之曲,其声具存,朕当为公奏之,知公必不悲矣。”尚书右丞魏徵也说:“古人称‘礼云礼云,玉帛云乎哉!乐云乐云,钟鼓云乎哉!’乐在人和,不由音调。”①唐代是个海纳百川的开放朝代,唐太宗能认识到音乐的情感激发、提升作用,而不是像杜淹一样将音乐与政治兴盛衰微强制联系在一起,无形中放宽了受礼乐牵制的音乐择选标准。政治思想的开明成就了唐代音乐的繁荣,使唐代音乐比以往音乐更注重多地域、多文化的融合。

一、南北融合

建唐初始,唐代音乐基本沿用前代旧乐,并融于地方音乐及少数民族音乐。《通典》记:“大唐高祖受禅后,军国多务,未遑改创,乐府尚用隋氏旧文。至武德九年正日,始命太常少卿祖孝孙考正雅乐,至贞观二年六月乐成,奏之。初,孝孙以梁、陈旧乐,杂用吴、楚之音;周、齐旧乐,多涉胡戎之伎。于是斟酌南北,考以古音,而作大唐雅乐。”②其中的吴、楚是指地方性民间音乐,可能开始只有歌词,后来再配以乐器;或者开始只有曲子,再加入歌词,如“吴歌杂曲,并出江东,东晋以来,稍有增广。其始皆徒歌,既而被之管弦”③。可见,唐代雅乐一方面由梁、陈宫廷乐与地方音乐相补充而成,另一方面又由周、齐宫廷乐与胡乐相结合而成。

隋初,宫廷音乐在战争中几近流失,隋文帝有心增修雅乐,但乐器与乐人都缺失,“隋文帝家世士人,锐兴礼乐,践祚之始,诏太常卿牛弘、祭酒辛彦之增修雅乐。弘集伶官,措思历载无成,而郊庙侑神,黄钟一调而已”④。直到开皇九年(589年),隋文帝统治了陈朝,才获得南方音乐的乐工与乐器,依据华夏正声“乃调五音为五夏、二舞、登歌、房中等十四

① (后晋)刘昫等:《旧唐书》卷二十八,中华书局1975年版,第1041页。
② (唐)杜佑:《通典》卷一百四十三,中华书局1988年版,第3654—3655页。
③ (宋)郭茂倩:《乐府诗集》卷四十四,中华书局1979年版,第639—640页。
④ (后晋)刘昫等:《旧唐书》卷二十八,中华书局1975年版,第1040页。

调,宾、祭用之。隋氏始有雅乐,因置清商署以掌之。既而协律朗祖孝孙依京房旧法,推五音十二律为六十音,又六之,有三百六十音,旋相为宫,因定庙乐。诸儒论难,竟不施用。隋世雅音,惟清乐十四调而已。隋末大乱,其乐犹全"①。隋朝灭亡,音乐清商十四调却保存了下来,为唐代所用。这就是唐代最初的南方音乐传统。

隋代音乐又与北地有密切联系。隋代的音乐建立在北周之上,宫廷音乐以北周为基础,北周的音乐基本为北方音乐,"太祖辅魏之时,高昌款附,乃得其伎,教习以备飨宴之礼。及天和六年,武帝罢掖庭四夷乐。其后帝娉皇后于北狄,得其所获康国、龟兹等乐,更杂以高昌之旧,并于大司乐习焉。采用其声,被于钟石,取《周官》制以陈之"②。北周的音乐具有浓厚的北方音乐背景。唐代音乐保存了许多北方音乐,《旧唐书》记:"《北狄乐》,其可知者鲜卑、吐谷浑、部落稽三国,皆马上乐也。鼓吹本军旅之音,马上奏之,故自汉以来,《北狄乐》总归鼓吹署。后魏乐府始有北歌,即《魏史》所谓《真人代歌》是也。代都时,命掖庭宫女晨夕歌之。周、隋世,与《西凉乐》杂奏。今存者五十三章,其名目可解者六章:慕容可汗、吐谷浑、部落稽、钜鹿公主、白净王太子、企喻也。"③北地音乐夹杂了大量的胡乐,这也是继承北地音乐的唐乐之所以胡乐盛行的原因之一。

唐中期以后,南方音乐逐渐占据了主要地位。南方音乐"滔滔和雅,令人舒缓"④,被定为雅乐正声。如吴地的拂舞曲,白纻歌经常被传唱。北方音乐南下,也经常被南方音乐所改造。到唐五代时,词人所用曲多为南方曲子,敦煌舞谱也多为南方曲子,这都表明了南乐在整个唐代逐渐复兴并代替北乐的趋向。从南北融合来看,唐代音乐开始是南北兼并,后来逐渐偏向南方音乐,即从原来的热烈雄浑逐渐转向温柔舒缓之风。

唐代音乐继承了隋代音乐的大部分内容,而隋代音乐又保存了南北两地的音乐传统。因此唐代音乐承南北融合形式。既有南方音乐滔和雅

---

① (后晋)刘昫等:《旧唐书》卷二十八,中华书局 1975 年版,第 1040 页。
② (唐)魏徵等:《隋书》卷十四,中华书局 1973 年版,第 342 页。
③ (后晋)刘昫等:《旧唐书》卷二十九,中华书局 1975 年版,第 1071—1072 页。
④ (唐)魏徵等:《隋书》卷十六,中华书局 1973 年版,第 391—392 页。

正的清商乐传统,也融合了大批热烈鲜明的北方音乐,这使得唐代音乐饱含张力,而具有多样化的风格。

二、对佛道文化的吸收

唐代三教并立。雅乐系统中明人伦、护教化的音乐自然是儒家文化的结果。除此外,唐代音乐中还受其他二教的影响而更具备宗教乐舞的特征。

佛教与道教互相攻讦的同时,佛道文化影响越来越甚,逐渐渗透到人们的日常思维与生活之中。佛教音乐在唐代传入了中原,用于传唱佛理。《太平御览》引《唐会要》,“骠国乐贞元十八年正月,骠国王来献凡一十二曲,以乐工三十五人来朝。乐曲皆演释氏经纶之词”①。佛家音乐舒缓和正,可以抚慰和净化人的心灵,伴随佛理宣讲,会催发更好的感人效果。《宋高僧传》卷二十五记载唐贞元高僧名叫少康,以音乐的功效讲道授法,其“所述偈赞,皆附会郑卫之声,变体而作。非哀非乐,不怨不怒,得处中曲韵。譬犹善医,以饧蜜涂逆口之药,诱婴儿之入口耳”②。这种“非哀非乐,不怨不怒”、情感收敛的音乐能如蜜糖般地收拢人心,曲调应是中正平和,可舒缓人心。乐曲《文叙子》同样拥有缓和心灵的效果,“长庆中,俗讲僧文叙善吟经,其声宛畅,感动里人。乐工黄米饭状其念四声‘观世音菩萨’,乃撰此曲”③。佛教音乐以声音动人为主要特征。唐代释家中更不乏音乐高手。《乐府杂录》记庄严寺的和尚段善本就是琵琶高手,他与另一琵琶高手康昆仑在长安比赛,弹第一个音后“声如雷,其妙如神”④,马上征服了对手,使康昆仑当场拜服,并拜他为师。元稹《琵琶歌》记段善本有弟子数十人,“段师弟子数十人,李家管儿称上足”,李管儿是唐代另一琵琶高手,也由段善本所教导。可见,佛教动人至深的音乐技能对唐代音乐创作有一定的借鉴意义。

---

① (宋)李昉等撰:《太平御览》卷五七四,中华书局1960年版,第2564页。
② (宋)赞宁撰:《宋高僧传》卷二十五,中华书局1987年版,第632页。
③ (唐)崔令钦等:《教坊记(外三种)》,中华书局2012年版,第146页。
④ (唐)崔令钦等:《教坊记(外三种)》,中华书局2012年版,第131页。

唐代许多歌辞中显出佛家思想，也是唐乐受佛乐影响的证据。如敦煌歌辞第[0047]首：

送征衣

今世共你如鱼水，是前世因缘。两情准拟过千年，转转计较难，教汝独自眠。每见庭前双飞燕，他家好自然。梦魂往往到君边，心专石也穿，愁甚不团圆。①

这首爱情辞中的前世今生，因缘自然等爱情观都受佛教影响。另外敦煌歌辞专有佛学唱辞，如讲体悟大道，述佛家境界，论善恶有报的一系列《求因果》、《望月婆罗门》、《证无为》、《出家乐》、《无相珠》、《空无主》、《三归依》等。

受佛道文化影响，唐代舞蹈中已经常有莲花形象出现。西安博物馆有一公元721年刻的石碑，称"唐兴福寺残碑"。碑上刻了两个舞者相对而舞，皆脚踩莲花。唐代软舞《屈柘枝》，舞人也从莲花而出。《乐府诗集》引《乐苑》论《屈柘枝》："此舞因曲为名，用二女童，帽施金铃，抃转有声。其来也，于二莲花中藏花坼而后见，对舞相占，实舞中雅妙者也。"②莲花是佛教中的圣花，佛菩萨坐的基本为莲花座。莲花在佛中可表清静、光明、自在等意。唐舞中现莲花形象是佛教因素影响乐舞的佐证。

佛道活动场所，有时也会成为宫廷音乐的传播场所。首先，各地寺院常有百戏表演，社会上的各阶层人物都可到寺院游乐观戏。庙会时，有各种乐舞、百戏、变文表演，吸引观众前去观看，寺院正可借此机会，宣扬佛法。再者，宫廷中的乐人脱离宫廷后，有些人进入道馆或佛寺。如杨巨源《观妓人入道》二首，王建的《送宫人入道》都描写了妓人洗退红妆，散尽舞衣，学经问道的情况。杨荫浏先生认为，"她们既是歌舞的好手，寺院又是充分利用音乐的场所，则通过寺院，她们就能够将宫廷的音乐间接传入民间"③。因为在音乐传播中起着如此重要的作用，佛教寺院常成为音乐文献的保存地，如敦煌莫高窟就保留了大量的唐代曲子，传到日本去的

① 任半塘编著：《敦煌歌辞总编》，上海古籍出版社2006年版，第337页。
② （宋）郭茂倩：《乐府诗集》，中华书局1979年版，第818页。
③ 杨荫浏：《中国古代音乐史稿》，人民音乐出版社1981年版，第239页。

唐代音乐,也在寺院中保留了下来,像日本"奈良东大寺正仓院还珍藏着一些唐代古乐谱、乐器和乐舞文献资料"①。

唐代乐舞深受道家文化的影响。道家作曲家的音乐进入皇宫,受到帝王的推崇,"帝方浸喜神仙之事,诏道士司马承祯制玄真道曲,茅山道士李会元制大罗天曲,工部侍郎贺知章制紫清上圣道曲"②。《云韶乐》、《霓裳羽衣》都是吸收了道家文化的音乐。《乐府杂录》记《云韶乐》:"用玉磬四架。乐即有琴、瑟、筑、箫、篪、籥、跋膝、笙、竽、登歌、拍板[……]舞童五人,衣绣衣,各执金莲花引舞者。金莲,如仙家行道者也。舞在阶下,设锦筵。宫中有云韶院。"③《霓裳羽衣曲》更是由道家音乐改编而来。《霓裳羽衣曲》影射了道家的求仙问道的故事,它的制作初与唐代修道士罗公远与叶法善有关。《乐府诗集》引《唐逸史》:"罗公远多秘术,尝与玄宗至月宫。初以拄杖向空掷之,化为大桥。自桥行十余里,精光夺目,寒气侵人。至一大城,公远曰:'此月宫也。'仙女数百,皆素练霓衣,舞于广庭。问其曲,曰《霓裳羽衣》。帝晓音律,因默记其音调而还。回顾桥梁,随步而没。明日,召乐工,依其音调,作《霓裳羽衣曲》"。同处,《乐府诗集》还引了《唐逸史》的另一说法:"开元二十九年中秋夜,帝与术士叶法善游月宫,听诸仙奏曲。后数日,东西两川驰骑奏,其夕有天乐自西南来,过东北去。帝曰:'偶游月宫听仙曲,遂以玉笛接之,非天乐也。'曲名《霓裳羽衣》,后传于乐部。"④从文献记载中看,《霓裳羽衣曲》原来应该是道家的曲目。

唐用于祭祀的雅乐当然是明君臣、辨尊卑、序人和的儒家音乐,同时唐代乐舞又吸收了佛家、道家因子。不仅在场所上提供了音乐较技与欣赏的地点,而且在乐舞的创作与表演上多有参与,使中国乐舞具有浓厚的三教并立特征。

---

① 关也维:《唐代音乐史》,中央民族大学出版社 2006 年版,第 32 页。
② (宋)欧阳修、宋祁:《新唐书》卷二十二,中华书局 1975 年版,第 476 页。
③ (唐)崔令钦等:《教坊记(外三种)》,中华书局 2012 年版,第 118 页。
④ (宋)郭茂倩:《乐府诗集》卷五十六,中华书局 1979 年版,第 816 页。

三、文武乐舞的融合

唐代武乐发展得很快,音乐中形成文武整合的情况。唐时人也有很明显的文武乐舞意识,唐代文献记载中将乐舞分为软舞与健舞,一种风格柔美妩媚,另一种风格刚健清新。软舞与健舞可同席表演。因为文化的传播与交流,两种舞蹈也会相互影响。

软舞健舞具有力量区别,男女却皆可表演。女性可以演绎健舞,如公孙大娘及其弟子的剑器舞;男性也可以跳软舞,如“开成末有乐人崇胡子,能软舞,其腰支不异于女郎也”①。

《绿腰》属软舞,有散序,用琵琶手法演奏,有“彻”。有王建《宫词》:“琵琶先抹绿腰头,小管丁宁侧调愁。半夜美人双唱起,一声声出凤凰楼。”②从《绿腰》中看,软舞多注重甩袖、腰肢扭动、轻盈回旋等动作。李群玉的《长沙九日登东楼观舞》述:“南国有佳人,轻盈绿腰舞。华筵九秋暮,飞袂拂云雨。翩如兰苕翠,婉如游龙举。越艳罢前溪,吴姬停白纻。慢态不能穷,繁姿曲向终。低回莲破浪,凌乱雪萦风。坠珥时流盼,修裾欲溯空。唯愁捉不住,飞去逐惊鸿。”

有些舞蹈兼具软舞与健舞的风格。如柘枝舞本是健舞,但柘枝舞中也有许多长袖的动作,而具有软舞的特征,刘禹锡曾述“翘袖中繁鼓,……长袖入华裀”(《观舞柘枝》)③。健舞胡旋舞同样也加了举袖的柔美动作,如白居易《胡旋女》:“弦鼓一声双袖举,回雪飘飖转蓬舞。”④

从同种曲名看,也能看出文武乐舞的融合。如《杨柳枝》皆具软舞与健舞的风格。沈冬先生认为《杨柳枝》源于《折杨柳》,《折杨柳》“是西晋太康(280—289 年)末年流行于京城洛阳的歌谣,歌辞与后来三杨族灭一事有关。是时五胡尚未入侵中原,此曲仍是汉歌,并非胡声,在时代上早

---

① (宋)李昉等撰:《太平御览》卷五七四,中华书局 1960 年版,第 2593 页。

② (清)曹寅、彭定求等编纂:《全唐诗》卷三〇二,中华书局 1999 年版,第 3438 页。

③ (清)曹寅、彭定求等编纂:《全唐诗》卷三五四,中华书局 1999 年版,第 3984 页。

④ (清)曹寅、彭定求等编纂:《全唐诗》卷四二六,中华书局 1999 年版,第 4704—4705 页。

于北国胡吹的《折杨柳枝》"①。"西晋京洛民谣的《折杨柳》在北朝诸胡入主之后，一方面歌辞内容转变为胡儿快马的刚健风格，另一方面又采用了长笛横吹的乐器，于是就另外出现了《折杨柳枝》之名。"②《乐府诗集》卷八一《杨柳枝》序记，薛能曰："《杨柳枝》者，古题所谓《折杨柳》也，乾符五年，能为许州刺史。饮酣，令部妓少女作《杨柳枝》健舞，复赋其辞为《杨柳枝》新声去。"③《乐府诗集》卷二十二记：

> 《唐书·乐志》曰："梁乐府有胡吹歌云：'上马不捉鞭，反拗杨柳枝。下马吹横笛，愁杀行客儿。'此歌辞元出北国，即鼓角横吹曲《折杨柳枝》是也。"《宋书·五行志》曰："晋太康末，京洛为折杨柳之歌，其曲有兵革苦辛之辞。"④

说明《杨柳枝》与《折杨柳》确为同源，而且有北朝快马胡儿的刚健风格，属于健舞。《杨柳枝》与《折杨柳》以笛声为伴奏，王之涣的"羌笛何须怨杨柳，春风不度玉门关"(《凉州词》)也将笛声与"杨柳"曲子暗相结合。但唐代《折杨柳》并不全为北朝民歌的胡儿快马，仍然有送别等其他意义，如陈端的《折杨柳》："东城攀柳叶，柳叶低着划。少壮莫轻年，轻年有衰老。柳发遍川冈，登高堪断肠。雨烟轻漠漠，何树近君乡。赠君折杨柳，颜色岂能久。上客莫沾巾，佳人正回首。新柳送君行，古柳伤君情。突兀临荒渡，婆娑出旧营。隋家两岸尽，陶宅五株荣。日暮偏愁望，春山有鸟声。"与刚健风格相反，陈端的《折杨柳》愁绪满怀，伤别叹离。薛能《柳枝词·序》中说："此曲盛传，为词者甚众。文人才子，各炫其能，莫不条似舞腰，叶如眉翠，出口皆然，颇为陈熟。"⑤薛能在《柳枝词》中写道："刘白苏台总近时，当初章句是谁推。纤腰舞尽春杨柳，未有侬家一首诗。"从"纤腰舞尽"上看，《杨柳枝词》更具有软舞的特征。因此《杨柳枝》竟呈现了两种风格，一为伤情怀愁，二为刚健清新，是唐代乐舞受华

① 沈冬：《唐代乐舞新论》，北京大学出版社 2004 年版，第 110 页。

② 沈冬：《唐代乐舞新论》，北京大学出版社 2004 年版，第 112 页。

③ (宋)郭茂倩：《乐府诗集》卷八十一，中华书局 1979 年版，第 1142—1143 页。

④ (宋)郭茂倩：《乐府诗集》卷二十二，中华书局 1979 年版，第 328 页。

⑤ (清)曹寅、彭定求等编纂：《全唐诗》卷五六一，中华书局 1999 年版，第 6574 页。

胡两方文化影响的例证。

从元稹《琵琶歌》、白居易《琵琶行》、《霓裳羽衣曲》等诗歌的记载中都可看出唐代同一曲乐舞忽柔美凄婉,忽刚健张扬的变化。以元稹《琵琶歌》①为例,琵琶高手李管儿弹的《无限曲》"霓裳羽衣偏宛转。凉州大遍最豪嘈,六幺散序多笼捻",融两种音乐于一体。悲时或"冰泉呜咽流莺涩",或"风雨萧条鬼神泣";情绪激昂时"骤弹曲破音繁并。百万金铃旋玉盘"。虽是属软舞的六幺也能发出"猿鸣雪岫来三峡,鹤唳晴空闻九霄。逡巡弹得六幺彻,霜刀破竹无残节。幽关鸦轧胡雁悲,断弦砉騞层冰裂"的激越之音。

唐代舞乐结合,《太平御览》载唐代舞蹈:"舞者乐之容也,有大垂手、小垂手,或象惊鸿或如飞燕,婆娑舞态也,蔓延舞缀也。"②乐舞在模声拟容的过程中虽有文武、刚柔之分,但并不局限于此,而时常将两种风格综合起来。

四、民族的整合

经历了南北战乱与隋代统一整合的各民族音乐,落于唐代博大宽广的政策中,四方音乐迅速涌入中原,酝酿了唐代音乐大融合的盛世气象。唐以前少数民族的舞蹈多被排斥,《周礼》中说:"夷乐,四夷之乐,散乐,野人为之善者。"③《后汉书》记载永宁初年,西南一国献乐于朝廷,被当场禁止,理由是"王之庭不宜作夷狄之乐"④。唐代正统文化依然有人排斥少数民族的乐曲,指责它们非正统宫乐,如《太平广记》记载:

> 西凉州俗好音乐。制新曲曰凉州。开元中。列上献之。上召诸王于便殿同观焉。曲终。诸王拜贺。蹈舞称善。独宁王不拜。上顾问之。宁王进曰。此曲虽佳。臣有所闻焉。夫音也。始之于宫,散之于商,成之于角徵羽。莫不根蒂而袭于宫商也。斯曲也。宫离而

---

① (清)曹寅、彭定求等编纂:《全唐诗》卷四二一,中华书局 1999 年版,第 4640 页。
② (宋)李昉等撰:《太平御览》卷五七四,中华书局 1960 年版,第 2593 页。
③ (宋)李昉等撰:《太平御览》卷五六七,中华书局 1960 年版,第 2563 页。
④ (宋)李昉等撰:《太平御览》卷五六七,中华书局 1960 年版,第 2563 页。

少,徵商乱而加暴。臣闻宫君也,商臣也。宫不胜则君势卑。商有余则臣事僭,卑则逼下,僭则犯上。①

虽然如此,唐代政治环境较为宽松,宫商君臣的政治限制未能阻止唐人对民族音乐的热爱。即使不断有人指责胡乐,但无论是王廷还是百姓都依然喜欢热烈欢欣的舞乐。唐代贞元年间就经常在宫殿上欣赏周边进献的夷乐,如《太平御览》转《唐会要》记:"贞元十六年正月,南诏异牟等作奉圣乐舞。因西川押云南八国。使韦皋以进。时御麟德殿以阅之。"②而这个《南诏奉圣乐》之后竟成了秘不外宣的宫廷音乐。唐玄宗还以西凉音乐为基础制作了著名的《霓裳羽衣曲》。民间更是热爱少数民族音乐,王建《凉州行》道:"城头山鸡鸣角角,洛阳家家学胡乐。"③

特别是西凉乐在民间十分流行。《旧唐书·音乐志》描写过《西凉乐》的盛况:"自周、隋以来,管弦杂曲将数百曲,多用西凉乐,鼓舞曲多用龟兹乐,其曲度皆时俗所知也。"④元稹《西凉伎》:"前头百戏竞撩乱,丸剑跳踯霜雪浮。狮子摇光毛彩竖,胡腾醉舞筋骨柔。"⑤依据元稹的叙述,西凉乐表演包括百戏表演、剑舞、狮子舞,还有醉舞等。

胡旋舞以猛烈的旋转为主,这种乐舞极受唐人喜爱。白居易《胡旋女》记:"心应弦,手应鼓。弦鼓一声两袖举,回雪飘飖转蓬舞。左旋右转不知疲,千匝万周无已时。人间物类无可比,奔车轮缓旋风迟。"⑥元稹《胡旋女》描述:"胡旋之义世莫知,胡旋之容我能传。蓬断霜根羊角疾,竿戴朱盘火轮炫。骊珠迸珥逐飞星,虹晕轻巾掣流电。潜鲸暗嗡笪波海,回风乱舞当空霰。万过其谁辨终始,四座安能分背面。"⑦西安东郊唐代

---

① (宋)李昉等编:《太平广记》卷第二百四,中华书局 1961 年版,第 1547 页。

② (宋)李昉等撰:《太平御览》卷五六七,中华书局 1960 年版,第 2564 页。

③ (清)曹寅、彭定求等编纂:《全唐诗》卷二九八,中华书局 1999 年版,第 3367 页。

④ (后晋)刘昫等:《旧唐书》卷二十九,中华书局 1975 年版,第 1068 页。

⑤ (清)曹寅、彭定求等编纂:《全唐诗》卷四一九,中华书局 1999 年版,第 4628 页。

⑥ (清)曹寅、彭定求等编纂:《全唐诗》卷四二六,中华书局 1999 年版,第 4704—4705 页。

⑦ (清)曹寅、彭定求等编纂:《全唐诗》卷四一九,中华书局 1999 年版,第 4630 页。

苏思勖墓中,有一幅胡人乐舞壁画。① 画中人头戴浑脱帽,是胡人装扮。他左脚独立,右手扶腰,左手高举并长袖内甩,头向后扭去,正在做一个踏步动作。唐人自信乐观,宽容豁达,情绪向上,很能接受急促旋转、活泼有力的胡旋舞。在后来竟形成胡音遍地的局面。元稹《法曲》述:“自从胡骑起烟尘,毛毳腥膻满咸洛。女为胡妇学胡妆,伎进胡音务胡乐。火凤声沉多咽绝,春莺啭罢长萧索。胡音胡骑与胡妆,五十年来竞纷泊。”②《旧唐书·舆服志》记载:“太常乐尚胡曲,贵人御馔,尽供胡食,士女皆竟衣胡服。”③

甚至雅乐也有少数民族音乐的加入,“自《破阵舞》以下,皆雷大鼓,杂以龟兹之乐,声振百里,动荡山谷。《大定乐》加金钲。惟《庆善舞》独用西凉乐,最为闲雅。《破阵》、《上元》、《庆善》三舞,皆易其衣冠,合之钟磬,以享效庙”④。

法曲的发展过程中吸收了胡文化。《新唐书·礼乐十二》记载:“河西节度使杨敬忠献《霓裳羽衣曲》十二遍,凡曲终必遽,唯《霓裳羽衣曲》将毕,引声益缓。……初,隋有法曲,其间清而近雅,其器有铙、钹、钟、磬、幢箫、琵琶。……隋炀帝厌其声澹,曲终复加解音。玄宗既知音律,又酷爱法曲,选坐部伎子弟三百教于梨园,声有误者,帝必觉而正之。……开元二十四年,升胡部于堂上。而天宝乐曲,皆以边地名,若《凉州》、《伊州》、《甘州》之类。后又诏道调、法曲与胡部新声合作。”⑤前文已述,《霓裳羽衣曲》受道家文化的影响,此外,还加入了胡乐因素,是法曲、道家、胡声三种音乐元素的结合。《霓裳羽衣曲》加入了道家与胡声的元素,成一新变。郑嵎《津阳门诗注》中也有说道:“叶法善引上入月宫,时秋已深,上苦凄冷,不能久留,归,于天半尚闻仙乐。及上归,且记忆其半,遂于笛中写之。会西凉都督杨敬述进婆罗门曲,与其声调相符,遂以月中所闻

---

① 陕西考古所唐墓工作组:《西安东郊唐苏思勖墓清理简报》,《考古》1960 年第 1 期。
② (清)曹寅、彭定求等编纂:《全唐诗》卷四一九,中华书局 1999 年版,第 4628 页。
③ (后晋)刘昫等:《旧唐书》卷四十五,中华书局 1975 年版,第 1059 页。
④ (后晋)刘昫等:《旧唐书》卷二十九,中华书局 1975 年版,第 1060 页。
⑤ (宋)欧阳修、宋祁:《新唐书》卷二十二,中华书局 1975 年版,第 476 页。

为之散序,用敬述所进曲作其腔,而名霓裳羽衣法曲。”①所以《霓裳羽衣曲》还与西凉的音乐有关,是李隆基在道家乐与西凉乐的基础上改编而成的。

唐代音乐民族的融合在宴乐上表现最为突出。宴乐指宫廷宴飨宾客的乐舞,为朝群臣、设宴礼所用,也称燕乐。唐代燕乐主要有十部乐舞,“凡大燕会,设十部之伎于庭,以备华夷”②。十部乐舞来自于唐周边的各少数民族。唐时,“东夷乐有高丽、百济,北狄有鲜卑、吐谷浑、部落稽,南蛮有扶南、天竺、南诏、骠国,西戎有高昌、龟兹、疏勒、康国、安国,凡十四国之乐,而八国之伎,列于十部乐”③。

这十部乐舞又统称“九部乐”。宴飨宾客,君臣同乐的乐舞,隋初分为七部,后隋文帝分为九部,唐代合为十部,统称为“九部乐”或“九部伎”。隋唐的“九部乐”,由北周音乐“七部乐”发展而来。这“七部乐”,一曰《国伎》,二曰《清商伎》,三曰《高丽伎》,四曰《天竺伎》,五曰《安国伎》,六曰《龟兹伎》,七曰《文康伎》。隋文帝取消《百济》,增添南方音乐《清商》与《文康》,成为“九部乐”④。唐代“太宗平高昌,尽收其乐,又造燕乐,而去《礼毕曲》”⑤,九部乐又加高昌乐与燕乐,再除去《礼毕曲》就是十部乐的基本组成结构。通典中的记载更加详细:“一曰燕乐伎,有景云之舞,庆善乐之舞,破阵乐之舞,承天乐之舞;二曰清乐伎;三曰西凉伎;四曰天竺伎;五曰高丽伎;六曰龟兹伎;七曰安国伎;八曰疏勒伎;九曰高昌伎;十曰康国伎。”⑥从通典中看,十部乐中,燕乐伎与清乐会是汉族乐曲,其他八部皆为少数民族的乐曲。九部乐的舞蹈多有地方特色。如面具的使用,其中《文康伎》就是为了纪念“美姿容,善谈论”的庾亮所创,舞人制造假面,模拟庾亮的神态舞蹈。《安国伎》的安乐,是“后周武帝平齐

---

① (清)曹寅、彭定求等编纂:《全唐诗》卷五六七,中华书局1999年版,第6620页。
② (唐)杜佑:《通典》卷一百四十四,中华书局1988年版,第3687—3688页。
③ (宋)欧阳修、宋祁:《新唐书》,中华书局1975年版,第478—479页。
④ (唐)杜佑:《通典》卷一四六,中华书局1988年版,第3726页。
⑤ (后晋)刘昫等:《旧唐书》卷二十九,中华书局1975年版,第1069页。
⑥ (唐)杜佑:《通典》卷一百四十四,中华书局1988年版,第3688页。

所作也，行列方正，象城郭。周代谓之城。舞者八十人，刻木为面，狗喙兽耳，以金饰之”[1]。

唐人对少数民族持宽容认可态度，这使他们较易接受外来音乐。李白《上云乐》写胡人祝天子之寿，用大量的想象颂赞胡人天资超越，卓尔不群。其相貌“巉岩容仪，戌削风骨。碧玉炅炅双目瞳，黄金拳拳两鬓红。华盖垂下睫，嵩岳临上唇。不睹诡谲貌，岂知造化神”[2]，集万物之精粹，倚天地造化而生。其来历不是凡人，乃来自“金天之西，白日所没。康老胡雏，生彼月窟。……生死了不尽，谁明此胡是仙真”。鲁迅先生在《坟・看镜有感》曾说：“汉唐虽然也有边患，但魄力究竟雄大，人民具有不至于为异族奴隶的自信心，或者竟毫未想到，凡取用外来事物的时候，就如将彼俘来一样，自由驱使，绝不介怀。”[3]一个国家有足够的心胸与气魄才能海纳百川，而始终保持自己的身份话语。非得有第一大国的信心与勇气方能达到如此境界。唐代音乐的包容性正是唐大国身份的象征。

第三节 大曲：程式严整

唐代大曲又称为大遍，是大型的乐舞套曲，相对于小曲、短曲而言，从相和大曲，清商大曲发展而来，由音乐、舞蹈、诗歌三者结合而成。大曲由散序（序）、中序（拍序、排遍、歌头）、破或舞遍等段落组成。崔令钦《教坊记》中载唐代大曲名共 46 首，比较著名的是《霓裳》、《贺圣乐》、《玉树后庭花》、《泛龙舟》、《绿腰》、《龟兹乐》、《醉浑脱》、《凉州》、《安公子》、《雨霖铃》等。除了这些，根据遍数，其他的如《龙池乐》、《南诏奉圣乐》、《破阵乐》等也是大曲。据学者统计可考为大曲的唐代乐曲，总共有 121 曲。[4] 其中以《霓裳羽衣曲》最为著名，受唐人喜好，“我昔元和侍宪皇，曾陪内宴宴昭阳。千歌百舞不可数，就中最爱霓裳舞”（白居易《霓裳羽

---

① （宋）李昉等撰：《太平御览》卷五七四，中华书局 1960 年版，第 2564 页。

② （清）曹寅、彭定求等编纂：《全唐诗》卷一六二，中华书局 1999 年版，第 1689 页。

③ 鲁迅：《鲁迅全集》卷一，人民文学出版社 1981 年版，第 198 页。

④ 参见王小盾：《隋唐音乐及其周边》，上海音乐学院出版社 2012 年版，第 265 页。

衣曲》)。

一、结构繁复

大曲结构繁杂,常由散序(序)、中序(拍序、排遍、歌头)、破、彻、舞遍、解等段落组成。因其遍数多,每个段落都反复演绎,所以时间长,适于大型舞蹈。杨敬忠献的《霓裳羽衣曲》有十二遍之多。白居易在《早发赴洞庭舟中作》中以诗为证:"出郭已行十五里,唯消一曲慢霓裳。"[①]船上之人可以表演舞曲,行船速度一定不会快,以这样的速度出城十五里后,才表演完一曲霓裳,说明要观赏完这曲子确实需要花一定的时间。

《南诏奉圣乐》也是多遍形成。《新唐书》记载:"贞元中,南诏异牟寻遣使诣剑南西川节度使韦皋,言欲献夷中歌曲,且令骠国进乐。皋乃作《南诏奉圣乐》,用黄钟之均,舞六成,工六十四人,赞引二人,序曲二十八叠,执羽而舞'南诏奉圣乐'字,曲将终,雷鼓作于四隅,舞者皆拜,金声作而起,执羽稽首,以象朝觐。每拜跪,节以钲鼓。"[②]从这个记载来看,此乐光序曲就二十八叠。《新唐书·南蛮下》对它有更详细的记载:"舞六成,工六十四人,赞引二人,序曲二十八叠,舞'南诏奉圣乐'字。舞人十六,执羽翟,以四为列。舞'南'字,歌《圣主无为化》;舞'诏'字,歌《南诏朝天乐》;舞'奉'字,歌《海宇修文化》;舞'圣'字,歌《雨露覃无外》;舞'乐'字,歌《辟土丁零塞》。皆一章三叠而成。"[③]《南诏奉圣乐》主体部分属于"字舞","字舞"是通过队形变化,组合成字的舞蹈。《南诏奉圣乐》共舞出了五个字舞,每一部分都有三遍。舞完冗长的字舞后,还未结束,"字舞毕,舞者十六人为四列,又舞《辟四门》之舞。遽舞入遍两叠,与鼓吹合节,进舞三,退舞三,以象三才、三统。舞终,皆稽首逡巡。又一人舞《亿万寿》之舞,歌《天南滇越俗》四章,歌舞七叠六成而终"[④]。这样看,《南诏奉圣乐》的演出顺序是:赞引、序曲(二十八叠)、字舞(十五叠)、

① (清)曹寅、彭定求等编纂:《全唐诗》卷四四七,中华书局1999年版,第5046页。
② (宋)欧阳修、宋祁:《新唐书》,中华书局1975年版,第480页。
③ (宋)欧阳修、宋祁:《新唐书》,中华书局1975年版,第6309页。
④ (宋)欧阳修、宋祁:《新唐书》,中华书局1975年版,第6309页。

《辟四门》(八叠)、《亿万寿》(七叠)。整部《南诏奉圣乐》结构复杂,舞部多样,耗时非常。

《霓裳羽衣曲》的结构同样复杂。白居易的《霓裳羽衣歌》详细记载了舞曲的过程:

> 娉婷似不任罗绮,顾听乐悬行复止。磬箫筝笛递相搀,击擪弹吹声逦迤。散序六奏未动衣,阳台宿云慵不飞。中序擘騞初入拍,秋竹竿裂春冰拆。飘然转旋回雪轻,嫣然纵送游龙惊。小垂手后柳无力,斜曳裾时云欲生。烟蛾敛略不胜态,风袖低昂如有情。上元点鬟招萼绿,王母挥袂别飞琼。繁音急节十二遍,跳珠撼玉何铿铮。翔鸾舞了却收翅,唳鹤曲终长引声。①

诗中已经明确提到散序、中序、十二段这几个部分。据杨荫浏先生考察,《霓裳羽衣曲》全曲共分三十六段,由《散序》(六段)、《中序》(十八段)、《曲破》(十二段)组成。② 这个结论与白居易诗中的描写基本相合。《散序》的六段为前奏曲,节奏自由,由磬、箫、筝、笛等乐器独奏或轮奏,不含舞蹈和歌唱,即白居易诗中的"磬箫筝笛递相搀,击擪弹吹声逦迤。散序六奏未动衣,阳台宿云慵不飞"。《中序》,又称《歌头》或《拍序》,它是一个慢板的抒情乐段,有歌有舞,也有器乐伴奏,就是按乐曲节拍边歌边舞,即"飘然转旋回雪轻,嫣然纵送游龙惊。小垂手后柳无力,斜曳裾时云欲生。烟蛾敛略不胜态,风袖低昂如有情"。第三段《曲破》又名《舞遍》,乐音铿锵,以舞蹈为主,只有乐器伴奏而没有歌唱,速度从散板到慢板再逐渐加快到急拍。开始"入破时",主要为散板,曲调柔和舒缓,"朦胧闲梦初成后,宛转柔声入破时"(白居易《卧听法曲霓裳》)③,再转入"繁音急节十二遍,跳珠撼玉何铿铮"的高潮部分。曲子将要结束时节奏再次放慢,最后拖长一音,婀袅缱绻,余音绕梁,白居易自注云:"凡曲将毕,皆声拍促速,唯霓裳之末,长引一声也",可见《霓裳羽衣曲》尾音拖得很长。从结构上看,《霓裳羽衣曲》总体上呈现先慢后快再慢的格局,中

---

① (清)曹寅、彭定求等编纂:《全唐诗》卷四四四,中华书局1999年版,第4991页。
② 参见杨荫浏:《中国古代音乐史稿》,人民音乐出版社1981年版,第222页。
③ (清)曹寅、彭定求等编纂:《全唐诗》卷四四九,中华书局1999年版,第5092页。

间还要进行几次快慢转变。

其他的大曲也是多遍合成。《乐府诗集》卷七十九载《水调》“按唐曲凡十一叠,前五叠为歌,后六叠为入破”①。同卷中又可见《大和》也有五遍,《陆州》要先歌三遍,后有排遍四遍。《通典》记破阵乐“乐工百二十人,被甲执戟而习之。凡为三变,每变为四阵,有来往疾徐击刺之象,以应歌节”②,圣寿乐是“高宗、武后所作也。舞者百四十人,金铜冠,五色画衣。舞之行列必成字,十六变而毕”③。《乐府诗集》载《凉州》辞,“歌”三遍,“排”两遍④。元稹《边昌宫词》载《凉州》大曲中有“彻”,有十数“叠”,“叠”后有“入破”,入破后有“急遍”。《乐府诗集》载《伊州》,存“歌”辞五遍,入破辞五遍。《集异记》载《采桑曲》“凡十余叠”⑤。《伊州》大曲有“歌”五遍,“破”五遍。⑥

大曲首先是结构上的大。唐代大曲的结构更为复杂,它从汉代大曲的“趋”、“艳”、“乱”结构发展出了散序、中序、破、舞遍等结构。宋人看得很清楚,王灼《碧记漫志》载,“凡大曲有散序、靸、排遍、攧、正遍、入破、虚催、实催、衮遍、歇指、杀衮,[一本实催卜云,滚拍、遍歇、杀滚。]始成一曲,此谓大遍。”⑦结构宏大的大曲可给予器乐、歌唱、舞蹈更多形式的组合,带来纷层复杂的美感。

二、乐阵变化

因为结构浩大,时间比较长,为了冲淡乐曲过于冗长带来的乏味,大曲很重视乐曲中的变化,主要包括阵法与节奏的变动。白居易《霓裳羽衣曲》细致地叙述了它的变化与精妙处。

我昔元和侍宪皇,曾陪内宴宴昭阳。千歌百舞不可数,就中最爱

① (宋)郭茂倩:《乐府诗集》卷七十九,中华书局1979年版,第1114页。
② (唐)杜佑:《通典》卷一百四十六,中华书局1988年版,第3719页。
③ (唐)杜佑:《通典》卷一百四十六,中华书局1988年版,第3720页。
④ 参见(宋)郭茂倩:《乐府诗集》卷七十九,中华书局1979年版,第1117—1118页。
⑤ (唐)薛用弱:《集异记》,中华书局1980年版,第13—14页。
⑥ (宋)郭茂倩:《乐府诗集》卷七十九,中华书局1979年版,第1120—1121页。
⑦ (宋)王灼等:《碧鸡漫志(及其他三种)》卷三,中华书局1991年版,第25页。

霓裳舞。舞时寒食春风天，玉钩栏下香案前。案前舞者颜如玉，不着人家俗衣服。虹裳霞帔步摇冠，钿璎累累佩珊珊。……散序六奏未动衣，阳台宿云慵不飞。中序擘騞初入拍，秋竹竿裂春冰拆。飘然转旋回雪轻，嫣然纵送游龙惊。……繁音急节十二遍，跳珠撼玉何铿铮。翔鸾舞了却收翅，唳鹤曲终长引声。……秋来无事多闲闷，忽忆霓裳无处问。闻君部内多乐徒，问有霓裳舞者无。答云七县十万户，无人知有霓裳舞。唯寄长歌与我来，题作霓裳羽衣谱。……

眼前仿佛睹形质，昔日今朝想如一。疑从魂梦呼召来，似著丹青图写出。我爱霓裳君合知，发于歌咏形于诗。君不见我歌云，惊破霓裳羽衣曲。又不见我诗云，曲爱霓裳未拍时。由来能事皆有主，杨氏创声君造谱。

大曲因为阵式浩大，所以可以注重队形变化，用来排字舞，或其他形状。上文已说《南诏奉圣乐》舞者六十四人。在唐代舞乐中，这并不是规模最大的。《旧唐书·音乐志》载《安乐》“舞者八十人”①，《太平乐》“百四十人歌”②，《上元乐》“舞者百八十人”③。《新唐书·音乐志》载《云韶乐》“舞者三百人”④。其他的如《庆善乐》、《圣寿乐》都有六十人以上的规模。《破阵乐》人多的时候也有一百二十个男子共同表演，《大定乐》有一百四十人，《霓裳羽衣舞》可拥有三百人的队舞。这些大乐多为立部伎，由乐师站着演奏。

因为规模浩大，所以大曲都有一定的阵式。字舞就是其中的一种形式。前文提到的《南诏奉圣乐》可排出“南诏奉圣乐”的字样。《圣寿乐》随其队形变化，可摆出“圣超千古，道泰百王，皇帝万岁，宝祚弥昌”⑤十六个字。唐代平洌的《开元字舞赋》述：“雷转风旋，应鼍鼓以赴节；鸾回鹤举，循鸟迹以成文。”⑥再有孙逖的“舞成苍颉字，灯作法王轮”（《正月十

---

① （后晋）刘昫等：《旧唐书》卷二十九，中华书局1975年版，第1059页。
② （后晋）刘昫等：《旧唐书》卷二十九，中华书局1975年版，第1059页。
③ （后晋）刘昫等：《旧唐书》卷二十九，中华书局1975年版，第1060页。
④ （宋）欧阳修、宋祁：《新唐书》卷二十二，中华书局1975年版，第478页。
⑤ （后晋）刘昫等：《旧唐书》卷二十九，中华书局1975年版，第1059页。
⑥ （清）董诰等编：《全唐文》卷四百六，上海古籍出版社1990年版，第1840页。

五日夜应制》)①,徐元鼎的“舞字传新庆,人文迈旧章”(《太常寺观舞圣寿乐》)②等都是对字舞的描写。大曲利用人数的优势,摆出各种吉祥祝词,以歌功颂德,赞叹盛世。

与大曲中阵式的变化相对应,大曲舞服不仅绚丽夺目,而且追求衣饰的变化。《教坊记》记《圣寿乐》舞蹈中途换装:“圣寿乐舞,衣襟皆各绣一大窠,皆随其衣本色。制纯缦衫,下才及带,若短汗衫者以笼之,所以藏绣窠也。舞人初出,乐次,皆是缦衣舞。至第二叠,相聚场中,即于众中从领上抽去笼衫,各内怀中。观者忽见众女咸文绣炳焕,莫不惊异。”③舞第一叠穿的舞衣颜色简单,舞第二叠时才将身上笼衫抽去,露出底炳焕文饰的五彩舞衣,出人意料,即使观众感到惊异神奇,也在服装的变化中强调了乐舞的层次性。

在节奏上,大曲徐急有致,以平衡整部乐舞情绪。《新唐书·礼乐志》载:“初,隋有法曲,其音清而近雅。其器有铙、钹、钟、磬、幢萧、琵琶。琵琶圆体修颈而小,号曰‘秦汉子’,盖弦鼗之遗制,出于胡中,传为秦、汉所作。其声金、石、丝、竹以次作,隋炀帝厌其声澹,曲终复加解音。”④隋炀帝厌恶曲子声调平淡无变化,而在曲终加以变化。《霓裳羽衣曲》中散曲段有乐无舞,中序段是轻歌曼舞,《曲破》段音乐先慢后快,章节繁急、铿锵有力,快结束时音乐再度放慢,最后以一长音为终。总的来说是先慢,后逐渐加快,最终又慢下来的节奏。《太平御览》引《乐志》说:“凡乐以声徐者为本,声疾者为解。”⑤音乐以悠扬的慢乐为主导,在这基础上加入快的变化。

三、器服变革

大曲的乐器与舞服有专门的规定,既产生了新的配乐方式,也产生了新的舞服装备,甚至对舞蹈人员也有更高的要求。《宋史·乐志》评:“唐

① (清)曹寅、彭定求等编纂:《全唐诗》卷一一八,中华书局1999年版,第1189页。
② (清)曹寅、彭定求等编纂:《全唐诗》卷七八一,中华书局1999年版,第8914页。
③ (唐)崔令钦等:《教坊记(外三种)》,中华书局2012年版,第13页。
④ (宋)欧阳修、宋祁:《新唐书》卷二十二,中华书局1975年版,第476页。
⑤ (宋)李昉等撰:《太平御览》卷五六八,中华书局1960年版,第2566页。

定乐令，惟著器服之名。”[1]隋唐宫廷音乐表演要求具有合仪的乐器与舞衣，乐器与舞衣的齐备是宫廷音乐表演的先决条件。《隋书》卷十五《音乐志》记：“及大业中，炀帝乃定清乐、西凉、龟兹、天竺、康国、疏勒、安国、高丽、礼毕，以为九部。乐器工衣创造既成，大备于兹矣。”[2]《旧唐书》卷二十八《音乐志》记：“天宝十五载，玄宗西幸，禄山遣其逆党载京师乐器乐伎衣尽入洛城。寻而肃宗克复两京，将行大礼，礼物尽阙。命礼仪使太常少卿于休烈使属吏与东京留台领，赴于朝廷，诏给钱，使休烈造伎衣及大舞等服，于是乐工二舞始备矣。”[3]

大曲之舞曲有与之相配合的舞服。如晋代就有的白纻舞。《太平御览》引《古今乐录》：“白纻舞案，辞有巾袍之言。纻本吴地所出，宜是吴舞也。晋徘徊歌曰‘交交白绪，节节为双’，吴音呼绪为纻，疑白绪即白纻也。”[4]这种舞蹈专门以白丝带为舞。

唐代大曲产生了新的音乐器服，器乐与舞服都精致。许多乐曲都衣五色衣袍，求光彩绚烂，夺人眼目。如唐玄宗作《圣寿乐》，“以女子衣五色绣襟而舞之”[5]；“上元乐，高宗所造。舞者八十人，画云衣，备五色，以象元气，故曰‘上元’”[6]；“光圣乐，玄宗所造也。舞者八十人，乌冠，五彩画衣”[7]。《圣寿乐》、《上元乐》、《光圣乐》的舞衣都以绚烂多彩为主要特征。李贺诗歌《上云乐》中称：“飞香走红满天春，花龙盘盘上紫云。三千宫女列金屋，五十弦瑟海上闻。大江碎碎银沙路，嬴女机中断烟素。断烟素，缝舞衣，八月一日君前舞。”[8]除了舞服极尽繁华尊贵以外，有些舞曲的衣服还有特定的装饰与机巧。《圣寿乐》要中途换装，舞至第二叠时抽

---

① (元)脱脱等:《宋史》卷一百二十六,中华书局 1977 年版,第 2939 页。
② (唐)魏徵等:《隋书》卷十五,中华书局 1973 年版,第 377 页。
③ (后晋)刘昫等:《旧唐书》卷二十八,中华书局 1975 年版,第 1052 页。
④ (宋)李昉等撰:《太平御览》卷五七四,中华书局 1960 年版,第 2593 页。
⑤ (宋)欧阳修、宋祁:《新唐书》,中华书局 1975 年版,第 475 页。
⑥ (唐)杜佑:《通典》卷一百四十六,中华书局 1988 年版,第 3720 页。
⑦ (唐)杜佑:《通典》卷一百四十六,中华书局 1988 年版,第 3720 页。
⑧ (宋)敦茂倩编:《乐府诗集》,中华书局 1979 年版,第 748 页。

去外在笼衫,露出里面彩衣。舞《龙池乐》时,就要"冠饰以芙蓉"①。因为玄宗未登基前,住在崇庆坊,住宅南面为池,应该就是曲江池。曲江池处于长安城东南,池面弥漫数里,乐人作此乐以歌祥瑞,必要求舞者头簪芙蓉,以象龙池繁花锦簇,圣德高照。舞《霓裳羽衣曲》时,更奢华,"宫妓梳九骑仙髻,衣孔雀翠衣,佩七宝璎珞,为霓裳羽衣之类,曲终,珠翠可扫"②。

大曲产生了新的配乐形式。王小盾先生认为大曲的产生,源于辞与器乐的配合,这种配合是在清商曲中实现的,"清商曲开始摆脱相和形式的歌唱,而采用了被称之为'歌弦'的曲乐结合的歌唱。这样就造成了单纯器乐同器乐歌曲的分判,造成了器乐歌曲同器乐舞曲的分判。大曲的产生,遂有了基本的条件"③。大曲与相和歌不一样,相和歌是歌与乐相互和唱,大曲的配乐方式主要为乐与歌声齐出,音乐演奏贯穿于整个乐舞中。

大曲器乐较为综合多样,得到了发展。光《霓裳羽衣曲》的乐器就有磬、箫、筝、笛、箜篌、筚篥、笙等。在唐玄宗时代的宫廷表演时,又做了改革,用了玉磬四簴(架)与琴、瑟、筑、箫、跋膝管、笙、竽各一件。从乐器上看,《霓裳羽衣曲》的乐器包括了管乐器、弦乐器与打击乐器,乐器齐全,各声兼备。

大曲对舞者要求较高,《霓裳羽衣歌》述道:

> 君言此舞难得人,须是倾城可怜女。吴妖小玉飞作烟,越艳西施化为土。娇花巧笑久寂寥,娃馆苎萝空处所。如君所言诚有是,君试从容听我语。若求国色始翻传,但恐人间废此舞。妍媸优劣宁相远,大都只在人抬举。李娟张态君莫嫌,亦拟随宜且教取。

舞《霓裳羽衣曲》者都是天资过人、容貌超凡的妙龄少女。再加上这些舞者皆精心装扮,更加亮丽如仙。白居易《缭绫》中描写舞裙的精妙:"织为

① (唐)杜佑:《通典》卷一百四十六,中华书局1988年版,第3721页。
② (清)曹寅、彭定求等编纂:《全唐诗》卷五六七,中华书局1999年版,第6620页。
③ 王小盾:《隋唐音乐及其周边》,上海音乐学院出版社2012年版,第43页。

云外秋雁行,染作江南春水色。广裁衫袖长制裙,金斗熨波刀翦纹。异彩奇文相隐映,转侧看花花不定。昭阳舞人恩正深,春衣一对直千金。"①虽是写汉代舞服,却与《霓裳羽衣曲》服饰相似,他在《霓裳羽衣歌》②中主张二者服饰相同:"四幅花笺碧间红,霓裳实录在其中。千姿万状分明见,恰与昭阳舞者同。"《霓裳羽衣歌》是源自求仙问道的道家舞曲,表演者姿色过人、衣饰华美才能体现舞蹈所表现的仙风道骨,"案前舞者颜如玉,不著人家俗衣服。虹裳霞帔步摇冠,钿璎累累佩珊珊"(白居易《霓裳羽衣曲》),穿着仙人服饰,裙色五彩灿烂,如飞虹,似云霞;身上珠宝环绕,璎珞重叠,玉佩叮当,舞者走动间珠玉相撞的声音清脆悦耳。

大曲庞杂而多变,并伴有精致器服。大曲的艺术成就是唐代宫廷乐舞所达到的最高境界。

第四节 民乐:大众狂欢

唐人爱乐,不仅指朝廷对雅乐、宴乐十分重视,还指百姓也热衷于这种艺术活动,白居易就有诗"六幺水调家家唱"(《杨柳枝》),表现百姓对绿腰这种乐曲十分喜爱,竟能家家传唱;敦煌歌辞中有大量的民间曲辞,"九七五首皆失名之作,大致均可划归民间"③,"二、三两卷大部分皆民间主动之作品,分类排比,重在突出其民间性之较强者"④。民间音乐指主要在民间传唱的乐舞。因宫廷有专门的音乐机构与乐人,许多大型音乐都由宫廷集中收改编、润色,这些音乐可能最初来自民间,如梨园和教坊的音乐就有很多是来自民间的散乐改编而成,但改编后其恢宏气象自不可同日而语。虽也有宫廷音乐不断散入民间,如王建《温泉宫行》有诗云:"梨园弟子偷曲谱,头白人间教歌舞"。宫廷乐师如李龟年,李謩最终

---

① (清)曹寅、彭定求等编纂:《全唐诗》卷四二七,中华书局1999年版,第4715页。

② (清)曹寅、彭定求等编纂:《全唐诗》卷四四四,中华书局1999年版,第4991—4992页。

③ 任半塘编著:《敦煌歌辞总编·序》,上海古籍出版社2006年版,第3页。

④ 任半塘编著:《敦煌歌辞总编·凡例》,上海古籍出版社2006年版,第3页。

都散落民间。但唐代民间歌舞与宫廷歌舞还是有所不同。唐代民间音乐主要以曲子词的形式保存了下来，其曲调虽少有遗存，从词来看，曲子质朴简洁，多有民歌特征。

一、合歌舞以演故事

民间歌曲极少像宫廷音乐一样动辄自诩为仙乐，不是从天上偷的，就是从梦中得的。民间乐舞以人世间故事本身，脚接地气，很多是来自于某个历史人物的演绎，因此具有合歌舞以演故事的特征。如《踏摇娘》、《兰陵王》、《乌夜啼》都是依歌舞以演绎的作品。

这些歌舞常演绎历史故事、真实人物。《兰陵王》又称《大面》，讲述北齐战将兰陵王的故事。《教坊记》记载："兰陵王长恭性胆勇，而貌若妇人。自嫌不足以威敌，乃刻木为假面，临阵著之。因为此戏，亦入歌曲。"①高长恭骁勇善战，相貌却过于清秀柔美。为了从心理上先行威慑敌军，高长恭打仗喜戴一狰狞面具。后来因为功高盖主，高长恭被齐帝害死，人们叹惜这位相貌、武功、战力均不俗的将军的不幸命运，作《兰陵王》以纪念他。《乌夜啼》记叙宋朝二王被囚又遇赦免的事件。《教坊记》载："宋彭城王义康、衡阳王义季，帝囚之浔阳，后宥之。使未达，衡王家人扣二王所囚院曰：'昨夜乌夜啼，官当有赦。'少顷，使至，故有此曲，亦入琴操。"②讽刺贪官污吏的戏曲《参军戏》也是依真实人物演绎。《太平御览》卷五六九《赵书》载："石勒参军周延，为馆陶令，断官绢数百匹下狱，以八议，宥之。后每大会，使俳优着介帻、黄绢单衣。优问，'汝为何官，在我辈中！'曰'我本为馆陶令'，斗数单衣曰，'政坐取是，故入汝辈中。'以为笑。"③《乐府杂录》也指出《参军》与讽刺因贪赃而被降罪的官有关，"开元中，黄幡绰，张野狐弄参军，始自后汉馆陶令石耽。耽有赃犯，和帝惜其才，免罪。每宴乐，即令衣白夹衫，命优伶戏弄辱之。经年乃

① （唐）崔令钦等：《教坊记（外三种）》，中华书局2012年版，第23页。

② （唐）崔令钦等：《教坊记（外三种）》，中华书局2012年版，第24页。

③ （宋）李昉等撰：《太平御览》卷五六九，中华书局1960年版，第2572页。

放,后为参军,误也”①。

除了以人物为中心的歌舞,还有以历史事件为主的歌舞。《傀儡子》讲的是战争故事。“自昔传云:起于汉祖,在平城为冒顿所围,其城一面,即冒顿妻阏氏,兵强于三面。垒中绝食。陈平访知阏氏妒忌,即造木偶人,运机关,舞于陴间。阏氏望见,谓是生人,虑下其城,冒顿必纳妓女,遂退军。史家但云陈平以秘计免,盖鄙其策下尔。后乐家翻为戏。其引歌舞有郭郎者,发正秃,善优笑,闾里呼为郭郎,凡戏场必在俳儿之首也。”②

有些歌舞是依据民间普通人物的故事而编制。这些人物大多命运坎坷,身世凄惨。比较有代表性的是直抒其情,悲悲切切的《踏摇娘》。常非月有诗《咏谈容娘》称:“举手整花钿,翻身舞锦筵。马围行处匝,人簇看场圆。歌要齐声和,情教细语传。不知心大小,容得许多怜。”这是谈《踏摇娘》的表演。女子唱一段,众人相和“踏摇娘苦和来!”《太平御览》引《乐府杂录》记叙的踏摇娘故事:“踏摇娘者生于隋末,河内有人丑貌而好酒,常自号朗中。醉归必敺其妻。妻色美善歌,乃自歌为怨苦之词。河朔演其曲而被之管弦,因写其夫妻之容,妻悲诉每摇其身,故号踏摇娘。”③古代女子命运不能为自己掌控,在家中尚有父母出于血缘天性庇护一二,出嫁后全凭夫家处置。要是嫁得品性低劣的人也只能自吞苦果。《踏摇娘》中“踏摇娘”、“踏摇娘”的悲声正是女子陷入悲惨命运无法摆脱的反复哀叹。《乐府杂录》记乐曲《离别难》也是依故事演歌舞。“天后朝,有士人陷冤狱,没家族,其妻配入掖庭,本初善吹觱篥,乃撰此曲,以寄哀情。始名《大郎神》,盖取良人行第也。既畏人知,遂三易其名,亦名《悲切子》,终号《怨回鹘》。”④《离别难》演绎武则天时期落难士人与家人离别之哀情。当然这些歌舞也不全是哀声。《乐府杂录》又记《康老子》:“康老子者即长安富家子,落魄不事生计,酷好声乐,常与国乐游处。一旦家产荡尽,偶一老妪持旧锦褥货鬻,乃以半千获之。寻有波斯见,大惊,

---

① (唐)崔令钦等:《教坊记(外三种)》,中华书局2012年版,第128—129页。
② (唐)崔令钦等:《教坊记(外三种)》,中华书局2012年版,第148页。
③ (宋)李昉等撰:《太平御览》卷五七四,中华书局1960年版,第2587页。
④ (唐)崔令钦等:《教坊记(外三种)》,中华书局2012年版,第142页。

谓康曰:'何处得,此是冰蚕丝所织,若暑月陈于座,可致一室清凉。'即酬千万。康得之,还与国乐追欢,不经年复尽。寻卒。后乐人嗟惜之,遂制此曲,亦名《得至宝》。"[①]从故事内容看,与《踏摇娘》和《离虽难》相比,《康老子》讲的是较为欢乐幸运的故事,曲调节奏应该更为欢快。

民间歌舞中也出现了大胆表达爱情的故事。《望江南》是为数不多的爱情故事。"始自朱崖李太尉镇浙日,为亡妓谢秋娘所撰。本名《谢秋娘》,后改此名。亦曰《梦江南》。"[②]敦煌歌辞中常以一单一的故事为一首辞,这其中就包括了描写爱情的歌辞。如歌辞[0003]与[0004]同属《凤归云》:

> 幸因今日,得观娇娥;眉如初月,目引横波。素胸未消残雪,透轻罗,□□□□□。朱含碎玉,云髻婆娑。东邻有女,相料实难过。罗衣掩袂,行步逶迤。逢人问语羞无力。态娇多,锦衣公子见,垂鞭立马,肠断知么。
>
> 儿家本是,累代簪缨;父兄皆是,佐国良臣。幼年生于闺阁,洞房深,训习礼仪足。三从四德,针黹分明。娉得良人,为国愿长征。争名定难,未有归程。徒劳公子肝肠断。谩生心。妾身如松柏,守志强过,鲁女坚贞。[③]

两首歌辞讲述同一故事,一鲁地女子,容貌娇丽,被一公子所见,惊为天人。女子自述故事,自表其志,良人远征未返,生死不知,但女子愿意为良人守节度日,徒留公子怅然肠断。故事情节连贯,前因后果叙述分明。公子的痴情相望,女子的坚贞美丽互有对衬。采用倒叙手法,一波三折,情节回环合理自然,是一个很精悍的小故事。

民间歌舞的故事性很强,人们以歌舞述事,或纪念,或讽刺,或颂扬,或羡慕,或赞叹,以歌舞综合事件明确地表达着自己的喜怒哀乐、好憎喜恶。故事的趣味性也使得这些歌舞更容易在民众间传播。叙事性的歌舞成为唐民间歌舞的一大特色。

---

① (唐)崔令钦等:《教坊记(外三种)》,中华书局 2012 年版,第 144—145 页。

② (唐)崔令钦等:《教坊记(外三种)》,中华书局 2012 年版,第 146 页。

③ 任半塘编著:《敦煌歌辞总编》,上海古籍出版社 2006 年版,第 102—103 页。

二、自娱自乐

唐人对乐舞的欣赏不仅是观众式的远观,还常直接参与其中。精通韵律的唐玄宗就常参与其中,与乐人一起演奏。李濬《松窗杂录》记李白奉召在沉香亭作清平乐的故事。唐玄宗与杨贵妃在宫廷的沉香亭前赏牡丹,李龟年想唱领歌助兴,唐玄宗说:"赏名花,对妃子,焉用旧乐词为?"就命李白作《清平调》词三首。李白当场就作出了《清平调》词三首。之后李龟年歌《清平调》,玄宗亲自吹笛伴奏。[①] 就连唐太宗也有酒后与群臣共舞的事例,"太宗酒酣起舞,以属群臣。在位于是遍舞"(《旧唐书·燕王忠传》)[②]。与大部分为观看性的宫廷音乐相比,民间乐舞的参与特征更加明显。

文人对民间歌舞的影响首先表现在他们参与到歌舞创造中。民间歌舞使文人的诗歌得到了更好的传播,文人也丰富了民间歌舞的韵味。有一些歌舞在文人群中先兴盛,再传至京都与民间。薛用弱《集异记》载开元中,诗人王昌龄、高适、王涣之一同出游的际遇。

> 一日天寒微雪,三诗人共诣旗亭,贳酒小饮。忽有梨园伶官十数人,登楼会宴。三诗人因避席隈映,拥炉火以观焉。俄有妙妓四辈,寻续而至,奢华艳曳,都冶颇极。旋则奏乐,皆当时之名部也。昌龄等私相约曰:"我辈各擅诗名,每不自定其甲乙,今者可以密观诸伶所讴,若诗词入歌词之多者,则为优矣。"俄而一伶拊节而唱,乃曰:"寒雨连江夜入吴,平明送客楚山孤。洛阳亲友如相问,一片冰心在玉壶。"昌龄则引手画壁曰:"一绝句。"寻又一伶讴之曰:"开箧泪沾臆,见君前日书。夜台何寂寞,犹是子云居。"适则引手画壁曰:"一绝句。"寻又一伶讴曰:"奉帚平明金殿开,强将团扇共徘徊。玉颜不及寒鸦色,犹带昭阳日影来。"昌龄则又引手画壁曰:"二绝句。"涣之自以得名已久,因谓诸人曰:"此辈皆潦倒乐官,所唱皆《巴人》、《下俚》之词耳,岂《阳春》、《白雪》之曲,俗物敢近哉!"因指诸妓之中最

① (唐、五代)王仁裕等:《开元天宝遗事(外七种)》,上海古籍出版社 2012 年版,第 65—66 页。

② (后晋)刘昫等:《旧唐书》卷八十六,中华书局 1975 年版,第 2824 页。

佳者曰:“待此子所唱,如非我诗,吾即终身不敢与子争衡矣。脱是吾诗,子等当须列拜床下,奉吾为师。”因欢笑而俟之。须臾,次至双鬟发声,则曰:“黄沙远上白云间,一片孤城万仞山。羌笛何须怨杨柳,春风不度玉门关。”①

再有《太平御览》引《旧唐书》:“刘禹锡泛朗州,司马蛮俗好巫。每淫祠鼓舞,必歌俚辞。禹锡或从事于其间,乃依骚人之作为新辞,以教巫祝。故武陵溪洞间夷歌率多禹锡之辞也。”②

唐代以诗入曲是为惯例,因重诗名,好诗常被伎人用来制曲传唱。诗文丰富了曲子,曲子也保证了诗歌更好地传播与保存。唐代曲子词一般都是先有词后创曲。元稹,“及其在越,与诗人窦群赓酬,又称‘兰亭绝唱’。每一词出,往往播之乐府”③。唐代诗词的繁荣为歌舞提供了大量的材料,诗文歌舞并驾齐驱。

文人不仅参与词的创作,也经常亲自歌唱舞蹈。如《杨柳枝》也为文人所舞。《杨柳枝》原为《折杨柳》,至唐代多称为《杨柳枝》。白居易极爱此曲,为之创作了许多诗词。受他影响,上至帝王公卿,下至平民百姓都能歌舞此曲。白居易自己就舞过《杨柳枝》。他在《刘苏州寄酿酒糯米李浙东寄杨柳枝舞衫偶因尝酒试衫辄成长句寄谢之》中记:“柳枝谩蹋试双袖,桑落初香尝一杯。金屑醅浓吴米酿,银泥衫稳越娃裁。舞时已觉愁眉展,醉后仍教笑口开。惭愧故人怜寂寞,三千里外寄欢来。”④纵酒而舞是唐人风雅活动之一。文人之间相寄《杨柳枝》舞衫,白居易也欣然亲自试装,并舞《杨柳枝》。再有《太平广记》卷三百九转李玫《纂异记》中蒋琛故事,蒋琛偶遇众神会于太湖之上。席中先是俳优唱词,后太湖神、霅溪神、屈原等相继起舞作歌,其他文人争相献诗。《太平广记》卷五十《嵩岳嫁女》故事中王母与穆天子以歌相应。宴席中文人相互酬唱献舞乃唐时风气,文人习惯于席间展现才艺。

---

① (唐)薛用弱:《集异记》,中华书局1980年版,第11—12页。

② (宋)李昉等撰:《太平御览》卷五七四,中华书局1960年版,第2579页。

③ (宋)佚名:《宣和书谱》,人民美术出版社2011年版,第34页。

④ (清)曹寅、彭定求等编纂:《全唐诗》卷四五五,中华书局1999年版,第5185页。

唐人的自娱自乐还体现在“踏歌”中。“踏歌”是民间集体娱乐性舞乐的重要形式。这种乐舞以脚踏地发出的声音为节奏，边歌边舞，节奏明快清晰，适合群体间的相互响应与配合。汉代已经出现了这种乐舞形式，《后汉书·东夷传》记载：“昼夜酒会，群聚歌舞，舞辄数十人相随踏地为节。”[①]唐代踏歌的方式依然风靡盛行。特别是过节时，为欢度佳节，妇女们会在月下联臂踏歌。[②] 唐诗中也经常出现关于踏歌的记载。春光明媚时，万物复苏，年少未艾的少女们一起出去郊游访春时，就会踏歌而行，“春江月出大堤平，堤上女郎连袂行。唱尽新词欢不见，红霞映树鹧鸪鸣”（刘禹锡《踏歌词》）[③]；“携觞荐芰夜经过，醉踏大堤相应歌”（刘禹锡《采菱行》）[④]。郊游踏歌是女郎们经常做的事，要不然也不会一直在江边唱歌，连最新的歌词都唱完了。男子们也可以踏歌，用来表达对他人的倾慕情谊，李白《赠汪伦》中记：“李白乘舟将欲行，忽闻岸上踏歌声。桃花潭水深千尺，不及汪伦送我情。”[⑤]前来送行的汪伦边歌边舞，以踏歌表现自己对李白的真挚情谊，比起文人送别时惯常的写诗流涕，感伤唏嘘行为又更加豪迈憨直。山村里如果有大型活动，人们甚至可以踏歌至天明，“谁家无春酒，何处无春鸟。夜宿桃花村，踏歌接天晓”（顾况《听山鹧鸪》）。没有宵禁的农村夜生活确实比一到点就打鼓，催人回家闭户的城市生活要精彩些。刘禹锡的《竹枝词序》载，民间人们踏歌以联唱《竹枝词》，“里中儿联歌竹枝，吹短笛击鼓以赴节，歌者扬袂睢舞，以曲多为贤”[⑥]。大家联歌对舞《竹枝词》，看谁联的歌最多，谁就是优胜者。《文箫》中记中秋时期，人们到钟陵西山求福佑，“其间有豪杰，多以金召名姝善讴者，夜与丈夫闲立，握臂连踏而唱，其调清，其词艳，惟对答敏捷者胜”[⑦]。这是看谁对答得好，谁就是优胜者。联

---

① （南朝）范晔：《后汉书》卷八十五，中华书局1965年版，第2819页。

② 参见杨荫浏：《中国古代音乐史稿》，人民音乐出版社1981年版，第207页。

③ （清）曹寅、彭定求等编纂：《全唐诗》卷三六五，中华书局1999年版，第4119页。

④ （清）曹寅、彭定求等编纂：《全唐诗》卷三五六，中华书局1999年版，第4019页。

⑤ （清）曹寅、彭定求等编纂：《全唐诗》卷一七一，中华书局1999年版，第1770页。

⑥ （清）曹寅、彭定求等编纂：《全唐诗》卷三六五，中华书局1999年版，第4120页。

⑦ 上海古籍出版社编：《唐五代笔记小说大观》，上海古籍出版社2000年版，第1151页。

歌对舞是参与者众多的歌舞比赛,具有全民娱乐的大众精神。

打令是酒席间佐酒的小舞与小歌,也是俗乐。酒宴之中,众人可随兴而舞,以歌舞助酒,宴席场面热闹欢快。《酉阳杂俎》记天宝年间,一人名叫崔玄微在洛阳东区有宅子。因外出采药,举家外出,一年后回来,院子已长满杂草。崔玄微独处一院,晚间遇到一群花精,众女与之把酒就宴。席间"色皆殊绝,满座芬芬,馥馥袭人,命酒各歌以送之,玄微志其一二焉。有红裳人与白衣送酒,歌曰:'皎洁玉颜胜白雪,况乃青年对芳月。沉吟不敢怨春风,自叹容华暗消歇。'又白衣人送酒,歌曰:'绛衣披拂露盈盈,淡染胭脂一朵轻。自恨红颜留不住,莫怨春风道薄情'"①。文中故事记载了当时酒宴上唱歌以劝酒的风俗。花妖们所唱歌曲虽短小,但能自叹身世,传情送意。

《朱子语类》载:"唐人俗舞,谓之'打令',其状有四:曰招,曰摇,曰送,其一记不得。盖招则邀之之意;摇则摇手呼唤之意,送者送酒之意。旧尝见深村父老为余言;其祖父尝为之收得谱子,曰兵火失去。舞时皆裹幞头,列坐饮酒,少刻起舞。有四句号云:'送摇招摇,三方一圆;分成四片,得在摇前。'人多不知,皆以为哑谜。"②招是面向前的,鞠躬向前弯腰作邀客状。摇即是摇手呼唤,两臂必高举头项,左右摆动。送是面向后,作送客之势。唐人用简单的字记载了舞蹈,每个字都表示相应的动作,表明打令具有固定的模式。敦煌舞谱也记载了酒令时的舞蹈,王小盾先生指出敦煌舞谱的谱字皆按"令、舞、挼、据,舞、摇、挼、据,舞、挼、奇、据,舞、挼、据、头"③的顺序排列,每个谱字都有相应的动作,并依次变换。

打令还有一种形式,人们在席间抛掷某物,被掷中者需展示歌舞才艺。李宣古诗说:"争奈夜深抛耍令,舞来挼去使人劳。"(《杜司空席上赋》)④耍令中,众人嬉戏不已,因为表演是随机的,谁也不知道下一个表

① (唐)段成式撰:《酉阳杂俎》,上海古籍出版社 2012 年版,第 143 页。

② (宋)黎靖德编:《朱子语类》卷九十二,中华书局 1986 年版,第 2343 页。

③ 王小盾:《隋唐音乐及其周边》,上海音乐学院出版社 2012 年版,第 417 页。

④ (清)曹寅、彭定求等编纂:《全唐诗》卷五五二,中华书局 1999 年版,第 6451—6452 页。

演者是谁,精神集中、神经紧张、热闹非常。《冥音录》道:“每宴饮,即飞毬舞盏,为佐酒长夜之欢。”①白居易《醉后赠人》也道:“香毬趁拍回环匼,花盏抛巡取次飞。”②酒宴上酒杯与香球乱飞,场面热闹喜庆。有人还会专门将球送至你面前,“亚身摧蜡烛,斜眼送香球”(张祜《陪范宣城北楼夜宴》)③。在香球的调动中,众人不断变换着表演者与欣赏者的身份,使席间娱乐氛围更加高昂。

不仅如此,唐代还有更热闹的舞乐活动。有一段时间唐代民众间很流行近似泼水节的舞蹈。《旧唐书》记康国风俗:“至十一月,鼓舞乞寒,以水相泼,盛为戏乐。”④《旧唐书·张说传》记载:“自则天末年,季冬为泼寒胡戏,中宗尝御楼以观之。”⑤《资治通鉴》卷二百八记:“己丑,上(唐中宗)御洛城南楼,观泼寒胡戏。清源尉吕元泰上疏,以为‘谋时寒若,何必裸身挥水,鼓舞衢路以索之!’疏奏,不纳。”⑥《新唐书·康国传》载:“十一月鼓舞乞寒,以水交泼为乐。”⑦后来喜爱高雅艺术的唐玄宗大概看不惯这种赤身露体的低俗舞蹈,将这种活动禁止了。在现在的少数民族傣族中,这种活动还保存着。舞乐《苏莫遮》或《苏摩遮》与这种活动或许有关系。“该舞本出自印度,经西域的康国(今中西的撒马尔干)和龟兹(今新疆库车附近),传入中原地区。《苏莫遮》是一种佛教习俗,旨在祛病禳灾,祈求丰收。俗称‘泼寒胡戏’或‘乞寒胡戏’”⑧。

三、雅乐衰微,形式纷呈

唐人不像一般的士大夫喜静深思,拘谨矜持,而尚武好动,洒脱乐观。在这种情况中,中和人情绪的雅乐在民间有所衰微,发展了形式丰富多样

---

① (宋)李昉等编:《太平广记》卷四百八十九,中华书局 1961 年版,第 4022 页。
② (清)曹寅、彭定求等编纂:《全唐诗》卷四四一,中华书局 1999 年版,第 4944 页。
③ (清)曹寅、彭定求等编纂:《全唐诗》卷五一〇,中华书局 1999 年版,第 5846 页。
④ (后晋)刘昫等:《旧唐书》卷一百九十八,中华书局 1975 年版,第 5310 页。
⑤ (后晋)刘昫等:《旧唐书》卷九十七,中华书局 1975 年版,第 3052 页。
⑥ (宋)司马光:《资治通鉴》卷二百八,中华书局 1956 年版,第 6596 页。
⑦ (宋)欧阳修、宋祁:《新唐书》卷二百二十一,中华书局 1975 年版,第 6244 页。
⑧ 关也维:《唐代音乐史》,中央民族大学出版社 2006 年版,第 19 页。

的乐舞。不仅如此,唐代宫廷乐舞不但在传统乐部宫悬中增加鼓吹,还在乐舞中增加九部、十部、二部、太常四部等新兴乐部。民间与宫廷的共同改革使唐代雅乐不著,民间乐舞形式却大为丰富。

民间歌舞喜与杂技、戏曲、剑器、化妆术等形式结合在一起,其表演方式灵活机动,自然易为老百姓所喜闻乐见。杜甫晚年在《观公孙大娘子舞剑器行》序中就提到自己小时候在河南郾城就看过公孙大娘的表演,后来晚年又看到公孙大娘的弟子表演剑器舞,说明剑器舞并不是昙花一现,在唐代很是流行了一段时间。唐人喜闻乐见的剑器舞带有杂技的成分。《旧唐书》也有歌舞与杂技结合的记载。

夜阑,太常乐府县散乐毕,即遣宫女于楼前缚架出眺歌舞以娱之。若绳戏竿木,诡异巧妙,固无其比。①

民间艺术的奇特处还包括化妆术的运用。《教坊记》记载:"庞三娘善歌舞,其舞颇脚重。然特工装束。又有年,面多皱,帖以轻纱,妙用云母粉和蜜涂之,遂若少容。尝大酺汴州,以名字求雇。使者造门,既见,呼为'恶婆'。问庞三娘子所在。庞给之曰:'庞三是我外甥,今暂不在,明日来书奉留之。'使者如言而至。庞乃盛饰,顾客不之识也。因曰:'昨日已参见娘子阿姨。'其变状如此,故坊中呼为'卖假金贼'。"②

唐代的雅乐在声律上发展的同时,也处于下降趋势,除朝廷效庙祭祀以外,雅乐多为胡音所侵。学习雅乐的人也不如以前严格,雅乐伎人地位面临前所未有的衰微。"昔唐虞讫三代,舞用国子,欲其早习于道也;乐用瞽师,谓其专一也。汉魏以来,皆以国之贱隶为之,唯雅舞尚选用良家子。国家每岁阅司农户,容仪端正者归太乐,与前代乐户总名'音声人'。"③以前雅乐表演者的遴选十分慎重,必须用良家子,及容仪端正者,应该是乐舞者中的佼佼者。但立坐部伎盛行后,雅乐表演者的资质已居其后。《新唐书·礼乐志十二》记唐时乐:"又分乐为二部:堂下立奏,谓之立部伎;堂上坐奏,谓之坐部伎。太常阅坐部,不可教者隶立部,又不可

---

① (后晋)刘昫等:《旧唐书》卷二十八,中华书局1975年版,第1052页。

② (唐)崔令钦等:《教坊记(外三种)》,中华书局2012年版,第28页。

③ (唐)杜佑:《通典》卷一百四十六,中华书局1988年版,第3718页。

教者,乃习雅乐。"①如此说来,学雅乐者是能力最差的人。难怪白居易《立部伎》诗中力批雅乐从事者:"《立部》贱,《坐部》贵。《坐部》退为《立部伎》,击鼓吹笙和杂戏。《立部》又退何所任?始就乐悬操雅音。雅音替坏一至此,长令尔辈调宫徵!圆丘后土郊祀时,言将此乐感神祇!欲望凤来百兽舞,何异北辕将适楚!工师愚贱安足云,太常三卿尔何人!"②

民间音乐中雅乐衰微。雅乐逐渐向清乐发展。如宫调的《剑器》转接角调的《浑脱》。陈旸《乐书》卷一八四记:"唐自天后末年《剑气》入《浑脱》,始为犯声。《剑气》宫调,《浑脱》角调。以臣犯君不可以训,非中正之雅也。"③少数民族音乐的引进,使民间音乐中清乐雅歌部分逐渐减少。"自周、隋以来,管弦杂曲将数百曲,多用西凉乐,鼓舞曲多用龟兹乐,其曲度皆时俗所知也。唯弹琴家犹传楚、汉旧声及清调、琴调,蔡邕五弄、楚调四弄调,谓之《九弄》,雅声独存。非朝廷郊庙所用,故不载。"④《通典》卷一四二载:"自宣武已后,始爱胡声,洎于迁都。屈茨,琵琶,五弦,箜篌,胡笳,胡鼓,铜钹,打沙罗,胡舞铿锵镗鎝,洪心骇耳,抚筝新靡绝丽,歌响全似吟哭,听之者无不凄怆。琵琶及当路琴瑟殆绝音。"⑤俗世音乐多是以管弦乐为特征的西凉乐与以鼓吹乐为特征的龟兹乐。上古时的雅乐民间多不传,只存在琴曲中。白居易有诗云:"古歌旧曲君休听,听取新翻杨柳枝"(《杨柳枝词》)⑥,声调缓慢,声律单一,持中平和的雅乐被更能激发情感的、节奏欢快的西凉乐、龟兹乐所代替。可见至少中唐前期的百姓更喜爱热情激昂、明快眩动的乐舞。

唐代散乐流行。散乐指俳优歌舞杂奏,又为百戏。"散乐"一词最早见于《周礼·春官宗礼》卷二十四,指郊野人民之舞。《旧唐书》记载:"散乐者,历代有之,非部伍之声,俳优歌舞杂奏。汉天子临轩设乐,舍利兽从

---

① (宋)欧阳修、宋祁:《新唐书》卷二十二,中华书局1975年版,第475页。

② (清)曹寅、彭定求等编纂:《全唐诗》卷四二六,中华书局1999年版,第4703页。

③ (宋)陈旸:《乐书》卷一八四,《四库全书》211册,上海古籍出版社1987年版,第829页。

④ (唐)杜佑:《通典》卷一百四十六,中华书局1988年版,第3718页。

⑤ (唐)杜佑:《通典》卷一百四十二,中华书局1988年版,第3614—3615页。

⑥ (清)曹寅、彭定求等编纂:《全唐诗》卷四五四,中华书局1999年版,第5172页。

西方来，戏于殿前，激水成比目鱼，跳跃嗽水，作雾翳日，化成黄龙，修八丈，出水游戏，辉耀日光。绳系两柱，相去数丈，二倡女对舞绳上，切肩而不倾。如是杂变，总名百戏。"①散乐也称为百戏。至隋唐期间，百戏已十分兴盛，《太平御览》记隋炀帝于民间周齐百戏，并命太常寺教习，以便每年"正月万国来朝，留至十五日，于端门外建国门内绵亘八里列为戏场。百官起棚夹路，从昏达曙，以纵观之。……其歌者多为妇人服。鸣环佩，饰以花髦者，殆三万人"②。其百戏的内容包括：扛鼎、载竿、以掌弄大盆石臼、魔术及歌舞表演。杂技中常糅合了舞蹈表演。婆罗门乐人可"倒行而足舞。极銛刀锋，植于地低，因就刃以历脸中；又植于背下，吹筚篥；立其腹上终曲而无伤。"③百戏中的歌舞伴有惊险的杂技表演，歌舞成了杂技的陪衬与附庸。这种音乐总以娱乐为主，目的在于满足观众的好奇与猎奇心理。

有些雅乐流传到民间成了俳优散乐之流的百戏。苏鹗在《杜阳杂编》中记录幽州杂技女艺人石火胡将《破阵乐曲》与杂技相结合，"上降日，大张音乐，集天下百戏于殿前。时有妓女石火胡，本幽州人也，挈养女五人，才八九岁。于百尺竿上张弓弦五条，令五女各居一条之上，衣五色衣，执戟持戈，舞《破阵乐曲》。俯仰来去，赴节如飞。是时观者目眩心怯。火胡立于十重朱画床子上，令诸女迭踏以至半空，手中皆执五彩小帜，床子大者始一尺余。俄而手足齐举，为之踏浑脱，歌呼抑扬若履平地"④。唐代统治者并未将舞蹈神圣化，而是较为宽容地更将舞蹈音乐作为艺术本身进行欣赏，所以《破阵乐》这样的殿堂之乐才能移入民间，并为杂技艺人所表演。其他音乐也经历了类似的改编。《新唐书·乐志》："胡旋舞，舞者立毬上，旋转如风。"⑤这是将胡旋舞改编为杂技的结果。

唐代音乐在隋唐两代的努力中得到了迅速的修正与补充，它们吸取

---

① （后晋）刘昫等：《旧唐书》卷二十九，中华书局1975年版，第1072页。

② （宋）李昉等撰：《太平御览》卷五六九，中华书局1960年版，第2572页。

③ （宋）李昉等撰：《太平御览》卷五六九，中华书局1960年版，第2573页。

④ （唐、五代）王仁裕等：《开元天宝遗事（外七种）》，上海古籍出版社2012年版，第123页。

⑤ （宋）欧阳修、宋祁：《新唐书》卷二十一，中华书局1975年版，第470页。

多种文化因素,承南北融合之式,融三教并立之势,文武双峙,雅俗共存,并合多民族音乐元素于一体。唐代乐舞虽音犯正声,夷夏相侵,也不改其兴盛,显示了唐代兼容并蓄的风格。

第六章
建筑中的审美意识

建筑发展到唐代已经趋于成熟，一方面表现在建筑类型的全面发展：城池、宫殿、寺庙、陵园、佛塔、石窟、园林、楼阁、桥梁、华表等建筑类型都齐备；另一方面表现在建筑营造技巧的发展，从城池的安排、陵园的建构、佛塔的建筑、桥梁的设计中都体现了鲜明的时代革新处。

第一节 隋唐城池：浩大长安

唐代京都分西京与东京。东京为洛阳，西京为长安。因为两京格局基本一致，这里仅以长安城为例论述唐代城池建设的范式。隋唐长安城位于渭河以南，灞、浐河以西，沣、潏河以东，是隋代的都城及唐代的西都。唐代城池以西安唐城为代表。西安城池遗址共有四个，包括西周丰镐、秦都咸阳、汉都长安与隋唐长安。隋唐长安城沿用了汉长安城的名称。汉长安城在龙道原之北，隋文帝将都城迁于龙道原之南，定为大兴城，"开皇三年，自汉长安故城东南移二十一里，迁都龙首川"①。龙首山"川原秀丽，卉物滋阜，卜食相土，宜建都邑"（《隋书·高祖》）②。唐代依然定都大兴城，只是将之改名为长安城。隋唐长安城遗址考古始于20世纪30年代初。到20世纪五六十年代，马得志领队的中国科学院考古研究所开始对隋唐长安城进行全面调查与发掘，绘制出了长安城址的初步复原图。以后考古界陆续有对隋唐长安城的考察，半世纪过去，已经取得了显著成

① （宋）宋敏求：《长安志》卷一，中华书局1991年版，第3页。
② （唐）魏徵等：《隋书》卷一，中华书局1973年版，第17页。

果。目前,大明宫、青龙寺、西明寺、安定坊、朱雀门、含光门、丹凤门、清明渠等唐长安城遗址的发现与研究使长安这座隋唐帝都的大致面貌呈现了出来,我们也得以窥见这个古老城池的审美特征。

一、恢宏整一

宏伟的长安城由宫城、皇城、外郭城三部分组成,各城郭间穿插桥梁、渠道,并兼有东市、西市及各类作坊,外加城壕与夹城,以宫城为中心的向心力明显。城池其他设施、建筑众星拱月般将宫城拱卫于中心。从规模上看,隋唐长安城是我国古代第一大都。皇城为天子所居,为突出天子威严,往往大兴土木,使其壮丽威严。汉高祖刘邦曾质问萧何,何以将宫室建得如此壮观,过度耗费财力、人力。萧何对道:“天下方未定,故可因遂就宫室,且夫天子以四海为家,非壮丽无以重威,且无令后世有以加也。”(《史记·高祖本纪》)可见古人对皇城的审美品位是壮丽重威。隋唐长安城的建造更是其中典范。唐骆宾王目睹长安之壮丽有诗曰:“山河千里国,城阙九重门。不睹皇居壮,安知天子尊。”(《帝京篇》)①

隋唐长安城气势恢宏,规模盛大,是我国古代规模最大的一座都城。隋唐长安城全城面积达 84 平方公里,远远超过其他都城。我们来看其他都城的面积:汉长安城面积 35 平方公里,隋唐洛阳城面积 45 平方公里,宋汴京面积 32 平方公里,元大都面积 50 平方公里,明南京城面积 43 平方公里,明清北京城 60 平方公里。即使与当时世界其他国家相比,它也是个中翘楚,“它是公元 447 年所建东罗马帝国首都拜占庭面积 11.99 平方公里的 7 倍,是公元 800 年所建伊拉克首都巴格达面积 30.44 平方公里的 2.7 倍,是公元 690 年所建日本奈良藤原京面积 6.5 平方公里的 13 倍,是公元 708 年所建日本奈良平城京面积 22.5 平方公里的 3.73 倍,也是公元 793 年所建日本京都地区平安京面积 22.88 平方公里的 3.67 倍”②。可见长安城占地面积广阔,非一般都城可比。都城浩大,宫城也

① (清)曹寅、彭定求等编纂:《全唐诗》卷七七,中华书局 1999 年版,第 833 页。
② 张永禄:《唐都长安》,三秦出版社 2010 年版,第 24 页。

如是。大明宫占地面积 3.3 平方公里，太极宫占地面积 1.92 平方公里，紫禁城占地面积只有 0.72 平方公里。大明宫面积是紫禁城的近 4 倍，太极宫是紫禁城的近 3 倍。无论是城池还是宫城，隋唐长安城的设置都崇尚大气壮丽。

浩大的长安城，布局建制却严密有序。唐长安城整体上是按矩形设计的。唐代长安城“全城的平面形状为规整的长方形，南北长 8.6 公里，东西宽 9.7 公里，周围共 36.7 公里，面积为 84 平方公里。”①长安城局部的设计方式也是以矩形为基础，“长安城受等边三角形控制，其外郭城划分为 12 个内含等边三角形的小矩形。这个矩形的边长恰好等于皇城的东西长度”②。长安宫城“平面成规整的长方形，周围 8.6 公里，面积约 4.2 平方公里”；长安皇城“平面亦成规整的长方形，周围 9.2 公里，面积约 5.2 平方公里”③，都是矩形设置。1959 年与 1960 年，西安唐城工作队的探测说明西安唐城西市大致呈正方形，长宽各约为 1050 米。市内有两条东西大街和两条南北大街，宽 16—18 米，四街交叉呈井字形。市中内部呈长方形，东西长 295 米，南北宽 330 米。④

这些矩形被经纬之势划开，井然有序。长安城有明确的南北轴线。外郭城的朱雀门大街、皇城的承天门大街以及外郭城的南大门明德门、皇城的南大门朱雀门、宫城的南大门承天门都处于长安城的中心南北轴线处。三大宫城布局也是如此，如太极宫中就以太极门、太极殿、两仪殿、甘露殿、延嘉殿、承香殿为太极宫的南北中轴线。除了主轴外，长安城街道基本为南北纵向与东西横向。“纵十一街，各广百步。皇城之南，横街十，各广四十七步。皇城左右各横街四，三街各广六十步，一街直安福、延喜门广百步。”⑤纵向街中间的朱雀门街，是长安城最主要的街道，宽达一百五十多米，路旁设有水沟排水。它是全城的南北中轴线，连接皇城朱雀

① 马得志：《唐代长安与洛阳》，《考古》1982 年第 6 期。

② 王树声：《隋唐长安城规划手法探析》，《城市规划》2009 年第 6 期。

③ 马得志：《唐代长安与洛阳》，《考古》1982 年第 6 期。

④ 中国科学院考古研究所西安唐城发掘队：《唐长安西市遗址发掘》，《考古》1961 年第 5 期。

⑤ （元）李好文：《长安志图》，三秦出版社 2013 年版，第 18 页。

门与外郭城的南大门明德门,并继续向南伸,直达南山石砭峪。有四门的里坊中也有十字街,它将全坊划为四个街区,其间又有小巷将全坊分为十六个小区。十字街的宽度均为十五米,巷的宽度一般达到两米多。[①] 城池主街,里坊十字街以及坊中的小巷以南北、东西的经纬编织方式将长安城划分为一块块的独自区域,整个城池由于这些平行以及垂直街道的设置显得井然有序。坊中主街道专设街鼓,以传递上令,“先是,京城诸街,每至晨暮,遣人传呼以警众。周遂奏诸街置鼓,每击以警众,令罢传呼,时人便之”[②]。这些街鼓专设在贯穿东西、南北城门的六条大街上,双称六街鼓。这六条大街,指贯穿于城门之间的三条南北向大街(朱雀街、启夏门至安兴上、安化门至芳林门)和三条东西向大街(延兴门至延平门、春明门至金光门、通化门至开远门)。[③]

城池中房屋的建设皆有圭臬。北宋吕大防在《隋都城图》题记中称长安城的设计与规划:“隋氏设都,虽不能尽循先王之法,然畦分棋布,闾巷皆中绳墨,坊有墉,墉有门,逋亡奸伪无所容足。”一百一十个居民坊里分布其中,整齐划一,密而不乱,“百千家似围棋局,十二街如种菜畦”(白居易《登观音台望城》)[④],“万井惊画出,九衢如弦直”(李白《君子有所思行》)。[⑤] 为了维护城市的视觉划一感及保护邻里的隐私,唐代规定民居不能任意起高楼。如唐大历十四年(780 年)六月勅:“诸坊市邸店楼屋,皆不得起楼阁临视人家,勒百日内毁拆。”[⑥]文宗太和六年(832 年)六月敕:“其士庶公私第宅,皆不得造楼阁,临视人家。”[⑦]《旧唐书 · 河间王恭传附子晦传》记载李晦:“私第有楼,下临酒肆,其人尝候晦言曰:‘微贱之人,虽则礼所不及,然家有长幼,不欲外人窥之。家迫明公之楼,出入非

---

① 参见马得志:《唐代长安与洛阳》,《考古》1982 年第 6 期。

② (后晋)刘昫等:《旧唐书》卷七十四,中华书局 1975 年版,第 2619 页。

③ 王钟萃:《隋唐五代史》,上海人民出版社 1998 年版,第 772 页。

④ (清)曹寅、彭定求等编纂:《全唐诗》卷四四八,中华书局 1999 年版,第 5064 页。

⑤ (清)曹寅、彭定求等编纂:《全唐诗》卷一六四,中华书局 1999 年版,第 1700 页。

⑥ (宋)王溥:《唐会要 · 工部尚书》卷五十九,上海古籍出版社 1991 年版,第 1220 页。

⑦ (宋)王溥:《唐会要 · 杂录》卷三十一,上海古籍出版社 1991 年版,第 671 页。

便，请从此辞。'晦即日毁楼。"①楼房的一致高度保证了长安城空际线的优美效果。

长安城排列有序，机构划分整齐合理。长安城规划以宫城为中心，以皇城为拱卫，以东西市为联结，以街道为界线，以坊所为单位，意图快捷、便利地联通城池间各个地方，以使政通令畅，便于管理与维护城市治安，指导市民日常生活。

二、雍容雅致

隋唐长安城坊所设计一致，高度大小平整，如棋盘一般，整体效果规矩整密，但如果过度持守整齐统一未免会失于呆板。长安城利用高塔错落出空际线，利用绿化增添街道生机，利用各色园林点缀城池生活兴味，利用水流柔化城池整一的刚硬，使城池既具有专政规范的统一，又包含生活的柔和缓冲、大气雍容、雅致温馨。

长安城街坊房屋设计高度一致，百姓不能随意起高楼，以保证居民隐私不外露、宫城高楼地位的突出以及城市建制的齐整。但一味地伏低做小并不能满足一个帝都崇高阔大的人文抱负。因此，长安城除宫城建立高楼外，还在城池各地建立多个塔寺，尽显其富丽堂皇、挺拔巍峨之气势。据段成式《寺塔记》记载，长安有寺塔 18 处；张彦远《记西京外州的寺观壁画》记长安寺塔 34 处。寺塔皆以高为美，如位于永阳、和平坊东半部的大庄严寺塔，"宇文恺以京城西有昆明池，地势微下，乃奏于此建木浮图，高三百三十仞，周匝百二十步，寺内复殿重廊，天下伽蓝之盛，莫与为比"②；位于晋昌坊东部的大慈恩寺塔，"寺西院浮图六级，崇三百尺"③；位于丰乐坊的法界尼寺，"有双浮图，各崇一百三十尺"等。这些塔寺高耸入云，挺拔刚劲，散落于坊中各位，与宫城楼阙遥相呼应，拔高了城池的整体视觉高度，打破了外郭城的平板构造，突出了城池

① （后晋）刘昫等：《旧唐书》卷七十四，中华书局 1975 年版，第 2619 页。

② （唐）韦述：《两京新记》，《续修四库全书》732 册，上海古籍出版社 2002 年版，第 1868 页。

③ （宋）宋敏求：《长安志》卷七，中华书局 1991 年版，第 105 页。

的空间立体感，使城池雍容端正、威严雄浑，正是国朝天威的堂皇壮阔气象。

唐代长安城注重绿化，有统一的绿化规则。长安城街道两边植有槐树与榆树。唐时由政府出资，居民要按时在街上种植树林，“敕诸街添补树，并委左、右街使栽种，价折领于京兆府，仍限八月栽毕”①；或及时补栽枯死树木，“京兆府与金吾计会，取城内诸街枯死槐树，充修灞、浐等桥板木等用，仍栽新树充替”②。街道上的树木不能轻易砍伐：“贞元中，度支欲斫两京道中槐树造车，更载小树符牒渭南县尉张造。造批其牒曰：‘近奉文牒，令伐官槐，若欲造车，岂无良木？恭惟此树，其来久远。东西列植，南北成行。辉映秦中，光临关外。不惟用资行者，抑亦曾阴学徒。拔本塞源，虽有一时之利；深根固蒂，须存百代之规。况神尧入关，先驻此树；玄宗幸岳，见立丰碑。山川宛然，原野未改。且邵伯所憩，尚自保全；先皇旧游，宁宜翦伐？思人爱树，诗有薄言；运斧操斤，情所未忍。’付司具状牒上度支使，仍具奏闻，遂罢。”③唐代非常重视城池的绿化效果，多次大规模地进行植树活动，街道遍植槐、柳、杨及各种果树，宫城区更是如此，有大片的树林。除了广植乔木外，唐代长安城喜用各种花卉装饰，尤尚牡丹。《唐国史补》载：“京城贵游，尚牡丹三十余年矣。每春暮车马若狂，以不耽玩为耻。执金吾辅官围外寺观种以求利，一本有直数万者。”④暮春之时，大批人流于长安城赏玩牡丹已成为当时之风尚。

集中的绿化地带形成了园林，长安城以园林众多闻名。除了归皇族游玩的皇家园林如内苑、西内苑、东内苑以及城东南的芙蓉园外，还有城池公共园林、寺观园林及私家园林。皇家园林自是精心雕饰，“青槐夹驰道，宫馆何玲珑”（岑参《与高适薛据登慈恩寺浮图》）⑤，“桥转彩虹当绮殿，舰浮花鹢近蓬莱”（李绅《忆春日太液池亭候对》）⑥。位于城区之北

---

① （宋）王溥：《唐会要 · 街巷》卷八十六，上海古籍出版社 1991 年版，第 1868 页。
② （宋）王溥：《唐会要 · 街巷》卷八十六，上海古籍出版社 1991 年版，第 1870 页。
③ （唐）李肇、赵璘：《唐国史补 · 因话录》，上海古籍出版社 1979 年版，第 30—31 页。
④ （唐）李肇、赵璘：《唐国史补 · 因话录》，上海古籍出版社 1979 年版，第 45 页。
⑤ （清）曹寅、彭定求等编纂：《全唐诗》卷一九八，中华书局 1999 年版，第 2043 页。
⑥ （清）曹寅、彭定求等编纂：《全唐诗》卷四八〇，中华书局 1999 年版，第 5497 页。

的禁苑集军事、游乐、经济等功能于一体，常举行大型的游乐活动，顺宗"尝侍宴鱼藻宫，张水嬉，彩舰雕靡，宫人引舟为棹歌，丝竹间发"①。其他园林也不遑多让，尤其是公共园林曲江园林，它占地面积很广，大致相当于两坊，是文人游玩赋诗、饮酒唱和的繁盛文化场所，甚至皇帝也经常由夹城至此游乐，杜甫有诗云"忆昔霓旌下南苑，苑中万物生颜色"（《哀江头》）②。城中寺院也是风景名胜区，寺院中常茂林修竹，草木葳蕤，且大多依山而立，更得自然之势，引得时有佳句称颂，如咏青龙寺的"寺好因岗势，登临值夕阳。青山当佛阁，红叶满僧廊。竹色连平地，虫声在上方。最怜东西静，为近楚城墙"（朱庆馀《题青龙寺》）③。私家园林在唐代逐渐兴盛，达官贵人多喜爱在自家开辟出园林，供内眷家人及朋友游憩赏玩。各园林中遍种花木果树，修建亭台楼阁、游廊绿堤，使园林常年绿荫四合、花木茂盛，各色花卉果木依次绽放结实，纷香馥郁。这些园林多非经济性用地，在提供市民踏青观景、休憩娱乐的同时，也将长安城装饰得花团锦簇、雅致雍容。

长安城内变幻纡曲的各色水池与园林景致交相辉映，扩大并丰富了长安城的景色。为了方便居民用水，唐长安城中有多条水渠及多处池沼，碧波清渠的款款流动为唐长安城平添了几分柔美妩媚。唐开凿了六条引水渠：永安渠、龙首渠、清明渠、黄渠、两条漕渠。唐长安城内主街道两边有水沟，"在大部分街道的两侧或一侧探得有沟……沟的宽度均在 2.5 米以上……在我们的勘查中虽尚未发现桥的遗迹，但从街两侧各沟之宽的情况看，往来通行是很难穿过的"④。水渠既美化了环境，也满足了城市供水需要。另外，唐长安城还有有曲江、太液、昆明、定昆、兴庆及东南西北四海池沼。纵横交错的渠道，与星罗棋布的池沼，映照着岸边的茂林修木，上下辉映、水岸一色，使长安城更为流光溢彩、明艳动人。

---

① （后晋）刘昫等：《旧唐书》卷四十五，中华书局 1975 年版，第 410 页。

② （清）曹寅、彭定求等编纂：《全唐诗》卷二一六，中华书局 1999 年版，第 2269 页。

③ （清）曹寅、彭定求等编纂：《全唐诗》卷五一四，中华书局 1999 年版，第 5910 页。

④ 中国科学院考古研究所西安唐城工作队：《唐代长安城考古纪略》，《考古》1963 年第 11 期。

恢宏整一的长安城为了避免呆板单一，在城池空际线、城池绿化及城池水域等方面下足了功夫，使长安城宏伟而俏丽，在大气严整的基础上也有怡红快绿、鸟语花香、小桥流水的雅致情趣。长安城自然风光与城市建设交相辉映，参差错落，雍容并蓄的气质吸引着来自世界各地的民众。

三、象天而设

与以往长安都城相比，长安城的布局设计进行了新的改变。陈寅恪道："隋创新都，其市朝之位置所以与前此之长安殊异者，实受北魏孝文营建之洛阳都城及东魏、北齐之邺都南城之影响，此乃隋代大部分典章制度承袭北魏太和文化之一端。"①隋唐长安城的布局延续了北魏、东魏、北齐都城的特征，都为象天而设，城池各处位置与天象有关，而且隋唐长安城做得更为细致。唐人李庾《两都赋》中说："其制度也，拥乾体，正坤仪，平两曜，据北辰。斥咸阳而会龙首，右社稷而左宗庙。宣达周衢，址以十二。棋张府寺，局以百吏，环以文昌，二十四署。六部提统，按星分度。"②"两曜"是日月，日月于东西方轮次升落，"平两曜"指宫城居于东西之间。"址以十二"取象十二支方位，"二十四署"取象二十四节气。李庾的说法有些夸张，但也确实点到了长安城象天而制的设计方案。

隋唐长安城将宫城的位置从郭城的西南，移至北面的正中，将市场的位置从宫城的北面移到了宫城之南。隋唐长安城将宫城位置于城池的最北段，这与以往一般的宫城设置传统不符。《周礼·考工记》载："匠人营国，方九里，旁三门，国中九经九纬，经涂九轨，左祖右社，面朝后市。"据《考工记》记载传统宫城应置于城池中央，前朝后市，汉长安城便是如此。但隋唐长安城将宫城放于城池最北段，其目的在于"据北辰"。北极星乃皇帝星座。《论语·为政》论政德道："为政以德，譬如北辰，居其所而众星共之。"宫城居北，象征帝居位北极至尊，以道德教化来服膺四海。除受天上星辰位置影响外，卦象也是将宫城移北的重要原因。隋宇文恺设

---

① 陈寅恪：《隋唐制度渊源略论稿、唐代政治史述论稿》，商务印书馆 2011 年版，第 69 页。

② （清）董浩等编：《全唐文》卷七百四十，上海古籍出版社 1990 年版，第 3387 页。

计大兴城时，将城池北部龙首原上一处附会为周易乾卦的“九二”高地，其“见龙在田，利见大人”，故“以九二置宫殿以当帝王之居”①，所以城池北部的高原便是宫城所在了。

《史记·日才列传》：“天不足西北，星辰西北移；地不足东南，以海为池。”长安城东南缺两坊作曲江池，正是为了符合地不足东南的自然天象。宋程大昌《雍录》记载：“隋营京城，宇文恺以其地在京城东南隅，地高不便，故阙此地不为居人坊巷，而凿之为池，以厌胜之。”②不想，不易居住的东南之地曲江池倒逐渐发展成长安城内风景名胜地，引得唐人于此流连忘返。有诗云“凤城春报曲江头，上客年年是胜游”（杨巨源《长安春游》）③、“风起池东暖，云开山北晴。冰销泉脉动，雪尽草芽生。露杏红初坼，烟杨绿未成。影迟新度雁，声涩欲啼莺”（白居易《早春独游曲江》）④、“曲江初碧草初青，万毂千蹄匝岸行”（林宽《曲江》）⑤、“菖蒲翻叶柳交枝，暗上莲舟鸟不知。更到无花最深处，玉楼金殿影参差”（卢纶《曲江春望》）。文宗时期，太和九年，大臣郑注观天象“言秦中有灾，宜兴土功厌之”（《旧唐书·文宗纪》）⑥，唐代后期有了大规模的对曲江园林的修复活动。享誉史册的曲江名胜便是在天象观念的影响下逐渐形成的。

里坊是长安城居民聚集单位。《长安志》卷七载：“皇城之东尽东郭，东西三坊。皇城之西尽西郭，东西三坊。南北皆一十三坊，象一年有闰。每坊皆开四门，有十字街，四出趣门。皇城之南，东西四坊，以象四时；南北九坊，取则《周礼》王城九逵之制，隋《三礼图》见有其像。每坊但开东西二门，中有横街而已。盖以在宫城直南，不欲开北街泄气以冲城阙。棋布栉比，街衢绳直，自古帝京未之有也。”⑦古人将居民居住地的总数量也

① （唐）李吉甫：《元和郡县图志》卷一，中华书局1983年版，第2—3页。
② （宋）程大昌：《雍录》卷第六，中华书局2002年版，第132页。
③ （清）曹寅、彭定求等编纂：《全唐诗》卷三三三，中华书局1999年版，第3725页。
④ （清）曹寅、彭定求等编纂：《全唐诗》卷四三六，中华书局1999年版，第4846页。
⑤ （清）曹寅、彭定求等编纂：《全唐诗》卷六〇六，中华书局1999年版，第7059页。
⑥ （后晋）刘昫等：《旧唐书》卷十七下，中华书局1975年版，第561页。
⑦ （宋）宋敏求：《长安志》卷七，中华书局1991年版，第84页。

类比为节气、大自然周年变化，坊的排列布局都合一定的天势，使城池占尽天时，合则天运。

街道的划分也是依天象而设。宇文恺建造大兴城时，将易经中乾卦之象比附于大兴城内的六条高坡。唐李吉甫记载："隋开皇三年(583年)，自长安故城迁都龙首川，即今都城是也。初，隋氏营都，宇文恺以朱雀街南北有六条高坡，为乾卦之象，故以九二置宫殿以当帝王之居，九三立百司以应君子之数，九五贵位，不欲常人居之，故置玄都观及兴善寺以镇之。"①《唐会要》中说："初，宇文恺置都，以朱雀门街南北尽郭有六条高坡，象乾卦。故于九二置宫阙，以当帝之居；九三立百司，以应君子之数；九五贵位，不欲常人居之，故置玄都观、兴善寺以镇之。"②

因为城池是依天象而置，所以一些依象而言极贵气的地段就不能容常人居住。《长安志》中引用《唐实录》道："(裴)度自兴元请朝觐，宰相李逢吉之徒百计隳沮。有张权舆者，既为嗾犬，尤出死力，乃上疏云：度名应图谶，宅据岗原，不召而来，其意可见。盖常人与度作谶词云：非衣小儿坦其腹，天上有口被驱逐。言度曾征讨淮西，平吴元济也。又帝城东西横亘六岗，符易象乾卦之数。度永乐里第偶当第五岗，故权舆以为词，尽欲成事，然竟不能动摇。"③裴度占居了按乾卦数附会的九五高地上。九五至尊，宫城位置尚居九二，臣子如何能居九五？裴度政敌李逢吉等人认为这是僭越，对皇权不敬，希望用这事件弹劾他。

象天而设城池的方法并不起源于唐代，但隋唐长安城里坊、宫城、街道的设计定位都依天象而来。隋唐长安城设置与天象的紧密配合形成了它独特的设计理念，代表着中国都城设计的最基本思维。

四、倚北重东

长安城依龙首山而建，西北方为龙道山，在地势上形成西北高，依次向东南下移的局势。与以往城池重西的格局不同，长安城延续了重北的

① (唐)李吉甫：《元和郡县图志》卷一，中华书局1983年版，第2—3页。

② (宋)王溥：《唐会要·观》卷五十，上海古籍出版社1991年版，第1026页。

③ (宋)宋敏求：《长安志》卷七，中华书局1991年版，第92页。

传统并逐渐显出对东的偏好。

《类编长安志·京城》载大兴城的建造顺序是“所司依式先筑宫城，次筑皇地，亦曰子城，次筑外郭城”①。《类编长安志》又载宇文恺受诏：“创建大兴城，先修宫城，以安帝居，次筑子城，以安百官，置台、省、寺、卫，不与民同居，又筑外郭京城一百一十坊两市，以处百姓。”②宫城、皇城、外郭城三部分组成隋唐长安城的基本结构。宫城、皇城又称内城。宫城是皇室居住之所。皇城为政府官衙所在，位于宫城的南部与外郭城的北部，将宫城与外郭城分开，既拱卫宫城，起到宫城的屏障作用，又连接外郭城，是宫城与外郭城信息、资源流通的重要门径。外郭城是官员与老百姓居住，并进行生产贸易的地方，由东西市及各个居民坊组成。这种从北到南三级制的住所划分，是隋唐长安城的创新，此举既严格区分了等级界线，又通过中央、皇城、坊区三级的行政管理加强了整个城池的治安建设，使法令畅通，奸盗难发。

因此，整个长安城的布局以北尊南卑的局势展开。皇家住宅位北尊之地，由北向南延伸，俯瞰整个都城。隋唐长安城的三大宫城，太极宫、大明宫、大兴宫都位于长安城北半部。大明宫更是直接位于城东北的龙首原上，位于整个城池之上，“初，高宗命司农少卿梁孝仁制造此宫。北据高原，南望爽垲，每天晴日朗，南望终南山如指掌，京城城坊市街陌，俯视如在槛内，盖其高爽也”③。宫城北部是皇家禁苑，禁苑规模广大，“北枕渭，西包汉长安城，南接都城。东西二十七里，南北二十三里，周一百二十里”④，尽显皇家尊荣。宫城位于城北正中，宫城南面又有皇城拱卫。皇城是政府机关所在，“皇城之内，唯列府寺，不使杂人居止。公私有便，风俗齐肃，实隋文新意也”⑤。皇城无北墙，与宫城之间以横街相隔开，东、西、南三面均筑有城墙，将政府机关与百姓住所严密隔开，突出了政府机

① (元)骆天骧:《类编长安志》卷之二，三秦出版社 2006 年版，第 41 页。
② (元)骆天骧:《类编长安志》卷之二，三秦出版社 2006 年版，第 45 页。
③ (宋)宋敏求:《长安志》卷六，中华书局 1991 年版，第 71 页。
④ 徐松、李健超:《增订唐两京城坊考卷一》，三秦出版社 2006 年版，第 35 页。
⑤ (宋)宋敏求:《长安志》卷七，中华书局 1991 年版，第 78 页。

关与平民百姓的身份差异。皇城南面才是市民活动的主要场所。

为了保证北部建筑的风水，在门的设置上也有讲究。宫城的宫门建构十分重要，宫门数量的多少，正门的设置都依循等级制度。重要宫廷四面皆有门，而且设有正门。宫廷正门一般都设在面朝臣民的那一面墙，便于臣民的朝觐。如太极宫位置偏北，正门在南面。它南面有三大门：广运门、承天门、长乐门。承天门是太极宫的正门，是皇帝举行外朝大典之处。皇帝登基、接待重要朝贡使者、颁布重要赐封、重要节日的大型宴会都在此门举行。此门是南北尊贵等级不同的严格界线。所以重要的大门常放在南边。太极宫东面的东宫中，南面居中的重明门为正门。大明宫的正门为南墙的丹凤门，唐肃宗执政后，许多改元、大赦的诏令在这里颁布。只有兴庆宫位置偏东，所以它的正门为西墙的兴庆门。有时候门多门少也是一种身份体现。皇帝居住的宫廷太极宫、大明宫、兴庆宫四面皆有门。而太子所居之地，西内的东宫只在南北墙上设有四门，南面三门，北面一门。西墙的门是太极宫的东门通训门，东墙无门。太极宫西面的掖庭宫只有东西门，没有南北门。三大宫廷中，太极宫八扇门，大明宫十一扇门，兴庆宫七扇门。太子的住处西内东宫六门，有一门还是太极宫的西门。宫女、侍者的住处掖庭宫只有三扇门，其中两扇门是太极宫的西门。百姓能享受的门就更少了，并且同样受限。里坊都有坊门。皇城东西两边的坊可设东、西、南、北四门，皇城南边的坊只开东西二门，也就是说朱雀大街两侧四列坊，仅有东西二门。这四列坊南北气流不通，使坊中不能冲撞皇城中富贵之气。

大兴城建立之初，达官贵人多在城池西部选择宅第。先秦时有“尊长在西”的观念，隋代贵人延承了这种观念。但到了唐代，长安居民喜欢在东部居住。唐代居民居住已喜欢追求高爽的地势，长安城东部地势较高，因此居民大都喜欢迁至东部居住。这一现象与居高避湿有关①。长安城东高西低，地面潮湿容易引发多种疾病，所以有能力的居民逐渐搬迁到东部地势较高的地方。古人对自然的微弱防御力更是加速了居民的搬

① 于赓哲：《唐人疾病观与长安城的嬗变》，《南开学报》2010 年第 5 期。

迁。《唐会要》记载:“其年(元和八年,813年)六月庚寅,京师大水。风雨毁屋扬瓦,人多压死者。水积于城南,深数丈余,入明德门,犹渐车辐。”①因此,繁华的长安城有些地段却无人问津:“朱雀门南第六横街以南率无居人第宅,自兴善寺以南四坊,东西尽郭,虽时有居者,烟火不接,耕垦种植,阡陌相连。”②疾病与自然灾害的原因,使唐人逐渐改变了居西的偏爱。

唐人偏东轻西的爱好蔓延至宫城,影响了宫城中殿宇的设计。太极宫中有诸多大殿,中正偏南的正殿,隋代称为大兴殿,后改为太极殿。太极殿后是两仪殿,两仪殿的东西位分别是武德殿与承庆殿,三殿并立于太极殿之后,一字排开。三殿之北是甘露殿、延嘉殿、承香殿、咸池殿等其他殿宇。太极宫东部为东宫,宫内构成如太极宫。明德殿为正大殿。明德殿北有崇教殿、丽正殿、光天殿、承恩殿等。太极宫以西是掖庭宫。掖庭宫北部为太仓,中部为宫女、犯妇的居住地,西南部为内侍省。掖庭宫屋宇繁多,光内侍省就“前后厅馆,东西步廊,启彼重阁,联其华室,大小相计凡五百余间”③。身份较低的人都居住于太极宫的西面,所以这里房屋众多,是众侍汇集所在。

长安城池宫殿、住宅、门楼的设计都表现出倚北重东的趋势。倚北重东的偏好逐渐在国人心中积淀成型,形成了后来坐北朝南、贵东贱西的选宅偏好。

长安城刚柔并济、理趣盎然。在设计上它首先突出一个盛大专制王朝的统一规划能力,壮丽威严、气势磅礴、鳞次栉比、严格整一。但光以威仪统城,还不能表现出一个顶级城池的心胸气度,于是长安城在多方面以点睛之笔柔化了城池的过于刚硬,展现出都城的雍容雅致,以刚统柔,以柔化刚,在大气中使两种风格回旋于城池建设中。更突出的是,长安城上依天象,下依人理。将各种街道、里坊类比于星宿运势,蕴含了丰富的中国风水文化。倚北重东的设计格局开创了中国居民居住选址的新局面。

---

① (宋)王溥:《唐会要·水灾》卷四十四,上海古籍出版社1991年版,第918页。

② (宋)宋敏求:《长安志》卷七,中华书局1991年版,第88页。

③ 保全:《唐重修内侍省碑出土记》,《考古与文物》1983年第4期。

作为古代面积最大的都城，长安城的设计标准是中国都城中的旗舰，这使它虽早已湮没于烟尘故土，依然引得众人钦羡，从而不断地探索它的真实景貌。

第二节 陵寝：因山为陵

唐朝所取得的丰功伟业，使他们的陵墓受到后世敬仰，特别是建功立业、文治武功的唐太宗之陵——昭陵。历代皇帝多次到昭陵祭祀。昭陵北部司马门存有明清二代留下来的祭坛。唐代陵寝革新了以前的封土制，在兼用平地起冢的封土制的同时，还取自然山体为陵墓。特别是帝王的陵墓，基本是因山为陵制。如昭陵、乾陵、定陵、泰陵等。元李好文《长安志图》载："余观自古帝王山陵，奢侈厚葬，莫若秦皇、汉武，工徒役至六十万，天下税赋三分之一奉陵寝。秦陵才高五十丈，茂陵四十丈而已，固不若唐制之因山也。昭陵之因九嵕，乾陵之因梁山，泰陵之因金粟堆，中峰特起，上摩烟霄，冈阜环抱，有龙蟠凤翥之状，民力省而形势雄，何秦汉之足道哉！"①因山为陵，在节省人力、财力的同时，陵寝建制更加宏大。

一、形势宏伟，覆盖广阔

唐昭陵是唐太宗的陵寝，在山西礼泉县九嵕山。九嵕山山势雄伟，孤峰屹立，与汉代的平原起高土有相似特征，比汉葬气势更天然壮观。九嵕山海拔 1188 米，是关中十八陵海拔最高的陵园，这种高度靠汉代的人力封土方式是难以企及的。唐太宗李世民依照长孙皇后"请因山而葬，不须起坟"的遗愿，依山为陵，奠定了唐代历代帝王陵墓依山而建的传统，完成了皇陵从"封土为陵"到"依山为陵"的转变。唐太宗以前高祖的献陵是平地起冢的，所以，唐代帝王陵墓因山为陵制，昭陵是首创。昭陵以后其他帝陵都继承了因山起陵的方式，如乾陵在梁山上，海拔 1069 米；泰陵在金粟山上，分为东西二峰，东峰海拔 850 米，西峰海拔 819 米；定陵在

---

① (元)李好文：《长安志图》，三秦出版社 2013 年版，第 46 页。

龙泉山上,主峰海拔751米;元陵在檀山上,主峰海拔851米;丰陵在金瓮山上,海拔851米;章陵在西岭山,海拔783米等。唐帝王陵寝依山而立,陵园居于山脚,形成了一山独高,站在山顶可将陵园整个面貌一收眼底的格局,拥有帝王"会当凌绝顶,一览众山小"的俯瞰气势。

唐帝王陵寝规模浩大,以昭陵和乾陵为例。昭陵面积30万亩,地跨礼泉县烟霞、赵镇、北屯三个乡镇,南北门相隔1500米。昭陵修建不易,经13年才建成,《旧唐书》记阎立德经历,"贞观十年,文德皇后崩,又令(阎立德)摄司空,营昭陵。坐怠慢解职,俄起为博州刺史。十三年,复为将作大匠。……二十三年,摄司空,营护太宗山陵,事毕,进封为公"①。从贞观十年到贞观二十三年前后13年昭陵才算建造完毕。

乾陵经营有近30年。乾陵原是唐高宗陵墓,高宗死后,武则天继续修缮陵寝。武则天死后,与高宗共葬乾陵。乾陵位于离西安西北方向80公里的梁山。梁山"高宗天皇大帝乾陵所在,因名曰奉天"②。因为乾陵是唐高宗李治与武则天的合葬陵墓,是唯一的同葬两皇陵墓,气势自是不同。梁山三峰并峙,北峰为主峰是乾陵,南二峰较矮,卫立于北峰之南。乾陵建造时间经武则天、唐中宗、唐睿宗三朝才竣工。费了大量的人力、财力,陈子昂评当时情景为:"山陵穿复,必资徒役,率癯弊之众,兴数万之军,调发近畿,督扶稚老,铲山辇石,驱以就功。"③乾陵与昭陵一样分宫城、皇城、廓城三大部分。根据1958年的勘探结果,乾陵的内城南城基长1450米,北城基长1450米,东城基长1582米,西城基长1438米④,总面积大约2.3平方公里。皇帝陵寝在最北端,城垣两重,东、南、西、北四重门,象征长安城的宫城。据《唐会要》记载,贞元十四年(798年),乾陵曾造屋378间。

帝王陵墓的四周有许多陪葬墓。《唐大诏令集》载,贞观二十年(646年),"于昭陵南左右厢,封境取地,仍即标志疆域,拟为葬所,以赐功臣,

---

① (后晋)刘昫等:《旧唐书》卷七十七,中华书局1975年版,第2679页。
② (唐)李吉甫:《元和郡县图志》卷一,中华书局1983年版,第9页。
③ (宋)欧阳修、宋祁:《新唐书》卷一百七,中华书局1975年版,第4067页。
④ 陕西省文物管理委员会:《唐乾陵勘查记》,《文物》1960年第4期。

其父祖陪陵，子孙欲来从葬者，亦宜听许”①。据《唐会要》“昭陵陪葬名氏”记载，昭陵前后陪葬妃子7人，皇子7人，公主驸马18人，加上其他文武功臣，共计155人。② 近年出土的陪葬墓墓志中有近20人名不在《唐会要》记载中，所以昭陵陪葬墓达170多座，是唐代帝王陵中陪葬墓最多的，也是世界最大的帝王陵园。唐太宗文成武功，具有开世之功，又有安世之德，手下人才辈出，群英聚集，庞大的昭陵陪葬墓群隐隐折射着当年的盛况。

陪葬墓呈扇形分布在昭陵东南部，大多数处的位置都可仰视主峰。“站在九嵕山顶向南俯瞰，右下方的寝宫遗址、南方下部的献殿及南门遗址、左下方的公主、妃嫔墓群均可收入眼底。再向远方眺望，越过眼前的山峰，横贯着泔河的广阔平原展现在面前。透过从南向西的山峰间隙还可以看到分布在平原上的大量陪葬墓。若从山顶观察平原上陪葬墓的分布状况，可以发现一个现象，陪葬墓集中在可视领域内，而不可视领域内则很少有陪葬墓。这很可能说明陪葬墓在择地时，有意选择在可以直接仰视主陵的地方。”③

乾陵四周也有许多陪葬墓，如永泰公主墓，于1962年被发掘出来，还有1971年发掘的章怀太子李贤的墓、懿德太子李重润的墓等都具有很高的文物价值。据《长安志》载，乾陵共有陪葬墓17座，包括太子墓2个，王墓3个，公主墓4个，大臣墓8个。

许多陪葬墓都要有号墓为陵的规格，如懿德太子墓、永泰公主墓、惠庄太子墓。这些墓都有自己的陵园，有城墙、角楼、门阙。《文献通考卷一百二十五》有关于乾陵陪葬墓的记载，共17人。这些陪葬墓众星捧月般拱卫着主墓，既增加了陵园墓葬的数量，又突出了主陵的气势。

---

① (宋)宋敏求:《唐大诏令集》,商务印书馆1959年版,第347页。

② 参见(宋)王溥:《唐会要·陪陵名位》卷二十一,上海古籍出版社1991年版,第480—482页。

③ [日]来村多加史:《唐陵选地考》,张建林、姜捷译,载樊英峰主编:《乾陵文化研究一》,三秦出版社2005年版,第60页。

二、中轴对称，逐次递升

唐陵园建筑群，保持了唐城池制造的方式，呈中轴对称式，左右平均分列在两侧，效仿城池的风格。

昭陵由艺术家阎立德、阎立本设计，融建筑群与雕刻群于一体。昭陵的整体建制仿唐长安城建设，以北为尊。皇帝的陵寝在陵园最北部，坐北朝南。与长安城不同，陵墓的玄宫是建在地下的，上面是方型小城。昭陵东部的寝宫外围有长方形的宫城城墙，南北长 304 米，东西宽 238.5 米。南北两面有城门，宫城北面有夹城。陵园的对称从南北司马门开始。以北司马门为例，门址外是"东西对称的双阙和双阙后的长条形房址"①。双阙的结构相同，内夯土外包砖。下面是三出形夯土台，东西长 14 米，门址内是长廊状房址，"廊房位于遗址区南部两侧，相互对称"②。

北司马门在九嵕山北部。北司门建筑北低南高，逐次向南部递升。从门外的石阶、门内的廊房都可看出建筑逐渐递升，还可以发现建筑的递升遵照一定的间隔，徐徐图之。"廊房地面原为台阶状，每间一台，从北向南逐级升高。因冲刷水土流失，现已成斜坡形，循残留的痕迹可知，每间地面落差约 30—40 厘米。"③因为唐陵因山为陵的建制，周边建筑有向中心山峰逐渐拱卫的形势，既将皇权拱卫其中，也保留了世俗等级的逐次升降风貌。

从乾陵的第一道门张家堡的土阙往北 3 公里，是守于乾陵神道两旁的南二峰，"各高约 40 米，其上有 15 米高的土阙，上部还保留一段砖墙"④。双峰并峙的格局与乾陵中埋葬了两代皇帝的格局相对应。梁山的海拔有 1 千米。梁山与这双峰遥遥相望，山势的起伏是南低北高。

唐肃宗建陵位于陕西省礼泉县以北的武将山。北面群山叠嶂，南面

---

① 陕西省考古研究所、昭陵博物馆：《2002 年度唐昭陵北司马门遗址发掘简报》，《考古与文物》2006 年第 6 期。

② 陕西省考古研究所、昭陵博物馆：《2002 年度唐昭陵北司马门遗址发掘简报》，《考古与文物》2006 年第 6 期。

③ 陕西省考古研究所、昭陵博物馆：《2002 年度唐昭陵北司马门遗址发掘简报》，《考古与文物》2006 年第 6 期。

④ 陕西省文物管理委员会：《唐乾陵勘查记》，《文物》1960 年第 4 期。

田野广阔。南门处由南至北的神道同样布置着石像。包括华表一对、翼马一对、鸾鸟一对、石马五对、石人十对。石人与乾陵全为武官不同,分为文武官员。东文西武,文官持圭,武官持剑。

乾陵中的对称无处不在。乾陵内城南北距离4.9公里。朱雀门"在陵前南二峰之间向北峰正中的道路两侧,分布华表、石人、石马等"①。从南到北,沿陵园御道台阶而上,陵墓最南空间建筑是一对8米高、直径1.12米的棱形石柱华表。往北是一对圆雕石刻翼马和一对高浮雕鸵鸟。鸵鸟浮雕后面是5对配有驭手的石仗马和10对高达4米的直阁将军石雕。直阁将军为翁仲,他是秦代大将,历代皇帝喜欢以他的石像镇守陵园。这些石雕都立在宽20米的神道旁,庄严肃穆,昭示着皇帝灵魂升天的庄重神秘。

翁仲石像以北有东西两座石碑。西侧是唐高宗李治的《述圣碑》,东侧是武则天的无字碑。这些石碑是皇帝殡天后,用来记述皇帝一生功德政绩,表彰德行武功,以供后人瞻仰的。《述圣纪碑》"碑高6.30、每边宽1.86米"②。刻字5000多个,笔画中填有金屑,经风雨斑驳,文字已难以辨认,但仍可见金屑痕,遥想唐时此碑定是金碧辉煌、绚烂夺目。武则天的无字碑比高宗石碑还要高耸宽大,"碑高6.30、宽2.10、厚1.49米;座东西3.3、南北2.90、高0.75米"③。无字碑由一块完整的巨石雕刻而成。碑身两侧刻了相互缠绕的螭龙,碑座阳面刻有"狮马图"。因为碑面无字,一度引起争论。有人说是因为武则天以女身为帝,惊世骇俗,碑面故意不刻字,功过留予后人评述。也有说中宗不知如何评论自己的母亲,所以碑面无字。

再往北是两座阙楼,阙楼后是六十一番臣像。东侧29尊,西侧32尊。背上刻有姓名,两手前拱。再往北方就是一对看守着献殿的石狮了。"狮高3.35、胸宽1.30米,座长3.32、宽1.60、高0.55米。"④乾陵内城四

---

① 陕西省文物管理委员会:《唐乾陵勘查记》,《文物》1960年第4期。

② 陕西省文物管理委员会:《唐乾陵勘查记》,《文物》1960年第4期。

③ 陕西省文物管理委员会:《唐乾陵勘查记》,《文物》1960年第4期。

④ 陕西省文物管理委员会:《唐乾陵勘查记》,《文物》1960年第4期。

门：朱雀门、玄武门（后宰门）、青龙门（东华门）、白虎门（西华门），四门中分别有石狮一对。石狮守墓是唐代的习俗，懿德太子、永泰公主、惠庄太子墓前都有一对石狮。

三、秩序井然，等级森严

在等级森严的传统社会，墓葬必须遵循一定的礼仪制度，唐代当然也不例外。唐因山为陵的模式只适用于帝王，帝王陵园的陪葬陵数量有限，为荣耀的象征。墓室陵园的建设都依据一定的规则。

即使同为帝王，唐陵园规模也很不一样。在唐陵中昭陵与乾陵的规模最大。从立石纪功的方式来看各陵园也不一样。立石纪功既旌扬功绩，又警示后世子孙。昭陵北司门的六骏记述唐太宗以武夺天下的功绩。除六骏外，还有人物像的纪功。昭陵北门的人物石刻都取材于现实人物。这些人物表明唐太宗的功绩。《旧唐书·秦叔宝传》记秦叔宝："陪葬昭陵。太宗特令所司就其茔内立石人马，以旌战阵之功焉。"①贞观二十三年，高宗诏令把"蛮夷君长为先帝所擒服颉利等者十四人，皆琢石为其像刻名列于（昭陵）北司马门内"②。《唐会要》卷二十载："山陵毕，上（唐高宗）欲阐扬先帝徽烈，乃令匠人琢石写诸蕃君长贞观中擒伏归化者形状，而刻其官名突厥颉利可汗、右卫大将军阿史那出苾等十四人，列于陵司马北门内，九嵕山之阴，以旌武功。"③在陵墓前列石人像的例子应从昭陵开始。与之类似，乾陵前列置了六十一宾王像。而在其他的帝王陵园里却难看到规模如此浩大的立石纪功方式。可知陵园立石纪功方式是对有一定成就的帝王的肯定。

墓室前有立碑，是墓室主人身份的说明。碑石树立也要十分谨慎。《唐律疏议·杂律下》"毁人碑碣石兽"条称："《丧葬令》：'五品以上听立碑；七品以上立碣。茔域之内，亦有石兽。'其有毁人碑碣及石兽者，徒一

① （后晋）刘昫等：《旧唐书》卷六十八，中华书局1975年版，第2502页。
② （宋）司马光：《资治通鉴》卷一百九十九，中华书局1956年版，第6269页。
③ （宋）王溥：《唐会要·陵议》卷二十，上海古籍出版社1991年版，第458页。

年。”①据《通典》和《唐会要》记载,唐时朝廷对不同社会等级的人在使用碑碣的形制尺寸等方面,都有严格区别。《唐会要》载:“旧制,碑碣之制,五品以上立碑,螭首龟趺,上高不过九尺。七品以上立碑,圭首方趺,趺上不过四尺。若隐沦道素,孝义著闻,虽不仕亦立碣。凡石人、石兽之类,三品以上用六,五品以上用四。”②《通典》同样记:“碑碣石兽。五品以上立碑,螭首龟趺,高不得过九尺。七品以上立碑,圭首,方趺,趺上高四尺。其兽等,三品以上六事,五品以上四事。”③唐代墓碑由螭首、碑身、龟趺(方趺)三部分构成。昭陵陪葬墓碑额装饰基本为长身并头的螭,享受五品以上规格。柳宗元《唐故兵部郎中杨君墓碣》中记载:“葬令曰:‘凡五品以上为碑,龟趺螭首,降五品为碣,方趺圆首。”④螭是无角的龙,被古人作为装饰,或雕刻在房屋殿宇等高处,或镂刻成玉佩以辟邪,或出现在铜镜背面。唐碑碑首的螭龙装饰采用了“六螭下垂”的圆雕方式。如尉迟敬德墓碑的碑首就为六螭、方趺,六条螭龙居高望远地相互盘绕在碑首。

墓室规格也有定制。唐代墓室常在甬道口设有墓门。墓室门由门楣、门扉、门额、门柱、门槛等组成。门楣呈月牙或半圆状,门柱、门扉、门楣上装饰有各种纹样,是墓葬文化的象征。门楣、门柱上的龙凤图案彰显着墓室主人各自身份的不同。

唐代陵墓多为依山而建,坐北朝南,南北方以神道为中轴,依次从南向北递进。石像建筑多摆在南部神道两侧,并成对出现。唐代这种以神道为中心,中轴对称,依次递升的建制形式为后世所传承,奠定了中国帝王陵寝建制的基本形式。

第三节 单体建筑:拱大檐深

虽没有像宋代那样保存下来如《营造法式》一样的专门性建筑著作,

---

① (唐)长孙无忌等:《唐律疏议》卷二十七,中华书局 1983 年版,第 517 页。

② (宋)王溥:《唐会要·葬》卷三十八,上海古籍出版社 1991 年版,第 809 页。

③ (唐)杜佑:《通典》卷一百八,中华书局 1988 年版,第 2811—2812 页。

④ (清)董诰等编:《全唐文》卷五百八十八,上海古籍出版社 1990 年版,第 2635 页。

唐代建筑已经十分具有规范。从现保留的不多的建筑遗存与建筑图像来看,唐代建筑基本形成了中国传统建筑的风格模式,并更加追求大气磅礴。

一、深檐广覆

留存至今的唐代殿堂建筑不多,保存较好且没有争议的是两座寺庙建筑。一是建于唐大中十一年(857 年)山西省五台县佛光寺的东大殿,一是建于唐建中三年(782 年)五台县南禅寺的正殿。佛光寺东大殿位于山西省五台县南台豆村东北约 5 公里的佛兴山中。南禅寺位于山西五台县阳白乡李家庄,是我国至今发现的尚且保存的年代最早的木结构建筑。现今中国保存的其他唐时建筑,都在后世做过较大的修葺,但也可以视作唐时建筑,参考它们的风格。这些建筑首先具有一个显著的特征:拱大檐深。

唐代殿堂建筑的显著特征为拱大檐深。拱是建筑中将柱与屋顶的梁连接起来的部件,一般来说,一座建筑中将柱与撩檐枋连接起来,靠近屋檐的斗拱最大,也称柱头斗拱。柱头斗拱的规模直接征示着整个建筑的宏伟气势。山西佛光寺东大殿斗拱是双杪双昂七铺作。山西南禅寺斗拱也达到了双杪五铺作。西安兴庆宫彩云间顶层柱头斗拱用单杪双下昂六铺作承檐。辽宁省义县的辽代建筑奉国寺大殿柱头斗拱用七铺作双杪双下昂。山西省芮城广仁王庙位于山西省芮城中龙村北部,又称五龙庙,柱头斗拱用五铺作。天津市蓟县独乐寺山门斗拱为双杪五铺作。上醍醐寺五重塔柱头斗拱用六铺作双杪单下昂。从这些建筑中可看出,唐时人们力求将斗拱做得结实牢固,以便它可以承载更多的重量。

拱做大的原因是为了保证屋顶檐面的延伸度。唐时建筑屋顶多为倒斗式。也有别的样式,如圆顶建筑。龙门石窟多有圆顶建筑。龙门石窟的双洞顶是圆顶,四壁向上逐渐内敛,与圆形窟顶相交。窟顶雕有莲花藻井,莲瓣两重,有飞天绕莲。但唐代主要建筑是倒斗式。唐时建筑多为单檐,也有重檐,檐面长长地伸展。如建于 745 年的日本东大寺大佛殿是重檐四阿顶。西安市兴庆宫彩云间顶层柱子头斗拱用单杪双下昂六铺作承檐,顶层檐出 2.4 米。九成宫 37 号殿址,东西面阔 9 间,40 多米,南北进深 6 间,30 来米。殿外有 8 米宽的围廊,可以想见当时檐面伸展的远度。

唐代建筑屋檐延伸度加长,用来承接檐面的构件,不仅仅是拱。辽宁义县的辽代建筑奉国寺大殿屋檐制作除了原来的七铺作斗拱、柱、横梁、栌斗外,还加了昂,一种斜梁。佛光寺东大殿屋檐也用了昂结构。唐德宗年间建于日本奈良县生驹郡都迹村的招提寺金堂檐柱柱头用六铺作双杪单下昂,内柱柱头半拱用五铺作双杪。佛光寺层檐探出近 4 米,为后世所不及。

屋檐覆盖下却是一片规则平稳、通透宽敞的空间。五台山南禅寺除殿周圆柱 16 根外,再无墙壁隔开空间。佛光寺东大殿面阔 34 米,达七间之多;进深四间,也有近 18 米。山西省平顺县天台庵大殿,位于山西省平顺县东北 25 公里的实会乡王曲村中,面阔、进深均 3 间,内部一贯的通透。即使是现今保存于故宫的宅屋,也可发现东、西、南、北一贯通透的格局依然保存着。唐时建筑追求深宽为主的特征,一直延续了下来。

中国古代建筑的特征不在于向上,而在于向四周延伸。甚至塔这种建筑都是由国外传进来的,刚传进来时叫"浮屠"。中国殿堂建筑没有哥特式的与天相连的尖顶房,中国的屋顶向四方展开,在屋宇中模仿大自然中的"天"。中国古代建筑屋顶对于向天的兴趣不如向四周那么浓厚,因为它自身就扮演着"天"的形象,要以天覆。为了防止屋檐覆地时,一味向下的呆板,屋檐伸展到尽头的四角又做得向上翘起。如佛光寺东大殿拱大檐深,檐下的七铺作半拱坚实稳固。屋顶平缓,四角檐柱略略升高,使大殿转角屋檐高高挑起。这种以顶覆天、一波三折的横向走势倒像中国隶书中重横笔的审美观,又有稳稳飞跃之势,如一只蛰伏的大鹏,待风起之日,扶摇而上。

二、素壁丹楹

唐时建筑已经显露出许多不仅为使用之特征,包括屋宇的深度、门庭的对称、上色的技巧及斗拱的选择。不仅如此,唐代建筑注重周边环境,就地选景、因势制宜,这些都显示了唐代建筑对装饰、审美的追求。

与以往的单体建筑一样,唐代建筑依然保持了对称结构。天津市蓟县独乐寺山门斗拱,面阔三间,中间为门,左右是直棂窗。五台县南禅寺正殿大概也是如此设计,中间为朱红大门,左右排满直棂窗。

唐时屋顶斗拱有选择性的变化。唐代屋顶铺作间支撑梁常见有用叉手拱,以后补间叉手拱逐渐被侏儒柱所代替。佛光寺屋顶全部用叉手拱,而不是侏儒柱,正是唐时建筑的特征。南禅寺梁上也不设侏儒柱,以叉手拱支撑。惠庄太子墓第三天井壁画阑枋的补间铺做除了一斗三升拱之外,还有人字形花拱。人字形花拱既可支撑阑枋,也起到纹饰间隔的意义。新城长公主墓第四天井北壁图,补间铺作为一斗三升之拱,第五天井四壁房屋由两组阑枋结构组成,两组阑枋间用较短蜀柱相边,阑枋的补间铺作为三升斗拱。

"素壁丹楹"的上色技巧是唐时建筑中最突出的装饰特征。南禅寺大殿大门、直棂窗、柱子为朱红色,阑额、补间铺作、斗拱之间的墙壁为白色,窗子下的墙壁也是白色,整体墙面红白相对,形成了门、窗、柱为红,墙壁为白的"丹柱素壁"的建筑风格。大殿正面门窗相连,均为红色,正间一道宽宽的红色将墙壁隔成上白、中红、下白的格局,红白交错,清丽醒目。佛光寺东大殿也是如此,只是大殿正面大门五扇,全为红色,所以东大殿的交错效果更多地体现在斗拱与阑额、补间铺作的交错空间中。"素壁丹楹"保存在外来建筑形式"塔"中,如上醍醐寺五重塔951年始建,后多被毁坏,1598年修复。塔刹高度为塔身近半。塔身丹楹素壁。

唐代建筑采用了因地制宜的苑林式建筑风格。与现代建筑先建房再绿化不一样,古时因为绿化面积较大,许多建筑都依自然山水选址而建。陆龟蒙《野庙碑》道:"瓯、粤间好事鬼,山椒水滨多淫祀。其庙貌有雄而毅、黝而硕者,则曰将军;有温而愿、皙而少者,则曰某郎;有媪而尊严者,则曰姥;有妇而容艳者,则曰姑。其居处则敞之以庭室,峻之以陛级。左右老木,攒植森拱,茑萝翳于上,鸱鸮室其间。"①野庙在乔木、高阶的映照下森然峻毅。如果陆龟蒙所看到的寺庙绿被还可能是人为建造的环境,

① (清)董诰等编:《全唐文》卷八百一,上海古籍出版社1990年版,第3731页。

那么九成宫的建筑就更明显地依重原来的自然条件。《九成宫醴泉铭》述："冠山抗殿，绝壑为池。跨水架楹，分岩竦阙。高阁周建，长廊四起。栋宇胶葛，台榭参差。仰视则迢递百寻，下临则峥嵘千仞，珠璧交映，金碧相辉，照灼去霞，蔽亏日月。"①九成宫依山建殿，掘壑为池，将楼阁建在山岩之中，依托山势塑造宫殿巍峨走势。

唐代屋宇的装饰有一定的等级规定，不可随意施行。《唐会要》："王公已下，舍屋不得施重栱、藻井。三品已上堂舍，不得过五间九架，厅厦两头门屋，不得过五间五架；五品已上堂舍，不得过五间七架，厅厦两头门屋，不得过三间两架，仍通作乌头大门，勋官各依本品。六品七品已下堂舍，不得过三间五架，门屋不得过一间两架。非常参官，不得造轴心舍，及施悬鱼、对凤、瓦兽、通袱乳梁装饰……庶人所造堂舍，不得过三间四架、门屋一间两架，仍不得辄施装饰。"②有时建筑会根据情况去掉装饰，以符合住者身份。《旧五代史卷》记明宗时期"应魏府、汴州、益州宫殿悉去鸱尾，赐节度使为衙署。"③

三、巧思机变

唐建筑结构牢固，是中国建筑中留存最早的建筑，又常有巧思妙想，于建筑的造型上新意层出。

西安大雁塔是中国塔类建筑的代表遗存。大雁塔位于慈恩寺内，古称大慈恩寺塔，也称经塔，是著名的"三藏法师"，也就是玄奘法师于永徽三年(652 年)为供奉佛像舍利，保存佛教典籍亲自设计督造的。大雁塔是阁楼式砖塔，共 7 层，高 64 米。塔身下部呈长方形，上部呈逐渐往上收缩的锥状。建于公元 9 世纪南诏国崇圣寺中的三塔中的主塔千寻塔，也是方形锥状，集束于塔顶，顶四角以铜铸大鹏鸟，以镇海内的龙妖水怪，减少水患。其风格与西安大雁塔异曲同工，同属典型的唐代古塔建筑风格。这种建筑十分稳固。西安大雁塔屹立千年不倒，崇圣寺三塔同样历经风

① (清)董诰等编：《全唐文》卷一百四十一，上海古籍出版社 1990 年版，第 630 页。
② (宋)王溥：《唐会要・舆服》卷三十一，上海古籍出版社 1991 年版，第 671 页。
③ (宋)薛居正等撰：《旧五代史》卷四十，中华书局 1976 年版，第 551 页。

雨,依旧安然无恙,可见塔基稳固。两塔造型稳重,气势恢宏。大雁塔是文人题诗留念的重要场所。唐人科举高中时会在此留名。如白居易中进士后,意气风发地在慈恩塔下题诗:“慈恩塔下题名处,十七人中最少年。”[①]李肇《国史补》记:“既捷,列书其姓名于慈恩寺塔,谓之题名会。”[②]刘沧诗云:“及第新春选胜游,杏园初宴曲江头。紫毫粉壁题仙籍,柳色箫声拂玉楼。”(《及第后宴曲江》)[③]刘沧将雁塔题名比作登入仙班,也暗喻能进士及第的人是谪仙下世。

唐代单体建筑宏大精致。陕西乾县唐懿德太子墓道壁画有一幅三重阙图,屋室建在高高的台基上,依图上的比例,台基的高度将近屋宇的两倍。宫殿楼阁常喜建在高处,以烘托建筑下临千仞的巍峨。《封氏闻见记》载唐代达官贵人的住宅建筑精致机巧,“则天以后,王侯妃主京城第宅日加崇丽。至天宝中御史大夫王鉷有罪赐死,县官簿录太平坊宅,数日不能遍。宅内有自雨亭,从檐上飞流四注,当夏处之,凛若高秋”[④]。御史大夫王鉷的住宅中的自雨亭不知是利用了现在的喷泉原理,还是用人力抽水机将水抽上去的,使水从亭檐四处飞流而下,于炎炎夏日也可感受到阵阵清凉,真是古代消暑避夏的奢侈品!

隋代赵州桥的坦肩敞拱桥形是世界桥梁史的首创,其结构新颖,施工巧妙,桥栏上有精美的浮雕。由李春负责制造的赵州桥(也称安济桥)坐落于河北省赵县的大石桥村。桥体没有在河中建高桥墩,中间变成一个大拱,两边各两个小拱。赵州桥跨径超过了37米,跨度大,桥身弧形平缓,像一道石砌的彩虹,横于水面。桥的拱形半圆,映于水面,出现另一个半圆,两个半圆合成一圆环,水面平静无波时,圆环静立清晰,是中国传统桥梁中典型的圆形结构。桥身不仅是主体为一个圆弧形,两边还有四个小拱,使得赵州桥宏伟而空灵。建筑的空灵美韵,在假山、太湖石的选择

---

① (五代)王定保:《唐摭言校注》卷三,姜汉椿校注,上海社会科学院出版社2003年版,第81页。

② (唐)李肇、赵璘:《唐国史补·因话录》,上海古籍出版社1979年版,第56页。

③ (清)曹寅、彭定求等编纂:《全唐诗》卷五八六,中华书局1999年版,第6847页。

④ (唐)封演:《封氏闻见记》,中华书局1985年版,第61页。

上也是如此。古人要求塑造假山的石头必须空灵剔透,石头如过于厚重,四方不通风、不透彻,就不具备石形之美。赵州桥在透彻中显圆融,将空灵美韵与古人尚圆的审美品位相结合,正符合中国传统的审美习惯。赵州桥的单拱设计奠定了中国建筑中桥身的弧形美。中国古代桥梁建筑出现了许多拱状桥,有些虽不是单拱,但也力图追求桥洞的弧形美。如颐和园的十七孔桥,十七个圆拱连贯桥身,将中国桥梁建筑的通透空灵美发展到极致。

唐人对单体建筑的审美追求以屋宇向四周扩张铺展开为主,建筑在环境选择、配色、用拱、对称上都有对形式美的追求,且隋唐建筑于造型上常有新意,虽然唐代建筑遗存较少,却也能看出唐人在这方面的精思妙想。

唐代建筑城池浩大,恢宏统一。隋唐长安城是中国古代最大的一座都城。它气势恢宏、威仪壮丽,又秀美明媚,艳丽动人,将两种极致的风格融为一体,刚柔并济,张弛有度。隋唐长安城在设计中,上依天象,将城池规划与星辰起落、四季运行、周易爻卦相结合;下依人文,倚北重东,包容了丰富的中国传统风水文化与严格的中国传统等级文化。唐代陵园因山为陵,依城池格局而建,形势宏伟,覆盖广阔,陵园内各建筑安排遵守中轴对称,逐次递升的规则,则秩序井然,等级森严。隋唐代单体建筑以木结构为主,拱大檐深,追求深宽为主的向四周伸展特征,并加以各种装饰,又常有奇思妙想,新意层出。

第七章

『唐三彩』与工艺美术中的审美意识

唐代工艺美术有了新的突破,主要表现在陶器、瓷器与金银器中。唐代多出陶器,陶器类型也多样,有碗、罐、瓶、盘、盆、砚、烛台、舂米机、磨、井栏、房屋模型等。这些陶器多是在墓室里发现的,是陪葬的明器。唐代出土的陶器主要是灰陶与三彩陶,三彩陶以器形的多样与色彩的独特使唐代唐器蜚声中外。“南青北白”的邢窑、越窑瓷器以素而瓷身闻名天下。唐代的金银器也是更加精致。这些都是唐代工艺作品中的精华所在。

第一节 唐三彩:偶人像马

唐三彩是唐代工艺美术的主要代表。“三彩”的意思为多彩。“唐三彩”指用黄、绿、白、蓝、褐、黑等多种颜色交错于陶制品上,使陶制品产生五彩流晕、绚丽斑斓的效果。因为主要使用的是黄、绿、白三种颜色,所以人称之三彩。唐人盛行厚葬之风。太极元年(712 年),左司郎中唐绍上疏论当时唐代丧葬风俗:“近者王公百官,竞为厚葬,偶人像马,雕饰如生,徒以眩耀路人,本不因心致礼。更相扇慕,破产倾资,风俗流成,遂下兼士庶。”①唐人重视葬礼,并都会厚葬亲人,虽倾家荡产,也不足为惜。而陪葬品唐三彩便是厚葬的最主要表现。

一、器型多样

唐三彩有多种器型,它虽然不像绘画一样可以表现生活场景,却可

① (后晋)刘昫等:《旧唐书》卷四十五,中华书局 1975 年版,第 1958 页。

称之为唐代日常生活形象的百科全书。唐三彩容纳了日常生活中的大多数物象，器皿、牲畜、人物的各种样式都出现在唐三彩中。它们大部分是以写实手法塑造的物象，也有想象之物，如天王、镇墓兽，还有精益求精的纯艺术器皿。与历代其他雕塑、陶器相比，唐三彩的器型最为完备多样。从唐三彩的器型塑造中可以窥见唐代许多生活风俗与习惯。

唐三彩包括枕、灯、碗、盘、盂、缸、罐、瓶、壶、杯、洗、盆、盏、注子、豆等各种实用器皿，样样齐备，每种器型中又有不同的变化。唐三彩中的器皿被称为三彩器。唐人墓葬中似乎要将墓主人死后在另一世界居住需要的日常用具都一一备足。这些器皿仿日常生活的实用器皿而制，其中饮用器皿占了最大的比例，并且不乏珍品，这些器皿多为罐、鍑、盘、杯、碗、钵、壶、瓶、盒等。除可以直接拿来用的实用器皿外，唐三彩中还有庭院、房屋、柜橱、灶、井、磨、车、架、灯、纺轮等模型。这些模型与日常器皿的大小相差太远，不具备实用性，仅是日常生活的缩影。

唐三彩中最为突出的造型是人物俑与动物俑。人物俑主要包括天王、胡人、仕女、文官、武官等。天王俑基本有基座。天王俑的形象与武士俑近似，都孔武有力，全副武装。身披盔甲，颈有护颈，肩有披膊，下身着膝裙、鹘尾。与武士俑常载帷帽不一样，天王俑常常头戴圆顶宽沿兜鍪，胸前、后背、腹部处常有护镜。天王俑的个性塑造更夸张些，两眼圆睁，眼珠向外鼓出，眼白增多，呈怒目之势。与他们脚上踩着的小鬼、夜叉相比，天王俑体形高大威武。

文武官俑与骑士俑也是唐三彩中人物俑的主要形象。乾陵陪葬墓出土的武官俑冠上饰有一只展翅欲飞的小鸟，名鹖。此鸟好勇斗狠，至死方休，武官常用它的羽毛装饰帽子。乾陵陪葬墓还出土了文官俑，文官的帽子是三梁进德冠。这两尊俑眉眼细长，鼻翼饱满，嘴角微咧，面容皆俊朗亲切。节愍太子墓的一对文武俑，文官穿宽袖长袍，脚蹬高履；武官穿窄袖长袍，脚着长靴。武士俑戴白顶虎头帷帽，帽顶做虎头状，套红色护肩、甲衣、甲绊。骑士俑头戴黑色兜鍪，帽上有缨，帽下有护颈。披护肩、铠甲；或头载风帽，有些风帽上“饰绿色网状花纹、点缀圆点"①。有些骑士俑头戴笼冠,身穿交领宽袖长袍。

如果说天王俑是为了镇墓,仕女、侍从、文武、武官都有辅佐相持之用,那么大量胡人俑的出现就代表着更多的意义了。胡人文化已经成为唐代文化的一部分,这些异域风情也被希望带入另一个世界。这些俑多为立俑,或直接站立,或站在基座上。

人物俑除站立俑外还有跪拜俑,如李宪墓就出土一跪拜俑,"通体施白衣,白衣之上原施红彩,乃一粉面朱唇、乌发黑冠、绯袍官带的文吏形象,现色彩基本脱落,仅个别部位尚有残留。高 42.7 厘米,长 102.5 厘米,宽 72 厘米"②。节愍太子墓也有一跪拜俑,但头部缺失。山西省长治市唐代冯廓墓出土一匍匐跪拜俑都是类似的双手前伸,跪伏于地的形象。

唐三彩的女俑形象最为有名。面颊丰满而五官纤巧精致。装扮各不相同,从发髻来说,有单髻、单刀髻,双高髻、鹦鹉髻、螺髻、垂髻、双环髻、披发单髻、披发双髻。从衣着来说,上穿圆领襦衫,或交领襦衫,下系高腰曳地长裙,有时外搭披帛;脚穿云头靴,或尖头履。男装头戴幞头、风帽、笼冠。胡人俑高鼻阔嘴,凸眉深目,下颌胡须向前翘,头裹幞头,或圆领帽,罩袍有翻襟,脚蹬黑色高筒靴。有些胡人直接露出了棕红色的卷发,如李宪墓出土一胡人俑"头生棕红色卷发"③。

动物俑有马、骆驼、狗、牛、鸟、羊等形象。骆驼俑分为站立与俯卧状两种。李宪墓出土六件俯卧状骆驼。西安鲜于庭诲墓和西安中堡村的两件骆驼载乐俑是唐三彩的经典作品。十二生肖俑也较为流行,偃师杏园李景由墓、郑琇墓都出土了十二生肖俑。永泰公主墓中出土了大量三彩俑,包括动物、人物俑。其中光三彩马俑就"共 10 件,小马出土于第二天井的东西两龛内,有作昂首嘶鸣,有作寻食状,高 24—24.8 厘米,大马都在甬道内发现,高 69.5—79 厘米"④。

---

① 陕西考古研究所、富平县文物管理委员会:《唐节愍太子墓发掘报告》,科学出版社 2004 年版,第 88 页。

② 陕西省教研研究所编著:《唐李宪墓发掘报告》,科学出版社 2005 年版,第 21 页。

③ 陕西省教研研究所编著:《唐李宪墓发掘报告》,科学出版社 2005 年版,第 49 页。

④ 陕西文物管理委员会:《唐永泰公主墓发掘简报》,《文物》1964 年第 1 期。

《唐六典》卷二十三《将作监》中述：“甄官令掌供琢石、陶土之事，丞为之二。凡石作之类，有石磬、石人、石兽、石柱、碑碣、碾硙，出有方土，用有物宜。凡砖瓦之作，瓶缶之器，大小高下，各有程准。凡丧葬，则供其明器之属。三品以上九十事，五品以上六十事，九品以上四十事。当圹、当野，祖明、地轴，马、偶人其高各一尺。其余音声队与童仆之属，威仪、服玩，各视生之品秩所有，以瓦、木为之，其长率七寸。”①这从文献上证明砖瓦之器唐三彩器型多样，且具有一定的定制。

唐三彩非常广泛地纳入生活世界与想象世界的许多器型，以类型的多样重新塑造了一个生动的三彩世界。它既包括了现实生活的形象，也包括了想象世界的形象，是联结现实生活与想象世界的桥梁。唐三彩器型的丰富，展示了它重塑一新世界的努力。唐三彩的世界兼收并蓄，并没有艺术精英的自持自份，而是以更宽广的心胸容纳更多伙伴，最大范围地开拓了唐三彩家族。

二、多彩的天真

唐三彩除了器型繁多外，还有上色的特点。与不上色的灰陶相比，唐三彩的色彩绚丽夺目，它使用了含有铜、铁、钴、铅等元素的矿物制作釉料的着色剂，色彩光亮，颜色多样。在色彩上唐三彩延续了北齐彩瓷的特征，在北朝的黄釉绿彩、白釉绿彩、淡黄釉黄绿二彩等双彩器基础上拓宽颜色种类的使用，更进一步发展了对色彩的运用与糅合。

唐三彩颜色的首要特征在于它竖纹式的流动方式。大部分唐三彩的上色不是先勾勒墨线，再在墨线内用色，而是大笔平涂、点蘸，让各色颜料点染在器身上，在烧制过程中，厚重的颜料会顺着陶器缓缓流下，不同颜色随着自身的流势，受重力作用慢慢交融，或排挤，从而形成更多的竖纹式肌理。看唐三彩的颜色会觉得有些陶器被直接浇了几笔颜料，因为唐三彩的色彩始终保持着流动的美感，在上下左右间不停地变换着颜色的走势。如出土于章怀太子墓中的镇墓兽与天王俑。它的天王俑是由红、

① （唐）李林甫等撰：《唐六典》卷二十三，中华书局 1992 年版，第 597 页。

绿、黄三种颜色组成，红绿居多，黄色较少，一天王整体上偏绿色，另一天王整体上偏红色。两只镇墓兽身上的颜色是红、黄、绿三种色彩互相渗透变化，颜色一小股一小股地流下，倒像兽身上的每条肌理都在发生着颜色的变化。因为颜色的流动、灌入不均衡，所以形成了上下颜色不一的感觉。章怀太子墓的这两只镇墓兽就是上面黄色亮丽，下面墨绿深沉的效果，中间则是两种颜色的逐渐过渡。

早期唐三彩颜色自上而下的流动特征尤为明显，我们常可清晰地看到唐三彩上颜料的流痕。如洛阳出土一三彩风帽骑马女俑图，女子穿黄裳绿裙。黄裳的黄色颜料流到了绿裙之上，绿裙的绿色颜料流到了马肚之上，甚至在白马左侧后腿上，也可见一条明显的绿色流痕。此白马马背的鬃毛是黄色的，一些黄色顺着马颈往下流，一方面形成了很自然的鬃毛下垂感，另一方面也可以看出艺术家对颜料的放纵导致了此效果。① 早期艺术家似乎控制不好颜料的流动范围，或多或少都有这样的溢痕出现。

唐三彩上色的第二个特征是晕染式的处理方式。唐三彩以点、蘸、流的方式上色，不注重色彩与色彩之间的严格界线，所以多种颜色常晕染在一起，具有多色重叠呼应的美感。观察唐三彩的镇兽俑与天王俑，很难辨清这些陶俑披着或穿着什么颜色的皮毛与衣服，甚至也说不清它们是黄底、绿底还是红底。只见这三种颜色打仗般地出现在器面上，你争我夺，你追我赶，自由随性地流溢。唐三彩的花哨非纹饰的花哨，它大胆质朴、斑驳淋漓，唯求混合的手法使唐三彩的艺术效果总能让人耳目一新。

唐三彩的颜色既与器型相结合，同时也独立出来了，有自己的主张。唐三彩的上色更多的是对现实的超越，求取颜色互相晕染、对应的艺术效果。唐三彩的颜色大多是非写实性的。三彩骆驼背上绿、黄、白三色斑驳；三彩狮子狗全身绿、黄、白三色混杂，三彩鸡身上绿、黄、白三色综合，这都不是依照物件原样，依葫芦画瓢的上色方式。试问哪只骆驼背上是绿、黄、白三色斑驳呢？有人见过绿、黄、白相间的狮子狗吗？器型仿生，

---

① 此图见周立、高虎编：《中国洛阳出土唐三彩全集》，大象出版社 2007 年版，第 251 页。

色彩却随性,刚刚在陶器上发现多彩秘密的唐人禁不住这巨大突破的喜悦,在陶器上热情洋溢地发挥着他们对色彩的想象。

晕染式上色方式运用在器物上尤其突出了色彩斑斓的颜色搭配。在三彩珍珠条纹罐、三彩珍珠纹贴花带盖鍑、三彩菱形纹罐、三彩人形注七星盘、三彩九星盘、三彩器座等三彩器中常出现珍珠似的颜色点。珍珠大多数是白色,有时候也会是黄色与绿色。珍珠的边缘不是齐整的,常出现晕染效果,所以会出现白珍珠与黄珍珠、绿珍珠交互重叠。珠点之间的排列有一定的间隔,又没有绝对遵守这个间隔,在规律与冲突规律中不断地组织变换着。如果完全没有这个规律,那我们将看不到一粒粒珍珠的效果,如果完全遵守某种间隔的规律,又消逝了奇异的色彩变化。

唐三彩上色充分利用了陶器的原色配制色彩,形成妍质一体的结果。唐三彩利用留白与三彩颜色相对比。唐三彩中人物俑的头部一般是留白,只是有时候会在眼睛、嘴唇中描色,而人物俑的衣物都要上色。对唐人来说,陶胎烧出来的灰白色,就是人物的肌肤色。有些三彩骆驼的骆峰与驼脖前处时有留白,与驼身三彩色形成对比;有些三彩骆驼正好相反,全身基本留白,偏驼背驼峰上是上色的。质文对比的三彩骆驼十分常见。与三彩骆驼一样,有些三彩镇墓兽也是这种手法,它们的头部会基本露出原色,只在身上涂彩;或者在胸前与腿前露出原色。三彩器如豆经常上部上色,下部留白。更多的时候,唐三彩对原色的运用是作为白色的运用,唐三彩中的珍珠纹、白色的珍珠点便是色彩中留出的原色所致。三彩条纹中,由原质显现的白色条纹是基本色之一。

唐人对颜色有等级划分:“贵贱异等,杂用五色。五品已上,通著紫袍,六品已下,兼用绯绿。胥吏以青,庶人以白,屠商以皁,士卒以黄。”① 唐三彩中多种颜色的杂用似乎是跳出颜色等级划分的一种器物狂欢,在陶俑的颜色泼洒中人们表现了对多色的热爱。

三、仿物象生

唐三彩中大量的实用器皿并不作日常所用,实为冥器。唐代瓷器已

---

① (后晋)刘昫等:《旧唐书》卷四十五,中华书局 1975 年版,第 1952 页。

经十分成熟,日常饮用,皆可用瓷器,而用不着去用胎质松脆、防水性能差、外表奢华、价值不菲的三彩陶器。何况三彩陶器的釉色与坯体结合远不如瓷器紧密,常发生掉釉现象,除了颜色绚丽的好看作用外,是不如青瓷、白瓷实用的。用来做冥器的唐三彩符合古人"事死如生"的观念,将唐三彩器物都当作真实事物来塑造,因此,唐三彩有高度的仿生特征,妍媸杂糅、随物赋形。

唐三彩结构合理,形象生动,塑像近于逼真,尤其是马俑、骆驼俑与人物俑。唐三彩出现大量的马俑,有单匹马的形象,也有人牵马、人骑马的形象,各自不同。如永泰公主墓中光三彩马俑就"共 10 件,小马出土于第二天井的东西两龛内,有作昂首嘶鸣,有作寻食状,高 24—24. 8 厘米,大马都在甬道内发现,高 69. 5—79 厘米。"①新城长公主墓出土的三彩马俑多塑一人坐在马背上。马身上的马鞍、花瓣马饰等马具都十分齐备。

唐三彩中有许多骑马俑,并不囿于相同模式,而是有不同动作表现。唐李宪墓第二过洞西部壁龛出土的一风帽骑马俑,右手空拳,屈肘高举,衫袖由手臂滑落至肘部;左手按于腰部,衫袖带风,鼓胀而起,向后飘动,是一迎风而立,手握兵器或仗仪的骑手形象。同处出土的一幞头骑马俑,身体与头部向左侧伸,并微微前倾,作回首张望状。第二过洞东部壁龛出土一笼冠骑马俑,双手握拳,放于身前,是持缰驭马状。骑马俑的手部动作能让人想到缰绳所在,他们或低头,双手放在腹前处,或抬头挺胸,双手握拳于胸前,正在驭马放缰。艺术家们根据现实生活中的可能情况,截取人物瞬间动作制造骑士形象。节愍太子墓出土的骑马击鼓俑,马鬃上有一圆形物,上有小孔,为架鼓用。马上骑士左手握拳提于腰间,似乎是扶着鼓,右手上举作打击状。

立俑是唐三彩人物俑中的最主要形式,有些作品精致可人。现收藏于陕西省历史博物馆的陕西省西安市西郊中堡村出土的一三彩女立俑,面容丰润,眉眼纤细,双手揖于腹前,头微微向左上方看去。神态端庄静穆。收藏于北京故宫博物馆的一女立俑,双手前揖于腹前,头正对前方,

---

① 陕西文物管理委员会:《唐永泰公主墓发掘简报》,《文物》1964 年第 1 期。

下巴微微向上抬，神态高傲不可侵犯。

丑陋变形的镇墓兽是唐三彩中审丑的作品。镇墓兽形象不一，但大多丑陋狰狞，是与寻常不同的奇形怪状。镇墓兽是墓室内的守卫者。早期墓室内的守卫者曾经由殉葬人充当过，殉葬人手持武器守卫在墓口。唐以镇墓兽作为墓室内守卫者表现了社会文明的进步。镇墓兽主要呈现两种形象。一类头顶长有一支尖长的独角，高高耸立在头部，又像是一种冠帽。面容狰狞，双眼圆睁，眉目紧锁，嘴角用力收紧抿着，头两侧长着两扇似大象一般的大耳朵，前腿外长着飞翼，身体蹲坐。另一类长着各式的鹿角，是兽面，怒目大睁，龇牙咧嘴，作吼叫状。头顶到背后长着厚厚竖起来的鬃毛，兽身也是蹲坐在一石座上。镇墓兽兽头有些是兽的形象，有些更像人的形象。以上讲的两类，前者是人面镇墓兽，后者是兽面镇墓兽。人面兽高角大耳，嘴上胡须时有变化，或有或无。有些三彩骆驼两峰间的驼背上会出现与镇墓兽同样狰狞的人面图，眉眼等五官突出，下巴加长，牙齿外露，凶悍可怕。

唐三彩的仿生技巧也会用在器皿中。三彩龙首杯是单柄杯子外雕有龙首图案。龙首正面对着杯柄，龙目圆睁，斜飞于后，森严肃穆。从杯柄处看过去，龙头的形象不仅是杯子上的浮雕，还与杯身融合在一起，具有圆雕的效果。

唐三彩由于其器型的繁多、颜色的绚丽以及制作工艺的精湛，深受现代人喜欢，是可用于厅堂摆设及馈赠往来的佳品。但唐代时它主要是用于随葬。《通典》中记载：“（唐代）三品以上明器，先是九十事，减至七十事，七十事减至四十事，四十事减至二十事。庶人先无文，限十五事。皆以素瓦为之，不得用木及金银铜锡。其衣，不得用罗绣画。其下账，不得有珍禽奇兽，鱼龙化生。其园宅，不得广作院宇，多列侍从。其輀车，不得用金铜花结采为龙凤及旒苏、画云气。”①诸多限制中，素瓦的陶器人人皆可用。唐三彩美观生动，又无身份限制，成为唐墓葬中最常用的物品。唐三彩不但盛行于唐朝中原大地，也流传于世界各地，“在俄罗斯、伊拉克、

① （唐）杜佑：《通典》卷八十六，中华书局 1988 年版，第 2328 页。

伊朗、叙利亚、约旦、埃及、苏丹、意大利、朝鲜、日本等世界诸国都有唐三彩出土”①,它是中国乃至世界艺术的瑰宝。

第二节 越邢瓷器:南青北白

唐代瓷器的代表为邢越二窑。烧造青瓷为主的南方越窑,与烧制白瓷为主的北方邢窑,构成了唐代“南青北白”的瓷器文化格局,也奠定了唐代日常器用中以素瓷为主的瓷器趣味。唐代瓷器又与奠定于唐朝的茶文化密切相关。茶清香而略带苦涩的滋味,可提神醒脑。茶不仅仅是一般的饮品,更是人格境界的写照。对唐瓷器的考评必须从茶文化的内涵中去品味探寻。

一、茶道之器

唐人好饮茶。封演《封氏闻见记》记唐人饮茶:“南人好饮之,北人初不多饮。开元中,泰山灵岩寺有降魔师大兴禅教。学禅务于不寐,又不夕食,皆许其饮茶。人自怀挟,到处煮饮,从此转相仿效,遂成风俗。自邹、齐、沧、棣渐至京邑,城市多开店铺煎茶卖之。不问道俗,投钱取饮。”②《旧唐书·李珏传》:“茶为食物,无异米盐,于人所资,远近同俗。既祛竭乏,难舍斯须,田闾之间,嗜好尤切。”③唐时茶道大行,“王公朝士,无不饮者。……古人亦饮茶耳,但不如今人溺之甚。穷日尽夜,殆成风俗。始自中地,流于塞外”④。现实生活中唐人已具有许多超出常规的物质欲望,嗜茶便是其中之一。因为茶性甘味苦,嗜茶又与其他欲望相区别,表现出崇俭黜奢的高雅期盼。

中国人对茶的爱好,又不仅因其是一种简单的饮品。茶有提神醒脑、生津止渴、消炎利咽的功效。喝茶时的身心舒畅,脑海清明使古人将茶文

① 周立、高虎编:《中国洛阳出土唐三彩全集》,大象出版社 2007 年版,第 6 页。
② (唐)封演:《封氏闻见记》卷六,中华书局 1985 年版,第 71 页。
③ (后晋)刘昫等:《旧唐书》卷一百七十三,中华书局 1975 年版,第 4503—4504 页。
④ (唐)封演:《封氏闻见记》卷六,中华书局 1985 年版,第 73 页。

化等同于超然于凡尘之上的一种高雅活动。文人将茶与品行高雅之士相联系,茶可以“流华净肌骨,疏瀹涤心原”(颜真卿《五言月夜啜茶联句》)①。刘禹锡《西山兰若试茶歌》道:“骤雨松声入鼎来,白云满碗花徘徊。悠扬喷鼻宿酲散,清峭彻骨烦襟开。”②皎然《饮茶歌诮崔石使君》中说:“一饮涤昏寐,情来朗爽满天地。再饮清我神,忽如飞雨洒轻尘。三饮便得道,何须苦心破烦恼。”③施肩吾《五言散句》中述“茶为涤烦子,酒为忘忧君。”茶略带苦味,而又有清新之香。它的香味不浓郁,但持久悠扬,与君子洁身自爱、甘于平淡的人格追求正好相通。所以饮茶实乃人生境界的彰显。韦应物认为茶是“洁性不可污,为饮涤尘烦。此物信灵味,本自出山原”(《喜园中茶生》)④。陆羽更是得出茶之饮用配合“精行俭德”之人才担当。茶的清香与淡泊致远的境界极其相似,与文人高山仰止的期盼相契合。唐时饮茶已经在一定程度上被视为品性的投射。

唐士大夫群体对茶的推崇,使中国人饮茶成为需要慎重思考与规范的行为方式,也出了能品茶、评茶、论茶的个中高手。陆羽便是这种文化背景中的出众人物。陆羽为唐代茶文化乃至中国茶文化作出了突出贡献。《封氏闻见记》中载:“楚人陆鸿渐为茶论,说茶之功效,并煎茶炙茶之法,造茶具二十四事,以都统笼贮之。远近倾慕。好事者家藏一副。有常伯熊者,又因鸿渐之论广润色之。于是茶道大行。”⑤宋人左圭辑的《百川学海》收录了陆羽的《茶经》。陆羽在《茶经》中从采茶、藏茶、制茶、煮茶、茶器等方面系统地论述了茶文化。《太平广记》中《陆鸿渐》条述陆羽品位绝妙,臻至化境,竟能尝出江水与岸水的不同,并判断:“楚水第一,晋水最下。”⑥唐张又新著《煎茶水记》将天下煮茶的水分成二十七种,而且言之凿凿对之品评高下。苏廙的《十六汤品》也有类似的言论,认为

---

① (清)曹寅、彭定求等编纂:《全唐诗》卷七八八,中华书局1999年版,第8973页。
② (清)曹寅、彭定求等编纂:《全唐诗》卷三五六,中华书局1999年版,第4011页。
③ (清)曹寅、彭定求等编纂:《全唐诗》卷八二一,中华书局1999年版,第9343页。
④ (清)曹寅、彭定求等编纂:《全唐诗》卷一九三,中华书局1999年版,第1998页。
⑤ (唐)封演:《封氏闻见记》卷六,中华书局1985年版,第71—72页。
⑥ (宋)李昉等编:《太平广记》卷三百九十九,中华书局1961年版,第3201页。

"汤者,茶之司命"①。

唐代饮茶从日常生活的行为进一步发展成了艺术行为。在对饮茶过于讲究,甚至苛刻的风气中,饮茶之器当然备受关注。用来饮茶的唐代瓷器既有瓷器文化本身发展的特征,也与茶文化休戚相关。

二、唐瓷进益

唐代的日常生活中,瓷器已经取代了陶器,成为人们日常生活所用的主要器皿。早期的瓷釉多为"青"色,青瓷是我国瓷器的最早代表。越窑主要以青瓷为主,产地在越州,也就是现在的绍兴地区的上虞、余姚等地。越窑青瓷在唐代最为盛名。越窑瓷器远销海外,在日本、朝鲜、泰国、菲律宾等国家都发现了越窑瓷器。邢窑是隋唐时期我国北方瓷器的代表。邢窑的出现打破了青釉瓷一统天下的格局。上自北齐,下至明清都有邢窑,可烧制白釉瓷、青釉瓷、黄釉瓷、酱釉瓷、黑釉瓷、点彩、三彩釉陶等。邢窑不仅仅限于隋唐白瓷,但邢窑最具代表性的产品,还是唐代烧制的白瓷。唐代邢窑白瓷多为日常生活用品,包括碗、罐、瓶、壶、盘、钵、盏、杯、盒、炉、枕等器型。20 世纪 80 年代后,随着邢窑窑址的不断发现,邢窑不仅是文献上的抽象概念,也终于以具体可感的形象得见于世人。

青瓷将瓷与陶相区分。根据对出土文物的考证,我们可以得出这样的结论,从陶器向瓷器进化的过程中,中国瓷器史上最早出现的瓷器是青瓷,而且青瓷发展的历史也长,因此对青瓷起源的研究,实际上也是对瓷器起源的研究。瓷的形成条件主要具有三个:第一,在原料的选择加工上选用高岭土或瓷石,其主要表现是胎内三氧化二铝(Al_2O_3)含量的提高和三氧化二铁(Fe_2O_3)含量的降低,使胎质呈白色或灰白色。第二,经过1250℃以上高温烧成,使胎质烧结致密,不吸水,击之发出清脆的金石声。第三,在器表施釉,并经过高温烧成使胎釉结合牢固,釉面均匀。简单地说胎体是白色、灰白色,能发出清脆声音,表面光滑的为瓷。②

---

① (唐)苏廙:《十六汤品》,载胡山源编:《古今茶事》,上海书店 1985 年版,第 27 页。
② 参见叶宏明、杨辉等:《中国瓷器起源的研究》,《陶瓷学报》2008 年第 2 期。

瓷的釉色稳定均匀。唐代成功烧制的"长石釉",克服釉汁不匀的缺陷,在瓷器表面产生细润柔和的光泽。唐代采用匣钵装烧技术,避免烟尘污染釉面出现杂色的情况。匣钵是装烧制瓷器的容器,也用选料精细的瓷土做成,根据装烧器物的大小制成不同的形状。唐匣钵是单件烧制,一钵一器。烧制时匣钵加盖并封死,烧制时外部的杂质就不会影响釉色的形成。越窑瓷器造型古朴典雅,色泽翠玉温润,青莹柔和,光亮透明。唐初为青黄色,后逐渐向青色发展。釉面也比晋越窑瓷器平滑滋润,青的色调增多,色彩稳定均匀。白瓷也是胎制细腻,釉色均匀。唐早期的白瓷略为泛黄与青,胎体厚重。唐中期后,白瓷技术成熟,胎体变薄,釉色雪白无瑕,并微微泛青。白瓷在唐代使用很广泛,"内邱白瓷瓯,端溪紫石砚,天下无贵贱通用之"①。

除瓷面温润绵柔外,唐代瓷器更加轻盈细腻,至五代时胎制、釉层更薄。"唐越窑和五代的秘色窑,胎、釉原料淘洗、练泥较好,气孔率较少,胎骨薄而致密,瓷音较前更为清脆。"②唐、五代的越窑青瓷釉层厚度最小的达到 0.2—0.5 毫米。邢窑白瓷胎体更加细薄轻盈。唐代诗人皮日休曾有《茶瓯》为赞:"邢客与越人,皆能造兹器。圆似月魂堕,轻如云魄起。枣花势旋眼,蘋沫香沾齿。松下时一看,支公亦如此。"③能如云、如魄,可知唐白瓷之轻盈。"青瓷和中粗白瓷的胎体较为粗糙,都施加了白色化妆土,白瓷釉是透明高钙釉,中粗白瓷釉中着色元素铁和钛含量的降低使得化妆土的白色被直接反映出来,因此呈现了白瓷的基本特征。"④化妆土选用的是氧化铁含量非常低的白色瓷,将它覆盖在坯体上,可以掩盖坯体被高温烧制过后呈现的红色,还可使坯体表面光滑,上釉的时候让釉色更加美观。细白瓷胎身不加化妆土。考古学家于 1988 年在河北省内丘城关西关北窑中发现胎体厚度小于 1 毫米的具有透影性的隋代薄胎精细白瓷器。"细白瓷实际上已经具备了透影白瓷的原料特征,其厚度一般

① (唐)李肇、赵璘:《唐国史补·因话录》,上海古籍出版社 1979 年版,第 60 页。
② 叶宏明、杨辉等:《中国瓷器起源的研究》,《陶瓷学报》2008 年第 2 期。
③ (清)曹寅、彭定求等编纂:《全唐诗》卷六一一,中华书局 1999 年版,第 7106 页。
④ 鲁晓珂、李伟东等:《邢窑的科学研究》,《中国科学》2012 年第 10 期。

为3—6毫米，而透影白瓷厚度大多为1—2毫米，所以透影白瓷的制作应该是古代陶工对器物的胎体进行了刻意的减薄加工，薄胎的透影白瓷大多是碗、杯等器物，因此它们胎体厚度的差别也有可能对应于不同的器型功用。透影白瓷由于胎釉中氧化钾（K_2O）含量较高，使得胎体玻璃相对增多，透明度增加，再加上胎体较薄，从而产生了透光的效果。”①

除变亮、变薄、变轻外，唐瓷器的器型也有一些发展。如以执壶代替了鸡首壶，有时将壶口塑为鸡、羊、虎、鹰等形象。再有拟瓜果花卉的器型大为增加，如越窑的瓜棱壶、莲花碗。但这些特征都不如素瓷的变化动人。越邢瓷以釉色见长，瓷面少纹饰，素雅大方。有些瓷面也有纹饰，并分为模印、贴花、雕花、点彩等多种方式，却并不给人繁杂感。洁白的胎体外加纯净透明的釉色，使唐瓷呈半透明感。唐瓷绵柔质朴，细腻光滑，给人如玉般的触感与视觉享受，其轻盈透亮，色泽绵柔的特点与唐时茶文化正相契合。

三、邢越双峰

越瓷、邢瓷皆以素瓷著称。至唐时，越窑烧制水平已经十分高明，可随物赋形地以仿性形式塑造出许多生动图像，如南朝的青瓷龙柄鸡首壶，西晋的青瓷黄融提梁鸡头壶，东晋的青瓷龙柄鸡头壶，唐时的越窑堆塑五管仓等。但为何在唐代人们大量使用无花纹的素瓷呢？对邢越素瓷的理解离不开茶文化。邢越瓷器在日常生活中被大量使用，但其精髓还是为茶而生。

唐人喜爱用素瓷饮茶。陆士修有诗句：“素瓷传静夜，芳气满闲轩。”（《五言月夜啜茶联句》）②重视饮茶的唐人自然要用他们认为最合适的器物。唐人为什么喜爱用素瓷饮茶呢？因为瓷器烧制温度高，其分子结构要密集于陶器，保温性更好，盖在瓷碗中的茶叶，比盖在陶碗中的茶叶能得到更长久的高温浸泡。与陶器比起来，瓷器表面也更加光滑，触感强

① 鲁晓珂、李伟东等：《邢窑的科学研究》，《中国科学》2012年第10期。

② （清）曹寅、彭定求等编纂：《全唐诗》卷七八八，中华书局1999年版，第8973页。

于陶器。再有，素瓷以简洁优美的造型与清新一致的色彩取胜，邢越素瓷瓷器的釉色与茶色相得益彰。邢越素瓷在唐代广泛运用，文人喝茶把玩之，已具有以物为格，怡情悦目，陶冶情性的功用。以瓷器与茶叶相配合的感性体验为中心，细细把握鉴赏，可以获得非同寻常的审美感受。与茶汤色相配的瓷器将茶的清洁高雅衬托得更加显著。徐夤《贡馀秘色茶盏》中说：“功剜明月染春水，轻旋薄冰盛绿云。古镜破苔当席上，嫩荷涵露别江濆。中山竹叶醅初发，多病那堪中十分。”①“明月”、“春水”、“薄冰”、“绿云”将素瓷烘茶的特征精心绘出，诗人家徒四壁，身无长物，久病缠身，依然爱这杯中之物。

邢越二者中又以越瓷为胜。陆羽论道：“碗，越州上，鼎州次，婺州次，岳州次，寿州、洪州次。或者以邢州处越州上，殊为不然。若邢瓷类银，越瓷类玉，邢不如越一也；若邢瓷类雪，则越瓷类冰，邢不如越二也；邢瓷白而茶色丹，越瓷青而茶色绿，邢不如越三也。”②邢瓷洁白，似银、似雪，呈现出的正是茶的本色。越瓷青似翠玉苍山，它的与茶色相近，能加重茶的绿色，更自然地烘托出茶色鲜嫩翠绿。至于其他的瓷色就都不理想了，“越州瓷、岳瓷皆青。青则益茶，茶作白红之色。邢州瓷白，茶色红。寿州瓷黄，茶色紫。洪州瓷褐，茶色黑。悉不宜茶”③。

受其影响，历来颂越瓷的人也更多一些。如许浑《晨起》的“越瓶秋水澄”④，顾况《茶赋》的“舒铁如金之鼎，越泥似玉之瓯。”⑤越瓷与茶之间的配合更是文人十分关注的素瓷品格。如韩偓的“越瓯犀液发茶香”（《横塘》）⑥，施肩吾的“越碗初盛蜀茗新，薄烟轻处搅来匀”（《蜀茗词》）⑦论的都是越瓷翠色与新茶共融产生青烟朦胧的视觉享受。因为唐人与我们的饮茶方式不同，所以他们更能体会青瓷带来的妙处。唐人饮

① （清）曹寅、彭定求等编纂：《全唐诗》卷七一〇，中华书局1999年版，第8255页。
② （宋）左圭：《百川学海》，中国书店1990年版，第188—189页。
③ （宋）左圭：《百川学海》，中国书店1990年版，第189页。
④ （清）曹寅、彭定求等编纂：《全唐诗》卷五二八，中华书局1999年版，第6088页。
⑤ （清）董浩：《全唐文》卷五百二十八，中华书局1999年版，第2376页。
⑥ （清）曹寅、彭定求等编纂：《全唐诗》卷六八三，中华书局1999年版，第7899页。
⑦ （清）曹寅、彭定求等编纂：《全唐诗》卷四九四，中华书局1999年版，第5648页。

茶是将茶碾成粉末状，冲沸而成，这种煮法澄出来的是纯粹的茶色。新茶中绿茶的茶叶青翠可爱，直接冲泡，视觉效果并不受影响。但将之碾出粉末再泡出来的汤色却是带点黄色的，这就需要用碧色瓷器增加茶汤的绿色，才会有“春水”、“绿云”的美感。

唐人对茶汤的审美要求，使他们对青瓷更加情有独钟。一般为皇室所用的秘色瓷器就是青瓷中的绝品。秘色瓷以色取胜，“捩翠融青瑞色新，陶成先得贡吾君”（徐夤《贡馀秘色茶盏》）①，“九秋风露越窑开，夺得千峰翠色来”（陆龟蒙《秘色越器》）②。五代时，秘色瓷被列为宫廷贡物，寻常人家不得享用。南宋赵德麟《侯鲭录》称：“今之秘色瓷器，世言钱氏有国，越州烧进，为供奉之物，不得臣庶用之，故云秘色。”③法门寺唐代地宫中出土了 13 件秘色瓷器，碗盘口为花瓣口，碗面以素面为主，色泽青翠透澈，晶莹润泽。

邢窑瓷器白雪晶莹，越窑瓷器青翠如玉。素瓷的纯色与茶汤交相辉映，使饮茶成为独得别样的趣味。唐人在饮茶中入物于格，借怡于物，重视茶文化的雅致严肃，以革新物质的生活方式促成心灵性情的修炼，使茶、瓷之美与人情相通，在游于物中呈现士人风度，而素瓷在茶文化中添加了最为浓墨重彩的一笔。

第三节 金银器：玲珑剔透

金银器在古代是稀有金属，金银器的制作一般由官方制办，使用权也只属于上层社会，平民百姓使用被视为逾越。唐时商贸发达，出现了私人作坊，金银器在平民社会中也开始流传开。但总体上金银器还属上层社会垄断用品，因此金银器的制作雕琢均高雅贵气。唐代金银器器型主要包括：杯、盘、壶、碗、锅、铛、盒、罐、薰球等。其中常见的是银箱、银盒、银碗、银盘、银熏球、金盘、金梳、金杯、金壶、金银首饰等。金银器上的纹样

① （清）曹寅、彭定求等编纂：《全唐诗》卷七一〇，中华书局 1999 年版，第 8255 页。
② （清）曹寅、彭定求等编纂：《全唐诗》卷六二九，中华书局 1999 年版，第 7264 页。
③ （宋）赵德麟：《侯鲭录》卷六，中华书局 1985 年版，第 53 页。

多变。兽类有:龙、狮子、熊、鹿、马、龟等。禽类有:凤、孔雀、鸳鸯、鹦鹉等,还有蜂、蝶等昆虫。花纹有:缠枝、宝相、忍冬纹。此外还包括许多人物图像。

唐代金银器的数量很多。1970 年 10 月在西安南郊何家村唐代窖穴中出土文物上千件,“其中金银器物有二百七十十件”①。《旧唐书·王播传》载王播任淮南节度使时,曾一次进奉“大小银碗三千四百枚”②。《资治通鉴》卷二二四记代宗过寿,受各节度使上贡金银器物达缗钱二十四万。唐代宫廷大肆使用金银器,王建有诗:“一样金盘五千面,红酥点出牡丹花。”(《宫词》)③嵌有红色牡丹花的金盘有五千个,光同一种花饰就有五千个,宫中肯定还有其他饰样的金盘,这样大规模的使用阵势,用的应该是鎏金盘。金银器以器皿的方式大量出现。《太平御览》珍宝部银条记载:“方术人师市奴合金银并成,上(李渊)异之,以示侍臣。封德彝进曰:‘汉代方士及刘安等皆学术,唯苦黄白不成,金银为食器可得不死’。”④唐人认为方术中以金银器为食器可长生不老,这也是金银器在唐代大肆流行的原因之一。

一、工艺错综

唐代制作金银器的工艺有所提高,擅长综合多种方式制作金银器。唐代金银器制作方式主要有:浇铸、锤揲、切削、抛光、焊接、铆接、錾刻、掐丝、炸珠等。工匠们将多种材料以及多种制作方式综合运用,丰富了唐代金银器的器型与图案设计。

虽然熔铸工艺早就出现了,锤揲法却是唐代运用在金银器上的主要手法,多用来制作器型。唐人将黄金、白银的薄片展开,放在模具上用器物敲打成各种形状。这种工艺利用了黄金、白银这些金属柔软的

---

① 陕西省博物馆、文管会革委会写作小组:《西安南郊何家村发现唐代窖藏文物》,《文物》1972 年第 1 期。

② (后晋)刘昫等:《旧唐书》卷一百六十四,中华书局 1975 年版,第 4277 页。

③ (清)曹寅、彭定求等编纂:《全唐诗》卷三〇二,中华书局 1999 年版,第 3440 页。

④ (宋)李昉等撰:《太平御览》卷八一二,中华书局 1960 年版,第 3608 页。

特性,可便利敲打出各种形状。在锤揲塑形的基础上,唐将掐丝法与炸珠法运用于金银器纹饰制作中。如西安南郊何家付出土的金筐宝钿团花纹金杯,侈口、束腰、圆足,圆形手柄。手柄焊接在棱形垫片上。杯颈、杯足处有如意云纹,杯身分别镶嵌四个大团花。如意云纹与团花图案由黄金细丝扭造而成,是"掐丝焊接"法。工匠先将黄金制成极细的金丝,将金丝扭成花形,再焊接于杯面上。比起阴刻线的花纹装饰,掐丝纹要更醒目些,还容易在制作过程中进行修改,不像錾刻纹,一刀下去就很难有反悔余地了。此杯的团花纹与云纹外侧还有连珠纹。古时人们将液体黄金倒入冷水中,黄金在冷水水面炸开成小珠子,再用这些黄金珠子装饰成图案。掐丝连珠成的立体图案镶嵌在杯面,增加了杯面图案凸显的效果。因为纹面的清晰,掐丝连珠的方法以后成为花纹装饰的重要手法,在中国工艺品中占据重要地位。我们常说的掐丝珐琅就是指用掐丝方式制作图案。

金银器中金银工艺相互错综,既有纯银制品,如西安何家村出土的提梁银罐;也有纯金制品,如同处出土的鸳鸯莲瓣纹金碗;还有金、银与其他物质相搭配的工艺品。唐代金银器大量出现金银器相结合的现象,如西安南郊何家窖藏的舞马衔杯纹皮囊式银壶、鎏金双狐纹双桃形银盘、双狮纹银碗、鎏金飞廉纹六曲银盘,以及收于国家博物馆的花鸟纹金花银碗,陕西省扶风县法门寺地宫出土的鎏金双鸳团花纹银盆、鎏金三钴杵纹阏伽瓶等都是银为底,金为饰的工艺品,被称为"金花银器"。工匠们利用银白与黄金两种颜色的对比,以银为底,以金为纹,在物品上留出不同纹饰进行对照,增加颜色变化,突出装饰纹的存在,制造出的效果比纯金与纯银制品更加华丽雅致。如西安何家村出土的舞马衔杯纹皮囊式银壶。壶盖以锁链系在壶柄上,是为了防止壶盖丢失,比较实用。壶身与一般圆肚壶不一样,看起来更像储水用的皮囊形状,上头横扁,下头鼓。壶身上用浮雕方式在壶的两面分别刻有一匹鬃毛腾飞、马尾上甩、马口衔杯的骏马。马身与唐代绘画中的马一样膘肥体厚。马前脚直立,后腿弯曲,尾巴与脖子上的绶带向上翻飞,是奔跑中的马突然停步的动态姿势,也像衔杯跳跃的动作。两面马的马体骨骼肌肉凹凸有致,鬃毛刻画也比较细致,总体来说比较精致,下了功夫。张说的《舞马千秋万岁乐府词》:“圣皇至德与天齐,天马来仪自海西。腕足徐行拜两膝,繁骄不进踏千蹄。鬖髵奋鬣时蹲踏,鼓怒骧身忽上跻。更有衔杯终宴曲,垂头掉尾醉如泥。”①诗中讲的喝得烂醉如泥的衔杯马与壶身马极为相似。但浮雕写生性的制作技巧还不成熟,有比例不当的缺陷。似乎是为了适应圆鼓的壶身,有一面马的比例上大下小,马脸过长,后腿过于纤细短小。同处出产的鎏金双狐纹双桃形银盘、双狮纹银碗、鸾鸟纹六瓣银盘都是模压形成的浮雕方式。鎏金双狐纹双桃形银盘呈双桃形,银盘中镶嵌着两只回首相望的小狐。双狮纹银碗碗身内外腹壁上均有捶出的云样花纹,碗底是鎏金装饰,中心有口衔折枝花,并脚踏折枝花的双狮图案。双狮刻画细腻,身上有卷云纹。双狮图案外围饰有两圈绳索纹与一圈波浪纹。鸾鸟纹六瓣银盘,盘身是六曲葵花形,盘心捶出一只展翅凤鸟。

除金银镶嵌外,金玉镶嵌在唐代已运用得很精彩。西安市南郊何家村出土了镶金兽首玛瑙杯。一只以圆雕手法琢刻的伏卧兽头口部镶嵌笼形活动金塞。兽头玉制光滑,有多色流动,口中金塞光亮夺目,金光耀目与玉色流动相得益彰。

唐代金银器的器型也有变化,显示了对外来文化的吸收。首先是杯身手柄的改变,唐杯身手柄由传统耳型手柄,改为圆形手柄。其次是出现了大量的高脚杯。唐以前的杯子杯足不高,如长安县南里王付韦洵墓的折枝鸿雁纹银杯侈口、束腰,下腹急收,出现折棱,杯子下直接连接一个圈足,圈足不高,持杯子时必须用手持住杯腰。这是比较传统的杯型。唐时为了持杯便利,经常在杯子的杯侧加一手柄,如西安南郊何家村窖藏的金筐宝钿团花纹金杯。除了在杯侧加手柄外,唐人还将杯足加高,以便以持杯。如西安市沙坡村窖藏的狩猎纹高足银杯下面是一个外撇高足,持杯人可以用手直接捏着它细长的足身,再轻托杯腹。唐代出土的狩猎纹高足杯有好几个。陕西省西安市沙坡村窖藏也发现不同纹饰的高足杯。高足杯的使用有点像现代人喝葡萄酒用的高脚杯,杯足颇高,持杯非常便

① (清)曹寅、彭定求等编纂:《全唐诗》卷八七,中华书局 1999 年版,第 955 页。

利。唐代高足杯的杯型受西方影响，纹饰又具有中国特色，是唐朝中西合璧的工艺作品，也使中国器型的“足”增加了新的成员。此外，唐代还出现了许多分瓣形的碗与杯。八瓣银碗、八棱银杯的造型是粟特式的，如西安南郊何家村出土的八棱形银碗、银杯，都是中西文化交流的产物。

“在把唐代金银器与‘西方金银器’反复进行比较后，可将一部分唐代金银器皿归为与萨珊、粟特、罗马—拜占庭有关的三个系统，但并不意味着三者可以截然分开，中亚、西亚复杂的历史背景和金银器皿自身内涵的多样性，决定了金银器皿本身也常常是多种文化的集合。”①唐朝与西部各域往来贸易频繁，西方国家的金银制作方式与金银工艺纹饰影响了唐代金银工艺。唐代金银器制作手法大为改进。出现了掐丝镶嵌，炸珠镶嵌，锤揲等手法的创新。唐代金银器将金、银两种材料杂糅使用，产生了“金花银器”的中国传统制作模艺。于器型上，唐代金银器受西方影响，在器物的足、柄等部位发生转变。

二、精致为用

金银器在唐代的兴盛可以表现在种类的开拓上。唐代金银器除少数纯为装饰的摆件外，以日用为主，大多数是日常生活所用，包括钱币、茶器、酒器、饮食器等，还有些是宗教用具。唐代国力强盛，经济富庶，上层社会才能如此广泛地使用金银器具。从金银器具的使用看，唐人已隐有尚物风气。

唐代铸造了许多金银钱币，这些金银币不仅作为货币进行交换，还常有别的日常生活用处。西安南郊何家村出土金开元通宝30枚，银开元通宝421枚。金银开元通宝并不用来进行货币流通，一般用于佩饰、赏赐、占卜、游戏等活动。如《旧唐书·玄宗本纪》载，“宴王公百僚于承天门，令左右于楼下撒金钱，许中书门下五品已上官及诸司三品已上官争拾之，仍赐物有差”②，这是将金银用于赏赐之用；五代王仁裕在《开元天宝遗

① 齐东方、张静：《唐代金银器皿与西方文化的关系》，《考古学报》1994年第2期。

② （后晋）刘昫等：《旧唐书》卷八，中华书局1975年版，第171页。

事·戏掷金钱》中记，“内庭嫔妃，每至春时，各于禁中结伴三人至五人，掷金钱为戏，盖孤闷无所遣也”[①]，是用金币作抛置游戏；唐于鹄《江南曲》述“偶向江边采白蘋，还随女伴赛江神。众中不敢分明语，暗掷金钱卜远人”[②]，金币又是用来占卜了。此外贵族的洗儿、撒账等活动也常用到金币。

唐时用的金银器以精致为贵。西安何家村出土的鎏金银锁，锁面与钥匙柄錾刻了蔓草与联珠纹。唐时还有用来洗手、洗身的金盆，“丛丛洗手绕金盆，旋拭红巾入殿门”（王建《宫词》）[③]，“玉女贵妃生，嫛婗始发声。金盆浴未了，绷子绣初成”（张谔《三日岐王宅》）[④]。西安何家村出土的金盆高 6.5 厘米，口径 28.6 厘米，非常小，恐怕不能真正起到洗手的作用，只能沾沾水，象征一下。王建《宫词》中宫女们洗手用的金盆可能是鎏金制作的。宫人们还使用装蟋蟀的金笼子，“每至秋时，宫中妃妾辈，皆以小金笼捉蟋蟀闭于笼中，置之枕函畔，夜听其声。庶民之家皆效之也”[⑤]。上行下效，金银使用在唐代得到了普及。金银器的塑造也愈发追求精致。

佛教于唐的兴盛也表现在金银器制作中。佛门显贵，法事用具也镶金带银，沾染了俗世间红尘富贵气。佛家法事用具主要表现为两种纹饰，一是莲瓣纹，二是三钴金刚杵纹，也叫羯摩金刚杵。陕西省扶风县法门寺地宫出土了鎏金三钴杵纹银阏伽瓶。腹部有四个十字三钴金刚杵纹。十字三钴金刚杵是密宗的法器，法力强大，可消除疾病，铲除恶魔，清洗一切罪孽。佛家作法事用它来盛装净水。这个鎏金三钴杵纹银阏伽瓶除腹部有四个十字三钴金刚杵外，瓶腹下面的仰莲纹中，每两瓣莲花间各有一个三钴金刚杵，瓶子的喇叭形圈足上也为此纹。很显然，此瓶要借助莲花与

---

① （唐、五代）王仁裕等：《开元天宝遗事（外七种）》，上海古籍出版社 2012 年版，第 17 页。

② （清）曹寅、彭定求等编纂：《全唐诗》卷三一〇，中华书局 1999 年版，第 3498 页。

③ （清）曹寅、彭定求等编纂：《全唐诗》卷三〇二，中华书局 1999 年版，第 3439 页。

④ （清）曹寅、彭定求等编纂：《全唐诗》卷一一〇，中华书局 1999 年版，第 1129 页。

⑤ （唐、五代）王仁裕等：《开元天宝遗事（外七种）》，上海古籍出版社 2012 年版，第 13 页。

三钴金刚杵图案形成法力，以达到净除邪秽的目的。

法门寺还出土了鎏金三钴杵纹银臂钏。臂钏内壁平滑，外壁鼓起。纹饰錾刻在外壁，以鱼子纹为地纹，六组三钴杵纹分布钏面，三钴杵纹中还间以蔓草纹进行点缀。钏面焊接严密，不见缝隙，工艺成熟。如上所述，三钴杵纹是佛家纹饰，但鱼子纹是多子多福的意思，并不属于佛家纹饰。这件臂钏应是仿唐妇女佩戴臂钏所作，综合了佛家与俗世两个喻义，可以供奉佛前。龙门石窟的地藏王菩萨、千手观音，密宗大日如来等佛像都有手戴臂钏的情况，所以这个臂钏应该是供奉佛祖所用。

陕西省临潼县新丰镇庆山寺遗址出土装佛舍利的金棺银椁。棺椁以金银制造，外面焊接了十个金佛像，棺椁下面有多层基座。棺椁与基座上缀满了玛瑙、白玉、珍珠等宝物，眩人眼目，显得富丽堂皇。可见佛门也不是清净之地，人世间的争奇斗艳，好强争胜，以貌取人，在佛事里面是一件不落。

道家对金银器的运用表现在服用金丹上。道家理论中五行相生相克，所以用金银器来炼制、盛放、食用金丹才能保证金丹药效不失。西安何家村窖藏出土的一套金银药具。就包括炼丹的石榴银罐、金银铛、银锅，盛丹的金盒、金花银盒等。

唐人日常生活中金银器的使用说明了唐人热衷于此。银薰球是唐代普遍使用的银制日常器物。银薰球早在汉代已有记载。《西京杂记》卷一记载："长安巧工丁缓者，为常满灯，七龙五凤，杂以芙蓉莲藕之奇。又作卧褥香炉，一名被中香炉。本出房风，共法后绝，至缓始更为之。为机环转运四周，而炉体常平，可置之被褥，故以为名。"①银薰球实物属唐代出土文物。银薰球代表中国银器制作镂空技术的最高技巧。两个镂空的半球以子母口相扣，一个半球内镶嵌着两个同心的圆环，环内是用来焚香的盂。两球相扣抖动薰球，球内的同心环与小盂会转动，因为它们都相连在球内的不同活轴上。小盂内可点燃香料，用来放在被子与衣服中薰香。盂并无盖，可无论球怎么滚动，香灰都不会掉出来，因为盂始终保持向上

---

① （晋）葛洪：《西京杂记》，中华书局 1985 年版，第 8 页。

水平状。球体上边有一根链子，可以将香球悬挂在车上，或帐中。球面上常刻有各式花纹。唐代金银薰球式样，有双蝶花卉纹、石榴花结珍禽纹、鹦鹉葡萄纹、柿形花结瓜棱纹、蔓草花鸟纹、葡萄花鸟纹等。银薰球体形玲珑，小巧精致。出土于陕西省西安市南郊何家村的一个葡萄花鸟纹银薰球外径只有 4.6 厘米，内里的金香盂直径 2.8 厘米。这么小的球体上既要镂刻如此繁密的纹饰，还要安排圆环、金香盂的各自位置，将它们铆接在一起，保证球体完整，重力不偏移，香灰不掉出。以当时的制作条件看，能做到这一点，真是巧夺天工，技艺非凡。银薰球的制作技巧完全可以成为唐代甚至中国传统金银器制作中镂空与铆接技巧的最佳代表，不仅如此，球内的平衡装制的妙用令它独具一格，超出其他工艺品一筹。智慧与技艺的结晶使香薰球成为唐代金银器中的佼佼者。唐代行酒令时会用到香球。香薰球在唐代不但可以用来薰香用，还可以用来行酒令。白居易诗所云："香球趁拍回环匼，花盏抛巡取次飞"（《醉后赠人》）①，又有他的《想东游五十韵》道："柘枝随画鼓，调笑从香球"②。酒席中银薰球脆声清亮，香气弥漫，更添宴席氛围。

唐代金银器也包括很多酒器与茶器。陕西省扶风县法门寺地宫出土的鎏金镂空飞鸿球路纹银笼子，笼身小巧，高 17.8 厘米，口径 16.1 厘米。笼子手柄以铆接的方式接在笼身上，笼体与笼底连接处十分光滑，无焊接痕迹。整个笼体被镂空成大小整齐的格子状，格子上错落雕刻着一对对展翅相对的天鹅，动作基本相似，却各有不同。四个笼脚各由三片银杏叶状金片组成。银笼子可能是饮茶之用。唐人喝茶要先烤炙茶饼，烘干水气，再将茶碾碎，配以各种调料，冲水饮用。这个银笼子便是烹茶时，用来烤炙茶饼的。法门寺的鎏金龟形银盒用来贮茶。背壳为盖，壳上黄金白银交错为龟背纹。龟腹有弦纹、花蕊纹、点纹作装饰，龟头与龟足鎏金上色。整个龟体昂首挺脖，颈粗腹厚，是一只肥硕的金银龟。西安何家村窖藏出土的折枝鸿雁纹银匜。口沿处有一向上的短流，外腹錾刻两枝带着

① （清）曹寅、彭定求等编纂：《全唐诗》卷四四一，中华书局 1999 年版，第 4944 页。
② （清）曹寅、彭定求等编纂：《全唐诗》卷四五〇，中华书局 1999 年版，第 5097 页。

饱满果实的折枝花。折枝花旁是衔着绶带的鸿雁,可以用来盛酒或烹茶。1988年出土于陕西省长安县南里王付韦洵墓的折枝鸿雁纹银杯,杯腹外也是折枝花加衔绶带的鸿雁的纹饰。

为了增加金银器的装饰,人们喜在金银器器壁内外錾刻纹样。如1960年陕西省咸阳市西北医疗器械场出土的鸳鸯蔓草纹金壶高21厘米,腹长11厘米。直口,圆肩,腹上丰下收,壶颈直折。壶身纹饰紧密,被分为好几个层次。壶腹的最下一层是三重仰莲,仰莲以上开始以鱼子纹作地纹,从下往上第一层是蔓草纹,第二层在蔓草纹中錾刻飞禽,可能是鸳鸯,第三层到了壶肩,密布着蔓草纹,并穿插大朵的花卉,第四层是壶颈,与第一层一样是蔓草纹。第四层与第三层之间用一周莲瓣隔开。壶口饰着一周波浪纹。壶身有两圈联珠纹作层次间的过渡。纹壶盖被链条拴在焊接壶柄上的一只小乌龟上,盖子最上头的盖钮被刻成一条含苞欲放的莲花状。飞禽刻画略显粗糙,蔓草枝叶舒展,颇有生机。

而金银盘碗多在盘内、碗心做功夫。如西安何家村的鎏金翼牛,六曲葵花形银盘正中錾刻一只马头、马身、凤尾、凤翼的动物。鎏金龟纹银盘,盘子是仙桃形,盘心錾刻一只摇头摆尾的小金龟。鎏金双鱼纹银碗,碗心处是两只突出的金鱼,其中一只宽头,嘴边有须,是鲵的形象。鸾鸟纹六瓣银盘盘心是一只展翅翘尾的侧身鸾鸟像。西安市文物管理委员会收藏的鎏金双鱼纹银盘盘心錾刻重叠同向双鱼,鱼外围绕折枝花卉。这些"金花银器"除了碗中心的雕刻外都通体无饰。

有些金银器不但在器物中心做装饰,器壁也有相应装饰。1958年陕西省耀县柳林背阴村出土鎏金双鱼纹羽觞。圈足,侈口。盘心錾刻两只同向重叠鱼。碗内腹部均匀分布着四个单独的大叶花卉图案。碗内口沿处是一圈鱼子纹打底、缀以三角花叶纹的图案。西安南郊何家村出土的鎏金海兽水波纹银碗。银碗的碗心与外壁以鎏金装饰。碗腹锤揲出十四条由碗心到碗口的水波纹。碗壁与碗底錾刻出各类花卉蔓草,植物间有禽兽类纹饰。碗心趴着一只凸起的三腿海兽,兽头硕大,兽目凹进。海兽两侧游弋着一对鸳鸯。鸳鸯与海兽底部以细密的水波纹装饰。西安南郊何家村窖藏鸳鸯莲瓣纹金碗。腹部有双层莲瓣花,上层莲瓣中刻有各种珍禽异兽，下层莲瓣中刻有忍冬纹。各式纹样繁而有序地镌刻于碗身，精致细腻，富丽堂皇。西安何家村出土的鎏金蔓草花鸟纹银羽觞。浅腹、平底，两侧有双耳。觞心是一朵全力盛开的团花，腹壁内也有大朵的折枝花。出土于陕西省西安市沙坡村窖藏的莲瓣花鸟纹高足杯。杯身腹有双重莲瓣，莲瓣内饰花鸟纹。

舒元褒在《对贤良方正直言极谏策》中指责唐时的奢侈之风："尚食之馔，穷海陆之珍以充圆方。一饭之资，亦中人百家之产。"①《明皇杂录补遗》中说："天宝中，诸公主相效进食，上命中官袁思艺为检校进食使，水陆珍羞数千，一盘之贵，盖中人十家之产。"②《酉阳杂俎·续集》中记韦陟崇尚奢侈："其于馔羞，犹为精洁，仍以鸟羽择米，每食毕，视厨中所委弃，不啻万钱之直。若宴于公卿，虽水陆具陈，曾不下箸。"③《太平广记》记浮梁县令张某"家业蔓延江淮间，累金积粟，不可胜计。秩满，如京师，尝先一程致顿，海陆珍美毕具。"④唐代上层社会雕琢打磨其专用的物器，骄奢淫逸的生活风气带动了器物的琢磨，物也不仅限于用，更在精致华丽中显出使用者身份的不同。

何家村窖藏出土小赤金走龙 12 条。龙角细长，龙身瘦长，四肢矫健轻盈。长吻细颈，颈部弯曲，尾端回卷。龙身有鱼鳞纹。12 条走龙形态相似，昂首摆尾，神气可爱，又各有细微差异，应是手工制作导致的差异。1980 年西安大明宫出土的鎏金铜走龙，形状与何家村窖藏出土的赤金走龙形状基本相似，体形稍微健硕些，头角比较粗短。

西安南郊何家村窖藏金梳背长 7.9 厘米，高 1.5 厘米，厚 0.34 厘米，是弯弯的月牙状。两面以连珠掐丝方式镶嵌出卷枝花草纹。掐丝做成的枝条线条流畅，连珠镶嵌花苞处饱满紧密。纹饰以月牙的中轴线向两侧辐射而出，在梳背两面上排列紧实又疏落得体。唐人能在如此小的物体

---

① （清）董诰等编：《全唐文》卷七百四十五，上海古籍出版社 1990 年版，第 3417 页。

② （唐、五代）王仁裕等：《开元天宝遗事（外七种）》，上海古籍出版社 2012 年版，第 53 页。

③ （唐）段成式撰：《酉阳杂俎》，上海古籍出版社 2012 年版，第 142 页。

④ （宋）李昉等编：《太平广记》卷三百五十，中华书局 1961 年版，第 2773 页。

上镶嵌出如此精致繁密的花纹,可见技艺已经十分精湛。

与之相比,图案程式化的金银器制作也已经比较成熟了。同样在西安南郊何家村窖藏出土的鹦鹉纹提梁银罐,罐身均匀圆满,从罐盖到罐身以阴刻方式雕刻着鹦鹉花卉图案。花卉错落铺排在罐面,相似又不一。整体看,花卉的排列方式是相同的,如罐颈处是一叶一花的排列方法,但每一朵花、每一片叶又有不同之处。花纹排列有序,纹路之间均匀隔开,布满罐面,可见布纹的方式已经十分娴熟。每个纹饰的样式又各不相同,见出变化,比起现代千篇一律的机械纹饰又保存了几分灵气。

三、纹饰日常化

工艺品的纹饰走向日常化,花鸟纹增多,龟蛇瑞兽纹减少。清新自然的纹饰运用表明唐人的纹饰兴趣从想象纹逐渐走向了现实纹,这是唐人对现实世界的关注兴趣在金银器中的逐渐彰显,也说明了唐人能欣赏现实物象,喜欢享受现实生活,所以会热衷于更现实的纹饰。

纹饰的日常化首先发生在铜镜装饰中。唐铜镜纹饰中花鸟纹饰增多,兽类纹减少。虺龙、夔龙、蟠螭、凤鸟、龙虎纹都大幅度减少。唐代铜镜增添了喜鹊纹、童子戏花、仕女打马球、奏乐宴饮、抚琴、狩猎、仙鹤、孔雀纹等。这些纹饰或是现实中的物象,或是现实中的某种娱乐活动,虽然没有完全消除,但稍微减淡了些纹饰中的谶纬象征含义,使铜镜的纹饰具有更多的日常生活表达意义。

不仅是铜镜,金银器中也常有这种变化。器皿中现实中的纹饰越来越多。现实倾向首先表现在唐代金银器中花鸟纹饰增多。因为佛教的关系,唐时金银器中的莲叶纹迅速发展。如西安南郊何家村出土的鎏金仰莲纹银碗,碗口是花瓣状。此碗的碗身由两层莲瓣组成,上层莲瓣内錾刻花蕾,下层莲瓣内錾刻蔓草。圈足外撇,并向上翻卷。圈足上遍刻叶脉纹。整个器型下方足处似一边缘微微翻卷的莲叶,莲叶正中心盛开着一朵徐徐盛开的莲花。

除莲花外,其他花鸟纹逐渐丰富。陕西省西安市沙坡村窖藏的鹿纹十二瓣银碗,碗腹有 12 个瓣状花纹,碗心花瓣中间锤揲一侧身正面的花角立鹿，鹿角硕大。何家村窖藏的双鱼金花银碗，碗心是双鱼同向浮游。1975年位于西安市的西北工业大学窖藏出土的鎏金黄鹂折枝花纹银盘。盘中心饰大叶折桂花，花中心是一展翅曲项、似乎在引吭高歌的黄鹂。唐代出土一种蛤形银盒，是外形如蛤的银盒，用来装化妆品。蛤形盒外装饰各种纹饰，以花草纹为主，如柿状花结蚌形银盒、忍冬桃形花结蚌形银盒、宝相花蚌形银盒、飞禽唐草纹蚌形银盒。也有动物图案，如海狸鼠纹蚌形银盒、衔花鹦鹉纹蚌形银盒、飞鸿山岳纹蚌形银盒、鸾鸟纹蚌形银盒，都是现实中的图案。还有蚌形银盒，如河南省偃师市杏园村郑洵墓出土的蚌形银盒主题是一对鸿雁或野鸭，1989年陕西省西安市东郊西北国棉五厂住宅小区发掘的蚌形银盒，“一面主题为一对鸳鸯，周饰折枝花草和飞鸟；另一面为折枝花草和飞鸟”①。

当然在日常物象增多的同时，想象纹并没有消失，铜镜中依然有云龙纹，金银器中也有龙凤纹。如西安文物管理委员会收藏的鎏金抚琴舞凤纹银盘，该银盘是比较少见的菱形，造型古朴，装饰文雅。盘内饰人抚琴舞凤图。盘口外折，折沿上装饰一圈蔓草花鸟纹。1962年西安北郊坑底寨出土的鎏金双凤纹银盘，盘心是两只相缠绕的凤凰，凤凰外围的盘面上以各种花卉装饰，盘沿的花卉蔓草纹中，间有燕子纹。唐时想象纹与现实纹常交织于同一个器物上。

唐金银饰品上出现了很多生活场景图。出土于陕西省西安市沙坡村窖藏的狩猎纹高足银杯。杯身铺满鱼子纹，并有缠枝花纹分割杯身。在缠枝花纹中以阴刻方式凸出狩猎图四幅。猎手骑在骏马上，姿态各异，或策马奔腾，或张弓引弦，或脱箭而出，或举箭朝天。花丛中各类动物惊慌失措，奔走四突。这是一幅很明确的生活写实图，完全没有想象动物的狰狞恐怖的威慑力，杯面都是生活中可见的常景常物。西安南郊何家村窖藏伎乐纹八棱金杯，杯身中间内束，八棱形。每个棱面外壁饰有一位手执乐器的乐工，乐器各不相同，有箜篌、曲项琵琶、排箫等。金杯的手柄为圆环状，铸成圆瓣葵花形，且焊在杯身偏上侧，与唐以前杯子的耳状手柄并

① 齐东方：《唐代的蛤形银盒》，《故宫博物院院刊》1998年第4期。

不相同。从执杯的便利角度看，耳状杯更为便利。何家村仕女狩猎纹八瓣银杯，敞口、圆柄，喇叭形圈足，杯身较矮，呈八瓣花状。杯外腹鱼子纹为地纹，錾刻八幅图画，图画之间无明显连接关系，应为独立图案。图案分为仕女图与狩猎图两种图案，四幅仕女图、四幅狩猎图相间排列。仕女图或作仕女披帛图，或作仕女携童游玩图，或绘仕女作乐图；狩猎图都绘猎手持武器骑马追猎。杯腹下方为一八瓣莲花。杯心图案较为复杂，可以分辨出鱼尾、摩羯头。摩羯纹所呈现的是一种长鼻利齿，鱼身鱼尾的动物。

甚至金银器中有直接描写爱情的装饰。出土于西安市东南洪庆村的鎏金小银盒。体形细小，高 2 厘米，长 5 厘米。“盖的上面饰以卷曲的花草和生动的人物，人物穿插在花草盘曲的枝叶间，动作姿态不一，有的舞蹈，有的拨弄乐器，有的双手举高，具有深厚欢乐气氛。器底外部和纤细的阴刻线条绘出一对并立的男女像，像的上方，纵刻着浅析的‘二人同心’四字，像的周围，衬以精美的花草纹”①从镌刻的字来看，此银盒很像男女之间的定情信物。盒面上欢乐氛围寓喻着吉祥幸福。此物对前程美景的寓喻，没有选择瑞兽祥禽，或宗教法器的符号，而是生活中载歌载舞的场景，直接寄托人们对未来美好生活的祝愿，落在实处，直率真切。

唐人狮纹装饰从有翼狮走向无翼狮，也可以看出这是从想象纹回归现实纹的表现。有翼狮是唐以前的狮纹纹样。唐时有翼狮依然占据了很大的比重，如西安何家村的鎏金飞狮纹银盒的盒盖上就是一脚踏祥云的有翼狮。盒顶中心一只飞狮踏云图。盒顶面四周是一圈宝相花图案。飞狮纹与宝相花纹相结合。但也逐渐出现了无翼狮，如出土于内蒙古自治区喀喇沁旗的鎏金狮纹银盘盘心錾刻一无翼狮。该狮鬃毛浓厚，回首蜷身，似乎正在戏耍。出土于西安八府庄东北大明宫东内宛遗址的狮纹葵花银盘盘心一无翼狮，虽不再拥有驰骋祥云中的风采，却狮尾上甩、回首抬头，怒目开口，似发出一声震天狮吼，威自图出。何家村的鎏金双狮纹银碗，双狮相对而立，嘴衔折枝花，更多富贵吉祥的寓意。

---

① 阎磊：《西安出土的唐代金银器》，《文物》1959 年第 8 期。

唐代的出土文物中,流传下来很多金银铜器。这些器物显示了唐人手工艺术的精湛追求。在吸收了各方文化元素后,唐代金银器器型、工艺、纹饰更加丰富多彩,工艺与纹饰制作更加精致,多显富贵特征,纹饰变化出现了向日常生活转向的流变。唐代金银器是多种文化融合的富贵气息在日常生活中的沉淀。

第八章
雕塑中的审美意识

唐代雕塑不再是籍籍无名的工匠作品。人们对雕塑的重视,使人们开始注意这方面的能手。唐时出现了专门的雕塑家,杨惠之就是唐代著名的雕塑大师,竟与吴道子齐名,时称“道子画,惠之塑,夺得僧繇神笔路”。雕塑在传统文人艺术史中不受重视,梁思成在论及中国雕塑史时曾感慨过:“我国言艺术者,每以书画并提。好古之士,间或兼谈金石,而其对金石之观念,仍以书法为主。……盖历来社会一般观念,均以雕刻作为‘雕虫小技’,士大夫不道也。”①杨惠之能与画家吴道子、张僧繇共提,可见相对而言,唐代雕塑家的地位有所提升。《太平广记》卷二百一十二记洛阳北邙山玄元观南老君庙的神仙塑像,是杨惠之的作品:“东郡,北邙山有玄元观。观南有老君庙。台殿高敞,下瞰伊洛。神仙泥塑之像,皆开元中杨惠之所制。奇巧精严,见者增敬。”②可惜其藏品现在看不到,从文字记载表示来看是偏重于写实。我们可以从唐时其他雕塑中窥见唐人雕塑的特点。

唐代的雕塑以佛像为主。唐代佛像制作规模宏大,气势雄浑,色彩绚丽,既大又多。唐代佛雕多为群雕像,仅龙门石窟中擂鼓台南洞的壁面上就刻有一千多尊佛像。“隋代佛教造像之盛,远非南北朝之比。文帝即位之开皇元年,发诏修复佛寺。至仁寿末年,造金、银、檀香、夹纻、牙、石等像,大小一十万六千五百八十躯。并修治旧像一百五十万八千九百四十躯。炀帝亦铸刻新像三千八百五十躯。其中有百三十尺之弥陀圣像

① 梁思成:《中国雕塑史》,生活·读书·新知三联书店2011年版,第1页。
② (宋)李昉等编:《太平广记》卷二百一十二,中华书局1961年版,第1627页。

等。旧像之修治,则达一十万一千躯。经此修治,凡周武灭法之惨迹,皆行回复。又帝文皇后独孤氏为其父建赵景公寺,造银像六百余躯。礼部尚书张颖捐宅为寺,造十万躯之金铜像,天台之智者大师,于一生之间造像达八十万躯。其余丈六丈八等大铜像,制作之记录颇多。至于一时制多数之像,则为今日遗传最多之一二寸小铜像无疑,其盛况实可惊人!"①大同云岗、洛阳龙门、敦煌莫高窟的佛像石刻都存留了很多隋唐佛像。除佛雕以外,唐代的建筑雕塑也取得了辉煌的成就,不可忽视。

第一节 乐山大佛:缘情造景

大佛是唐代佛雕的重要题材,最为浩大的当然是乐山大佛,其他如莫高窟中 96 窟高 33 米的造像,130 窟高 26 米的造像,及 158 窟长 15 米的"卧佛"造像,都是大佛雕像。

唐代现存佛像首推乐山大佛。乐山大佛在四川省乐山市凌云山,海拔 448 米。乐山大佛"通高则在 60. 8 米至 61. 3 米之间"②。此佛是弥勒佛。弥勒佛为未来佛,弥勒信仰是皈依净土的信仰。佛前两处临江悬崖上雕刻着两座高约三丈的天王像。崖壁上还分龛塑造着不同的佛像,形成佛像群。大佛工程浩大,历时 90 年,经玄宗、肃宗、代宗、德宗四代,是世界上最大的石刻佛像。这座佛像凿于开元元年(713 年),是当时著名的和尚海通大师发起募捐建成的。大佛位于大渡河、青衣江和岷江三江汇流之处,海通大师云游至此,看此处水势湍急,常发生倾船触礁、船毁人亡事件,心生怜悯,为平息水患,减少伤亡,立志建佛于此。可惜佛像未成,法师先逝。经后两代唐人章仇兼琼与韦皋的主持动工,终于于贞元十九年(803 年)完成。佛像外壁右面有一石碑为《嘉州凌寺云大像记》,又称为《大像记》,是大佛完工时,韦皋组人依山镌刻的。碑文中记述了佛像建造的始末。碑首处有卧龙浮雕,与一般唐碑的螭首正相吻合。碑石

---

① 傅抱石:《中国绘画变迁史纲》,上海古籍出版社 1998 年版,第 26—27 页。

② 唐长寿:《乐山大佛试探》,《四川文物》1992 年第 1 期。

"高达6.6米,宽有3.8米,碑面约25平方米"①,面积宽广,与大佛体势正相对应。

宋人范成大的《吴船录》记叙了他见到凌云大佛的感受:"寺有天宁阁,即大像所在。嘉为众水之会,导江、沫水与岷江,皆合于山下,南流以下犍为。沫水合大渡河由雅州而来,直擣山壁,滩泷险恶,号舟楫至危之地。唐开元中,浮屠海通始凿山为弥勒佛像以镇之。高三百六十尺,顶围十丈,目广二丈,为楼十三层。自头面以及其足,极天下佛像之大。两耳犹以木为之。佛足去江数步,惊涛怒号,汹涌过前,不可安立正视,今谓之佛头滩。佛阁正面三峨,余三面皆佳山,众江错流诸山间,登临之胜,自西州来,始见此耳。"②

乐山大佛是山体大佛,由整块山石雕刻而成。这么大的工程必是耗时耗力的。陆游在《能仁院前有石像丈余盖作大像时样也》中说:"江阁欲开千尺像,云龛先定此规模。斜阳徙倚空三叹,尝试成功自古无。"诗中也记载了一尊大佛,不知是否为同一尊。如果不是的话,那说明各处建造大佛像在唐时是比较普遍的现象。如果是的话,那么也能说明当年耗资巨大。正如《嘉州凌寺云大像记》碑石记载,建造大佛时,"民惟子来,财则檀施。江湖淮海,珍货毕至。债师金工,亦无不臻。于是,人夫竞力,千锤齐奋。大石雷坠,伏螭潜骇;巨谷将盈,水怪易空"③。在四方集财,万众齐心的情况下,乐山大佛历经90年才完成,可见造佛像的不易。

大佛与山齐头,气势恢宏,唐代司空曙的《题凌云寺》道:"春山古寺绕沧波,石磴盘空鸟道过。百丈金身开翠壁,万龛灯焰隔烟萝。云生客到侵衣湿,花落僧禅覆地多。不与方袍同结社,下归尘世竟如何。"大佛面江而坐,左侧是悬崖峭壁,右侧修了九曲栈道,供人攀援而上,观瞻佛貌。大佛头部为螺髻,方头长耳,修眉垂目,双手抚膝,善跏趺坐,坐于莲花座上。佛身整体宝相庄严,"或丹彩以章之,或金宝以严之。至今十九年,

① 干树德:《韦皋〈大像记〉三碑的碑文》,《文献》1994年第3期。
② (宋)范成大:《范成大笔记六种》,中华书局2002年版,第196页。
③ 干树德:《韦皋〈大像记〉三碑的碑文》,《文献》1994年第3期。

而趺足成形。莲花出水，如自天降，如从地涌，象设备矣，相好具矣”①。

佛像重视实用与美工相结合，在佛像发髻、大耳、颈脖、胸部都建有排水沟，防止大佛被沉积的雨水侵蚀。原来佛像外建有大像阁以保护佛像，现已不存，只在佛像脚、臂处留有当年建阁的柱痕、桩孔等痕迹。佛像胸部有被封住用以藏东西的洞穴。佛像建造者巧施工艺，将佛像保存长久的实用性隐于佛像艺术追求之中，既保持了佛身威慑气势，又考虑到露天佛像的保存问题。

佛像似乎确实有镇水的效果，“惊流怒涛，险自砥平。萧萧空山，寂照烟月。由内及外，观心类境，则八风澄而爱河静也”②。陆游也有诗云：“泉镜正涵螺髻绿，浪花不犯宝趺尘”（《谒凌云大像》）。不管有没有效果，但从大家的言语来看，唐人对大佛的建造还是颇为称颂的。我们可以设想一下其起效果的原因。乘船的人迎江而上或顺江而下，一山体大佛慈眉善目，神情肃然地端坐江头，不禁让人静穆而立，悚然而敬，感慨造化之功，佛法宏远。佛像沉静安详的表情与凶险万分的环境形成对比，给人以心理安慰。想古时与激流险滩激战的行船人，正疲惫绝望丧失信心时，忽见此佛，定会在佛祖护佑下重新酝酿战胜艰险的勇气与信心。佛门虽有囤积土地，逃避课税的弊端，但海通大师于乐山大佛所传达的佛家悲天悯人之心叫人无不动容。佛家悯众生一切苦难的态势与儒家仁者爱人，救济苍生的理想，于此处殊途同归。从古至今的知识分子看到了佛门弊端，却忍不住依旧亲近它，恐怕让天下苍生少受些苦难的愿望正是两者血脉缔结之处。与之相比，修道之士，离群叛亲，只求自己升天的行为，倒显得薄情了些。

乐山大佛的建造符合人们缘情造景，以事设物的艺术理想。大佛的艺术成就不仅仅表现在佛体宏大，气势雄伟，而更多地体现了几代佛像塑造者们悲天悯人、心怀天下的仁爱精神。这种救世情怀，与唐代亲近民众的诗人们、文学家们的艺术抱负是相通的，都应得到最大的尊敬与肯定。

---

① 干树德：《韦皋〈大像记〉三碑的碑文》，《文献》1994 年第 3 期。

② 干树德：《韦皋〈大像记〉三碑的碑文》，《文献》1994 年第 3 期。

第二节 洞窟群雕:柔美静穆

洞窟佛群是唐代佛雕的主要表现形式。洞窟佛雕柔美静穆,线条流畅,多带女性特征。隋唐石窟艺术以龙门石窟、莫高窟为代表。公元493年,北魏孝文帝开始在洛阳伊阙山建造石窟,后经东魏、西魏、北齐、北周、隋、唐、五代的继续营造,基本奠定了龙门石窟的现貌。闻名遐迩的敦煌洞窟艺术发展至唐代,以作品的数量及艺术的精湛走进了它的黄金时代。甘肃省敦煌莫高窟保存了大量佛教洞窟,光隋唐佛像洞窟就有两百多个,是世界上数量最多的佛教洞窟地。莫高窟中也保存了大量的佛教雕塑。这些雕塑可以让我们现在欣赏到唐代雕塑艺术所取得的艺术成就。

唐代造像群的主要形式是一佛、二弟子、二菩萨、二天王、二力士。主坐从立,文武群像的模式是唐代佛像塑形的主要模式。龙门的敬善寺、潜溪寺、奉先寺、西山的极南洞,莫高窟的194窟、45窟等都是如此造像。与乐山大佛相类似,龙门石窟中多为开放式的摩崖大像龛。龙门石窟中露天的大像有奉先寺大卢舍那像龛、摩崖三佛龛等。而西山南部的奉先寺是最具有代表性的唐窟,上元二年(675年)完工。它长宽各30余米,正中卢舍那佛坐像高17.14米,头高4米,耳长1.9米,是龙门石窟中最大的佛像。佛像头顶是青黛螺髻,结跏趺,坐于须弥座上。圆面丰颐、神态安详、修眉长目、鼻准高隆、嘴唇厚润、嘴角轻抿、笑视苍生、亲切庄严。旁边的二弟子迦叶、阿难,与二菩萨文殊、普贤同样神态安详,面容和善。二菩萨面貌带笑。菩萨旁是二天王与二力士。窟中佛像衣饰继承了南北朝的风格,有曹衣出水的美感,衣裳褶皱涟漪轻泛,以圆弧状续次扩展,无风而动。金刚力士虽怒目圆睁、宽肩厚臂,与身旁的佛像相比造型粗犷勇武,但同样是长眉凤目,丰颐圆颔,眉目颇为清秀。与之相比,两颊下陷的力士面貌更加狰狞。天王、力士的形象刚健粗犷,强力狰狞,将神物的神秘怪诞与唐时的刚健风尚相结合。唐将天王形象移置主像身侧。四天王又称"四金刚","护世四王",分别是持国天王、广目天王、增长天王、多闻天王。原是印度教天神之首的四员大将。与唐三彩中的天王俑相似又有区别，工匠们在雕刻石窟的天王形象时，有意缩小下肢比例，突出上半身的比例。天王以法力震慑为主，所以塑形上趋于狰狞。

唐代佛雕造型圆润丰硕，面貌柔和高贵，多有女性形象特征，所以有"菩萨如宫娃"之称。奉先寺的佛像柔美静穆、丰腴圆润。佛像、弟子、菩萨都神态庄严，又多嘴角含笑，主佛身上袈裟样式简单，衣饰似水，都显出女子才有的温和静穆美。奉先寺为武则天持政时督办，制造者按照武则天的政治意图，塑造出偏于女性高贵庄严的宝相也合于情理。卢舍那意为"光明普照"。如果说以卢舍那喻武则天临朝天下，其威仪普照众生也正契合。唐代菩萨造像身躯常作"S"形。如东京收藏的西安宝庆寺高延贵造如来三尊佛龛，如来的左右侍从身躯都为"S"形，特别是如来的左边侍从，腰部右出动作十分明显。"S"形使唐菩萨们身形婀娜生动，更添妩媚之姿。莫高窟 194 窟西龛内南侧的彩塑菩萨，面如满玉，长眉修目，眉毛、下巴用青绿色修饰，袈裟以同色为底，饰以红色、绿色的四叶纹。菩萨头向左微倾，身形微侧成"S"型。莫高窟 45 窟左右侍立菩萨像女性色彩明显。与同窟其他造像的红色肌肤相比，这两尊菩萨像肌肤白皙亮丽，身形"S"型弯曲，娉婷婀娜。159 窟的两尊站立菩萨身形也是"S"形，面容姣好，女性特征明显。特别是左面的菩萨，除柳眉细目外，面颊圆润，嘴唇小巧而丰盈，完全是女儿家形象。

石窟造像经常出现民间尘俗化的风格，显示了唐代造像与民间风俗的结合。唐代弥勒佛信仰十分普遍，如乐山大佛、奉先寺卢舍那佛都是弥勒佛形象。我们现在看到的大肚子弥勒佛乃是受五代时期布袋和尚契此化身为弥勒佛转世故事的影响。对唐人而言，弥勒在世时形象是多变的，凡是解百姓苦难、为百姓办实事的人都可能是佛的化身，所以乐山大佛、奉先寺卢舍那佛虽形象不同，却都是佛陀转世。同理推证，人的存在也可能是佛的化身。龙门石窟中就出现了等身佛像，人们按世人的身量塑造佛像。龙门西山石窟中有一为纪念唐玄宗时名相苏颋的观音像，此相按苏颋的身高来塑造，以表达人们对这位宰相的纪念。张说的《龙门西龛苏合宫等身观世音菩萨像颂》论苏颋的政绩："籍田户以衎赋彻，考资畜以程力任，董逋逃以业浮瘦，诘奸慝以豫茕嫠，制事典以示好恶，敦术学以兴礼义,省法罪狱吏无作威,煦邮驿圉人不败产。加以躬亲足以励勤,谋始足以作则,端庄足以易暴,清俭足以息贪。夫如是,简往而事行,正身而人慕,轻薄束修而归厚,流亡襁负而来复。"①张说认为圣人与菩萨一样,要普察尘世间一切音声。苏颋为官清廉爱民,可守一方平安,行迹与菩萨无异,老百姓才自发为其塑像造身。梁思成记载了西安中书舍人马周造像,"佛结跏趺坐高座上。背光上刻火焰形。头光作二圆圈,圈内刻花纹及过去七佛像。衣装紧严,作极有规则曲线形。衣蔽全体,唯胸稍露。衣褶由宝座下垂,亦极规则的,使全像韵律呈一安宁懿静状,而其曲线亦足增助圆肥丰满形态之表示"②。

再如敬善寺左右护法天王,身穿铠甲,双脚各踏一夜叉。但天王脚穿草鞋,且都持剑,更像唐代武士形象,从中也可以窥见唐代天王造像民间化的倾向。摩崖三佛龛中间本尊为一高 6 米的善跏趺式坐像弥勒,两侧有结跏趺式佛像各一尊。善跏趺式坐姿就是我们现在的垂足坐姿,与结跏趺相比,更为轻松自然。唐代家具中已经出现了椅子,佛像的垂足式坐姿与人们坐在椅子上的坐姿相似,更加生活化。

佛像雕塑的故事性呈现也是通俗化的表现方式。龙门宾阳中洞上方地藏菩萨像,通高 1.61 米,脚踏莲台,光头,手臂带钏。地藏菩萨右掌向上展开,手心上飞出飞天、奔马及两个一跪一立的图样。地藏王的主要法力是解救堕入六道轮回中的生灵,得以飞升天界净土。地藏王手挥奔马、人物,正是在讲述他的大能。与壁画的故事性不同,唐代佛像雕刻中刻画故事的情况比较少,一般都只铸像,并借夜叉、法器、祥云等物衬托威仪。这地藏菩萨像是唐代少见的有故事倾向的佛雕。

舞乐文化的参与,使程式化的佛像雕刻更加生动。龙门石窟万佛洞,造像开始于永隆元年(680 年)。窟外雕一门拱,门拱两侧各有金刚力士一尊。门拱内又有降服夜叉的神王各一尊。南北两侧壁各有浮雕伎乐形象。位于奉先寺东侧的奉南洞窟顶的九瓣大莲花外雕有四身飞天。正壁

① (清)董诰等编:《全唐文》卷二百二十二,上海古籍出版社 1990 年版,第 988 页。
② 梁思成:《中国雕塑史》,生活·读书·新知三联书店 2011 年版,第 115 页。

有二人舞图。这二人是飞天形象,上身裸露,腰系长裙。左右壁上有持乐器者八人。龙门石窟的南六洞及南二四洞也有乐伎雕像。这些乐伎身后有长带翻飞,他们或弹奏乐器,或摆出各种舞姿,大部分面容模糊,但身形婀娜的飞动之势都得以保存。

唐代佛雕从秀骨清像走向了丰满圆润的健康美。唐佛雕中多肌丰骨圆、身挂瓔珞、雍容雅丽的女子形象。佛雕擅长以衣褶的形状表现内里的肌体。衣褶多用水波纹显示。位于东山擂鼓台北洞北侧的刘天洞中上层雕塑群中左天王手持宝珠。上层正壁的大日如来,颈中系桃形项圈,圈上镶缀着宝珠。右臂佩戴着石榴状的臂钏。大日如来着右袒袈裟,右部胸肌可见。大日如来的形象是菩萨装佛像。他头戴的宝冠,身上的顶圈、瓔珞、臂钏等佩饰都是菩萨形象,可偏偏又上身袒露。这身姿丰腴,胸肌尽显的形象经常在穿右袒袈裟的佛像上呈现。

因为佛雕的兴盛,佛雕数量众多,大小也有很大的差异。石窟与摩崖壁的佛像雕刻多为摩崖凿龛,龛内造像。大小不一,大的有近 20 米高,如奉先寺卢舍那佛雕,小的不足 1 米,如万佛沟的千手千眼观音龛深 0.35 米,擂鼓台北洞窟楣上方的观音龛身高只有 0.46 米。

唐代佛雕的写实技艺达到高峰。藏在海外的某些比丘僧尼的造像艺术精湛,梁思成对之大为赞赏:“其形态较为雄伟,不似菩萨端秀柔弱,其程式化之程度较少于佛像,亦不如佛像之模仿西方样本,实与实际形状相似。其貌皆似真容,其衣褶亦甚写实。今美国各博物馆所藏比丘像或容态雍容,直立作观望状,或蹙眉作恳切状,要之皆各有个性,不徒为空泛虚渺之神像。其妙肖可与罗马造像比,皆由对于平时神情精细观察造成之肖像也。不唯容貌也,即其身体之结构,衣服之披垂,莫不以实写为主,其第三量之观察至精微,故成忠实表现,不亚于意大利文艺复兴时最精作品也。”①位于龙门西山中部的龙门双窑是龙门石窟中唐窑的代表,分为南窑与北窑。南窑造弥勒佛及千佛图像,北窑造三世佛。双窑造像注重细节刻

---

① 梁思成:《佛像的历史》,中国青年出版社 2010 年版,第 94 页。

画，双洞前廊的Ⅰ号金刚力士像“颈部隆直四条竖向劲筋”①，Ⅲ号金刚力士像，“双目圆瞪，张口含舌，收胸鼓腹。劲筋与喉头凸起，肋间及乳下线条凹入颇深，似肺腑间蕴满气量”②。甚至隋唐就已经具有写实性的艺术成就，“现藏美国明尼阿波利斯艺术博物馆的‘菩萨立像’，比例匀称，面相饱满慈祥，全身衣饰雕刻得异常工细、华丽，表现出极高的雕造技巧”③。

唐代玉石佛雕以丰肌为体，华美壮丽，色彩夺目，表现出健康圆润的美。这使唐代佛雕不以悲苦怒目为主要意象，而更集中于彼岸世界祥和圆满的感召。

第三节 建筑雕刻：写实仿像

唐代居住建筑为木质结构，能保留下来的十分有限，所以建筑中的雕刻主要出现在陵园中，以石雕为主。

唐代瓦当以莲花纹和兽纹为主。昭陵北司马门挖掘出来的文物，出土了一些建筑物品，其中就包括瓦当。瓦当上的纹饰为分两种：一种是莲花纹，另一种是兽纹。“莲花瓦当有双瓣的，有单瓣的，有花瓣间起脊的，有瓣外重环的，细分有五大类十数种之多。兽面瓦当有面额上印‘上’与无文两大类。”④瓦上印浮雕是瓦当的常见样式。昭陵北司马门出土一兽面脊头瓦。瓦面上有高浮雕凸起的兽面装饰。瓦面有三层纹饰，外两层从外到内是细棱纹与联珠纹，中心处印一兽面，“兽面鼻和两颊部及眉和额心处凸起最高，余处较矮平。兽面双角自眉心处上挑，额上有皱纹，头顶竖发，横眉瞪目，张口龇牙，鼻翼扩张，表情狰狞可怖；双耳竖于两侧额部，腮边胡须卷翘”⑤。

---

① 龙门文物保管所：《洛阳龙门双窑》，《考古学报》1988年第1期。

② 龙门文物保管所：《洛阳龙门双窑》，《考古学报》1988年第1期。

③ 孙振华：《中国雕塑史》，中国美术学院出版社2011年版，第57页。

④ 陕西省考古研究所、昭陵博物馆：《2002年度唐昭陵北司马门遗址发掘简报》，《考古与文物》2006年第6期。

⑤ 陕西省考古研究所、昭陵博物馆：《2002年度唐昭陵北司马门遗址发掘简报》，《考古与文物》2006年第6期。

唐陵园中保存了许多石雕。人物石雕中已经显露出分明的写实手法。根据昭陵十四蕃君石刻像中残块留存可以发现人物石雕的写实倾向。各像都塑造在一石座上,石座上雕刻着石像人物的姓名、官职。因为是少数民族雕像,雕像中常流露出少数民族的特征,如大翻领长袍、窄腿裤、后背的多条大辫子、卷发等特征。圆雕十分写实,一人物圆雕"腰系革带,并在腹前垂下数条蹀躞带,有两条带上横系一短刀,一条带系小刀类物,腰一侧还挂椭圆形鞶囊"①。昭陵十四蕃君石刻像大都被损毁,只遗留石刻碎片,从残块中可以看出刻的是胡人形象。如蕃君像中的标本ZLJ-Ⅰ-F4,"仅存头面部一部分。残高200、残宽132厘米。人物卷发,其雕刻技法是先雕出头发的大形,再在粗糙的表现凿出深浅不一的小坑,形成类似一个个小发卷的形状"②。标本ZLJ-Ⅱ-F3,"后背上5条大辫直垂腰部,辫稍略上处别一方形固定长辫的发卡"③。这些发式都不是唐代中原人的打扮。乾陵南门外东西两侧也有蕃君61人,背部刻有名字与官职。唐墓以石纪功,各地蕃君的石刻像称颂了陵园主人的文治武功。

陵园的动物石雕线条圆畅柔和,充满着程式化的想象,以形象自身的圆满为主,不强调动作行为的雕刻塑造。唐高祖李渊的献陵陵园四门各有石虎一对,通道还有一对石犀。石虎体态雄健,四肢粗壮,颈脖也是粗短的,整体形象过于圆硕而矫健不足。石虎闭口睁目,表情宁静柔和,线条简单,不重皮毛装饰,而突出圆雕线条的流畅。乾陵北面的玄武门前也放置了石马一对,不过是圆雕作品。乾陵内城各石狮一对。高浮雕鸵鸟一对,翼马一对。武则天长子太子弘的恭陵陵园南门神道一对石狮,一雄一雌。雄狮更为威武,其下颚三绺长长的鬟毛。"在雕刻技法的发展中,南北朝到唐代正是直平刀法向新式圆刀法发展的过渡阶段。……宽大的

① 陕西省考古研究所、昭陵博物馆:《2002年度唐昭陵北司马门遗址发掘简报》,《考古与文物》2006年第6期。

② 陕西省考古研究所、昭陵博物馆:《2002年度唐昭陵北司马门遗址发掘简报》,《考古与文物》2006年第6期。

③ 陕西省考古研究所、昭陵博物馆:《2002年度唐昭陵北司马门遗址发掘简报》,《考古与文物》2006年第6期。

胸脯在转向两侧时已不再是较硬的转折，多是圆润自然的转面。”①“唐代在狮子造型方面达到了一个高峰。首先它使这一外来的动物在艺术造型方面完全中国化了。并且在体现时代精神方面也是最为典型的。在‘以形写神’、‘贵在神似’方面也是最为突出的。”②

昭陵六骏是唐石雕的主要艺术代表。昭陵六骏位于陵山北门司马门内，排列在祭坛的东西两侧。六匹姿态各异，神俊飞逸的骏马刻在高一米半，宽两米的青石屏上，组成了一组浮雕石。这六骏是：白蹄乌、特勤骠、飒露紫、什伐赤、青骓、拳毛騧，都是唐太宗以武定国时乘坐过的战马。刻六骏于太宗昭陵以纪其赫赫战功，与蕃君形象一样也是唐代立石纪功的代表方式。六骏的马鬃修均饰成三绺，为唐时贵族马三花马的形象。石刻残块之一留存的马后腿飞节处，“关节上粗下细，骨骼的显露，表面浑圆有肉质感，如鲜活的一般”③。马体态健硕，威武强悍，马具齐全，都与文人绘画中的极为相似。与之不同的是，六匹马的马尾都被扎成一团，防止马尾散开，这可能是战马的要求。六骏的塑造与历史事实相通。六骏中“飒露紫”是幅人马雕像。唐太宗在与王世充军队的对战中，险象环生，“飒露紫”身中数箭，幸得大将丘行恭相助。所以“飒露紫”与大将丘行恭是一起刻画的。“飒露紫”胸前中箭，丘行恭为其拔箭，双手抚箭，欲拔又不忍拔。“拳毛騧”身插数箭。六骏的动态分为奔跑、缓行、站立几类。白蹄乌、青骓、什伐赤四蹄踏空，是伸颈扬鬃的飞奔状。飒露紫、拳毛騧、特勤骠缓辔慢行，做昂首扬鬃的站立或行走状。“拳毛騧”身插数箭，却神态安宁，依然在缓步而行，并无中箭痛苦之状，前胸中箭的“飒露紫”也是一样。“飒露紫”与大将丘行恭的头依靠在一起，安静乖巧，充满着对丘行恭的信任。昭陵六骏取材于现实，雕刻时以想象的程式化圆满为主，对物象形态的主观塑造强过对物象动作的客观描摹。

唐代碑刻也具有很大的变化。唐碑碑身普遍比以前的朝代要高大，

---

① 刘道凡：《我国传统雕刻狮子造型初探》，《南京艺术学院学报》1979 年第 2 期。

② 刘道凡：《我国传统雕刻狮子造型初探》，《南京艺术学院学报》1979 年第 2 期。

③ 陕西省考古研究所、昭陵博物馆：《2002 年唐度昭陵北司马门遗址发掘简报》，《考古与文物》2006 年第 6 期。

巍峨高耸。所用石材质地紧密,不易损坏,可经受长时间的风吹雨打。从唐代开始,常在碑身上镌刻撰文者与书写者的姓名,以碑显名之风在唐代十分盛行。一方面唐人愿意花重金请名家撰书石碑,另一方面唐代文人、书法家也愿意以写碑的方式来显名于世。唐碑如此受世俗推崇,碑身的制作自然更有讲究。唐代碑身高大,如尉迟敬德碑,“碑身高 4.45、宽 1.49、厚 0.52 米”①。除了选用石材,将碑身加大,于时间和空间上更有利地弘扬气势外,唐碑的外形主要在以下两个方面进行了改造。第一,唐碑大量使用碑座,碑座不只是方方正正的石块,还有许多是巨形龟。昭陵陪葬墓新城长公主墓碑座就是龟形。碑座除了龟趺还有须弥座,如《玄秘塔碑》、《大德智该法师碑》。第二,碑身上刻有多种图案。如褚遂良的《雁塔圣教序》碑上雕刻佛像,欧阳通的《道因法师碑》,碑座两侧有线刻人物画像。《大智禅师碑》、《慧坚禅师碑》、《隆阐法师碑》等碑侧刻有线刻纹饰。尉迟敬德墓碑碑身两侧刻有蔓草纹,下端各刻一虎头。

唐代雕塑柔美静穆、丰腴圆润,群雕间的组合有明显的程式化风格,并逐渐有精致的写实倾向,唐雕塑的写实技巧已经非常精妙,但并未以写实为主要风格。唐雕塑还是以理想化的形象塑造为目的,重视肌体的浑圆鲜活,表现出微丰的审美倾向。唐代雕塑以佛像为主,唐代佛像制作规模宏大,气势雄浑,色彩绚丽。单个佛像雕刻柔美似宫娃,女性特征较为明显,有世俗化的塑造习惯。

---

① 昭陵文物管理所:《唐尉迟敬德墓发掘简报》,《文物》1978 年第 5 期。

结 语

豪迈博达的唐人具有热情强烈的艺术感染力，在他们的时代运程中，文学、绘画、书法、乐舞、雕刻等艺术都得到了长足的发展，其中有很多方面皆达到了新的高度。在如格律诗、楷书、草书、城池建设、唐三彩、佛雕等领域创立了不可逾越的艺术成就高峰。高度发展的唐代艺术组成了中国传统艺术的璀璨一环，甚至是核心之一。它既显示了属于它这个时代的审美意识，又显示了中国传统艺术的地域、民族特征。主要反映在艺术中的唐代审美意识也形成了独特的层次铺陈。

一、背景层：兼收并蓄

唐代审美意识酝酿于大国气象的文化创建中，既文化荟萃，四方来仪，又门阀未退，士庶方兴。多种文化的融合促进了唐代艺术的生成。唐代以其博大的胸怀、深厚的底蕴，吸收了多种文艺因素，同时又保持了本土的特征。唐全方位的对外来文化的引入，不但没有将自己置入文化殖民困境，反而大步丰富及扩充了自己的文化产品，进入更高的艺术境界。与当下许多国家所遭受并恐惧的文化殖民相比，唐代对外来文化的接受显得底气十足。

撇开宗教影响暂且不论，单就地域整合而言，主要是音乐与器物制造的文化综合表现明显。统治者历来重视的音乐首先展示了大国的胸襟。经过多年战乱后，隋唐时期的音乐得到了修整。唐代音乐延隋而来。隋唐时期将中国南北音乐相综合。隋之前漫长的南北朝时期，使中国音乐分化为激扬蹈厉的北方音乐特征与滔和雅正的南方音乐特征。隋代的音乐建立于北周之上，北周音乐以北方音乐特征为主。唐代在隋唐基础上继续融合南方音乐，并逐渐倾向于南方声韵。唐代健舞多有北方音乐特征，软舞又多带南方音乐特征，健舞与软舞相互渗透，使南北音乐的融合更加紧密。唐在收集音乐、整理音乐的同时，吸收了许多少数民族音乐。一来是因为北地音乐本来就融入了很多少数民族因素；二来唐代国力强盛，四方来仪，各民族交往甚密，文化的传播在音乐中表现显著。再加上唐代主体上并不排斥少数民族，官方音乐都能包容各方地域音乐，加强了民间乐舞尚胡风的习俗。唐代诗歌与墓室壁画都常有胡乐身影的出现。多文化的交融中，唐代音乐形式纷呈，既有结构繁杂的大曲，又有轻松热闹的打令；既有端坐观赏的宴乐，也有自娱自乐的宴乐；民间歌舞还常与杂技、戏曲、剑器、化妆术等形式相结合，雅俗共存，夷夏相融。

唐代器物制造具有多重外来文化因素。如果说唐三彩、唐代石雕中的胡人、骆驼、鸵鸟形象只是对外来者的描摹，还算不上是文化影响，那么在唐代金银器的造型塑造中却充分体现了外来文化的影响。与中国传统的圆腹圈足杯不同，唐代金银器中出现了很多高脚杯。与中国传统杯柄的耳状不同，唐代金银器杯身出现了一些圆形杯柄。此外，多瓣碗、多瓣杯也在唐代大量出现。除器型变化外，金银器制作中“掐丝”、“炸珠”等工艺被普遍运用在器物中。这些都不是中国本土文化的特征，带有萨珊、粟特、拜占庭的风格。瓷器中的多瓣碗应该也是受此影响。外来民族来到大唐学习的同时，也带来了他们的艺术文化。擅于学习的唐人很快就利用这些新的元素创造新的器型，丰富了唐代的器物塑造。

除南北、中西的地域文化结合外，儒、道、释三种文化在思想观念上的融合是唐代多样文化的最集中体现，且这种融合一直在延续发展，成为中国主体文化的重要特征。因为唐代日常生活的文化遗留物较少，三教并举的特征更多是在唐墓室建构中发现的。唐代墓室建设独立于三教之外，它不像敦煌雕塑、壁画等艺术一样带着明显的某种教派印记。对唐人来说，墓室建设不属于任何教派专属文化，唐人对墓室建设又十分重视，这个时代的三教合一精神，造成了墓室文化的多种教义相综合。而墓室文化多种教义的综合映照出唐人日常生活对三教文化的态度：唐墓室依然受道教风水文化影响，左青龙、右白虎、南朱雀、北玄武的摆阵方式既显现在陵园建设中，也显现在墓室壁画中；墓室的选址、规格依礼有定制，包括神道左右石雕的摆放、陪葬品的等级、墓室壁画中仪阵图的设计都是儒家等级文化的具体呈现；墓室壁画与石椁线刻画中宝相花、莲花、如意及人首禽身的嫔伽图案都说明佛教文化已然进入中国人最重视的墓葬礼仪中。

除墓室遗留外，唐时艺术类型中，文学、音乐都具有浓厚的儒、道、释三教合一特征。唐诗歌中既有建功立业的边塞诗，也有淡泊明志的隐士诗，还有谈空证性的禅韵诗。变文通俗易懂、义理彰明，以儒家孝亲思想释义佛理。三教都十分重视音乐。因为音乐口耳相传迅速，在传播教义方面具有无与伦比的感染力，这造就了唐代音乐在原有的儒家文化基础上，增添了许多佛教与道教的文化因素。如《云韶乐》、《霓裳羽衣曲》都是由道教文化发展而来，敦煌歌辞中大量佛家唱辞也表明佛教音乐在唐代的兴盛。不仅如此，在音乐传播中儒家的祭祀，佛道两教道场的亲民力也为唐代音乐的流行作出了突出贡献。

宗教的艺术创作又常与世俗文化相融。民间的审美倾向也常影响较为严肃的宗教艺术创作。如唐代在佛像的塑造中就含有世俗文化的表现。天王穿草鞋、民众为有功绩官员塑等身佛像、以奉先寺卢舍那佛为代表的整个唐代佛像的女性富态美等都表明了世俗文化对唐佛教雕塑的影响。

大唐时期，南北、中西，儒、道、释，宗教与世俗等各方面文化的混杂，使唐代的审美品位具有广博的接纳胸怀，创作的唐代艺术异彩纷呈，兼容并蓄，形成了融各文化于一体的审美张力。

二、核心层："技"的在场

唐代文化受三种教义的影响，加之南北综合，华夷交汇，形成了兼收并蓄、多种风格并存的局面。但在各样风格齐头并进的趋势中，唐人重规矩的严谨缜密品格还是逐渐凸显出来，此种品格后人学之却画虎类犬，僵化呆板，远不如唐人那样挥洒自然，以致连累唐人的规矩法度为某些人所诟病。唐代艺术家重意象兴味，以象写意，空灵跳跃，却又讲究诸多规矩，正是喜欢在格子中书写，带着镣铐跳舞，于规矩中肆意潇洒的艺术群体。

中国的艺术讲究技进于道，是向往道，以道为核心判断的艺术。但在对道的追求中，技是一个必经过程。有些艺术可完全跳脱于技之外，以追求象外之义，言外之精。而唐代艺术的审美意识却是"技"的在场。唐代是艺术规矩形成并收尾的时代，多样艺术类型的规矩法则在这里成熟、完善。

艺术应追求"技进于道"、"体用不二"，达到艺与道的统一，这种思想在先秦已有很充分的认识。《庄子·养生主》讲述"庖丁解牛"的故事："庖丁为文惠君解牛。手之所触，肩之所倚，足之所履，膝之所踦，砉然响然，奏刀騞然，莫不中音。合于《桑林》之舞，乃中《经首》之会。"①在对"技进乎道"、"游刃有余"的解读中，"道"是高于"技"之上的。《周易·系辞》中有："形而上者谓之道，形而下者谓之器。"②道器之别，孰优孰劣可见一斑。马得林先生论道："在'以技悟道'的过程中，技术超越了'器'、'技'、'术'等诸类型下之约束和规定，最终达致了'道'之游刃有余。"③

技进于道的过程重在体验、顿悟，以心传心。"艺"、"技"的形成自然有其法则，但其遵循的技巧却不可确定。可见以技进于道的过程是超越"技"的约束而达到"道"的境界的一个过程，一旦"道"到达了，"技"便可忘却，是"技"被超越后，"技"不在场的艺术境界。所以古人常有"得意而忘言"之说。庄子《杂篇·外物》："荃者所以在鱼，得鱼而忘荃；蹄者所以在兔，得兔而忘蹄；言者所以在意，得意而忘言。"④刘禹锡在《董氏武陵集记》中说："诗者，其文章之蕴邪？义得而言丧，故微而难能，境生于象外，

---

① （清）王先谦：《庄子集解》，《诸子集成》，中华书局1954年版，第18—19页。

② （清）阮元编：《十三经注疏》，中华书局1980年版，第83页。

③ 马得林：《"技进乎道"与"道能为一"——关于中国传统技术思想的形而上考察》，《人文杂志》2014年第6期。

④ （清）王先谦：《庄子集解》，《诸子集成》，中华书局1954年版，第181页。

故精而寡和。"①"得鱼而忘荃"、"得兔而忘蹄"、"义得而言丧"都是强调"技进于道"、得"道"而忘"技"的行为,"道"存"技"隐的境界。唐代审美活动对此当然也是深得精髓。严羽《沧浪诗话·诗辨》论唐诗妙处道:"夫诗有别材,非关书也;诗有别趣,非关理也。然非多读书、多穷理,则不能极其至,所谓不涉理路、不落言筌者,上也。诗者,吟咏情性也。盛唐诸人惟在兴趣,羚羊挂角,无迹可求。故其妙处透彻玲珑,不可凑泊,如空中之音、相中之色、水中之月、镜中之象,言有尽而意无穷。"②严羽认为唐诗的妙处并不在"书"、"理"中,而在"吟咏情性",其妙处不可勉强言说,还应该反复体味。古人对诗的评价也集中于境界、神韵、高格、气质、兴趣等"道"的追求中。这都说明中国古典艺术的审美趣味是"道"的寻找,因"道"之存在可暂时忘却"技"的存在。

唐代艺术中求兴象意味的"道"的境界不逊于任何时代,它已经塑造了道的完美境界,这一点已为学界共识。然而唐诗妙处又在它的"器"、"技"、"术"本身亦具有审美特性,是"技"的在场艺术。对唐代艺术的鉴赏既可自由遨游于"道"的艺术境界中,又不可忽视唐代艺术的"技"的精美。

"技"的在场以唐诗为代表。唐代近体诗以格律著称,在六朝永明体的基础上删繁就简,创作出一系列格律严谨,铿锵有韵的诗歌。唐近体诗在永明体规定"句有定字"的基础上,对诗歌的句数作了进一步的规定,形成了"约句准篇"的诗歌传统。为了规范诗歌用韵,唐近体诗按韵书押韵;改永明体"平仄"入韵,为只押平声韵。在诗歌声调上,唐近体诗将永明体"四声"的变化简化为"平仄"二分式。为了保持诗歌前后的连贯性,唐近体诗规定律诗颔联与颈联必须对仗,并形成"六对"与"八对"说的词语对偶理论总结。唐代近体诗的一系列改革使中国传统诗歌格律得到了简约而精准的规定,突出了汉语言单音节字、声调变化、组词结构等特征,使汉语言的美在诗歌中充分展示出来。中国的语言在诗歌中获得了"技"的成熟。它们之间完美的结合不能用任何他者代替,对唐近体诗的欣赏只能在汉语中

---

① (清)董诰等编:《全唐文》卷六百五,上海古籍出版社 1990 年版,第 2708 页。
② (宋)严羽:《沧浪诗话》,中华书局 1985 年版,第 6—7 页。

进行。汉语与近体诗的艺术结晶乃是在语言形式的“技”的场域中得以完成。如果说在“技”的领域中，骈文、律赋都未能获得长期的优势，因为他们在唐以后的朝代中逐渐退去魅力，那么近体诗却以卓越的艺术成就，为唐代文学“技”的在场保留了无法反驳的信服力。

与近体诗类似，隋唐书法走向了规范化。隋代智永禅师提出“永字八法”，唐代更有张旭的笔法十二意，都是关于书法运笔规则的论述。唐太宗《论笔法诀》中有专门关于如何握笔的指导。唐代楷书发展一改前代倚侧之姿，求平正端严的风格，隐潇洒纵横于规范严谨中，少飘逸之势，而多稳重浑朴。中唐楷书的代表颜真卿、柳公权都重法度，以字体的正面结体，笔法粗细有度、起伏有致，章法均衡整齐为特征。柳公权在此基础上还注重笔画的圆润规整，减少颜真卿的雄浑古朴，增加雅正隽丽。因二人楷法严谨，出现了笔画的“蚕头燕尾”象形特征，及结体的“左紧右松”、“左低右高”等规则。因为规矩过于明确，唐代楷书被米芾、姜夔等人批评过于注重法理。与楷书相比，唐代草书笔法更自由随性，但中宫收紧、留白均衡、线条流畅这些法则却保留了下来。唐代草书借笔牵丝，笔法流畅，众家的表现又各不相同。张旭的用笔讲究顿挫有致，怀素却笔画均衡，以线条均匀一致，快速轻盈为风格。二人以不同的方式在规矩中张扬个性。

在其他艺术中，规则也是如此明显。隋唐代都城建筑如棋盘般排列井然有序。城池中东西各坊由经纬之势的街道清楚划分，像棋盘中的棋子一样整齐铺陈。长安城象天而设，依据星象宿理设置宫城。宫城根据居北极而尊的星象建造在城池最北方，再往南分别为皇城与外郭城。众城将皇族所居宫城拱卫于北方正中心，凸显宫城坐北朝南的北尊地位。唐代帝王陵园因山为陵，依都城格局而建，四面以朱雀、青龙、白虎、玄武四门为支点中轴对称，逐次向北递升。陵园以北为尊，主要向南辐射开，各类石雕都集中安排在南面朱雀门的神道两侧。唐代的单体建筑也具有突出的规则，殿堂建筑保持了拱大檐深、素壁丹柱的形式。以大雁塔为代表的唐代庙塔是方体锥形，结构稳定，形式简洁。唐代虽未留传下来如宋代《营造法式》那样的建筑图册，但唐人建筑已经展现了古人在建筑上的一致追求。

绘画技法在唐代也有所突破。唐代绘画建立了新的线条形式。人物画突破了铁线描规则,出现了起伏有致、充满变化、行笔洒脱的莼菜线条。它以线条自身缓急流动出生动气韵,从而产生“吴带当风”的效果。五代时期绘画中的战笔描在转折坚涩中表现线条冷峻严肃的行走风韵,其线条细劲曲折、圆润流畅,既继承了吴道子莼菜线条的顿挫转合,又继承了传统铁线描的细劲圆润。绘画中水墨画与青碧山水技法的差异在唐代已经初显,中国传统绘画不重色彩而重笔墨的技法在唐代渐成大气。山水布景在唐末五代时也形成了立式全景图的构图方式,奠定了中国山水构图的基本方式。

在战乱中丢失的雅乐于隋唐时期得到增修。隋唐依华夏正声调整音律,补充乐器与乐人。唐政府还专门设立大乐署、鼓吹署、教坊和梨园等音乐机构,以指引整个社会的音乐创造。唐代音乐迅速地繁荣起来,并得以进一步分门别类。唐人延续前人传统将音乐分为雅乐与清乐,雅乐中又分为歌颂文德的音乐与颂扬武功的音乐;在宴乐中依乐器演奏方式将音乐分为坐部伎与立部伎;又依舞蹈的刚健、柔媚风格将之分为健舞与软舞。唐代法曲结构固定,具有程序化的起承转合方式,如大曲《霓裳羽衣曲》就由序、破、彻、遍、解等部分构成。

更不用说唐工艺制作本来就受技术影响。瓷的广泛运用是随着烧制技术与上釉技术的提高而逐渐实现的。唐代瓷器的上色与茶文化相印证,它技术上所能达到的轻盈透亮的效果正好适合茶文化对瓷器的要求。金银器中大量精致产品的出现是因为唐人采用了外来文化的金银加工技巧与器型,多种技巧相综合,器型也发生重大变化。唐三彩的色彩成就几乎可以说带有技艺上的偶然因素。唐人热爱色彩,给陶器均匀上色的技巧又不成熟,索性以泼的方式给陶器上色,形成了唐三彩流动、混合性的独特韵味。唐三彩多彩的上色的率真活泼由“泼”的技法形成,“技”的运用功不可没。

唐代艺术虽不至于法度森严,却有法可循,有规可依。唐代艺术是“技”在场的艺术,唐代艺术在施展个性情怀之前,首先定好了艺术的类型规则,使唐代艺术的美有一可评价、揣摩的规范。在规则中寻求艺术个性的审美追求使唐代艺术总体来说典雅端正，以合形式为美。唐人还未进入审丑的境界，在他们的艺术视野中，满满都是各种艺术形式的优雅典丽、古朴稳重。唐代艺术满载清贵章华，有文人端正严肃之势，无文人怪癖嚣张之态；有工匠墨线曲尺之度，无工匠呆板僵化之迂。以"技"在场的唐代艺术多了些雅正，少了点飘逸；多了些严谨，少了点随性。总的来说，唐代艺术是规矩中的肆意，法则中的潇洒。

三、气象层：典雅雍容

"技"在场的艺术表现方式呈现了唐人对自己的自信和肯定。他们有充分的信心于规则法度内表现精致的美。在整体洋溢着自信的时代，唐代艺术以典雅雍容为美。虽唐代也有"郊寒岛瘦"一类的奇崛派，但总体而言，唐代艺术偏向雍容雅正，自有一股流露着高贵气息，又健康向上的明朗之风。

唐代诗歌、律赋格律上的修正当然是典雅的一种体现。平仄相对，声韵相协，句式相齐，语意相对，观之规整统一，读来朗朗上口，更容易形成雅丽秀美的文风。即使是走向灵活宽松的散文文体，也有其典雅的表现。唐代骈散文之争中，散文对骈文产生了重要的冲击，但散文最终未能取代骈文成为唐代最重要的文体。再者，散文受到推崇，也与韩愈等人娴熟的语言运用能力有关。正是因为他们能以散文句式取得同样词美韵足、句式铿锵、不逊于骈文的效果，才能在文学界得到许多人的支持与跟随。韩愈以文入诗，喜在诗文中运用生僻艰涩之字，未尝不是过于追求雅正而产生的极端。

初唐书法代表初唐四大家虽各有区别，但无不追求遒劲雅丽。初唐四大家鲜明地展示了这种风格。如欧阳询书的《皇甫诞碑》"骨气劲峭，法度严整"①；褚遂良，"书多法，或学钟公之体，而古雅绝俗；或师逸少之

① （清）王原祁等纂辑：《佩文斋书画谱》卷七十二，文物出版社2013年版，第3336页。

法，而瘦硬有余。至于章草之间，婉美花丽，皆妙品之尤者也”[①]；薛稷“结体遒丽”[②]。楷书虽在中唐时期颜真卿笔下以质朴为风格，但经过柳公权的修正后，楷书继续走向了端正秀丽之风，其“体势劲媚，自成一家”[③]，《墨池编》也认为他“其法出于颜，而加以遒劲丰润，自名一家”[④]。

在绘画中，唐代出现了雍容华丽的审美倾向。唐代将代表富贵气息的花鸟畜兽画独立出来。花鸟画的设色技巧到了唐代有了很大提高，形成了色彩妍丽、明媚鲜亮，以工巧细致见胜的富贵气息。在唐畜兽画中，马以轻肥为美。如韩干笔下的马臀肥膘厚、丰肌体圆，这种风格的马与前代喙尖而腹细的马趣味迥异。总的来说，唐代的花鸟畜兽画注重色彩与形体的饱满，而显得雍容大气。山水画中，唐代的金碧山水画，色泽绚丽，描绘细致，山水人物比例适中。隋代的展子虔，唐代的李思训、李昭道父子都是个中高手。人物画中，初唐人物画代表阎立本的绘画擅长描摹人物的细微面貌差异，并能通过不同面貌描写表现人物不同的个性脾气，对神态的捕捉更加细腻。阎立本的人物画也讲究构图，其《步辇图》左疏右密，既能保持画面张力的均衡，也能在构图上表现人物的身份关系。阎立本还擅长上色，《步辇图》上色精致，色彩对比强烈。阎立本从面貌个性、构图方式、上色运用三方面提升了唐代人物画，使唐代人物画更加精细有神。以张萱、周昉为代表的仕女图显示，唐代对贵族女性的审美倾向是曲眉丰颊、体态微肥的绮罗人物，画中用色厚实，追求富丽堂皇的画面效果。张萱、周昉的创作与唐代墓室壁画、石椁线刻画中仕女图像非常类似，都是曲眉丰颊的微肥美人，可见唐代对女性的审美品位带有浓厚的富贵性特征。

唐代佛雕以贵妇似的女性形象为主。奉先寺的卢舍那，莫高窟中的许多菩萨像面貌柔和，体态婀娜，肌体丰满，神态端庄，充满了温和静穆美，倒似丰满圆润的贵妇人。所以唐代佛像雕刻中有“菩萨似宫娃”

---

① （清）王原祁等纂辑：《佩文斋书画谱》卷二十六，文物出版社2013年版，第984页。
② （清）王原祁等纂辑：《佩文斋书画谱》卷二十六，文物出版社2013年版，第1005页。
③ （清）王原祁等纂辑：《佩文斋书画谱》卷二十九，文物出版社2013年版，第1147页。
④ （清）王原祁等纂辑：《佩文斋书画谱》卷二十九，文物出版社2013年版，第1148页。

一说。

唐时音乐机构的建立使器服、乐人培养都逐渐完善，朝廷用于祭祀的雅乐也完备起来。雄厚的音乐实力造成了唐代大曲数量众多，这种大型的乐舞套曲结构复杂、人数众多、阵式多变，是唐强劲国力的显现。因为以武兴国的原因，武乐在唐代得到了大力发展。唐代武乐多从军乐发展而来，气势雄浑、震人心魄，著名的《秦王破阵乐》就是其代表。乐舞的着装选择中，唐代舞服浓艳亮丽，以致为后人所不喜，李渔在《闲情偶寄》中评服装道："盖下体之服，宜淡不宜浓，宜纯不宜杂。予尝读旧诗，见'飘扬血色裙拖地'、'红裙妒杀石榴花'等句，颇笑前人之笨。若果如是，则亦艳妆村妇而已矣，乌足动雅人韵士之心哉？惟近制'弹墨裙'，颇饶别致，然犹未获我心，嗣当别出新裁，以正同调。思而未制，不敢轻以误人也。"①李渔说的这两句诗出自唐人万楚的《五日观妓》。万楚是进士出身，非一般乡野村夫的品位，李渔批评的艳妆审美趣味却是唐代较为普遍的欣赏倾向。在崔令钦的《教坊记》、白居易的《霓裳羽衣曲》等作品中也同样可以发现他们对唐代颜色鲜亮的华美舞服的赞美。唐代艳丽雍容之美与他们乐观健朗的精神状态相衬，水墨意境美虽已经在唐代某些领域，如书法、诗歌、绘画中渲染突出，但未能进入唐代世俗文化的审美活动中。

唐代都城建设恢宏整一。城池以北为尊，逐渐向南辐射。里坊为城池基本建设单位，大大小小的街道纵横切割。长安城的天际线北高南低，南面寺塔林立，避免了城池南面天际线的呆板，增强了城池的空间立体变化。连接里坊的街道两边遍栽乔树，使树木东西列植，南北成行，城池保有了自然原野般的清新亮丽。不仅如此，城池遍布供大家游玩欣赏的园林，包括内苑、西内苑、东内苑以及城东南的芙蓉园等皇家园林以及城池公共园林、寺观园林和私家园林。大片的园林面积使长安城不仅仅是人群聚集的生计场所，更是供人游憩赏玩的娱乐场所。园林中遍种花木果树，修建亭台楼阁、游廊绿堤，使园林常年绿荫四合、花木茂盛，各色花卉果木依次绽放结实，纷香馥郁。这些园林多非经济性用地，在提供市民踏

① (清)李渔:《闲情偶寄》，中华书局2007年版，第172页。

青观景、休憩娱乐的同时，也将长安城装饰得花团锦簇，雅致雍容。城池中还有许多河流与池沼，水光潋滟，与街道林园的绿植相映，更见妩媚。唐代首都城池规划整齐，空间错落有致，绿荫遍地，河流密布，自然风光与城市建设交相辉映，经济实力雄厚，审美品位雅正。

从容不迫的典雅雍容风格与唐代的大国气象相合。唐时的财力、人力、物力富足，他们有充分的自信与心胸表现精致富丽的艺术。唐时对法则的尊重，更加促使他们的艺术显示了一般人都能接受的形式美，对微肥的倾慕使他们的艺术形式又走向雍容富贵。

四、文人层：骨气奇高与空灵静远

以文人为代表的唐代艺术骨气奇高。唐诗常激情澎湃，表现积极入仕、建功立业的理想主张；中唐散文运动以文述理，推崇风骨兴寄，这两者都体现了唐代知识分子安社稷、救苍生的济世情怀，使唐代文人艺术声势雄健，风姿峻迈。然而现实与理想总是具有一定的差异，激情受挫，傲骨依存的唐人于积极向上的风姿峻迈中逐渐发展出独属于文人的淡化主体、空灵静远的风格，此风格也是中国独特的艺术追求。受儒家隐退、道家无为、佛家空性思想影响，唐代艺术中专属文人雅士的空灵静远的风格广泛形成，并主要表现在诗歌、绘画及书法中。这表明中国艺术基本精神出世与入世两脉已然在共时性的艺术创作中奠定了基础。

因为经济富足，国力强盛，唐人的国家自豪感空前高涨，“一百四十年，国容何赫然”（李白《古风》）①的国家肯定感潜藏于文人的血脉之中。许多唐人认为这是个可以有所作为的时代，他们渴望建功立业，希望在获得自身价值的同时也能对苍生有所作为，如“丈夫皆有志，会见立功勋”（杨炯《出塞》）②，“苟无济代心，独善亦何益”（李白《赠韦秘书子春》）③。

在入世愿望的驱从下，唐人保家卫国、开疆拓土的志向显于诗间。唐

① （清）曹寅、彭定求等编纂：《全唐诗》卷一六一，中华书局1999年版，第1680页。
② （清）曹寅、彭定求等编纂：《全唐诗》卷五〇，中华书局1999年版，第615页。
③ （清）曹寅、彭定求等编纂：《全唐诗》卷一六八，中华书局1999年版，第1736页。

代边塞诗人与边塞诗数量大量增加，其边塞诗气力充沛，不全是边塞愁苦、念家思归之音，更有披肝沥胆，报效国门的壮志豪情。在他们笔下，苦寒萧瑟的边塞风光是“大漠风尘日色昏”、“青海长云暗雪山”①这样的雄健壮阔之景，有时甚至有“忽如一夜春风来，千树万树梨花开”②的妩媚。唐人当然已经认识到战争的残酷，但是战争的残酷性未能遏制人们建功立业的信心，“宁为百夫长，胜作一书生”③、“健儿宁斗死，壮士耻为儒”④的意愿都显示了唐人为国家奔走奋斗，戍守边疆所能引发的自豪感。

唐代古文运动以文述理同样出自于济世理念。古文运动崇古复道，反对泛滥空洞的文风，要求“文以载道，文以明道”。古文运动者以恢复儒学为己任，主张风骨兴寄，充实道义。唐代散文理论突出了散文剖情述理的重要性。从初唐四大家到中唐韩愈、柳宗元等人的创作都重说理议论，针砭现实，具有很强的文学社会功用倾向。中唐时新乐府运动也是强调诗歌对现实的强烈干预作用。新乐府以诗歌抨击时弊，揭露现实，提倡诗歌美刺比兴，泄导民情的功能。文人从诗到文的创作都具有相当的济世导情的现实关注度。济世情怀使唐人没有流连在吟诵风月、卖弄辞章上，而更多地显示了文人的现实担当。

除骨气奇高的现实担当外，唐代文人还以空淡静远的风格述说了另一种风骨。唐代诗歌以意象为中心。唐人在以情运象时主体个性分明，嬉笑怒骂的人格特征跃然纸上。同时，观念不明确的唐诗又呈现出空灵静远的内敛特征。这种风格消退了敢为天下行的豪情壮志，存留了洁身秉正的孤芳自赏。敝帚自珍的心境不可全言，一腔抛洒于意象之中。不像宋诗注重义理的阐发，唐人更注重以意象表意，追求诗歌的蕴藉含蓄之美，以包含意蕴的兴象写情造意，既激发人的情感，又于象中述理。虽然唐诗讲究意蕴的丰满，但用来表现意蕴的意象本身又常简简单单。唐代诗人们擅长以最平常的文字、最寻常的事物，状如在目前之景，在至简中

---

① （清）曹寅、彭定求等编纂：《全唐诗》卷一四三，中华书局 1999 年版，第 1444 页。
② （清）曹寅、彭定求等编纂：《全唐诗》卷一九九，中华书局 1999 年版，第 2056 页。
③ （清）曹寅、彭定求等编纂：《全唐诗》卷五十，中华书局 1999 年版，第 615 页。
④ （清）曹寅、彭定求等编纂：《全唐诗》卷二二四，中华书局 1999 年版，第 2400 页。

寻求空灵平淡的艺术底蕴。唐代诗歌以描绘自然的山水诗为主,其中平淡冲和的山水诗又占据大多数。诗人们或将自然对立于世俗,流露出超尘拔俗的人格理想;或以禅入诗,谈空证性,抒发孤寂幻灭的人生感慨;或淡化主体,呈现为无所用意的表达方式,表现与天地同趣的自然兴味。

冲淡风格在艺术创作中的成熟,不仅表现在唐诗中,也表现在唐代绘画中。绘画在唐代发生两种变化:一是山水画从原来人物画的背景中独立出来,二是金碧山水画与水墨山水画的风格开始分岭。前者的变化形成了意境在绘画领域中的主要表现场所——山水绘画,后者的变化说明山水画领域正式发现了中国传统山水画简淡为美的艺术境地。金碧山水画重勾勒皴擦,用笔细腻,上色精致,擅长表现物象微妙细节。绘制金碧山水画要下足功夫,耗费大量的时间。水墨山水画用色简单质朴,只在墨色中做变化,不追求细节的全面翔实,以形定神,常以最简淡的笔画捕捉物象神韵。如吴道子与李思训同画蜀地嘉陵山水,李思训费数月之力才完成嘉陵山水的创作,而吴道子一日挥就。二人画风迥异,李思训通过复杂的勾勒细致精微地描绘出嘉陵山水的全貌,吴道子用笔简淡,却能直取神韵。两个人的创作都为唐玄宗所欣赏。

与空灵静远的艺术境界相适应的正是艺术中出现的对"简"的追求。因为以"简"酝像,对笔力的要求尤其高。在绘画中,吴道子被张彦远称为"疏体"的奠基者之一,与顾恺之的"密体"相对应。张彦远说:"顾、陆之神,不可见其盼际,所谓笔迹周密也。张、吴之妙,笔才一二,象已应焉。离披点画,时见缺落。此虽笔不同而意周也。若知画有疏密二体,方可议乎画。"①吴道子能以少数的笔画勾勒出人物的神采气韵,达到笔不周而意足,貌有缺而神全,在寥寥数笔中,恣意挥洒,以显绘画的整体气韵形貌。

唐代文人对王朝的自信激起了他们超脱凡俗的现实责任感,主张兴寄风骨,志气奇高。他们或表达建功立业的理想抱负,或持有针砭时事的艺术主张,并不满足于碌碌无为的个体化创作。另外,理想与现实总有差距。淡化主体、空灵静远的艺术风格在唐代文人艺术中渐成普及,这标志

① (唐)张彦远:《历代名画记》,人民美术出版社 1963 年版,第 25 页。

着中国传统艺术创作核心——“意境”创作思维的成熟。在雍容华贵的唐代富贵文化中,隽永高雅的品位日益成熟。专属于知识分子淡泊致远的独特审美兴趣终于在各类型的艺术创作中显示了与权贵者们所引领的荣华高贵审美倾向不同的风格。风雅与荣华的差别也在艺术作品中逐渐拉开距离,形成了中国审美文化中最具特征的一维。

五、大众层:平民思想崛起

虽不可能像现代人一样持有人人平等的观念,唐代民本思想慢慢抬头,艺术创作中也越来越重视民间力量的存在。民间文化的崛起除表现在唐代民间艺术创作者众多且作品优秀外,还表现在艺术家们以平民思想为核心进行艺术创作。

唐代民间艺术家荟萃。吴道子经常为民间画佛像,其“吴带当风”的艺术风格主要表现在佛画中,所以他可以称为唐代民间艺术家的代表。浩瀚的敦煌壁画大多为民间供养人出资绘成。墓室壁画、石椁线刻画都可见唐代民间艺术家的艺术魅力。唐代变文与传奇都是通俗文化形式,表现了民间生活的风俗异趣,及他们对生活的美好期望。尤其是传奇体现了民众喜爱奇闻逸事的猎奇心理。传奇对异人侠士的颂扬也满足了人们希望能超越现实束缚寻求更大自由的心理期望。

民间音乐在唐代逐渐兴起,并占据很大的比重。唐代武乐中的剑器舞多为民间表演形式,大型乐舞中增加了艺人的杂技表演。民间歌舞的故事性很强,人们以歌舞述事,或纪念,或讽刺,或颂扬,或羡慕,或赞叹,以歌舞综合事件明确地表达着自己的情感倾向。与大部分为观看性的宫廷音乐相比,民间乐舞的参与特征更加明显。在踏歌、打令、泼水等民间歌舞形式中,观看者也多为表演者,歌舞的娱乐色彩更浓厚。唐代的民间音乐十分丰富,歌舞指事明确、参与者众多的特征表现了音乐在大众间的传播是十分普遍的。唐代歌舞的兴盛离不开民间乐舞人的贡献,不仅民间故事、杂技、器舞等丰富了唐代乐舞,民间集会、宴饮也促进了乐舞的传播,使乐舞能在民众间得到更广泛的欣赏。

唐代楷书代表颜真卿书法质朴雄浑,与文人的精致秀美很不相同。颜真卿的笔法形式来自民间文化。他的楷书笔画因追求古朴而显得笨拙,这是身居宫廷、追求精致生活的李煜所不能欣赏的,故而有李煜批评颜真卿笔法粗俗不堪,如田间老汉一说。颜柳楷书笔法、结体规则的形成,也使楷书传播有章可循。艺术法则的严格,虽然不利于艺术创新,却能使民众依据法则的创作更多地参与到书法中来。

殡葬中唐三彩明器的大量使用,也是殉葬仪式走向平民化的表征。比起金银及活人殉葬,以泥烧制的彩陶价格便宜,且宜于获得。平民百姓、王侯贵族均可用它入葬,以慰生者。唐三彩色彩艳丽,器型多样,人物、禽兽、器具应有尽有,可满足陪葬的多样要求。且与其他物品相比,唐三彩是陶器,在地底保存时间长,可经长年累月而无自然损害,实在是明器中大众所用的最为理想物品。唐三彩的大规模出土、各类器型的丰富都说明了唐人对它的重视。唐三彩有大规模的程式化倾向,这也印证了唐三彩在唐代为民间普遍使用这一情况。在数量众多的基础上,唐三彩在塑形上精品迭出,简单而不失生动,且唐三彩大都造型准确、结构协调,代表了非常高的工艺水平。

因为雕塑不为文人所重视,唐代雕塑多有民间作品。四川乐山大佛就是由民间集资,历时九十年完成。敦煌莫高窟、龙门石窟的大量佛像都是民间捐资人出资塑成。重庆市大足县北崖佛湾、四川省夹江县千佛崖出现的大量佛像,不乏唐代作品,都来自于民间。与文人创作追求写意不同,雕塑以写实为美。特别是佛教雕塑比例精确,细节生动,体态丰腴,神情祥和静美,都展示了以写实为主的雕塑风格。

佛教艺术的兴盛也促进了民间艺术的发展。绘画中画家吴道子以擅长佛教绘画著称,唐仕女图高手周昉画的佛像被称为"水月观音体",佛像绘制本就是民间艺术的主体。唐人墓室壁画良莠不齐,也多为民间画师所作。以壁画闻名的敦煌显示了唐代民间艺术家的卓越才能。

唐文人艺术满含悲天悯人的济世情怀。杜甫的成名既是因为他在律诗上取得了不凡成就,更是因为杜甫表现了关心民间疾苦的知识分子为民请命的担当精神。以白居易、元稹为领导的乐府运动的产生继承了杜甫乐府诗因事行文的创作方法，更是继承了杜甫关心民众哀乐的诗歌传统。柳宗元的散文创作也多以民生为本，站在百姓的角度重新思考了官民之间的定位。这些人的努力使写实主义风格迅速崛起，文学从自怨自艾、自伤自叹的个人情怀领域更多地转向济世苍生的爱民情感。

民间艺术家、民间艺术品的兴盛及人们对民间疾苦的关注、文人学习民间艺术的倾向都可见唐代艺术中民本思想的抬头。

唐代艺术令人称羡，这是一个富足时代留给历史的辉煌。唐人富裕，并不是说唐代没有百姓挨饿受穷的现象，唐后期藩镇割据，战乱不休，百姓也是水深火热、民不聊生。但盛唐曾经到达的巅峰编织给世人关于这个帝国的美梦。伴随着“夕阳无限好，只是近黄昏”的感慨，这个美梦与唐人渐行渐远，曾经的荣耀与自豪却刻在唐人骨子里，成为一个民族的信心世代相传。当然唐人也有许多的悲观、绝望，但唐人的悲观、绝望只是针对时代的，是生不逢时，“时兮！命兮”的惆怅，而不是针对整个人类的悲观、厌弃。它更多的是因为时代局限性求不得的痛苦与失望。但对于人类可以达到富庶、安乐却是深信不疑的，对于人类的生存命运依然保存最美好的期盼。而这个人类美好生存方式的模板，就发生在他们的朝代，因此唐人有充分的理由保持他们的自信。品尝过最好的，就不会妥协于次等的。唐人艺术中重法，可以包融外来文化，他们有这个信心给万世立下楷模。在艺术领域，唐人并没有后人“影响的焦虑”般的痛苦。前人的成就带给他们的不是不可超越的压力，而是源源不断的创作灵感以及可以挑战的奋斗目标。不可超越的压力是他们给后人留下的礼物。唐人在各方面大展拳脚，一施抱负，迅速地占领了各个领域的高峰。后人可以在他们的领域上精益求精，另辟蹊径，却很难像唐人一样于各个领域同时爆发。这样一个艺术的时代，以艺术的形式来思考社会所有的重大问题，以艺术的丰富表达代替了理论的集中思考，唐代审美活动随之发生、转变。除了文学以外，绘画、书法、器物、雕塑都是艺术活动走在前，艺术理论产生在后。艺术理论以品鉴为主，缺少具体的形式分析。相对于艺术理论，天真烂漫的唐人更习惯于用艺术形式来表达他们的审美兴趣。

参 考 文 献

（以姓氏拼音为序）

B

保全:《唐重修内侍省碑出土记》,《考古与文物》1983 年第 4 期。

C

(清)曹寅、彭定求等编纂:《全唐诗》,中华书局 1999 年版。

陈冠明:《〈全唐文〉李峤卷考辨厘正》,《古籍整理研究学刊》1995 年第 1、2 期合刊。

(清)陈世熙编:《唐人说荟》,扫叶山房石印 1911 年版。

(宋)陈思:《书小史》,《四库全书》814 册,上海古籍出版社 1987 年版。

(宋)陈思编撰:《书苑青华校注》,崔尔平校注,上海辞书出版社 2013 年版。

(宋)陈旸:《乐书》,《四库全书》211 册,上海古籍出版社 1987 年版。

陈寅恪:《隋唐制度渊源略论稿、唐代政治史述论稿》,商务印书馆 2011 年版。

(宋)程大昌:《雍录》,中华书局 2002 年版。

(唐)崔令钦等:《教坊记(外三种)》,中华书局 2012 年版。

D

(清)笪重光:《画筌》,潘运告编:《清人论画》,湖南美术出版社 2004 年版。

(清)董诰等编:《全唐文》,上海古籍出版社 1990 年版。

(明)董其昌:《画禅室随笔》,《四库全书》867 册,上海古籍出版社 1987 年版。

(宋)董逌:《广川书跋》,中华书局 1985 年版。

(唐)杜佑:《通典》,中华书局 1988 年版。

(唐)段成式:《酉阳杂俎》,上海古籍出版社 2012 年版。

F

(宋)范成大:《范成大笔记六种》,中华书局 2002 年版。

(南朝)范晔:《后汉书》,中华书局1965年版。
(明)费瀛:《大书长语》,《续修四库全书》,上海古籍出版社2002年版。
(清)冯班:《钝吟书要》,《美术丛书》第四集,上海神州国光社1920年版。
(唐)封演:《封氏闻见记》,中华书局1985年版。
傅抱石:《中国绘画变迁史纲》,上海古籍出版社1998年版。

G

干树德:《韦皋〈大像记〉三碑的碑文》,《文献》1994年第3期。
(晋)葛洪:《西京杂记》,中华书局1985年版。
(清)戈守智:《汉溪书法通解》,上海书画出版社1986年版。
关也维:《唐代音乐史》,中央民族大学出版社2006年版。
(宋)敦茂倩编:《乐府诗集》,中华书局1979年版。
(宋)郭若虚:《图画见闻志》,俞剑华注译,江苏美术出版社2007年版。
郭绍虞:《照隅室古典文学论集》,上海古籍出版社1983年版。

H

(宋)高宗:《翰墨志》,《丛书集成初编》卷一六二八,商务印书馆1935年版。
[日]弘法大师:《文镜秘府论校注》,王利器校注,中国社会科学出版社1983年版。
(清)洪亮吉:《北江诗话》,中华书局1985年版。
(明)胡应麟:《少室山房笔丛》,上海书店出版社2009年版。
(宋)胡仔:《苕溪渔隐丛话》,人民文学出版社1981年版。
(宋)黄休复:《益州名画录》,人民美术出版社1964年版。
(清)何文焕:《历代诗话》,中华书局1981年版。

J

(唐)吉藏:《中观论疏》,《续修四库全书》1274册,上海古籍出版社2002年版。
冀东山主编:《神韵与辉煌·唐墓壁画卷》,三秦出版社2006年版。

K

(清)康有为:《广艺舟双楫》,中国书店1983年版。

L

(宋)黎靖德编:《朱子语类》,中华书局1986年版。
(宋)李昉等撰:《太平御览》,中华书局1960年版。

(宋)李昉等编:《太平广记》,中华书局 1961 年版。
(元)李好文:《长安志图》,三秦出版社 2013 年版。
(唐)李吉甫:《元和郡县图志》,中华书局 1983 年版。
(唐)李林甫等撰:《唐六典》,中华书局 1992 年版。
(清)李渔:《闲情偶寄》,中华书局 2007 年版。
李泽厚:《漫述庄禅》,《中国社会科学》1985 年第 1 期。
李泽厚:《美的历程》,中国社会科学出版社 1989 年版。
(唐)李肇、赵璘:《唐国史补 · 因话录》,上海古籍出版社 1979 年版。
(宋)李廌:《德隅斋画品》,《四库全书》812 册,上海古籍出版社 1987 年版。
梁思成:《佛像的历史》,中国青年出版社 2010 年版。
梁思成:《中国雕塑史》,生活 · 读书 · 新知三联书店 2011 年版。
梁漱溟:《东西文化及其哲学》,商务印书馆 2010 年版。
刘道凡:《我国传统雕刻狮子造型初探》,《南京艺术学院学报》1979 年第 2 期。
(清)刘熙载:《艺概》,上海古籍出版社 1978 年版。
(后晋)刘昫等:《旧唐书》,中华书局 1975 年版。
龙门文物保管所:《洛阳龙门双窑》,《考古学报》1988 年第 1 期。
鲁晓珂、李伟东等:《邢窑的科学研究》,《中国科学》2012 年第 10 期。
鲁迅:《鲁迅全集》,人民文学出版社 1981 年版。
鲁迅:《中国小说史略》,中华书局 2010 年版。
(明)陆宗仪:《书史会要》,上海书店出版社 1984 年版。
(唐)罗隐:《罗隐集》,中华书局 1983 年版。
(元)骆天骧:《类编长安志》,三秦出版社 2006 年版。

M

马得林:《“技进乎道”与“道能为一”——关于中国传统技术思想的形而上考察》,《人文杂志》2014 年第 6 期。
马得志:《唐代长安与洛阳》,《考古》1982 年第 6 期。
[美]梅维恒:《唐代变文》,杨继东、陈引驰译,中西书局 2011 年版。
(宋)米芾:《海岳名言》,《丛书集成初编》卷一六二八,商务印书馆 1935 年版。
(宋)米芾:《画史》,中华书局 1985 年版。
(宋)米芾等:《书史(及其他一种)》,中华书局 1985 年版。
(唐)孟棨等:《本事诗、本事词》,古典文学出版社 1957 年版。

O

(宋)欧阳修、宋祁:《新唐书》,中华书局 1975 年版。

(宋)欧阳修:《集古录跋尾》人民美术出版社 2010 年版。

P

潘运告主编:《宋朝画评》,湖南美术出版社 1999 年版。
(宋)彭乘等撰:《墨客挥犀、谈渊、杨公笔录、蒙齐笔谈》,中华书局 1991 年版。

Q

齐东方:《唐代的蛤形银盒》,《故宫博物院院刊》1998 年第 4 期。
齐东方、张静:《唐代金银器皿与西方文化的关系》,《考古学报》1994 年第 2 期。
齐涛:《唐代隐士略论》,《山东大学学报》1992 年第 1 期。
(清)钱泳:《履园丛话》,中华书局 1979 年版。
钱锺书:《谈艺录》,商务印书馆 2013 年版。

R

任半塘编著:《敦煌歌辞总编》,上海古籍出版社 2006 年版。
(清)阮元编:《十三经注疏》,中华书局 1980 年版。

S

陕西省考古所唐墓工作组:《西安东郊唐苏思勖墓清理简报》,《考古》1960 年第 1 期。
陕西省考古研究所、富平县文物管理委员会:《唐节愍太子墓发掘报告》,科学出版社 2004 年版。
陕西省考古研究所编著:《唐李宪墓发掘报告》,科学出版社 2005 年版。
陕西省考古研究所、陕西历史博物馆、昭陵博物馆:《唐昭陵新城长公主墓发掘简报》,《考古与文物》1997 年第 3 期。
陕西省考古研究所、昭陵博物馆:《2002 年度唐昭陵北司马门遗址发掘简报》,《考古与文物》2006 年第 6 期。
陕西省文物管理委员会:《唐乾陵勘查记》1960 年第 4 期。
陕西省文物管理委员会:《唐永泰公主墓发掘简报》1964 年第 1 期。
陕西省博物馆、文管会革委会写作小组:《西安南郊何家村发现唐代窖藏文物》,《文物》1972 年第 1 期。
上海古籍出版社编:《唐五代笔记小说大观》,上海古籍出版社 2000 年版。
沈冬:《唐代乐舞新论》,北京大学出版社 2004 年版。
(宋)沈括:《梦溪笔谈》,胡道静校证,上海古籍出版社 1985 年版。
(南朝)沈约:《宋书》,中华书局 1974 年版。

施蛰存:《唐诗百话》,上海古籍出版社 1987 年版。
(唐)司空图:《司空表圣文集》,上海世纪出版股份有限公司、上海古籍出版社 2013 年版。
(宋)宋敏求:《唐大诏令集》,商务印书馆 1959 年版。
(宋)宋敏求:《长安志》,中华书局 1991 年版。
(宋)苏轼:《苏轼文集》,中华书局 1986 年版。
(唐)苏廙:《十六汤品》,载胡山源编:《古今茶事》,上海书店 1985 年版。
(唐)孙过庭:《书谱》,吉林文史出版社 1997 年版。
(唐)孙过庭、(宋)姜夔:《书谱、续书谱》,浙江人民美术出版社 2012 年版。
孙振华《中国雕塑史》,中国美术学院出版社 2011 年版。

T

汤用彤:《隋唐佛教史稿》,武汉大学出版社 2008 年版。
唐长寿:《乐山大佛试探》,《四川文物》1992 年第 1 期。
(元)脱脱等:《宋史》,中华书局 1977 年版。

W

(宋)王溥:《唐会要》,上海古籍出版社 1991 年版。
(清)王伯敏等编:《书学集成》,河北美术出版社 2002 年版。
王重民、周一良等编:《敦煌变文集》,人民文学出版社 1957 年版。
(五代)王定保:《唐摭言》,上海社会科学院出版社 2003 年版。
(清)王夫之等:《清诗话》,中华书局 1963 年版。
(元)王恽:《玉堂嘉话》,中华书局 1985 年版。
(唐、五代)王仁裕等:《开元天宝遗事(外七种)》,上海古籍出版社 2012 年版。
(明)王世贞:《弇州四部稿》,《四库全书》1281 册,上海古籍出版社 1987 年版。
(明)王世贞:《弇州续稿》,《四库全书》1284 册,上海古籍出版社 1987 年版。
(明)王世贞:《艺苑卮言》,凤凰出版社 2009 年版。
(清)王士禛:《带经堂诗话》,人民文学出版社 1963 年版。
王树声:《隋唐长安城规划手法探析》,《城市规划》2009 年第 6 期。
王小盾:《隋唐音乐及其周边》,上海音乐学院出版社 2012 年版。
(清)王先谦:《庄子集解》,《诸子集成》,中华书局 1954 年版。
王永平:《唐代剑器舞考》,《青海师范大学学报》1990 年第 3 期。
(清)王原祁等纂辑:《佩文斋书画谱》,文物出版社 2013 年版。
王云五主编:《乐府杂录及其它二种》,商务印书馆 1936 年版。
王钟荦:《隋唐五代史》,上海人民出版社 1998 年版。

(宋)王灼等:《碧鸡漫志(及其他三种)》,中华书局1991年版。
吴宗国:《唐代科举制度研究》,辽宁大学出版社1992年版。
(唐)韦述:《两京新记》,《续修四库全书》,上海古籍出版社2002年版。
(唐)魏徵等:《隋书》,中华书局1973年版。
(宋)魏庆之编:《诗人玉屑》,上海古籍出版社1978年版。
闻一多:《闻一多选集》,四川文艺出版社1987年版。
闻一多:《唐诗杂论》,中华书局2009年版。
(清)翁方纲:《苏斋唐碑选》,中华书局1985年版。

X

(梁)萧统:《陶渊明文集序》,载袁行霈:《陶渊明集笺注》附录一,中华书局2011年版。
(梁)萧子显:《南齐书》,中华书局1972年版。
(明)谢榛:《四溟诗话》,中华书局1985年版。
徐松、李健超:《增订唐两京城坊考卷一》,三秦出版社2006年版。
(明)许学夷:《诗源辩体》,人民文学出版社1987年版。
(宋)薛居正等撰:《旧五代史》,中华书局1976年版。
(唐)薛用弱撰:《集异记》,中华书局1980年版。

Y

阎磊:《西安出土的唐代金银器》,《文物》1959年第8期。
(宋)严羽:《沧浪诗话》,中华书局1985年版。
杨荫浏:《中国古代音乐史稿》,人民音乐出版社1981年版。
姚士麟:《〈两同书〉跋》,载《罗隐集》,雍文华辑校,中华书局1983年版。
叶宏明、杨辉等:《中国瓷器起源的研究》,《陶瓷学报》2008年第2期。
(唐)殷璠:《河岳英灵集》,《四部丛刊初编》,上海书店1989年版。
于赓哲:《唐人疾病观与长安城的嬗变》,《南开学报》2010年第5期。
俞剑华编著:《中国画论类编》,人民美术出版社1957年版。
余熙:《一位思辨神灵的历史沉积相——从〈维摩诘经变〉看敦煌艺术的民族性》,《江汉大学学报》1986年第1期。
(唐)元稹:《元氏长庆集》,《四部丛刊初编》,上海书店1989年版。
(宋)佚名:《宣和画谱》,俞剑华注译,江苏美术出版社2007年版。
(宋)佚名:《宣和书谱》,人民美术出版社2011年版。

Z

(宋)赞宁撰:《宋高僧传》,中华书局1987年版。

(唐)张怀瓘:《书断》,浙江人民美术出版社2010年版。
张节末:《从陶潜的“化”到王维的“空”》,《浙江学刊》1999年第2期。
(宋)张戒:《岁寒堂诗话》,中华书局1985年版。
(唐)张文成撰:《游仙窟校注》,李时人、詹绪左校注,中华书局2010年版。
(唐)张彦远:《历代名画记》,人民美术出版社1963年版。
(唐)张彦远编:《法书要录》,上海书画出版社1986年版。
张永禄:《唐都长安》,三秦出版社2010年版。
(唐)长孙无忌等:《唐律疏议》,中华书局1983年版。
昭陵文物管理所:《唐尉迟敬德墓发掘简报》,《文物》1978年第5期。
(宋)赵德麟:《侯鲭录》,中华书局1985年版。
(明)赵崡:《石墨镌华》,中华书局1985年版。
(清)赵翼:《瓯北诗话》,人民文学出版社1963年版。
(唐)郑綮:《开天传信记》,中华书局1985年版。
郑振铎:《中国俗文学史》,上海人民出版社2006年版。
中国科学院考古研究所西安唐城发掘队:《唐长安西市遗址发掘》,《考古》1961年第5期。
中国科学院考古研究所西安唐城工作队:《唐代长安城考古纪略》,《考古》1963年第11期。
周立、高虎编:《中国洛阳出土唐三彩全集》,大象出版社2007年版。
(宋)朱长文:《墨池编》,《四库全书》812册,上海古籍出版社1987年版。
(宋)朱长文:《续书断》,江苏美术出版社2009年版。
朱光潜:《诗论》,安徽教育出版社1997年版。
朱关田:《中国书法史·隋唐五代》,江苏教育出版社2009年版。
(唐)朱景玄撰:《唐朝名画录》,四川美术出版社1985年版。
朱丽霞:《从韩愈古文运动的失败看唐代骈文的文体地位》,《学术月刊》2007年7月。
(清)朱彝尊:《静志居诗话》,人民文学出版社1998年版。
宗白华:《美学散步》,上海人民出版社2005年版。
(清)邹一桂:《小山画谱》,中华书局1985年版。
(宋)左圭:《百川学海》,中国书店1990年版。

索　引

P

Q

R

S

T

W

X

Y

Z

后　记

从2012年至今，本书共耗时四年多。因为要一边教学一边工作，还要应对生活中的诸多琐事，本书的写作耗尽心血。虽然觉得还可以在资料上例证更充实一些，有些领域可以论述得再细致深入一些，但此时已是有心无力，只能抛砖引玉，给后来人留一参考。

审美意识断代史最难之处在于资料的收集。因为这个方向属跨学科研究，需要浏览各个领域的相关资料与成果。近年来偏于一隅，不能顺利得到北京、上海的图书馆资源，为了资料的获得殚精竭虑。幸得古代文学方向邢蕊杰博士的指点，在电子文献方面有所拓展，解了我燃眉之急。

唐代是个充满自信、开化宽松、兼容并蓄的时代。做唐代研究，常折服于其气吞天下，乐于宽容的气势。盛唐时经济繁盛、疆域开阔、文化远播，这些都值得时人钦羡，其中它对多样文化的接受融合最让我敬佩。与其他时期相比，唐代对外来文化、外来人口都是十分宽容的，但这种宽容并不会引起唐人民族性消亡的危机感。反观我们现在，已经远不如他们自信。我能有机缘做这样一个时代的研究，虽觉得忐忑，怕自己做不好，更多的却是荣幸，为我们的国家曾经有过这样一个朝代而感到骄傲满足。

写作过程中，也常得老师的督促，及在董惠芳、宋巍、王怀义、李修建、杨明刚、朱忠元等学友的相互交流切磋下才能顺利完成。感谢大家的关心与帮助。

青春已逝，蓦然感觉人生还有许多事未做。有些目标可能以后能够实现，有些很有可能今生都不能达成所愿了。幸得这本书的形成，让我知道这四年光阴未尝虚度,也算是对自己有所交代。不知道这本书出版后会得到什么样的评价,但现时的我能肯定它使这个领域的研究往前进了一步。这样一想,又觉得确实不负这四年。

朱 媛

丙申年五月于绍兴

策划编辑:方国根
责任编辑:郭彦辰
封面设计:石笑梦
版式设计:顾杰珍

图书在版编目(CIP)数据

中国审美意识通史. 隋唐五代卷/朱志荣 主编;朱媛 著. —北京:
人民出版社,2017.8
ISBN 978-7-01-017808-0

Ⅰ.①中… Ⅱ.①朱…②朱… Ⅲ.①审美意识-美学史-中国-隋唐五代
②审美意识-美学史-中国-五代(907-960) Ⅳ.①B83-092

中国版本图书馆 CIP 数据核字(2017)第 141376 号

中国审美意识通史
ZHONGGUO SHENMEI YISHI TONGSHI
(隋唐五代卷)

朱志荣 主编 朱媛 著

人民出版社 出版发行
(100706 北京市东城区隆福寺街 99 号)

北京中科印刷有限公司印刷 新华书店经销

2017 年 8 月第 1 版 2017 年 8 月北京第 1 次印刷
开本:710 毫米×1000 毫米 1/16 印张:24
字数:356 千字

ISBN 978-7-01-017808-0 定价:98.00 元

邮购地址 100706 北京市东城区隆福寺街 99 号
人民东方图书销售中心 电话 (010)65250042 65289539